D0708034

MANUEL DU SPORTIF BLESSÉ

Lars PETERSON
Per RENSTRÖM

MANUEL DU SPORTIF BLESSÉ

PRÉVENTION, RÉÉDUCATION FONCTIONNELLE ET RÉHABILITATION

Traduit du Suédois
par le Docteur Marcel ROBIN
(en collaboration avec Birgitta Robin)
et le Docteur Alain DUREY

Editions VIGOT
23, rue de l'école de Médecine, 75006 Paris - France

Editions DECARIE
233, avenue Dunbar, Ville Mon Royal, Quebec H3P2H4 - Canada

d'après le titre original
«Skador inom idrotten»
de L. Peterson et P. Renström

Dépôt légal — Septembre 1986

Imprimé en Italie

Editions Vigot, I.S.B.N.-2-7114-0963-5
Editions Decarie, I.S.B.N.-2-89137-034-1

SOMMAIRE

PRÉFACE

La Fédération Française de Football, sa Commission Centrale Médicale et son président sont particulièrement honorés de présenter la traduction de l'ouvrage des Docents Lars Peterson et Per Renström:

MANUEL DU SPORTIF BLESSÉ
Prévention, rééducation fonctionnelle et réhabilitation

La qualité des auteurs, l'audience mondialement reconnue des travaux effectués par les spécialistes suédois de médecine du sport font de ce livre une référence tout à fait exemplaire. Les bases scientifiques, anatomiques et les entités traumatologiques — accompagnées d'une iconographie remarquable — vont permettre aux médecins, kinésithérapeutes et entraîneurs de langue française d'en mieux saisir les déductions thérapeutiques, les gestes à éviter et les conditions nécessaires, indispensables à une prévention de qualité.

Les traducteurs de cette édition en langue française sont bien connus du monde médico-sportif et en particulier de celui du football: le docteur Marcel Robin est un véritable spécialiste des connaissances et des traductions des travaux scandinaves et depuis longtemps, un guide précieux dans le domaine de la documentation sportive. Le docteur Alain Durey, dont on peut avancer qu'il est le «Médecin du Football par excellence», conjugue l'expérience du terrain avec une approche toujours plus précise des aspects cliniques thérapeutiques et préventifs du football.

Nos deux amis nous apportent, grâce à ce livre, tout ce qu'un praticien du sport souhaite dans le domaine de la séméiologie des blessures, leur traitement et les conseils de prévention pour les éviter.

La prévention va constituer dans la formation du jeune sportif et dans les différentes composantes de l'entraînement, un élément prépondérant à la mesure des progrès réalisés en physiologie, en technique et en tactique. La mise en condition physique optimale, son maintien et la réussite en compétition doivent obéir à plusieurs impératifs. Réunis en une liste de routine, ils associent des techniques et des gestes simples à des règles d'hygiène générale et d'environnement ou de matériel à la portée de tout footballeur.

Les résultats rapportés par nos amis suédois sur des équipes allant de la sélection nationale aux clubs les plus modestes, incitent à les adopter pour contribuer aux progrès et au dynamisme de notre football et du sport français en général.

Notre satisfaction et notre reconnaissance seront celles de tous les lecteurs de ce volume qui symbolise en outre l'amitié des médecins et des praticiens suédois et français.

Les deux auteurs de cet ouvrage si remarquablement illustré de nombreux dessins et de nombreuses photographies en couleur, sont l'un et l'autre spécialistes de Traumatologie à la clinique d'orthopédie chirurgicale de l'hôpital Sahlgrenska de Göteborg.

Les Docteurs Lars Peterson et Per Renström, qui ont eux-mêmes pratiqué le football, participent activement aux organisations nationales et internationales de médecine du sport.

En bénéficiant désormais de leur vaste expérience, nous espérons pouvoir mieux répondre à la demande toujours croissante des médecins, kinésithérapeutes, entraîneurs et éducateurs (enseignants ou techniciens des clubs) concernant leur information sur la traumatologie du sport et les meilleurs moyens thérapeutiques et surtout préventifs qui s'y rattachent.

Docteur André BOEDA
Médecin Fédéral National de la Fédération Française de Football
Président de l'Union Nationale des Médecins Fédéraux

«Blessures et lésions du sportif» est un livre très connu en Suède. Depuis près de 10 ans, des médecins, des thérapeutes, des soigneurs et des masseurs l'utilisent dans leur travail quotidien. Mais ce sont avant tout les sportifs eux-mêmes et leurs entraîneurs qui le consultent avec le plus d'assiduité. Toute personne pratiquant un peu de sport y trouvera des conseils utiles et l'utilisera comme un ouvrage de référence.

Le secret derrière le succès de ce livre est sans aucun doute basé sur le fait qu'il ait été écrit par deux médecins très éminents ayant une connaissance profonde des derniers résultats scientifiques mais aussi parce que, grâce à leurs contacts étroits avec les associations sportives, ils ont su comprendre les problèmes quotidiens des sportifs.

En Suède, le livre est devenu un classique et son étude est une partie importante des activités des associations sportives.

Bertil

Prince de Suède
Président de la Confédération Suédoise des Sports

NOTE DES TRADUCTEURS

Porter à la connaissance de lecteurs de langue française un ouvrage d'auteurs étrangers, telle est l'ambition de tout traducteur. Nous nous y sommes efforcés, mais il nous a semblé aussi que nous devions conserver à cet ouvrage suédois toute son originalité. Celle-ci provient de la nationalité de ceux qui l'ont conçu, du public de non-spécialistes auquel ils l'ont destiné et des définitions et des travaux auxquels ils se sont référés. Certains lecteurs ne manqueront pas de s'étonner de ne pas retrouver parfois les termes techniques spécialisés qui leur sont familiers dans notre univers médico-sportif français. La très large audience déjà rencontrée dans les principaux pays du monde sportif par les traductions de cet ouvrage dans leurs langues respectives nous autorise à conserver les classifications et le vocabulaire des auteurs.

Nous voulons remercier tous ceux qui nous ont incité à entreprendre ce travail et aidé à le réaliser: Le Prince Bertil de Suède, Les Docteurs Lars Larsson et Tore Mellstrand, M. Ebbe Carlsson et M. Hans-Erik Arleskär des Editions Tiden, M. Elof Rörvall de Korpen.

Les dirigeants de la Fédération Française de Football et en particulier, le docteur André Boeda, M. Michel Hidalgo, nos confrères de la commission centrale médicale et les entraîneurs de la direction technique.

Yves Malier ingénieur, qui nous a fait bénéficier de ses connaissances en biomécanique.

Nos maîtres, nos confrères et tous les sportifs auxquels nous devons notre expérience dans les domaines de la médecine du sport.

Docteur Marcel ROBIN
Médecin conseiller de la Commission Centrale Médicale de la Fédération Française de Football. Membre de la Commission Médicale Nationale de la Fédération Française de Basket-ball.

Docteur Alain DUREY
Responsable du Service de Traumatologie du Sport de l'hôpital Foch de Suresnes. Secrétaire Général de la Commission Centrale Médicale de la Fédération Française de Football.

SPORT ET BLESSURES

On prétend qu'Hippocrate, le père de l'art de guérir qui vécut en Grèce 400 ans avant Jésus-Christ avait dit: «Si on pouvait donner à chaque individu une quantité suffisante de nourriture et d'exercice, ni trop peu et ni trop, on lui fournirait le moyen le plus sûr pour atteindre la santé.»

Malgré la sentence d'Hippocrate, ce n'est pas avant notre époque que le sport a été accepté comme une part naturelle des mesures en faveur de la santé chez les gens bien portants. C'est à l'aide de ces mesures que le mouvement sportif de nos jours se propose de stimuler chaque individu à adopter un style de vie qui favorise la santé et le bien-être. Ces mesures reposent sur une activité physique régulière et des habitudes alimentaires correctes.

Le sport représente par lui-même et par ses multiples facettes une mesure en faveur de la santé.

Peu de gens mettent en doute les effets positifs du sport sur la santé et le bien-être, même si les preuves scientifiques n'apportent pas une certitude à 100 %. Les effets physiques du sport permettent d'influencer favorablement la solidité des organes de soutien, la force musculaire, la capacité de se mouvoir et l'équilibre. L'endurance est améliorée et l'obésité est combattue. Les effets psycho-sociaux du sport permettent d'accroître la récréation et les contacts humains. Les effets médicaux du sport permettent de disposer de meilleures ressources en cas d'accidents et d'une meilleure résistance aux maladies. Ces effets positifs doivent être considérés sous l'angle de l'économie nationale. Puisque ce livre traite des blessures qui représentent un des aspects négatifs du sport, il est important d'être persuadé que le sport donne beaucoup plus qu'il ne coûte.

Les gens ne désirent pas seulement faire face aux exigences de leur métier mais ils désirent également pouvoir s'adonner à des activités physiques pendant leurs loisirs.

Ainsi l'intérêt pour le sport a augmenté, mais en même temps le sport d'élite s'est modifié en imposant de plus en plus d'exigences à ceux qui le pratiquent. Ces exigences accrues et l'attente de bons résultats ont entraîné une augmentation de l'intensité dans la pratique de beaucoup de spécialités sportives. Cependant la fréquence des blessures accidentelles n'a pas augmenté de façon marquante, ce qui reviendrait à signifier que ces blessures ont été prévenues par l'entraînement et l'amélioration de l'équipement. La fréquence des blessures par surcharge a cependant augmenté du fait qu'un très grand nombre de gens s'est mis à pratiquer le jogging et du fait que beaucoup de ces joggeurs se sont mis à effectuer des prestations comme le marathon, ce qui précédemment était considéré comme inopportun pour un coureur qui court pour simplement s'entretenir. L'augmentation du nombre de blessures sportives doit être combattu par une plus grande application *des mesures préventives* et une plus grande diffusion de l'information sur ces mesures. *Il est évident que le traitement des blessures sportives ne doit pas être assimilé au traitement des sujets atteints d'autres maladies graves*. Mais si on considère l'étendue de la pratique sportive et le grand nombre de sportifs, qui souvent sont jeunes et actifs, le traitement des blessures dues au sport n'est pas encore assez développé. Des moyens plus importants doivent être mis à disposition pour que le traitement des blessures sportives puisse être mieux organisé en raison de tout ce que le sport apporte de positif à la Société.

L'activité physique est bénéfique pour l'ensemble des tissus de l'organisme. Elle donne bien-être et santé sous réserve d'être correctement pratiquée.

FACTEURS INTERVENANTS DANS LES BLESSURES

Quelle que soit la forme de sport pratiquée, on doit tenir compte de plusieurs facteurs qui, chacun et à des degrés divers, influencent l'organisme humain.

Le sportif lui-même

— *L'âge* influence la solidité des tissus et la force. La force musculaire commence à décliner dès les âges de 30 à 40 ans, l'élasticité des tendons et des ligaments articulaires et leur solidité déclinent déjà à partir de l'âge de 30 ans et la solidité du squelette décroît avec l'avancement de l'âge, particulièrement à partir de 50 ans.

Les muscles, les tendons, les ligaments articulaires et le squelette ont en commun que l'inactivité accélère leur déclin naturel tandis que l'activité le ralentit. La capacité physique de prestation est la plus grande aux âges de 20 à 40 ans, tandis que la capacité intellectuelle est la plus grande aux âges de 30 à 60 ans.

— *Les caractéristiques de la personnalité* comme le tempérament, la nervosité, la maturité, etc. influencent par exemple la prédisposition à prendre des risques.

— *L'expérience* a une importance. Les débutants se blessent plus souvent que les sportifs expérimentés.

— *Le niveau d'entraînement* a une importance puisque les blessures surviennent souvent au début de la saison et vers la fin des matchs de compétition et sont dues à une mauvaise condition physique foncière. Le surentraînement peut occasionner des blessures par surcharge.

— *La technique* est d'une grande importance pour celui qui pratique par exemple le saut en hauteur, le lancer du javelot et le tennis. Une mauvaise technique donne souvent des blessures par surcharge, et également des blessures accidentelles peuvent survenir, par exemple, lors du ski de descente.

— *L'échauffement insuffisant* est une cause habituelle qui contribue à la survenue de blessures, par exemple les claquages musculaires.

— *Un programme d'entraînement et de compétition intensif*, qui ne permettrait pas une récupération après un engagement maximal augmente le risque de blessures.

— *L'altération de la santé*, par exemple par suite d'une infection augmente de façon marquante le risque de certaines complications comme les lésions inflammatoires du muscle cardiaque et les lésions par surcharge.

— *Une prise de liquides et une alimentation complète et variée* sont des conditions nécessaires à la pratique sportive.

— *Une hygiène générale*, en particulier en ce qui concerne le repos et le sommeil, l'abstention d'alcool, etc., diminue le risque de blessures.

Equipement sportif et milieu

— *L'équipement* peut être déficient.
— *La protection* peut être insuffisante et ne pas remplir son office. Parfois le sportif néglige d'employer sa protection.
— *Les installations sportives* ne sont pas toujours adaptées à la spécialité sportive à laquelle elles sont destinées.
— *L'éclairage* des terrains de sport influence l'estimation des distances, l'évaluation des couleurs, la capacité de comparaison, etc.
— *Les mauvaises conditions atmosphériques* augmentent le risque de blessures.

Nature du sport et ses caractéristiques

Les différents types d'activité sportive imposent des exigences variables aux sportifs qui les pratiquent. Le besoin d'une élite sportive est souvent mis en question. Dans cette discussion, on ne doit pas oublier que certaines personnes ont un besoin prononcé de pratiquer un sport de compétition et y éprouvent une grande satisfaction. Les sportifs d'élite apparaissent souvent comme des modèles et incitent beaucoup de monde — surtout parmi les jeunes — à fréquenter les installations sportives, les pistes de ski et les sentiers de course à pied. Le sport d'élite soulève souvent un intérêt général et constitue une trame importante de la vie quotidienne de beaucoup de gens.

Une plus grande unanimité existe, dans les débats sur les problèmes de Société, sur la nécessité et la valeur du sport de masse, qui constitue une partie naturelle des mesures en faveur de la santé chez les sujets sains.

Les diverses spécialités sportives ont des caractéristiques et des exigences variables, et certaines peuvent être à l'origine de lésions de surcharge et de blessures accidentelles.

Sport de masse. Photographie: Kaii Gustafsson/Pressens bild.

A droite: Sport de masse. Photographie: Per Renström. Ci-dessous: Sport d'élite. Photographie: Pressens bild.

LA MÉDECINE DU SPORT

La Médecine du Sport englobe les domaines suivants: préparation et entraînement, prévention des blessures et des maladies, diagnostic et traitement des blessures et des maladies, rééducation fonctionnelle et retour à l'activité sportive.

Préparation et entraînement

La préparation et l'entraînement comportent la méthodologie de l'entraînement, la technique, la couverture des besoins en boissons et en aliments, la lutte contre les effets néfastes du dopage et de l'alcool et la préparation psychologique avant une compétition.

Méthodologie de l'entraînement

L'entraînement constitue la base de toute activité sportive. Les physiologistes suédois ont acquis une réputation mondiale par leurs travaux qui ont surtout porté sur la façon dont l'entraînement de la condition physique doit être pratiqué. Puis on s'est rendu compte qu'également beaucoup d'autres qualités devaient être entraînées pour que la pratique sportive puisse devenir efficace.

Un exemple des modèles d'entraînement qui se sont développés au cours des dernières années est l'entraînement de la force isocinétique, qui consiste à entraîner la musculature par des mouvements contre une résistance adaptée. Cette méthode apporte une nette amélioration de l'effet de l'entraînement en même temps qu'une plus grande sécurité. Une autre méthode d'entraînement moderne est le Stretching qui est un type d'entraînement de la mobilité articulaire. Cette méthode a fait la preuve de son efficacité pour prévenir par exemple les lésions musculaires, tendineuses et articulaires.

Technique

La technique ne cesse de s'améliorer dans la plupart des spécialités sportives. Puisque les exigences de ces sports augmentent, beaucoup de moments de travail dans ces spécialités doivent être répétés perpétuellement. Si la technique est mauvaise, la répétition des mouvements crée des lésions par surcharge et pour cette raison n'atteint pas le résultat escompté.

Boisson et alimentation

Les expertises des physiologistes ont mis en évidence l'importance pour les sportifs de bénéficier d'une alimentation complète et variée avant et après l'entraînement et la compétition, ainsi que de remplacer les pertes de liquides au cours et après l'activité sportive. Il s'agit d'une pratique qui devrait être évidente pour tous les sportifs, mais ce n'est pas le cas.

Dopage, alcool

Le dopage est une véritable tricherie qui entraîne dans de nombreux cas une forte augmentation des risques de blessures. Une nette prise de position doit être adoptée vis-à-vis de toutes les formes de dopage.

L'alcool a des effets négatifs sur la capacité de prestation jusqu'à 48 heures après la consommation de boissons alcoolisées, ce qui entraîne une augmentation des risques de blessures en même temps qu'est diminué l'effet de l'entraînement. Le sport et l'alcool ne vont pas de pair.

Le tabac également a des effets négatifs sur la capacité de prestation, sans parler de tous ses autres effets néfastes.

Préparation psychologique

La capacité de prestation dépend à bien des égards de la préparation psychologique. Un sportif qui se trouve en bon équilibre psychique et qui vit dans un milieu harmonieux fournira en règle générale des performances satisfaisantes sur le terrain de sport, mais ce facteur est difficile à évaluer de façon scientifique.

Prévention des blessures et des maladies

La prévention des blessures et des maladies englobe l'équipement, la protection, les engins, les règlements, les installations, les examens de santé.

Equipement

Dans de nombreuses spécialités sportives, les souliers représentent le plus important de tous les détails d'équipement. Les souliers doivent être adaptés aux exigences que les spécialités sportives respectives imposent aux pieds. On trouve de nos jours dans le commerce plusieurs types de souliers pour pratiquement la totalité des différents types d'activités sportives. Dans d'autres spécialités sportives, ce sont d'autres détails d'équipement qui revêtent une grande importance, par exemple en ski de descente, où les fixations et les skis ont été considérablement améliorés au cours des dernières années.

Protection Une protection individuelle a été développée pour le hockey sur glace, le ski de descente, l'équitation, etc. Dans ces domaines les expertises des médecins du sport ont apporté des contributions décisives pour la définition des normes, l'amélioration de l'équipement et pour que soit respecté l'emploi réel des protections.

Engins et règlements Les engins peuvent occasionner des blessures, spécialement lorsque les règlements qui précisent comment ils doivent être utilisés ne sont pas suivis. Si engins et règlements sont susceptibles d'augmenter le risque de blessures, ceux-ci doivent être changés.

Installations sportives Lors de la construction des installations sportives, on ne sollicite pas auparavant l'avis de médecins à titre d'experts et on ne tient compte que de la technologie et de considérations économiques. Avant la construction de salles de sport, la nature du plancher doit être prévue en fonction de la gamme d'emploi de cette salle de sport c'est-à-dire des exigences que les spécialités sportives et les sportifs imposent en matière de plancher.

Examens de santé On ne peut pas toujours par des examens de santé éliminer complètement les lésions du cœur et des vaisseaux, mais on peut réduire les facteurs de risque tels que les infections et les points faibles dus par exemple aux blessures anciennes. C'est pourquoi les examens de santé doivent être limités à certains moments choisis, toujours selon la spécialité sportive à laquelle le sujet examiné s'adonne.

Diagnostic et traitement des blessures et des maladies

En règle générale, les blessures aiguës sont très bien prises en main par les hôpitaux où il existe une bonne coopération entre l'équipe médicale et le reste du personnel hospitalier. Un des plus grands problèmes avec le sport est représenté par les lésions subaiguës et chroniques par exemple les lésions méniscales, ainsi que par les lésions par surcharge comme les lésions inflammatoires du périoste, des tendons et des capsules articulaires. Ces lésions fréquentes sont souvent difficiles à diagnostiquer et à traiter, et elles sont parfois déroutantes pour le corps médical.

Rééducation fonctionnelle et reprise de l'activité sportive

Les blessures guérissent à des vitesses différentes dépendant du degré de gravité du traumatisme et du tissu atteint. Afin que la rééducation fonctionnelle soit bonne ceux qui traitent la blessure doivent avoir une bonne connaissance de l'évolution de la guérison des différents tissus pour pouvoir juger de la solidité des tissus blessés. Des connaissances particulières sur les exigences des diverses spécialités sportives sont également nécessaires de la part du médecin qui traite la blessure pour pouvoir juger de la nécessité d'utiliser telle ou telle technique de rééducation et de la possibilité de reprise de la spécialité sportive.

Lésions dues au sport : généralités et traitement

BLESSURES

Fractures

Les fractures sont des lésions du squelette qui sont relativement fréquentes lors de la pratique du sport, principalement celle des sports de contact comme le football, le handball et le hockey sur glace. Mais elles surviennent également lors de la pratique d'autres spécialités sportives comme le ski de fond et le ski de descente, la gymnastique et l'équitation.

Une rupture d'un os du squelette doit être considérée comme une lésion grave puisqu'elle n'atteint pas seulement l'os mais aussi les tissus mous qui entourent la lésion, c'est-à-dire les tendons, les ligaments, les muscles, les nerfs, les vaisseaux et la peau. La rupture d'un os du squelette peut se produire par traumatisme direct, par exemple par suite d'un coup

Une situation de jeu qui laisse présager des possibilités de blessures. Photographie : Bernt Claeson/Pressens bild.

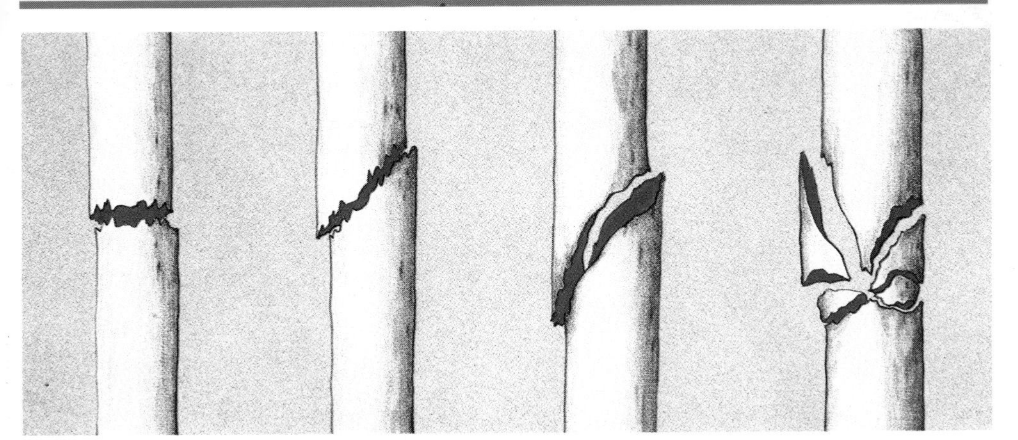

Différents types de fracture des os du squelette. De gauche à droite: fracture transversale, fracture oblique, fracture en spirale, fracture comminutive.

ou d'un coup de pied contre un os ou bien par traumatisme indirect, par exemple si on s'accroche le pied et on tombe si malencontreusement que l'os se rompt.

Types de lésions

Si les extrémités de la fracture lors d'une lésion du squelette percent la peau, on parle de «fracture ouverte» ou de «fracture compliquée». Lorsque la peau n'est pas blessée on parle de «fracture fermée» ou de «fracture non compliquée». Dans le cas d'une fracture osseuse ouverte, le risque d'infection de l'os est grand et nécessite un traitement spécial. Si la fracture atteint le voisinage de la surface articulaire, il s'agit d'une fracture articulaire. Une fracture avec arrachement implique qu'une insertion sur l'os d'un muscle ou d'un ligament soit arrachée.

Lors d'une fracture, les parties rompues de l'os sont souvent l'objet d'un déplacement, sous forme de déplacement latéral, d'angulation, de raccourcissement et de malposition par rotation. On s'efforce lors du traitement de redonner exactement à l'os blessé sa position correcte. Il existe plusieurs types de fractures des os du squelette, par exemple les fractures transversales, obliques, en spirale et comminutives (voir le graphique ci-dessus).

(Voir page 393 et suivantes pour les fractures survenant chez l'enfant et chez les sujets en cours de croissance.)

Localisation

La localisation d'une fracture dépend souvent de la nature de la spécialité sportive qui était pratiquée lors de l'accident qui a occasionné la fracture. Parmi les joueurs de football, les ruptures de la jambe dominent; parmi les gymnastes, ce sont les fractures de l'avant-bras, parmi les joueurs de handball, les fractures des doigts et parmi les cavaliers, les fractures de la clavicule, etc.

Blessures des tissus mous

Les tissus mous qui entourent une fracture sont souvent blessés du fait du traumatisme, entre autres, en étant déchiré par des fragments osseux pointus (voir graphique 20). De telles lésions des tissus mous occasionnent une augmentation du saignement, peuvent retarder la guérison et peuvent en soi poser un plus grand problème que la lésion du squelette elle-même.

Il est rare que des gros vaisseaux et des nerfs soient blessés du fait d'une fracture, mais le risque de ces blessures existe, entre autres, lors d'une fracture du bras immédiatement au-dessus du coude ainsi que lors d'une fracture du poignet.

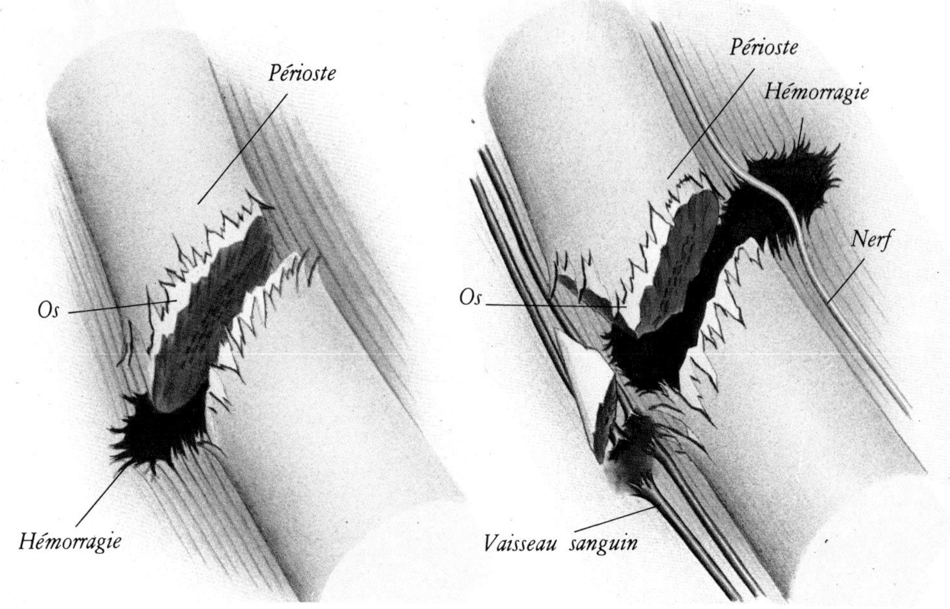

Fracture avec hémorragie et rupture du périoste.

Fracture avec hémorragie, rupture du périoste, atteinte d'un nerf et d'un vaisseau sanguin.

Symptômes et diagnostic

— Tuméfaction et installation progressive d'une coloration bleuâtre (ecchymose) de la peau dans la zone de la fracture. Cette coloration provient de la déchirure des tissus mous et des petits vaisseaux à proximité de la fracture causée par la fracture.
— Sensibilité douloureuse et douleur lors des mouvements ou d'une mise en charge.
— Déplacement et mobilité anormale de l'os rompu surviennent souvent.

Certaines fractures peuvent n'avoir presqu'aucun symptôme. Cette asymptomatologie est parfois le cas des fractures du col du fémur et du bras où les extrémités de la fracture sont engrainées les uns dans les autres et donnent une stabilité à la fracture.

Traitement

Le sportif et le dirigeant peuvent :
— recouvrir la lésion ouverte avec un pansement propre ;
— placer le membre blessé en surélévation ;
— placer le membre dans une gouttière. Si on ne dispose pas d'un appareillage de cette sorte, on peut par exemple attacher un bras fracturé avec le corps ou solidariser un membre inférieur blessé avec l'autre. Lorsqu'un long transport s'avère nécessaire, on peut être amené à poser des attelles le long de la région du corps blessée. Les attelles doivent s'étendre aux articulations sus et sous-jacentes de la fracture ;
— prévoir le transport à l'hôpital, où une exploration radiologique sera en règle pratiquée.

Le médecin doit le cas échéant aussi rapidement que possible corriger tout déplacement pour limiter le saignement, diminuer la douleur et améliorer la circulation sanguine.
— En cas de fracture sans déplacement poser seulement un bandage plâtré (fixation externe).
— En cas de fracture avec malposition remettre en place les extrémités

de la fracture soit de façon fermée sans intervention chirurgicale, auquel cas la fracture sera plâtrée, ou de façon ouverte avec intervention chirurgicale. Dans ce dernier cas, les extrémités de la fracture peuvent être fixées par un cerclage au fil métallique, par la pose d'une plaque vissée, d'une broche ou d'un clou (fixation interne). Malgré ce mode de fixation interne, il sera nécessaire dans la plupart des cas de poser un plâtre mais la durée de traitement par ce plâtre sera nettement raccourcie.

Mesures thérapeutiques dans la période suivante

Toutes les régions du corps qui ne sont pas incluses dans le plâtre doivent être mobilisées. Les muscles du membre blessé seront entraînés au moyen par exemple de mises en tension musculaire et d'élévations.

La durée de la période de traitement plâtré varie selon la localisation de la fracture et la façon dont elle se présente. Une fracture du poignet sera immobilisée par un plâtre durant 4 à 6 semaines tandis qu'une fracture de la jambe ou du scaphoïde sera immobilisée pendant environ 3 mois.

Une rude collision peut exceptionnellement avoir des conséquences très malheureuses. Le traumatisme dans ce cas a été si violent que les 2 os de la jambe ont été fracturés. Le joueur fut cependant complètement rétabli et put à nouveau jouer au football un an après l'accident.

Blessures des articulations et des ligaments articulaires

Une articulation comporte des surfaces articulaires recouvertes de cartilage placées entre les extrémités des os en contact. L'une des surfaces articulaires est convexe et dénommée «tête articulaire», tandis que l'autre est concave et dénommée «cavité articulaire». Elles s'adaptent plus ou moins bien l'une à l'autre.

Les extrémités osseuses sont réunies par une capsule articulaire qui est constituée de tissu conjonctif. La face interne de la capsule est recouverte d'une membrane qui sécrète un liquide articulaire. A certains endroits où la sollicitation est plus forte, la capsule articulaire se renforce par un épaississement localisé: ligament articulaire. L'articulation est entouré de muscles et de tendons.

La stabilité d'une articulation dépend entre autres de ses structures passives et actives. La stabilité active est maintenue par les muscles au cours du travail et nous pouvons l'influencer de cette manière. La stabilité passive est maintenue surtout par les ligaments. Une stabilité passive totalement satisfaisante est une condition fondamentale pour qu'une articulation puisse avoir un bon fonctionnement.

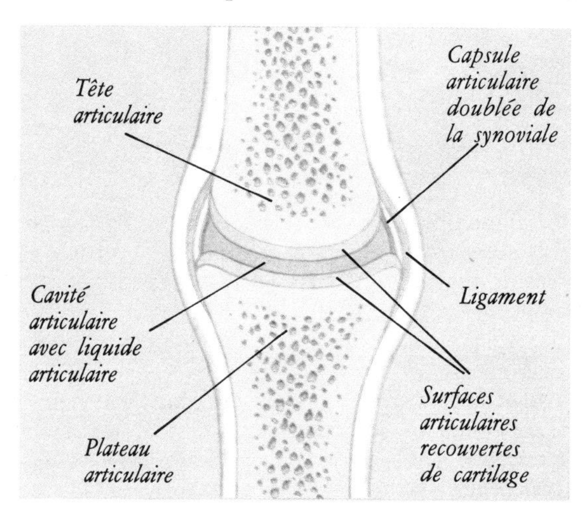

Exemple de constitution d'une articulation.

Types de blessures

1. Une rupture *partielle* atteint une partie du ligament ou de l'insertion du ligament. En règle générale l'articulation est stable.
   a. Une partie du ligament peut avoir été rompue au sein du tissu tandis que le reste du ligament est intact (voir graphique 1a page 23).
   b. La totalité de l'insertion du ligament peut s'être détachée du squelette (voir graphique 1b).
   c. Une partie de l'insertion du ligament peut avoir été arrachée avec un fragment d'os (voir graphique 1c).
2. En cas de rupture *totale*, différents types de lésions peuvent se présenter:
   a. Tout le ligament peut avoir été rompu et les extrémités être séparées l'une de l'autre (voir graphique 2a).
   b. Toute l'insertion du ligament peut s'être détachée du squelette (voir graphique 2b).

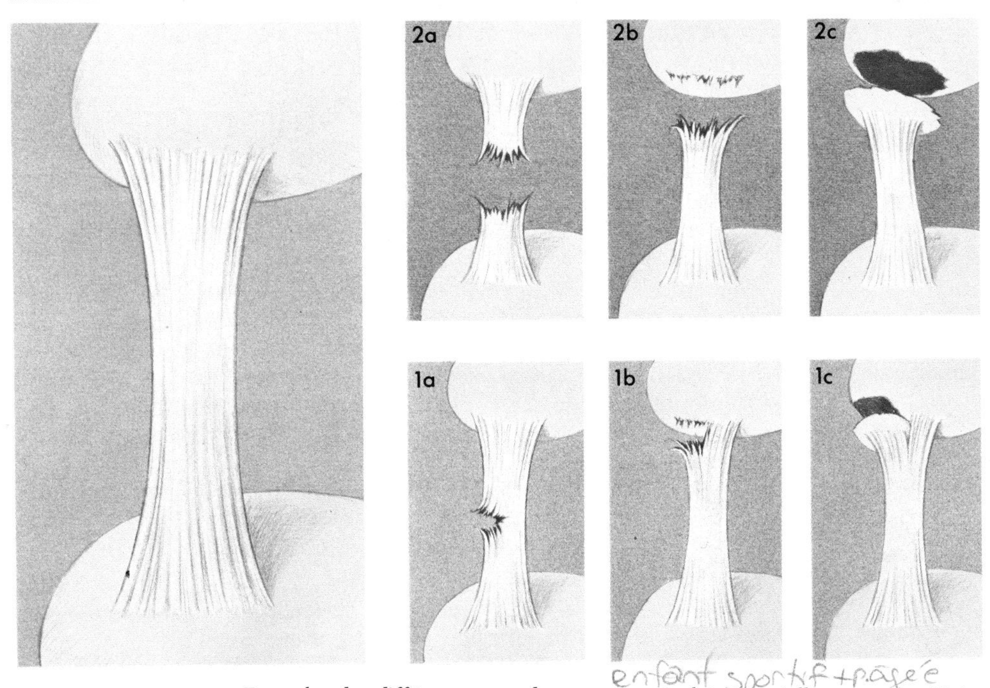

Exemples des différents types de ruptures articulaires partielles et totales. Voir le chapitre «types de lésions» pages 22-23.

c. L'insertion du ligament sous forme d'un fragment d'os peut avoir été arrachée (voir graphique 2c).

En cas de rupture totale du ligament, l'articulation est en règle générale instable.

Une lésion ligamentaire se produit lorsque l'articulation est obligée d'aller au-delà de son amplitude de mouvement naturelle. La blessure occasionne un saignement qui peut se répandre dans les tissus environnants et donner une coloration bleuâtre à la peau. Le saignement peut également se produire dans l'articulation elle-même et être due à une lésion intraligamentaire ou à une lésion de la capsule articulaire. Parfois le cartilage articulaire est également lésé.

Symptômes et diagnostic

— Coloration bleuâtre de la peau, tuméfaction et sensibilité douloureuse autour de l'articulation et du ligament en raison du saignement.
— Douleur lors des mouvements et de la mise en tension.
— Instabilité, proportionnelle à l'étendue de la lésion.

Traitement

Le sportif et le dirigeant peuvent, en cas de lésion aiguë, instaurer aussi rapidement que possible un traitement comprenant:
— glaçage;
— bandage;
— repos et décharge;
— surélévation (selon la manière de procéder indiquée page 66 et suivantes).

Le médecin doit:
— explorer la stabilité de l'articulation et en cas de suspicion d'une lésion éventuelle, faire pratiquer une arthroscopie (voir page 282);
— dans le cas d'une conservation de la stabilité, instituer un traitement

avec entraînement précoce de la mobilité, ou pose d'un plâtre ou d'une contention souple pendant 3 à 6 semaines, selon la nature et la localisation de la lésion.

Rééducation

Un entraînement actif des muscles et de la mobilité est de la plus grande importance au cours de la phase de rééducation. Il doit être effectué en collaboration entre le sportif et l'entraîneur, le médecin et le kinésithérapeute. La pose d'un strapping peut être utile au cours de cette période de réparation.

Une articulation est une partie du corps très sensible et une infection dans une articulation peut compromettre l'avenir de l'articulation.

Localisation

Les lésions des articulations et des ligaments se produisent fréquemment lors de la pratique du sport. Elles atteignent le plus souvent les articulations du pied, du genou, du coude, de la main et de l'épaule.

On doit explorer la stabilité de toutes les lésions des ligaments.

Luxations

Types de lésions

Une luxation totale d'une articulation consiste en une séparation des surfaces articulaires qui ne sont plus en contact l'une avec l'autre. Toutes les articulations sont entourées d'une capsule articulaire et de ligaments. Pour qu'une luxation puisse se produire une partie de la capsule et des ligaments qui entourent l'articulation doit avoir été rompue. Une luxation articulaire comporte par conséquent des lésions de la capsule et des ligaments, parfois le cartilage est également lésé. Le délai de guérison dépend de la rapidité de guérison de ces lésions.

Une luxation partielle suppose que les surfaces articulaires restent en partie en contact l'une avec l'autre. Même dans ce cas existe des lésions de la capsule articulaire et des ligaments ainsi que parfois des lésions du cartilage.

Traitement

Le sportif ou le dirigeant peut:
— traiter par glaçage et repos;
— prévoir un moyen de transport rapide chez un médecin.

Le médecin remet en place l'articulation en tirant sur elle jusqu'à ce qu'elle regagne sa position normale, souvent après une exploration radiologique initiale pour pouvoir mettre en évidence une éventuelle fracture osseuse.

La poursuite du traitement se propose de rétablir la stabilité de l'articulation et son fonctionnement. Suivant le degré d'instabilité cad. la gravité des lésions ligamentaires, le médecin décidera si un traitement par plâtre ou par fixation est suffisant, ou si la lésion doit être traitée chirurgicalement pour que soit garanti à l'avenir un fonctionnement normal de l'articulation.

Localisation

Les luxations atteignent souvent les articulations de l'épaule, du coude, des doigts et la rotule.

Toutes les lésions qui causent un épanchement autour de l'articulation, de même que les entorses (ou l'amplitude de l'articulation est dépassée en forçant trop) avec saignement, tuméfaction et sensibilité douloureuse doivent être considérées du point de vue du traitement comme des lésions ligamentaires.

Lésions des muscles

La musculature peut être l'objet de lésions aussi bien par traumatisme direct que par suite de surcharge, et de lésions sous forme de ruptures et de saignements peuvent survenir. Les lésions musculaires sont en règle générale bénignes mais elles causent souvent beaucoup de soucis aux sportifs puisque un traitement insuffisant peut être à l'origine d'un arrêt de longue durée de la pratique sportive. Pour arriver à comprendre comment les lésions des muscles peuvent être prévenues et traitées il est nécessaire de connaître la constitution normale des muscles et leur fonction.

Constitution des muscles

Le corps humain possède plus de 300 muscles identifiables. Les muscles du squelette représentent 40 % environ de toute la masse corporelle.

Un muscle a une origine supérieure, une insertion inférieure et entre les deux une partie renflée: *«le corps du muscle»,* qui rend le muscle actif, et en est donc la partie contractile. Un muscle se prolonge souvent par un tendon. Un muscle du squelette comprend des milliers de cellules musculaires longues et étroites, *les fibres,* qui renferment les éléments contractiles, *les myofibrilles* et qui sont entourés d'une enveloppe. Les fibres musculaires sont réunies en *faisceaux* qui à leur tour sont réunis en un corps musculaire.

Chez certains muscles, le corps se divise en plusieurs parties et on parle alors de muscles à plusieurs corps. Un muscle qui a deux origines est dit *«biceps»,* un muscle qui en a trois est dit *«triceps»* et un qui en a quatre est dit *«quadriceps».*

On distingue deux types différents de fibres musculaires, *les fibres lentes* (type I) et *les fibres rapides* (type II). *Les fibres lentes* reçoivent leur approvisionnement en énergie par l'intermédiaire de l'oxygène du sang, *les fibres rapides* à partir d'une énergie stockée dans les muscles, *le glu-*

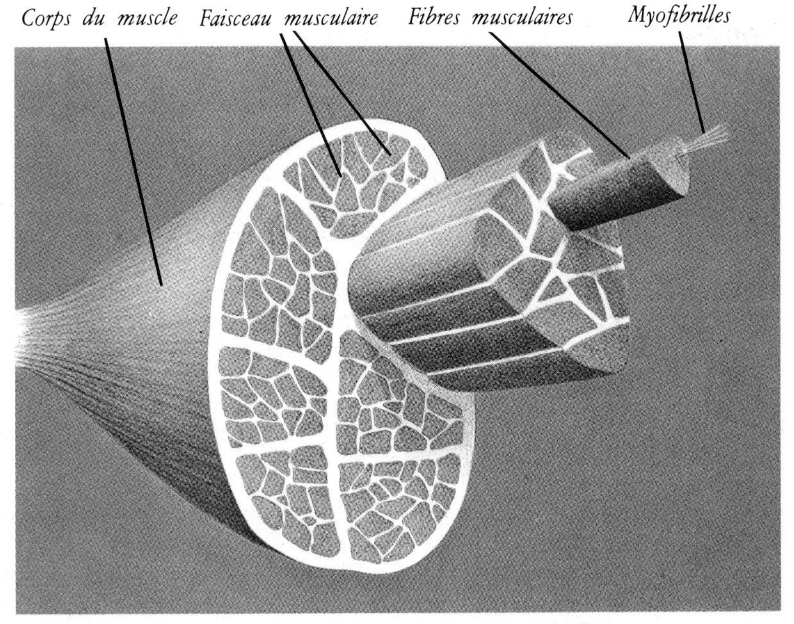

Représentation schématique de la constitution d'un muscle.

cose, qui peut être converti en énergie sans apport d'oxygène. Les fibres lentes sont endurantes mais se contractent de façon relativement lente et elles ont une faible force. Les fibres rapides sont divisées en deux sous-groupes, types IIa et IIb. Les fibres rapides du type IIa sont caractérisées par une force élevée et une bonne endurance tandis que les fibres rapides de type IIb sont caractérisées par une force élevée pendant un temps court. Lorsqu'un muscle entre en activité, les fibres lentes de type I sont tout d'abord sollicitées, puis les fibres de type IIa et enfin celles de type IIb.

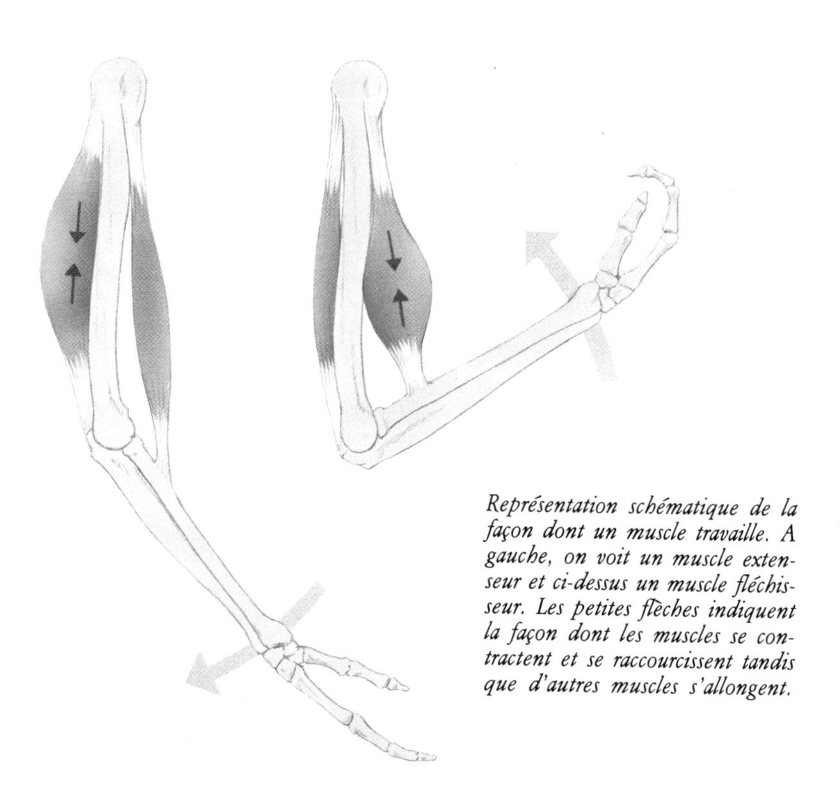

Représentation schématique de la façon dont un muscle travaille. A gauche, on voit un muscle extenseur et ci-dessus un muscle fléchisseur. Les petites flèches indiquent la façon dont les muscles se contractent et se raccourcissent tandis que d'autres muscles s'allongent.

Il existe de grandes variations individuelles en ce qui concerne la constitution des muscles. Il est fréquent qu'on ait une aussi grande quantité de fibres musculaires lentes que de fibres musculaires rapides. Chez un sportif qui pratique avec succès des spécialités sportives d'endurance, les muscles sont pour la grande partie composés de fibres lentes tandis qu'un sprinter a principalement des fibres rapides. Il est important de connaître la répartition des fibres au sein des muscles quand on veut conduire un entraînement pour un type spécial d'activité sportive. Tous ensemble, ces effets donnent aux muscles force augmentée, solidité, explosivité et endurance. Les différents types d'entraînement musculaire sont décrits page 88 et suivantes.

Lésions du complexe muscle-tendon

Les muscles et les tendons fonctionnent comme une unité. Les lésions peuvent en principe survenir au niveau d'une insertion du muscle sur l'os, au niveau du corps musculaire, au niveau de la zone de transition entre le muscle et le tendon, au niveau du tendon ainsi qu'au niveau de l'origine du tendon, de son insertion sur l'os et le périoste (voir graphique ci-dessous).

Différents types de ruptures musculaires

Une fibre musculaire est une unité complexe spécialisée qui réagit de façon sensible et s'adapte rapidement aux modifications. Le muscle blessé peut guérir dans un temps court et les fibres peuvent se reconstituer en l'espace de trois semaines. Lors des blessures, il se produit cependant souvent un saignement qui peut être de plus ou moins grande étendue. Ce saignement peut influencer de façon mécanique le processus de guérison, entre autres, en empêchant le contact entre les extrémités des fibres musculaires séparées en deux. Si le saignement peut être limité, les possibilités d'une guérison rapide et complète augmentent.

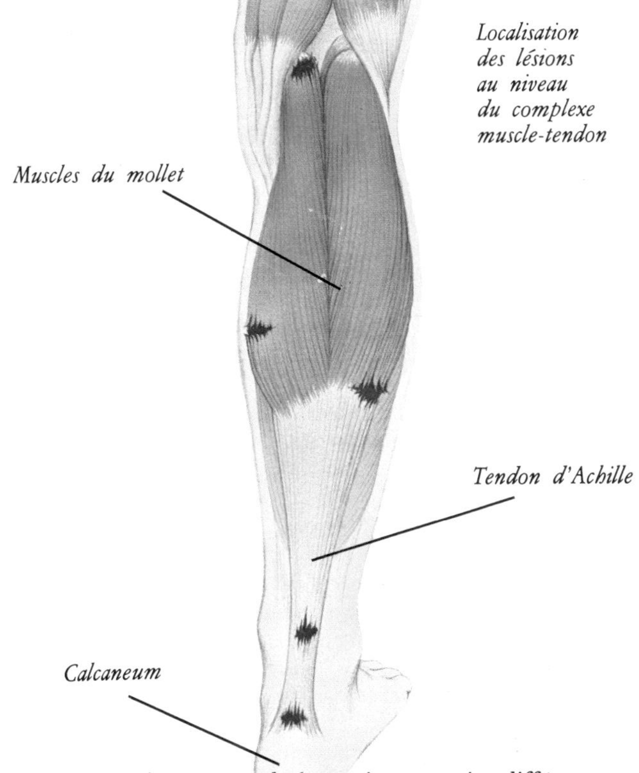

Il peut survenir au cours de la pratique sportive différents types de ruptures musculaires:

1. Rupture musculaire à la suite d'un excès de travail intrinsèque — rupture par distension. De telles ruptures sont souvent localisées à la partie superficielle de la musculature ou aux insertions et aux origines des muscles.
2. Rupture musculaire à la suite d'un traumatisme direct — rupture par compression. Le muscle est comprimé par le traumatisme contre l'os sous-jacent, ce qui crée une lésion, par exemple, lorsqu'un genou heurte une cuisse en football. Une telle rupture peut entraîner un fort saignement. Elle est souvent située en profondeur.

On distingue les ruptures musculaires totales où toutes les fibres du muscle sont brisées et les ruptures musculaires partielles où une partie seulement des fibres musculaires a été rompue.

Facteurs pouvant contribuer à la survenue de ruptures musculaires

Plusieurs facteurs peuvent contribuer à la survenue de ruptures musculaires:
— Le muscle considéré peut avoir été mal préparé par un mauvais entraînement ou l'absence d'échauffement.
— Le muscle peut avoir été affaibli par une blessure antérieure suivie d'une rééducation fonctionnelle insuffisante.
— Le muscle peut avoir été précédemment l'objet d'une importante blessure qui a entraîné la formation dans le muscle d'un tissu cicatriciel. Ce tissu cicatriciel possède une moins bonne élasticité que le reste du muscle et est exposé pour cette raison au risque de survenue d'une nouvelle blessure.
— Un muscle qui est surmené et fatigué est plus facilement blessé qu'un muscle reposé.
— Des muscles raides qui ne permettent pas une pleine amplitude de mouvement articulaire peuvent être blessés lors de la pratique de sports qui nécessitent de la souplesse.
— Les muscles qui ont été exposés au froid pendant une longue période sont l'objet d'une détérioration de leur capacité normale de contraction et pour cette raison, le risque de blessures augmente.

Ruptures musculaires consécutives à une surcharge. Rupture par distension

Les ruptures par distension surviennent par exemple chez les sprinters, les sauteurs et les joueurs de football, c'est-à-dire dans les sports où une tension musculaire maximale est nécessaire pendant un court instant. Lorsque la tension devient si forte qu'elle dépasse la solidité du muscle, il se produit une rupture (voir page 34) par exemple au cours d'un freinage rapide (travail excentrique), consécutif à une accélération rapide (travail concentrique), lors d'un demi-tour. Ce type de ruptures est souvent localisé aux muscles situés superficiellement, qui agissent par-dessus deux articulations, par exemple les muscles ischio-jambiers de la face postérieure de la cuisse, le muscle quadriceps, muscle extenseur de la face antérieure de la cuisse, le muscle jumeau de la cuisse et le muscle biceps, fléchisseur de l'avant-bras.

Lors d'un travail maximal d'une durée de 0,5 à 4 minutes, par exemple: entraînement de la force, descente à ski ou 200 m nage libre, la formation et l'accumulation d'acide lactique dans les cellules musculaires constituent un des facteurs qui limitent la capacité de prestation. Sous son influence, le milieu cellulaire s'acidifie au point de perturber les processus chimiques. Il s'ensuit une altération de la coordination c'est-à-dire, un dérèglement de la fonction neuromusculaire avec pour conséquence une augmentation du risque de blessures.

Symptômes et diagnostic

— Douleur en coup de hache au niveau du muscle au moment de la blessure. La même douleur est ressentie lors de la mise en tension du muscle.

— En cas de rupture totale, le muscle ne peut pas se contracter. Egalement en cas de rupture partielle, il peut être impossible pour le muscle de se contracter en raison de la douleur.
— En cas de rupture totale, on peut percevoir une brèche dont la taille correspond à toute la largeur du muscle. Une sensibilité douloureuse intense et une tuméfaction se produisent au niveau des muscles au-dessus de la zone blessée. Egalement, lorsque la rupture est partielle, on constate une sensibilité douloureuse et une tuméfaction apparaît. Parfois on peut percevoir une excavation dont la taille correspond à une partie seulement de la largeur du muscle.
— Après quelques jours, une coloration bleuâtre de la peau peut apparaître souvent en dessous de la blessure. Cette coloration est un signe de saignement du muscle.
— Des crampes peuvent survenir dans le muscle blessé.

Ruptures musculaires après traumatismes. Ruptures par compression

Un traumatisme direct contre un muscle — par exemple percussion de la cuisse par un genou lors d'un match de football — peut causer une lésion tissulaire dans les muscles. Il se produit souvent une rupture et un saignement dans la musculature profonde lorsque les muscles contractés sont comprimés par le traumatisme contre le squelette sous-jacent. C'est pourquoi la lésion se situe souvent dans la musculature au voisinage immédiat de l'os. Les ruptures par compression surviennent également dans les muscles situés superficiellement et les symptômes ressemblent aux symptômes occasionnés par une rupture par distension.

Différents types d'hémorragies musculaires

Lorsqu'on s'adonne à une activité physique, il se produit une profonde redistribution de la quantité de sang qui est pompée par le cœur (volume-minute cardiaque). Le flux sanguin qui traverse les muscles passe de 0,8 l/min environ (15 % du volume-minute cardiaque) au repos à 18 l/min environ (72 % du volume-minute cardiaque) lors d'un dur travail musculaire. Lorsqu'on se livre à une activité sportive, il s'établit une très forte irrigation sanguine dans les muscles. L'importance de l'hémorragie lors d'une lésion musculaire est directement proportionnelle à l'irrigation sanguine du muscle et inversement proportionnelle au degré de contraction du muscle.

Les différents types d'hémorragies musculaires ont en commun d'être causés par une lésion tissulaire. En cas de rupture par distension, les hémorragies sont souvent situées tout à fait superficiellement, tandis que dans les ruptures par compression elles siègent en profondeur. Les effets de la lésion dépendent cependant de la localisation de l'hémorragie et de son étendue et c'est pourquoi nous allons désormais ne plus faire aucune différence entre les causes d'hémorragies musculaires. Egalement le traitement, la guérison et la rééducation varient avec le type, la situation et l'étendue de l'hémorragie musculaire et de la rupture tissulaire.

Les hémorragies peuvent survenir aussi bien à l'intérieur des muscles intramusculaires qu'entre les muscles intermusculaires.

1. Hémorragies intramusculaires

Une hémorragie intramusculaire peut être causée par une rupture musculaire ou par un choc direct contre un muscle. L'hémorragie se produit ainsi à l'intérieur de l'enveloppe musculaire dite «aponévrose». L'augmentation de pression qui se produit de ce fait à l'intérieur du muscle aide à lutter contre l'hémorragie puisque les vaisseaux sanguins sont eux aussi comprimés. La tuméfaction persiste encore après 48 heures sans modification des autres symptômes: sensibilité douloureuse, douleur et limitation de mouvement. Au cours de cette période, la tuméfaction va encore augmenter l'hémorragie attirant à elle du liquide provenant des tissus environnants par action osmotique. La fonction musculaire peut être diminuée ou complètement abolie. Si l'aponévrose est lésée, l'hémorragie gagne l'espace qui existe entre les muscles (voir le paragraphe ci-dessous concernant les hémorragies intermusculaires) ou diffuse dans les tissus environnants.

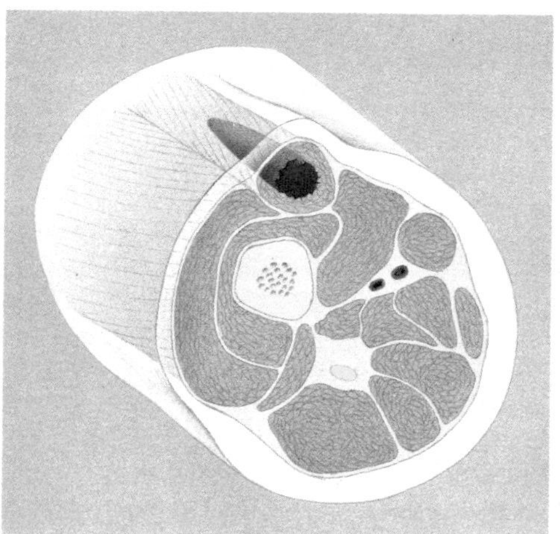

Exemple d'hémorragie superficielle intramusculaire.

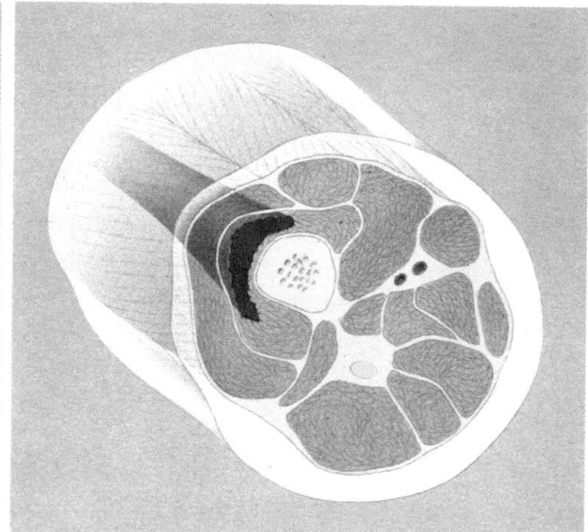

Exemple d'hémorragie profonde intramusculaire.

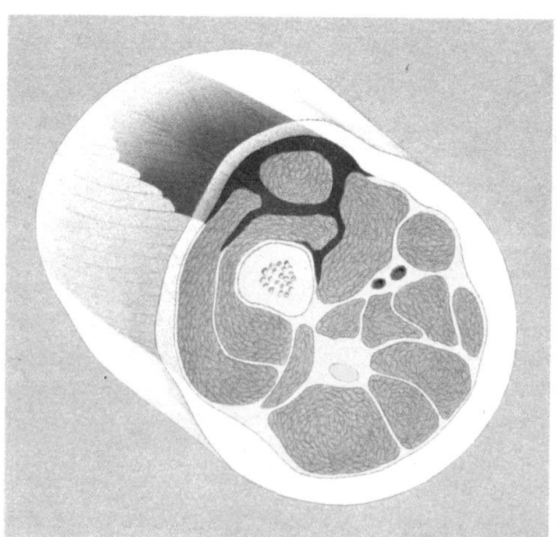

Exemple d'hémorragie intermusculaire.

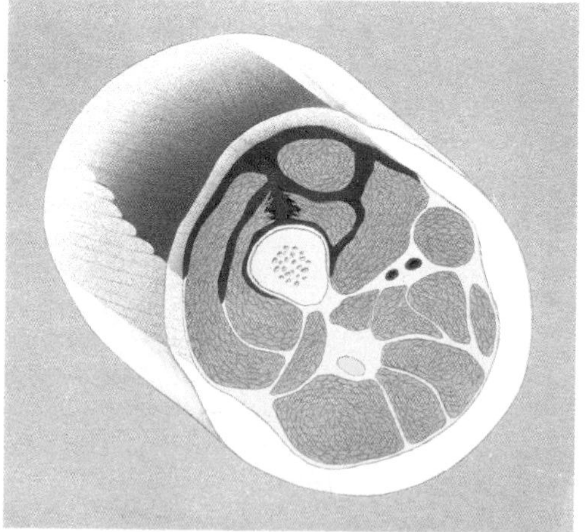

Exemple d'hémorragie intramusculaire profonde avec diffusion intermusculaire.

2. Hémorragies intermusculaires

Lorsque la lésion se situe au voisinage de l'enveloppe musculaire (lésion superficielle), il peut se produire une hémorragie entre les muscles. Cette hémorragie a d'abord pour conséquence d'augmenter la pression, ce qui fait diffuser le sang entre les muscles et ce qui aura pour effet de faire baisser secondairement la pression de façon rapide. L'hémorragie intermusculaire se caractérise par un épanchement sanguin qui va se manifester à distance de la zone blessée 24 à 48 heures après la blessure. La pression qui avait augmenté au moment de l'hémorragie va devenir très faible car l'hémorragie a facilement diffusé entraînant la disparition de la tuméfaction. La force et les autres propriétés du muscle vont revenir rapidement après la blessure. En cas d'hémorragie intermusculaire, il est possible d'obtenir une récupération rapide sans diminution importante de la force musculaire si un traitement actif est institué.

Mesures à prendre en présence d'une rupture musculaire et d'une hémorragie musculaire

Quelle que soit la cause de l'hémorragie, *le sportif (ou le dirigeant)* peut chercher à l'arrêter ou à la diminuer en prenant les mesures suivantes:
— application du froid localement;
— pose d'un bandage autour de la zone blessée;
— surélévation;
— repos,
— mise en décharge. Si la rupture musculaire est située aux membres inférieurs, le blessé doit utiliser des béquilles jusqu'à ce qu'un diagnostic certain soit posé. En cas de blessure au bras, une gouttière en matière plastique, ou un bandage plâtré, peut être utilisé pour soulager la région blessée.

Le mécanisme de coagulation, un des mécanismes de défense propres de l'organisme contre l'hémorragie entre en jeu dès qu'une blessure survient et ce mécanisme va continuer à agir pendant plusieurs heures. Il reste cependant toujours susceptible d'être interrompu au cours des 48 à 72 heures suivantes, ce qui aurait pour conséquence qu'une nouvelle hémorragie pourrait se produire à la suite d'un nouveau traumatisme, d'un nouvel effort ou d'une nouvelle mise en charge. *Le massage qui précisément implique des microtraumatismes répétés, de même qu'un traitement par la chaleur sont contre-indiqués au cours des 24 à 72 heures après la survenue de la blessure.*

Si on suspecte une rupture musculaire ou une grande hémorragie musculaire, le blessé doit aussi rapidement que possible consulter un médecin.

Le médecin doit, en cas d'hémorragie musculaire importante, mettre le blessé en observation à l'hôpital. L'hémorragie et la tuméfaction peuvent augmenter au point de contrarier l'approvisionnement sanguin et d'augmenter la pression à l'intérieur du muscle. Même si l'hémorragie est peu étendue et si l'indécision règne au sujet de la nature et de la gravité de la blessure, le médecin doit ordonner le repos pendant 24 à 72 heures, quel que soit le type de blessure devant lequel on se trouve; il est en effet difficile de déterminer avec certitude en présence de quel type d'hémorragie musculaire et le cas échéant, de quel type de rupture musculaire on se trouve lorsque la blessure est dans sa phase aiguë ainsi que pendant les 72 premières heures qui suivent la blessure. Au cours des trois premiers jours, on doit toujours redouter qu'il s'agisse d'une lésion musculaire grave.

Une surveillance continue et des examens répétés de la région blessée sont nécessaires pour arriver à faire le diagnostic différentiel entre une hémorragie intramusculaire et une hémorragie intermusculaire. La régression de la tuméfaction et une rapide récupération de la fonction musculaire sont en faveur d'une hémorragie intermusculaire. Une tuméfaction inchangée ou en augmentation et une diminution persistante de la fonction musculaire sont en faveur d'une hémorragie. Cette lésion peut attirer du liquide des tissus environnants par osmose et dans ce cas la tuméfaction va persister ou augmenter. Au bout de 48 à 72 heures, il faut se poser les questions suivantes:

1. La tuméfaction a-t-elle disparu?
   Si non, il s'agit sans doute d'une hémorragie intramusculaire.
2. L'hémorragie a-t-elle diffusé et donne-t-elle une coloration de la peau à distance de la blessure?
   Si non, il s'agit d'une hémorragie intramusculaire.
3. La capacité de contraction du muscle blessé est-elle revenue ou s'est-elle améliorée?
   Si non, il s'agit d'une hémorragie intramusculaire.
4. L'hémorragie est-elle la manifestation d'une rupture partielle ou totale?

Il est important de poser un diagnostic correct puisqu'une sollicitation trop précoce d'un muscle lésé lors d'une importante hémorragie intramusculaire ou d'une rupture musculaire totale peut amener des complications graves sous forme de reprise de l'hémorragie et éventuellement de la formation d'une cicatrice plus importante.

La poursuite des soins dépend du type d'hémorragie et de rupture musculaire.

Mesures thérapeutiques après 72 heures

Après le traitement aigu initial, les petites ruptures partielles, les hémorragies intermusculaires et les petites hémorragies intramusculaires doivent être traitées activement par:

— poursuite du bandage avec une contention élastique;
— application de chaleur locale;
— entraînement rationnel selon l'ordre logique suivant:
  a. Entraînement musculaire statique sans charge.
  b. Entraînement musculaire statique avec charge légère.
  c. Entraînement musculaire dynamique limité à des mouvements actifs allant jusqu'au seuil de la douleur.
  d. Entraînement dynamique avec augmentation de la charge.
  e. Récupération de l'amplitude de mouvement par des exercices d'allongement. Il est important qu'également les muscles antagonistes du muscle blessé soient entraînés.
  f. Entraînement de la coordination.
  g. Entraînement spécialisé.
  h. Augmentation progressive de l'activité et de la charge appliquée au muscle atteint. Si celui-ci appartient au membre inférieur, il peut être préférable de s'adonner, par exemple, au cyclisme et à la natation plutôt que de recommencer l'entraînement par la course à pied.

Si les symptômes d'un muscle blessé demeurent inchangés, il existe une forte suspicion d'hémorragie intramusculaire et de lésion tissulaire. Le médecin peut alors, pour confirmer le diagnostic, effectuer:

— un nouvel examen local;
— une ponction de la zone blessée avec une aiguille de gros calibre;
— une exploration radiologique sans produit de contraste et éventuellement avec produit de contraste;
— une exploration échographique;
— une intervention chirurgicale.

Le médecin peut instituer un traitement comprenant la prescription:
— d'un bandage élastique et un entraînement musculaire actif selon les principes qui ont été donnés ci-dessus ainsi que page 89 et suivantes;
— de médicaments d'action anti-inflammatoires;
— d'une intervention chirurgicale en cas d'hémorragie importante, spécialement si celle-ci est intramusculaire. L'intervention chirurgicale peut également être envisagée en cas de ruptures totales et de ruptures partielles qui toucheraient plus de la moitié du corps du muscle, spécialement si le muscle blessé n'est pas suppléé par d'autres muscles exerçant la même fonction. Il importe que les extrémités des faisceaux musculaires soient remises en contact l'une avec l'autre en enlevant les caillots sanguins et en suturant les deux extrémités. Si la guérison se faisait avec formation de cicatrices, le muscle présenterait des zones d'élasticité modifiée avec alors une augmentation notable du risque pour le muscle de nouvelles blessures (voir schéma page 34). Le tissu cicatriciel sera de plus faible étendue si la blessure a été traitée chirurgicalement. En règle générale, un traitement par plâtre est nécessaire pendant un temps variable après l'intervention chirurgicale.

Rééducation

La rééducation fonctionnelle après intervention chirurgicale doit être planifiée par le médecin en tenant compte de la spécialité sportive de la localisation de la blessure et de son degré de gravité. Des études ont montré qu'un entraînement instauré à un stade précoce amène une guérison plus rapide; la circulation sanguine dans le muscle s'améliorera et la solidité du muscle sera renforcée. Déjà peu de temps après l'intervention, un entraînement musculaire statique peut commencer — cependant seulement après avis médical — selon les principes qui sont donnés page 89. Ensuite le blessé peut chercher à améliorer sa forme musculaire et sa capacité de mouvement au début par un entraînement sans charge.

Délai de guérison

On peut considérer comme guérie une blessure musculaire lorsqu'il n'existe plus de sensibilité douloureuse et qu'aucune douleur n'est déclenchée lors de la mise en charge maximale du muscle. Le blessé a alors recouvré fonction musculaire et mobilité parfaites des articulations voisines et un schéma de mouvement par ailleurs normal. Il peut reprendre entièrement son activité d'entraînement.

Le délai de guérison d'une rupture musculaire varie entre 3 et 16 semaines selon l'étendue de la lésion et sa localisation. En cas d'hémorragie intramusculaire, il existe aussi souvent une lésion tissulaire. En pareil cas, le délai de guérison peut être prolongé de 2 à 8 semaines. Lors d'une hémorragie intermusculaire, le blessé peut souvent reprendre son activité sportive après 1 à 2 semaines cad. dès qu'il ne présente plus aucun symptôme.

L'entraînement de la condition physique et un entraînement musculaire progressivement accru avec charge doivent être commencés avant l'entraînement de la vitesse, lorsqu'on reprend son activité sportive après avoir été blessé.

Un sportif qui a été victime d'une blessure musculaire ne doit pas participer à une compétition avant d'être entièrement rétabli, c'est-à-dire avant de ne présenter plus aucun symptôme dans les moments les plus durs de l'entraînement.

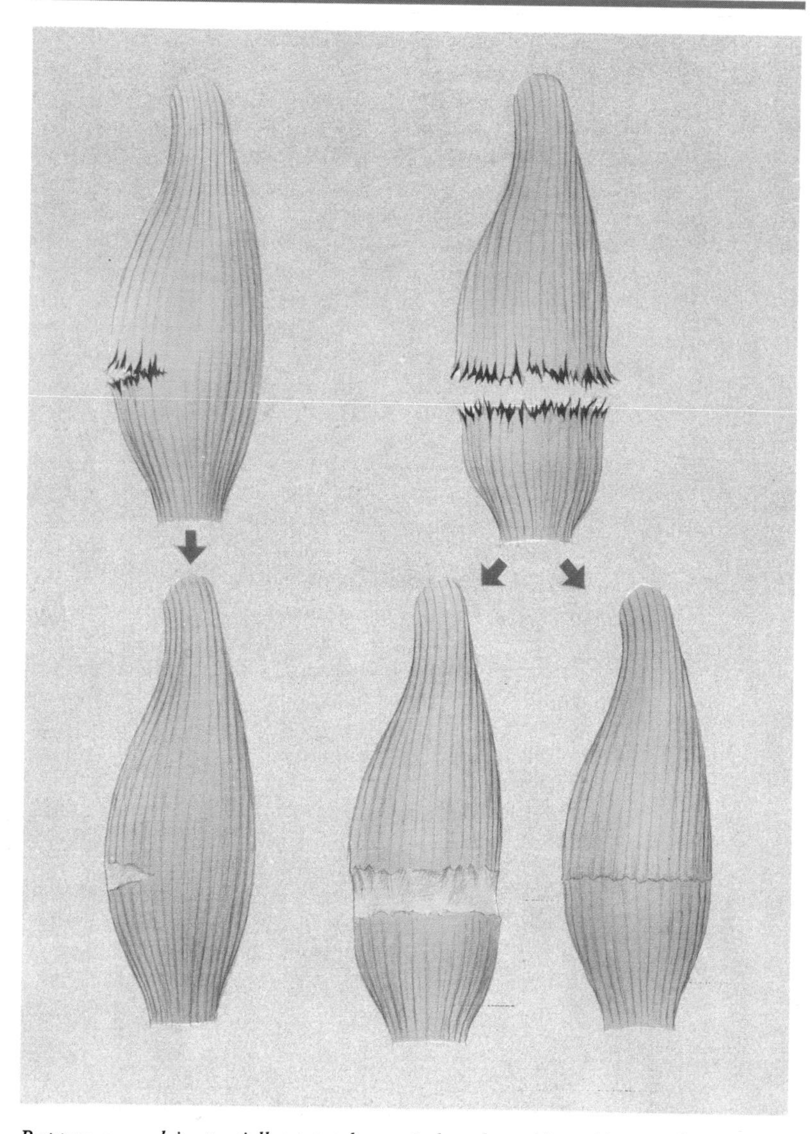

Rupture musculaire partielle et totale et résultat de guérison. Tout en haut à gauche: rupture musculaire partielle. Tout en haut à droite: rupture musculaire totale. Ci-dessus à gauche: guérison d'une rupture musculaire partielle qui n'a pas été opérée. Ci-dessus au milieu: guérison avec tissu cicatriciel d'une rupture musculaire totale qui n'a pas été opérée. Ci-dessus à droite: guérison d'une rupture musculaire qui a été opérée (enlèvement des caillots sanguins et suture des extrémités du muscle l'une à l'autre).

Complications

1. Guérison avec tissu cicatriciel

Une fibre musculaire qui a été blessée lors d'une atteinte intrinsèque avec hémorragie musculaire et rupture musculaire se contracte plus ou moins bien. L'espace entre les fibres musculaires rompues est rempli de sang qui coagule et se transforme en tissu conjonctif. Celui-ci à son tour se transforme petit à petit en une cicatrice au sein du tissu musculaire. Une guérison par tissu cicatriciel aboutit à ce que le muscle présente des zones d'élasticité variable et une nouvelle lésion — rupture ou hémorragie — peut alors survenir si le muscle est soumis à des efforts trop importants à un stade trop précoce. En cas de persistance des symptômes, il peut devenir nécessaire d'enlever chirurgicalement la cicatrice.

2. Complications des hémorragies musculaires
Myosite ossifiante

Dans un tissu musculaire qui a été blessé par un traumatisme direct contre le muscle, il se produit une hémorragie intramusculaire ou intermusculaire. Si le traitement aigu précoce de la lésion tissulaire et de l'hémorragie n'est pas adéquat ou s'il n'est pas institué de traitement du tout, l'hémorragie intramusculaire située en profondeur va se calcifier et s'ossifier peu à peu. L'ossification se poursuivra aussi longtemps que la guérison sera contrariée par la répétition des traumatismes ou de la mise en charge. Le développement de cette calcification et de cette ossification aboutit à la constitution dans le tissu de zones d'élasticité et de solidité non homogène, ce qui crée un risque accru de nouvelles hémorragies en cas de traumatisme. L'ossification est un processus inflammatoire de longue durée ce qui a incité les médecins à être réservés vis-à-vis d'un traitement actif. Si le sportif atteint présente une forte diminution de fonction musculaire et une limitation de mouvement dans cette région et s'il existe des signes radiologiques d'ossification, un traitement chirurgical doit cependant être discuté.

3. Les ruptures musculaires peuvent être prises pour des tumeurs

Les ruptures musculaires totales peuvent parfois, au cours de leur phase tardive, se transformer en pseudo-tumeurs. Effectivement, lors de l'examen de la zone blessée, on palpe une masse et le blessé déclare que cette masse a augmenté de taille. Il est essentiel d'explorer complètement de tels cas de façon à pouvoir donner au blessé un diagnostic exact. Voici un exemple type d'un tel cas:
Le moyen adducteur est un muscle qui siège à la face interne de la cuisse et qui porte le membre inférieur en dedans. Comme il ressort du schéma page 36, ce muscle a son origine sur l'os pubis et il s'insère sur le fémur. Une rupture partielle de ce muscle (voir page 251 et suivantes) se produit en règle générale au niveau de son origine sur le pubis tandis que la rupture totale survient au niveau de son insertion sur le fémur (voir page 36 schéma). Une rupture totale du muscle moyen adducteur peut se produire sans que celle-ci n'occasionne au blessé de grandes manifestations pathologiques: c'est un phénomène connu que des ruptures musculaires totales peuvent survenir sans que le blessé ne ressente une douleur quelconque. Le blessé remarque une grosseur de volume progressivement croissant au niveau de sa cuisse. Cette augmentation de volume est vraisemblablement due au fait que le muscle rompu se contracte sur une distance plus courte entre son origine et son insertion avec un même volume. Une nouvelle insertion essentiellement composée de tissu cicatriciel se forme (voir schéma page 36).
Le diagnostic de cette ancienne rupture totale du muscle moyen adducteur n'est pas difficile à poser dans ce cas. L'examen clinique doit cependant être effectué avec le muscle aussi bien en état de relâchement qu'en état de contraction (voir schéma page 36).

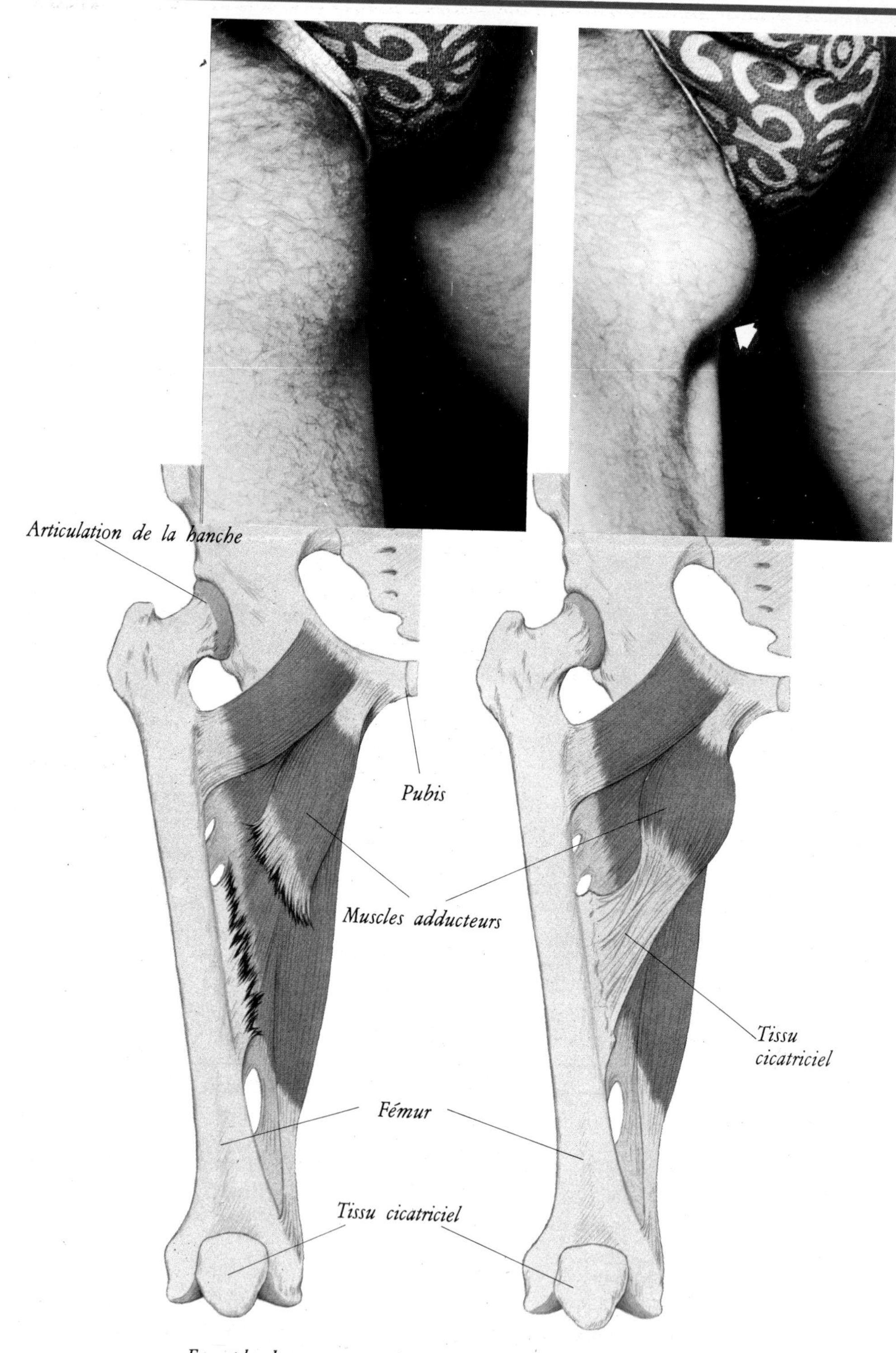

Exemple de rupture totale de l'insertion du muscle (Moyen Adducteur). Tout en haut à gauche: muscle en relâchement. Tout en haut à droite: muscle en contraction. Ci-dessus à gauche: rupture de l'insertion musculaire sur le fémur. Ci-dessus à droite: guérison avec tissu cicatriciel.

Lésions tendineuses

Un muscle se prolonge par un tendon qui s'attache au niveau d'un point du squelette auquel l'effet de la contraction musculaire est transmis.

Types de blessures

Les tendons peuvent être atteints de ruptures et d'inflammations (voir page 41 et suivantes).

Dès que l'âge de 25 à 35 ans est atteint les tendons commencent à devenir moins élastiques par suite des modifications dues à l'âge. Par un entraînement régulier on peut prévenir ou retarder cet affaiblissement qui se produit avec l'avancement en âge. Les inflammations tendineuses négligées peuvent aboutir à un affaiblissement des tendons et pour une charge normale présenter des ruptures tendineuses. Les mesures de prévention des lésions tendineuses sont essentielles.

Ruptures tendineuses totales

Lors d'une rupture tendineuse totale, le tendon est complètement rompu. Cette blessure frappe souvent les sportifs qui ont fait une interruption de un an de leur entraînement et qui ensuite reprennent leur activité sportive, par exemple dans un club de football corporatif. Les ruptures tendineuses frappent, entre autres, souvent les joueurs de football, de handball, de basket-ball, les sauteurs en hauteur, en longueur et de triple saut, et les coureurs à pied.

Symptômes et diagnostic

— Le sportif peut ressentir un coup de fouet soudain, suivi d'une douleur intense, au moment où la blessure survient.
— Le blessé ne peut exécuter les mouvements qu'il effectue normalement avec l'aide du tendon et du muscle blessés.
— Souvent on perçoit une brèche avec une sensibilité douloureuse accentuée au niveau du tendon.
— Une tuméfaction apparaît relativement rapidement et éventuellement une coloration bleuâtre de la peau, qui signe l'hémorragie.

Traitement

Le sportif, ou le dirigeant, traite la blessure aiguë selon les consignes données page 62 et suivantes.

Le médecin traite en règle générale par une intervention chirurgicale et la pose d'un bandage plâtré qui doit rester en place 4 à 6 semaines. Dans certains cas, on peut n'avoir recours qu'au traitement par plâtre.

Localisation

Les tendons qui sont fréquemment atteints de rupture totale sont le tendon d'Achille, le tendon du muscle sus-épineux, le tendon du muscle biceps et le tendon du muscle quadriceps cad. le tendon rotulien.

Ruptures partielles de tendon

Lors d'une rupture partielle d'un tendon, une partie seulement du tendon se rompt. Le sportif atteint n'est pas toujours conscient de la gravité de sa lésion pensant souffrir d'une simple inflammation du tendon.

Symptômes

— Douleur au niveau de la région atteinte lors des mouvements et de la mise en charge.

— Une petite dépression sensible à la pression peut être perçue lorsque la blessure vient de se produire.
— Tuméfaction et éventuellement coloration bleuâtre de la peau.

Mesures thérapeutiques

Le sportif, ou le dirigeant, peut :
— veiller à ce que la région du corps blessée soit mise au repos ;
— poser un bandage, selon la localisation de la blessure (voir les blessures correspondantes) ;
— consulter un médecin lorsque le diagnostic est incertain et demander conseil pour le traitement à suivre.

Si une rupture tendineuse partielle n'est pas traitée de façon correcte il se forme dans la zone blessée un tissu inflammatoire qui est très difficile à guérir.

Localisation

Le tendon qui est fréquemment atteint de rupture partielle est le tendon d'Achille (voir page 321 et suivantes), mais la blessure se produit souvent également au niveau du tendon qui relie la rotule au tibia (voir page 296 et suivantes).

Commentaires sur le traitement des lésions tendineuses

Les lésions du tissu tendineux peuvent passer à la chronicité et parfois aller jusqu'à empêcher un sportif de pratiquer à l'avenir sa spécialité sportive. C'est pourquoi il est essentiel que les lésions des tendons soient traitées de façon correcte dès le début. La plupart des ruptures tendineuses négligées conduisent à un état inflammatoire qui est parmi les plus difficiles à traiter de toutes les lésions sportives.

LÉSIONS PAR SURCHARGE

Inflammations

Une inflammation est la réponse du corps à une lésion tissulaire, causée par exemple par une pression, la répétition d'une charge ou d'un traumatisme externe. Les lésions des tissus peuvent être dues à des bactéries et on se trouve alors en présence d'une infection entraînant la formation de pus. L'inflammation endigue cette infection et lutte contre elle. Elle stimule la guérison normale de la lésion. Une inflammation peut diminuer la mobilité de la région du corps qui est atteinte, réunissant ainsi les conditions du repos nécessaire.

En cas de lésion tissulaire aiguë après un traumatisme externe, il se produit une hémorragie qui, à son tour, entraîne une tuméfaction et augmente la tension. Le tissu blessé réagit par un processus inflammatoire, qui contribue à la reconstruction du tissu. Les causes déclanchantes de l'inflammation doivent être traitées ou éliminées. La diminution de la tuméfaction lors de l'inflammation entraîne une diminution de la douleur, une augmentation de la capacité de mouvement et une meilleure guérison. Le traitement doit être institué précocement et être intensif, puis-

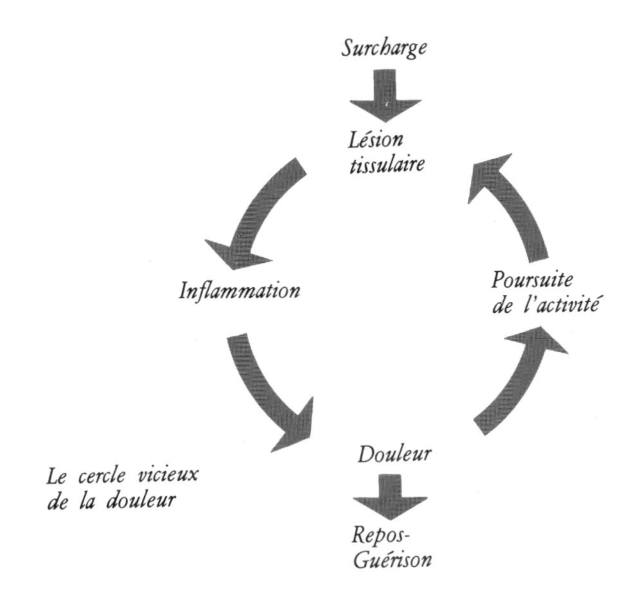

Le cercle vicieux de la douleur

que dans le cas contraire une cicatrice de tissu conjonctif se produit, spécialement dans les tissus avec surfaces de glissement comme par exemple les tendons.

En cas de *surcharge* d'une région du corps du fait de la répétition de mouvements uniformes ou d'un entraînement incorrect, il peut survenir des inflammations notamment des tendons, des insertions tendineuses, des insertions musculaires, des bourses séreuses et du périoste, par suite de lésions tissulaires. Ces manifestations peuvent apparaître après une suspension de l'entraînement, si ensuite on recommence à s'entraîner de façon trop précipitée et trop intensive.

Une inflammation se manifeste par les symptômes suivants:
— tuméfaction du fait de l'épanchement liquidien après une lésion tissulaire;
— rougeur du fait de l'augmentation de l'irrigation sanguine;
— sensibilité douloureuse du fait de la tuméfaction et de la lésion tissulaire;
— augmentation de la température locale du fait de l'augmentation de l'irrigation sanguine;
— diminution fonctionnelle de cette région du corps du fait de la tuméfaction et de la sensibilité douloureuse.

Les symptômes inflammatoires débutent de façon insidieuse. La douleur et la raideur qu'on ressent peuvent diminuer ou — au début — disparaître entièrement après des exercices d'échauffement. Habituellement la douleur revient cependant avec une intensité plus forte lorsqu'on poursuit l'activité. Si, alors, on ne cesse pas l'activité sportive et si on ne se repose pas, le risque est grand de rentrer dans un cercle vicieux d'entretien de la douleur (voir le schéma de la page 39). Si ce cercle n'est pas rompu, il mène à un état douloureux chronique qui peut être très difficile à traiter. C'est pourquoi, il est essentiel de considérer la douleur comme un signal d'alarme, un signe de lésion tissulaire, qui doit imposer le repos.

Inflammation des insertions des muscles et des tendons sur les os (ténopériostites)

En cas de tiraillements répétés des insertions, des muscles et des tendons sur les os et les périostes, il peut survenir des petites ruptures avec hémorragie, qui peuvent donner une irritation et entraîner une réaction inflammatoire.

Symptômes et diagnostic

— L'état est caractérisé par une douleur au niveau des insertions des muscles et des tendons sur l'os.
— Il peut exister une légère tuméfaction et un certain degré de diminution fonctionnelle.
— Une sensibilité douloureuse, localement bien délimitée, est ressentie lorsqu'on appuie avec la main sur les insertions musculaires et tendineuses.
— La douleur augmente au niveau des insertions musculaires et tendineuses lors de la contraction du groupe de muscles concerné.

Localisation

Des inflammations des insertions musculaires et tendineuses sur l'os se produisent le plus souvent dans la région du coude («Coude du joueur de tennis») ainsi qu'au niveau des insertions dans la région de l'aine du groupe des muscles qui portent le membre inférieur en dedans (muscles adducteurs).

Mesures préventives

— Une technique correcte doit être assimilée par l'entraînement.
— Un équipement correct pour chacune des spécialités sportive doit être employé. Tout nouvel équipement du type souliers doit être «rodé».
— On doit utiliser des engins qui soient adaptés au sportif.
— Un sérieux entraînement foncier général ainsi qu'un entraînement des zones les plus exposées au risque doivent être effectués.

Traitement

Le sportif peut:
— éviter l'activité qui déclanche la douleur;
— faire un traitement local par la chaleur et porter une protection qui maintienne la chaleur.

Le médecin peut traiter par:
— bandage, strapping ou plâtre;
— médicaments d'action anti-inflammatoire sous forme de comprimés, de suppositoires, de crèmes ou d'injections locales, par exemple de corticostéroïdes;
— médicaments d'action anticoagulante, par exemple hérapine, pendant 3 à 5 jours;
— prescrire, par exemple, un entraînement musculaire statique (voir page 89);
— intervenir chirurgicalement.

Inflammation musculaire (myosite)

La myosite est une inflammation du tissu musculaire. Cet état est rare et atteint surtout les muscles de la cuisse, du dos, de l'épaule et du mollet.

Symptômes et diagnostic

— Il survient lors de l'effort une douleur au niveau du groupe de muscles atteint.
— La gêne augmente si la charge devient importante et répétée.
— A l'examen, on palpe dans le muscle des zones solides et douloureuses.
— Lors de la contraction du muscle, il peut survenir des douleurs qui peuvent amener un état de crispation musculaires.

Traitement

Le sportif peut:
— mettre au repos le muscle concerné ou diminuer l'entraînement de ce muscle;
— faire un traitement local par application de chaleur et porter une protection conservant la chaleur.

Inflammation du tendon (tendinite), et de la gaine tendineuse (péritendinite)

Dans un tendon et dans les tissus qui l'entourent, qui, particulièrement au niveau des mains et des pieds, sont constitués d'une enveloppe: la gaine tendineuse, une réaction inflammatoire peut survenir parce que le tendon est soumis à la répétition de mouvements uniformes ou à la répétition d'une irritation mécanique. Il apparaît souvent une gêne qui va persister longtemps et sera difficile à traiter.

Symptômes et diagnostic

— Douleur au niveau du tendon atteint au cours de l'effort et après l'effort.

— Le tendon et sa gaine sont enflés, épaissis et sont le siège d'une douleur diffuse lorsqu'on appuie dessus avec la main. Un crépitement tendineux peut être entendu.
— A l'exploration radiologique du tendon, on peut voir parfois la tuméfaction des tissus mous péritendineux et dans certains cas des calcifications dans le tissu remanié par l'inflammation dans et autour du tendon.

Mesures préventives

— Effectuer un entraînement varié au cours duquel seront évités les mouvements trop uniformes et trop répétés.
— En cas de changement de sol, on doit s'adapter progressivement aux nouvelles conditions. Egalement l'équipement doit être adapté aux exigences de l'environnement.
— Grâce à un sérieux entraînement foncier, on peut retarder l'apparition précoce des altérations tendineuses dues à l'âge.

Traitement

Le sportif peut:
— se reposer jusqu'à disparition de la douleur;
— faire un traitement local par application de chaleur et porter un protection conservant la chaleur;
— consulter un médecin si les manifestations ne disparaissent pas sous l'effet du traitement préconisé ci-dessus.

Le médecin peut traiter par:
— plâtre ou bandage analogue;
— médicaments d'action anti-inflammatoire;
— médicaments d'action anticoagulante, par exemple hérapine, pendant 3 à 5 jours (spécialement en cas de crépitements tendineux);
— ultrasons, ondes courtes ou physiothérapie analogue;
— intervention chirurgicale.

Peu de lésions dues au sport sont aussi difficiles à traiter que les inflammations tendineuses. Au moindre signe d'inflammation tendineuse, cad. de douleur à l'effort, de sensibilité douloureuse et de gonflement dans un tendon, on doit immédiatement se mettre au repos. Dans le cas contraire les troubles peuvent être à l'origine d'une inflammation chronique qui peut mettre fin à l'avenir sportif du sujet.

Un exemple type d'inflammation tendineuse est représenté par l'inflammation du tendon d'Achille dont l'état peut être de longue durée et difficile à traiter. Les autres tendons qui sont souvent atteints par des inflammations sont la longue portion du tendon du muscle biceps au bras, le tendon du muscle sus-épineux et les tendons extenseurs du poignet.

Inflammation du périoste (périostite)

L'inflammation du périoste au niveau, par exemple, de la jambe est une affection fréquente spécialement chez les sportifs qui, au printemps et à l'automne, changent de sol et qui modifient leur technique, changent de souliers ou de tout autre accessoire. Un entraînement intensif sur un sol dur peut amener une inflammation du périoste, spécialement en hiver.

Les coureurs qui courent sur les orteils ou avec les pieds tournés en dedans de même que les athlètes qui utilisent des souliers à pointes peuvent également présenter une inflammation du périoste. Une voûte plantaire déficiente peut contribuer à la survenue de cette lésion. Il existe plusieurs autres causes possibles de douleurs au niveau de la jambe (voir page 307 et suivantes).

Symptômes

— Lors de l'effort, le sportif ressent une douleur au niveau, par exemple, de la face interne du tibia. La douleur devient plus intense en cas d'augmentation de la mise en charge de cette région du corps.
— Sensibilité douloureuse locale et tuméfaction sont perçues le long du bord antéro-interne du tibia.

Mesures préventives

— Le changement de sol doit s'effectuer progressivement en adaptant l'intensité de l'entraînement.
— Un équipement convenable doit être utilisé. Le choix des souliers doit être discuté avec l'entraîneur et le médecin.
— La technique et la foulée doivent être adaptées à la nature du sol.

Traitement

Le sportif doit:
— observer du repos; la condition physique peut être maintenue en faisant de la bicyclette sans mouvements de l'articulation de la cheville;
— faire un traitement local par la chaleur et porter une protection conservant la chaleur;
— consulter un médecin si les symptômes persistent longtemps.

Le médecin peut traiter par:
— médicaments d'action anticoagulante, par exemple hérapine, pendant 3 à 5 jours;
— injections locales de cortisone;
— médicaments d'action anti-inflammatoire;
— crèmes augmentant l'irrigation sanguine;
— intervention chirurgicale;
— pose d'un plâtre.

> Le sportif qui présenterait des douleurs de surcharge qui ne disparaîtraient pas sous l'effet du repos et de l'application de chaleur peut être atteint d'une fracture de fatigue (voir page 51 et suivantes) et il doit consulter un médecin.

Inflammation des bourses séreuses (bursites) et épanchement sanguin dans les bourses séreuses (hémobursites)

Des bourses séreuses sont normalement situées aux endroits qui sont exposés à des pressions et des frottements, par exemple entre un os et un tendon, entre deux tendons ainsi qu'entre le complexe os/tendon et la peau qui

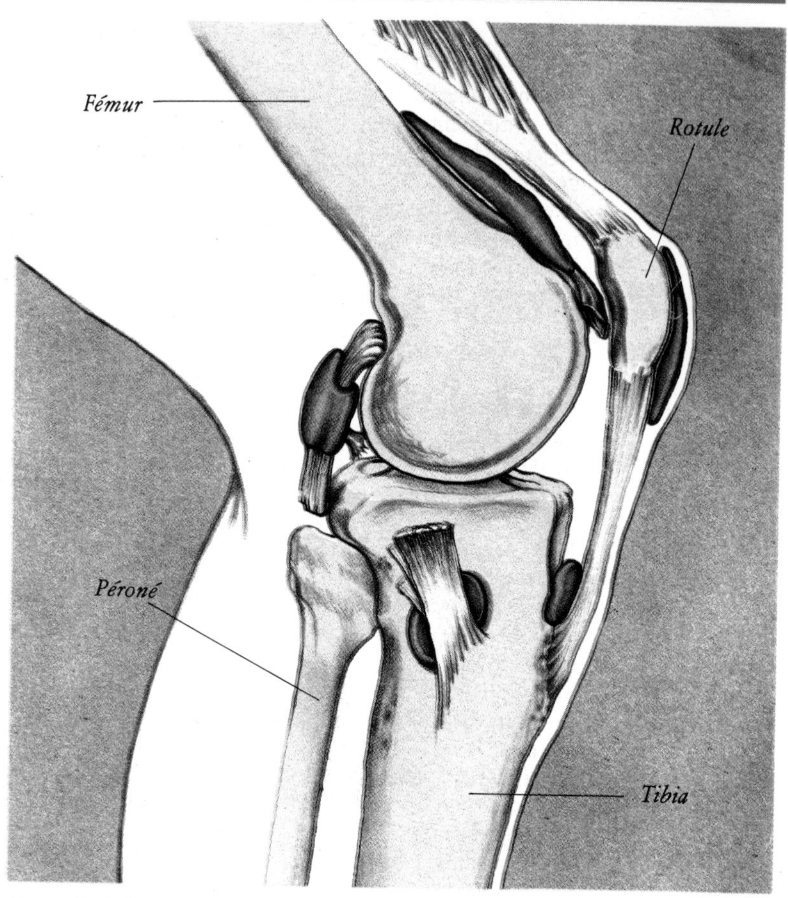

Exemple de bourses séreuses en relation avec la rotule.

le recouvre. Le rôle normal d'une bourse séreuse est de diminuer le frottement entre les surfaces de glissement et de répartir la pression exercée contre la région considérée. Une bourse séreuse peut être l'objet d'une blessure par traumatisme ou par irritation mécanique permanente. Un gardien de but de handball, qui heurte continuellement ses coudes contre le sol, peut, par exemple, être victime d'une blessure au niveau des bourses séreuses qui s'y trouvent ; les bourses séreuses du pied peuvent être l'objet de blessures si on utilise des souliers trop étroits.

Il existe un grand nombre de bourses séreuses permanentes au niveau des régions de la hanche, du genou, de l'épaule et du coude. Parfois, les bourses séreuses communiquent avec l'articulation sous-jacente. La bourse séreuse située au niveau du creux poplité (Kyste de Baker) communique par exemple avec l'articulation du genou et la bourse séreuse située derrière le muscle fléchisseur de l'articulation de la hanche, la bourse iliopectinée, communique avec l'articulation de la hanche. Les bourses séreuses occasionnelles surviennent au niveau des zones exposées à des pressions ou des frottements répétés par exemple au niveau des parties du squelette proéminentes.

Les états pathologiques des bourses séreuses peuvent avoir une origine inflammatoire (bursite) ou une origine traumatique avec parfois une hémorragie (bursite hémorragique).

Inflammation des bourses séreuses (bursites)

Les inflammations des bourses séreuses peuvent être divisées en bursites par frottement, bursites chimiques et bursites septiques (causées par une infection bactérienne) selon la cause déclanchante. Elles peuvent survenir de façon primitive ou de façon secondaire. Une inflammation d'une bourse séreuse peut constituer un symptôme d'une maladie générale inflammatoire ou infectieuse comme, par exemple, les rhumatismes articulaires et la tuberculose.

1. Inflammation des bourses séreuses par frottement

Lors de mouvements répétés au niveau d'un tendon en rapport à une bourse séreuse, une bursite par frottement peut survenir, par exemple au niveau de la bourse séreuse du tendon d'Achille. A la suite de l'état inflammatoire qui s'installe, il se produit un épanchement de liquide dans la bourse, qui est mise en tension, et qui entraîne une tuméfaction et une sensibilité douloureuse au niveau de la région. On peut parfois palper une fluctuation (cad. sentir que le liquide se déplace d'un côté à l'autre lorsqu'on palpe avec les doigts) de la bourse séreuse. Si l'inflammation est importante, il peut également apparaître une augmentation de température et une rougeur de la zone de peau qui recouvre la bourse, surtout si celle-ci est superficielle.

Traitement

Le sportif doit:
— observer le repos jusqu'à disparition de la douleur;
— poser un bandage qui comprime la bourse;
— décharger la zone de la bourse si l'inflammation résulte d'une pression externe. Cette décharge peut être réalisée simplement en plaçant un bandage en mousse ménageant un orifice central;
— faire un traitement local par application de chaleur et au bout de quelques jours porter une protection conservant la chaleur;
— consulter le médecin en cas de tuméfaction étendue avec douleur vive et persistante, etc.

Le médecin peut:
— ponctionner et vider la bourse;
— éventuellement injecter de corticostéroïdes et, dans ce cas, prescrire le repos;
— enlever par une intervention chirurgicale la bourse si les symptômes persitent. On est parfois obligé de raboter en même temps la partie du squelette qui peut être la cause de l'augmentation du frottement et par suite de l'inflammation de la bourse.

Une radiographie avec contraste liquidien dite «bursographie» (voir page 325) peut être intéressante pour confirmer le diagnostic.

Les bursites par frottement surviennent souvent chez les coureurs et les autres sportifs qui exécutent des mouvements souvent répétés. De telles inflammations sont fréquentes au niveau des bourses séreuses qui siègent au niveau des articulations de l'épaule, du coude, de la hanche, du genou et autour du calcaneum.

2. Inflammations des bourses séreuses par inflammations des tendons (bursites chimiques)

La bursite chimique est due aux substances qui se forment par suite des états inflammatoires ou dégénératifs (état de dégradation) au niveau du tissu tendineux. Ce sont ces états pathologiques qui doivent être traités en premier lieu. Cette forme clinique de bursite peut être traitée directement par le médecin par ponction et injection de corticostéroïdes. Un état chronique avec évolution vers l'inflammation oblige souvent à pratiquer l'ablation de la bourse. La conduite à tenir est alors, en gros, la même que celle indiquée plus haut pour les bursites par frottement.

3. Inflammations des bourses séreuses par infection (bursite septique)
Une bursite septique peut être due à la diffusion de bactéries par le sang ou par une pénétration de bactéries par l'intermédiaire de la peau blessée par exemple en cas de plaies ou d'écorchures. Les bourses séreuses situées superficiellement, par exemple au coude et à la face antérieure de la rotule, sont plus souvent que les autres atteintes de bursites septiques.

La bursite septique survient chez les sportifs qui présentent fréquemment des écorchures souillées, par exemple les joueurs de football qui jouent sur des terrains en terre battue.

Symptômes et diagnostic

— Douleur très vive avec sensibilité douloureuse intense.
— Importante tuméfaction avec rougeur de la zone environnante.
— Forte atteinte fonctionnelle de la région du corps.
— En cas d'infection chronique, une exploration radiologique du squelette doit être effectuée pour pouvoir déterminer si l'os sous-jacent est atteint.

Traitement

Le sportif peut:
— observer le repos et décharger la zone infectée;
— maintenir propre la zone blessée en la lavant avec de l'eau et du savon.

Le médecin peut:
— diriger le traitement contre l'agent causal de la bursite septique lorsqu'elle est due à une diffusion des bactéries par le sang;
— traiter localement la bursite en la ponctionnant et en la vidant du pus qu'elle contient;
— éventuellement pratiquer une intervention chirurgicale et placer un tube de drainage;
— traiter par la pénicilline;
— éventuellement poser un plâtre pendant quelques jours;
— enlever la bourse séreuse, si l'infection est chronique.

Saignement dans la bourse séreuse (bourse hémorragique ou hémobursite)

En cas de traumatisme appuyé contre une bourse séreuse un saignement peut se produire à l'intérieur de celle-ci. La cause la plus fréquente de bourse hémorragique est un traumatisme direct, par exemple, lorsqu'on tombe en percutant une bourse séreuse (voir figure page 299). Une bourse hémorragique peut également survenir par traumatisme indirect par exemple quand une rupture d'un tendon crée un épanchement sanguin dans la bourse ou quand un saignement se produit dans une articulation qui est en communication avec la bourse séreuse. Le saignement dans la bourse séreuse entraîne une inflammation chimique. Si le saignement est important et n'est pas traité, des caillots peuvent se former avec des accolements de tissu conjonctif et des corps libres comme conséquence (voir figure page 299). Ces accolements amènent une inflammation à répétition qui peut se prolonger ou passer à la chronicité.

La bourse hémorragique est fréquente chez les sportifs qui heurtent souvent certaines parties de leur corps contre le sol, par exemple les joueurs de handball et de volley-ball. Ce type d'inflammation se produit souvent dans les bourses séreuses de la face antérieure de la rotule, de la face externe de la partie supérieure et externe du fémur, de la pointe du coude, et entre le muscle sus-épineux et l'épine de l'omoplate.

Symptômes et diagnostic

En cas de blessure aiguë, on se trouve en présence de:
— tuméfaction, lorsque la bourse est remplie de sang;
— sensibilité douloureuse intense;
— douleur et limitation fonctionnelle de la région du corps concernée;
— parfois rougeur de la peau ou une lésion cutanée.

En cas d'irritation mécanique, on se trouve en présence de:
— tuméfaction;
— chaleur locale;
— rougeur;
— sensibilité douloureuse;
— douleur lorsque la région du corps concernée est sollicitée.

Soins d'urgence en cas de bourse hémorragique

Le sportif, ou un dirigeant peut:
— traiter par glaçage pour limiter le saignement;
— poser un pansement compressif;
— décharger la bourse séreuse enflammée.

Le médecin peut:
— ponctionner la bourse séreuse et aspirer le sang;
— poser un pansement compressif et éventuellement un plâtre.

Lésions par surcharge et maladies articulaires

Les extrémités osseuses sont recouvertes de cartilage qui ne possède pas d'irrigation sanguine. En conséquence les lésions du cartilage guérissent mal. L'approvisionnement en éléments nutritifs du cartilage articulaire se fait par l'intermédiaire du liquide articulaire, qui est sécrété par la muqueuse articulaire appelée «synoviale» cad. la couche la plus interne de la capsule articulaire. Le liquide articulaire diminue également les frottements lors des mouvements de l'articulation.

Les articulations sont très sensibles et peuvent être atteintes de modifications par surcharge ou par maladie. Puisque la pratique de la majorité des spécialités sportives nécessite une complète mobilité articulaire les lésions des articulations peuvent avoir des conséquences considérables.

Arthrose (usure articulaire)

L'arthrose consiste surtout en une détérioration et une usure du cartilage articulaire mais les altérations peuvent progressivement gagner le tissu osseux. L'âge semble jouer un rôle important dans la survenue de l'arthrose puisqu'une certaine dégénérescence des articles constituant l'articulation se produit avec l'avancement en âge.

L'arthrose peut être primitive ou secondaire. L'arthrose primitive — dont la cause est inconnue — est fréquente chez les femmes et chez les hom-

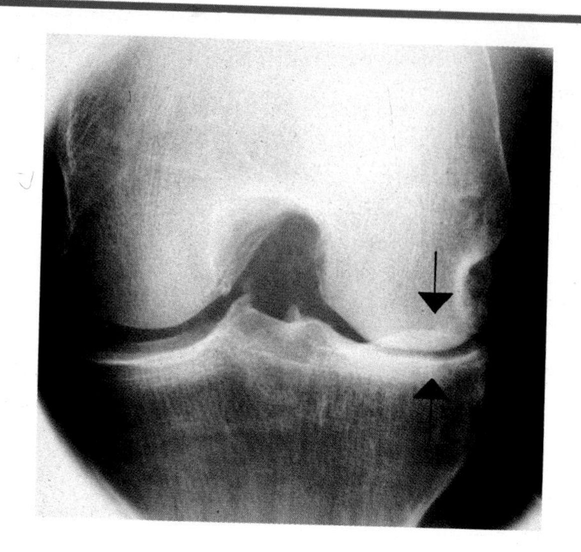

Articulation du genou en charge. On voit à la face interne de l'articulation du genou des altérations qui sont en faveur d'une arthrose.

mes atteints de diabète. L'obésité est considérée comme n'ayant aucune importance pour la survenue de l'arthrose, mais l'excédent de poids favorise l'aggravation des lésions.

L'arthrose secondaire peut survenir après, par exemple, une blessure ou une maladie articulaire, des fractures des surfaces articulaires des lésions des ligaments et des luxations des articulations du genou et des doigts. Les autres causes d'arthrose secondaire sont les infections et le rhumatisme articulaire (arthrite rhumatismale). Une mauvaise mise en charge des articulations, par exemple chez les joggeurs qui courent sur le bord incliné des chemins, peut amener une aggravation de l'arthrose et celle-ci peut également provenir de la pratique de la course à pied sur sol dur.

Modifications pathologiques

En cas d'arthrose le cartilage articulaire se ramollit et perd son élasticité. La surface cartilagineuse devient inégale et le cartilage s'effrite peu à peu. Des crevasses se produisent et elles peuvent atteindre l'os sous-jacent. Peu à peu le cartilage est usé jusqu'à l'os dont la surface va alors supporter la charge de l'articulation. En même temps se produit une sclérose de l'os. A l'intérieur de certaines zones l'os est détruit et des kystes se forment. Autour du cartilage détérioré des cellules cartilagineuses se développement qui vont ensuite s'ossifier. Des excroissances osseuses (ostéophytes) vont survenir par épaississement de la capsule articulaire. Celles-ci peuvent être mises en évidence par l'exploration radiologique de l'articulation en charge. L'arthrose atteint le plus souvent les articulations du genou et de la hanche. L'articulation du pied est rarement touchée.

Symptômes et diagnostic

— Douleur, qui en règle s'installe lentement et qui augmente lors des charges. Chez les sportifs la douleur peut disparaître au cours des exercices d'échauffement pour réapparaître ensuite après la fin de l'entraînement ou de la compétition.
— Une tuméfaction peut survenir.
— Une rigidité matinale et des douleurs de mise en train surviennent au niveau de l'articulation atteinte. Egalement une claudication et des crépitements peuvent apparaître.
— La douleur au repos apparaît dès que l'arthrose a atteint un stade avancé. Le sommeil nocturne peut être perturbé. Ces symptômes survien-

nent surtout au niveau de l'articulation du genou. La position du membre atteint peut être modifiée par suite de faiblesse musculaire et de laxité ligamentaire.
— La limitation de mouvement, la dégénérescence de la musculature, la sensibilité douloureuse et parfois l'augmentation de température peuvent être mis en évidence lors de l'examen de l'articulation blessée.
— Instabilité en raison des modifications de l'état des surfaces articulaires et de la laxité des ligaments qui en résulte.
— L'exploration radiologique fournit le diagnostic et peut révéler une diminution de l'interligne articulaire en raison de l'usure du cartilage articulaire, des kystes osseux, des ostéophytes et de la sclérose.
— L'épanchement intra-articulaire peut être visualisé sur une radiographie.
— La présence de remaniements d'arthrose dans une articulation ne signifie pas forcément l'existence d'un état douloureux. Cependant, les douleurs peuvent souvent être déclenchées par, par exemple, une entorse ou une charge trop forte.

Traitement

— La charge de l'articulation atteinte doit être diminuée.
— En cas de manifestations aiguës, on doit observer le repos et s'abstenir de courir si un genou (ou une hanche) est atteint. La condition physique peut souvent être maintenue grâce à la pratique de la bicyclette ou de la natation.
— L'entraînement actif de la mobilité et l'entraînement de la force doivent être effectués sous la direction d'un kinésithérapeute et peuvent parfois avoir lieu en piscine. Des mouvements passifs (c'est-à-dire des mouvements qui ont lieu sans activité musculaire de la part du blessé et sont exécutés en faisant mobiliser l'articulation par une autre personne) doivent être évités.
— Médicaments d'action anti-inflammatoire et d'action antalgique peuvent être prescrits.
— Un traitement par la chaleur par, par exemple, ultrasons, ondes courtes ou compresses chaudes peut donner un certain effet psychologique.
— Une protection gardant la chaleur peut être employée.
— Si un genou ou une hanche sont atteints d'arthrose, le blessé peut s'aider d'une canne tenue du côté sain.
— Des bandages de diverses sortes peuvent être employés pour soulager l'articulation.
— Dans des cas graves, un traitement chirurgical peut devenir nécessaire.

Arthrose et sport

Le sportif qui est atteint de lésions d'arthrose doit en premier lieu passer un examen médical et ensuite être incité à pratiquer des sports qui ne mettent pas directement en charge l'articulation qui présente des altérations par exemple le cyclisme, la natation ou le ski de fond. Beaucoup de temps doit être consacré aux mouvements actifs et à l'entraînement musculaire actif de façon à prévenir une aggravation. En règle générale, il n'y a aucune raison à inciter le sportif qui commence à être atteint d'arthrose à cesser de faire du sport mais une modification des formes de pratique sportive est souvent nécessaire. Le médecin doit prendre la décision de la poursuite d'une activité sportive dans chaque cas particulier. L'activité sportive après intervention par prothèse de la hanche ou du genou doit seulement être pratiquée en accord avec le médecin traitant.

Rhumatismes articulaires

Le terme de «Rhumatismes articulaires» recouvre presque tous les cas d'inflammations chroniques des articulations, associées souvent à celles des tendons, des gaines tendineuses, des muscles et des bourses séreuses. L'origine de la maladie n'est pas élucidée. Les rhumatismes articulaires sont 3 fois plus fréquents chez la femme que chez l'homme. Ils débutent habituellement entre 20 et 30 ans ou entre 45 et 55 ans.

Altérations pathologiques

Lors des rhumatismes articulaires, l'inflammation de la synoviale accompagnée de dépôts de fibrine constitue la principale altération pathologique. Par suite de cette inflammation, il se produit un épanchement de liquide dans l'articulation qui se manifeste par une tuméfaction. Le tissu inflammatoire va se développer vers l'intérieur de la capsule articulaire où elle va former des franges et construire une sorte de matelas (un pannus) qui recouvre les surfaces cartilagineuses, adhérant d'une part à l'os situé au-dessous du cartilage et d'autre part aux tendons et aux ligaments. En même temps la détérioration du cartilage va s'étendre à partir de la surface et des kystes intra-osseux vont se former. Enfin les zones atteintes par la réaction inflammatoire vont guérir plus ou moins complètement laissant des cicatrices, pouvant constituer un obstacle à la mobilité articulaire.

Symptômes et diagnostics

— Douleur et augmentation de volume de l'articulation.
— Raideur articulaire surtout accentuée le matin.
— La maladie est caractérisée par une évolution avec des périodes d'aggravation et entre elles des périodes plus ou moins dépourvues de symptômes.
— Mauvaises positions au niveau des articulations, un certain degré de faiblesse musculaire et des modifications tendineuses.

On estime qu'il y a «rhumatisme articulaire» si on se trouve en présence de 3 ou 4 des critères suivants:

1. Raideur matinale.
2. Douleur ou sensibilité douloureuse dans au moins une articulation avec en même temps fatigue.
3. Tuméfaction des tissus mous et épanchement liquidien dans au moins une articulation.
4. Lorsque les symptômes 2 et 3 sont présents: présence d'au moins une tuméfaction au niveau d'une autre articulation.
5. Tuméfactions articulaires symétriques.
6. Excroissances nodulaires des tendons sous la peau au niveau des localisations typiques du rhumatisme articulaire.
7. Modifications caractéristiques du rhumatisme à l'exploration radiologique.
8. Modifications typiques du rhumatisme articulaire à l'examen du prélèvement sanguin.

Traitement

— Entraînement physique général et rééducation fonctionnelle.
— Médicaments d'action anti-inflammatoire et d'application locale.
— Bandage protecteur de l'articulation atteinte.
— Dans les cas graves, intervention chirurgicale.

Rhumatismes articulaires et activités sportives

Les rhumatismes articulaires ne doivent pas constituer des contre-indications à la pratique sportive; une activité physique adaptée sera recommandée puisqu'elle aura un effet positif. Les rhumatisants doivent principalement effectuer des mouvements actifs, avec participation des muscles.

Autres maladies rhumatismales

Maladie de Bechterew

Pour la maladie de Bechterew, voir page 245.

Infections articulaires

Des infections peuvent toucher les articulations par voie sanguine en provenance d'autres foyers d'infection, par exemple, en cas d'infections urinaires, de maladies vénériennes, d'infections des voies respiratoires, des sinus, des dents et de l'intestin. Les infections articulaires peuvent également survenir en relation avec les blessures articulaires ouvertes ainsi que lors des interventions chirurgicales ou des prélèvements dans les articulations. Elles relèvent du traitement médical.

Goutte

La goutte est due à une précipitation de cristaux d'acide urique dans les articulations, habituellement le gros orteil, et 95 % des sujets qui sont atteints de goutte sont des hommes d'âge moyen. Les symptômes aigus se manifestent sous forme d'accès nocturnes et de douleurs intenses dans l'articulation de la base du gros orteil qui est alors enflé et présente localement une rougeur de la peau et une augmentation de température. Les symptômes persistent 48 heures et parfois jusqu'à une semaine. Une forme chronique de goutte peut atteindre plusieurs articulations et ressembler à d'autres maladies rhumatismales. Un examen médical est conseillé en cas de goutte.

La goutte doit être traitée par des médicaments spécifiques, notamment des médicaments d'action anti-inflammatoire, un régime et un repos actif.

Fractures de fatigue du squelette

La fracture est également appelée «fracture de stress». Cette fracture survient souvent après la répétition d'une charge pendant une longue période.

Une fracture de fatigue du squelette peut être comparée avec la rupture qui survient dans une barre de métal après qu'elle ait été fléchie plusieurs fois. Lorsqu'un os du squelette est fléchi, il se produit une tension de traction à sa surface et une tension de pression à sa face interne. Si le même os est fléchi plusieurs fois, on atteint finalement un point où le squelette dépasse le seuil de fatigue et se rompt. La rupture est toujours précédée d'un état d'irritation du périoste (périostite).

Causes

Une fracture de fatigue peut apparaître dans plusieurs circonstances: à la suite d'une charge normale mais avec répétition élevée du même geste par exemple chez les coureurs de grand fond, à la suite d'une charge élevée dont la répétition est normale, par exemple chez un sportif qui exécuterait plusieurs 100 mètres de suite avec un camarade sur le dos comme charge, à la suite d'une charge élevée répétée très souvent par exemple chez un sportif qui s'adonne régulièrement à un entraînement intensif avec une charge élevée. Cette dernière circonstance expose le plus au risque de fractures de fatigue et de lésions de surcharge des autres tissus de l'organisme.

Deux théories tentent d'expliquer le mécanisme de survenue d'une fracture de fatigue : selon la première théorie, *la théorie de l'épuisement,* les muscles sous l'effet d'un travail répétitif et de longue durée, par exemple au cours d'une course à pied, sont si fatigués qu'ils n'arrivent plus à mettre en décharge le squelette lors de la pose du pied au sol. La totalité de la charge est alors directement transmise au squelette qui va se fatiguer et va être atteint d'une fracture. Selon la seconde théorie, *la théorie de surcharge,* certains groupes de muscles en se contractant soumettent l'os à une flexion, ce qui crée à son niveau une augmentation de charge. Sous l'effet de la contraction de la musculature du mollet, par exemple, le tibia est fléchi en avant comme une arbalète lorsqu'elle est tendue. Les muscles de la face antérieure de la jambe, qui fléchissent vers le haut l'articulation de la cheville, exercent alors une flexion au niveau du tibia dans le sens contraire. Sous l'effet de la répétition des contractions de la musculature du mollet le tibia se fatigue et une fracture peut alors se produire. L'ossification du périoste due à la fracture de fatigue peut être interprétée comme le témoin d'une guérison qui débute à l'endroit où la rupture est survenue.

Une fracture de fatigue atteint des individus sains par ailleurs à pratiquement tous les âges depuis l'âge de 7 ans sur un os normal et après une activité normale, sans que le squelette n'ait été exposé à un trauma-

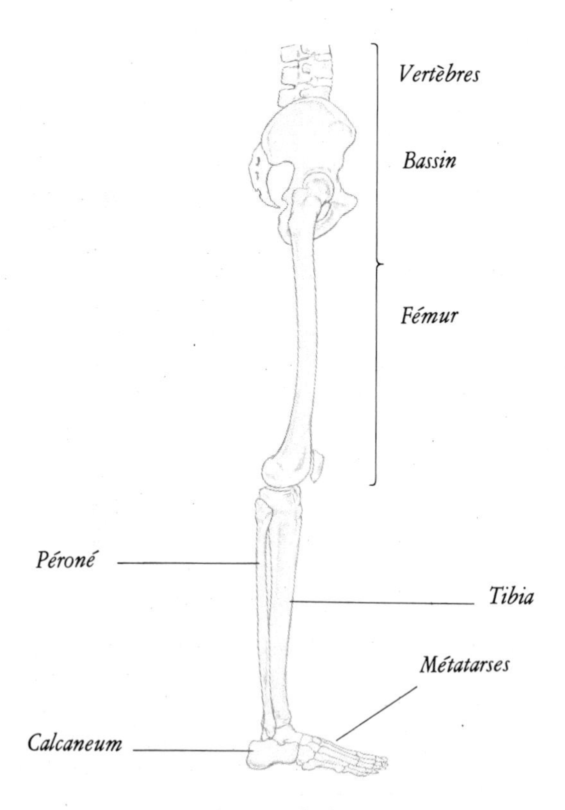

Localisations d'une fracture de fatigue.

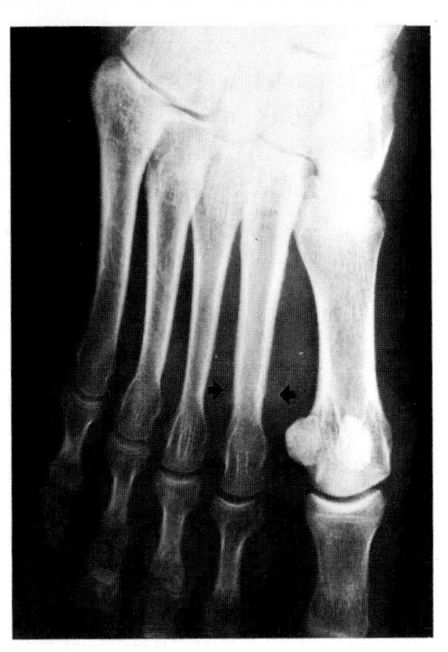

Cliché radiologique d'une fracture de fatigue à la phase précoce sur le second métatarsien.

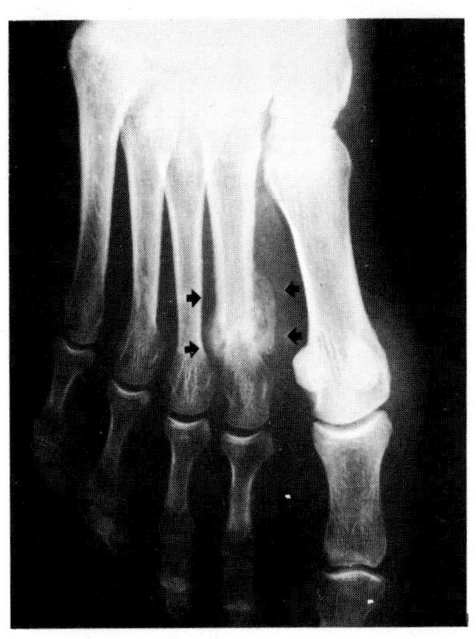

Cliché radiologique d'une fracture de fatigue 6 semaines après l'apparition des symptômes. La calcification de la région est un signe de guérison.

tisme. Un sportif qui se plaint de douleur au niveau d'un os lors de l'effort peut souffrir d'une fracture de fatigue. Les sportifs mal entraînés présentent plus souvent que ceux qui sont bien entraînés des fractures de fatigue.

Localisation

Dans 20 à 25 % des cas la fracture de fatigue se situe au niveau du péroné, du tibia et des os métatarsiens. Le calcaneum, le fémur, l'humérus, les os du bassin, les côtes, etc. sont moins souvent atteints.

Parmi les os métatarsiens, le 3e métatarse est le plus fréquemment atteint d'une fracture de fatigue. La lésion peut apparaître après 6 semaines d'entraînement. Les soldats d'infanterie sont souvent victimes de ce type de fracture du squelette qui est, pour cette raison, parfois appelée «fracture de marche». Sur le tibia, ce sont souvent les deux tiers supérieurs qui sont les plus exposés et sur le péroné la fracture se situe habituellement 5 à 6 centimètres au-dessus de la pointe de la malléole externe. Les sauteurs en hauteur sont cependant atteints en règle générale au niveau du tiers supérieur du péroné et les coureurs à pied au niveau du tiers inférieur de cet os. Les lanceurs de javelot peuvent présenter des fractures de fatigue au niveau de l'humérus.

Symptômes et diagnostic

— Dans la moitié des cas les symptômes d'une fracture de fatigue apparaissent de façon aiguë sans que l'os n'ait été l'objet d'un traumatisme. Dans le reste des cas les symptômes apparaissent de façon plus insidieuse.
— Durant la première semaine où les symptômes se manifestent le sportif peut ressentir une douleur à l'entraînement mais pas au repos. En cas de dur entraînement, les douleurs augmentent en intensité et une douleur sourde survient peu à peu après l'entraînement.
— Au niveau de la fracture une tuméfaction et une sensibilité douloureuse bien délimitées peuvent être constantes.
— Les images radiologiques obtenues lors d'un premier examen ne mettent pas toujours en évidence des signes de fracture. C'est seulement 3 à 4 semaines après que la fracture est survenue que le tissu de guérison

fait son apparition sur les clichés radiologiques. Si aucun signe de fracture n'est vu lors du premier examen et si les symptômes persistent, l'exploration radiologique doit être répétée après 2 à 4 semaines.
— En cas d'incertitude le médecin peut faire pratiquer une exploration du squelette avec des isotopes radioactifs.

En présence de douleurs de jambe qui ont été initialement interprétées comme le signe d'une inflammation du périoste et qui ont persisté malgré le repos plus de 2 semaines, l'existence d'une fracture de fatigue doit être suspectée et il faut faire une radiographie osseuse.

Prévention

Le sportif doit reconsidérer soigneusement son programme d'entraînement avec son entraîneur et avec son médecin, et vérifier son équipement, en particulier ses chaussures.

Traitement

Le sportif doit:
— s'abstenir de faire des exercices de mise en charge pendant 4 à 8 semaines jusqu'à ce que la douleur ait disparu et jusqu'à ce que la guérison ait été confirmée par une exploration radiologique.

Le médecin peut:
— poser un plâtre pendant 2 à 6 semaines en cas de douleurs violentes et lorsque la fracture est localisée au tibia;
— prescrire l'utilisation de béquilles pour décharger le membre inférieur, spécialement lorsque la fracture est localisée au fémur;
— contrôler radiologiquement la guérison de la fracture.

AUTRES ATTEINTES

Plaies

Les plaies sont très fréquentes parmi les sportifs, surtout parmi ceux qui s'adonnent à des sports de contact comme le football et le hockey sur glace. Egalement les coureurs de course d'orientation, les cyclistes, les cavaliers sont victimes de plaies.

La manière dont une plaie se produit détermine l'importance qu'elle va revêtir. Les différents types de plaies sont les coupures, les contusions, les déchirures, les piqûres, les plaies traumatiques et les écorchures. La plaie peut toucher la couche cutanée superficielle mais également aller en profondeur et atteindre les tendons, les muscles et les vaisseaux sanguins.

Plusieurs facteurs peuvent rendre plus difficile la guérison d'une plaie: les mouvements dans la région qui entoure la plaie, lorsque la plaie est souillée ou infectée, lorsque l'hémorragie est abondante, lorsque les bords de la plaie sont écartés. Le traitement doit donc lutter contre ces facteurs d'aggravation.

Traitement

Pour arrêter le saignement de la plaie, le sportif ou le dirigeant peut:
— Placer la région du corps en position haute. Lorsque la blessure est située au bras ou au membre inférieur le blessé doit si possible être couché sur le dos ou être assis et l'extrémité concernée maintenue en l'air. Cette manœuvre doit être suffisante dans la majorité des cas pour arrêter l'hémorragie.

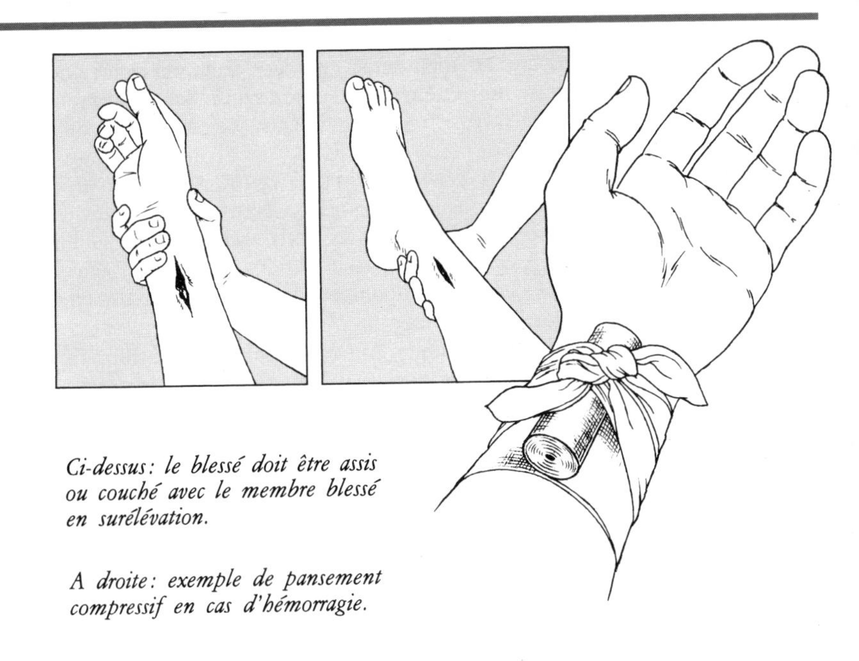

Ci-dessus: le blessé doit être assis ou couché avec le membre blessé en surélévation.

A droite: exemple de pansement compressif en cas d'hémorragie.

— Fermer la plaie si le saignement est important et ne cesse pas. Avec une main de chaque côté de la plaie on appuie alors les bords de la plaie l'un contre l'autre tandis que l'extrémité blessée est maintenue en position haute, de préférence avec l'aide d'une autre personne. Le risque d'infection diminue si les doigts ne viennent pas en contact avec la plaie elle-même. Exceptionnellement si le blessé n'a personne pour l'aider, il peut essayer d'arrêter l'hémorragie en appliquant directement sa main sur la plaie.
— Poser un pansement compressif dès qu'on dispose du matériel de bandage nécessaire. Lorsqu'on pose un pansement compressif, les bords de la plaie doivent être appuyés l'un sur l'autre. Si nécessaire, une compresse pliée ou un mouchoir propre peut être appliqué contre les tissus mous situés à proximité de la plaie pour que la pression contre la région puisse être améliorée. Compresse et mouchoir sont maintenus en place avec une bande de gaze ou une bande élastique.

Un pansement compressif ne doit pas rester en place plus de 10 à 20 minutes. S'il a été nécessaire de recourir à un pansement compressif, le blessé doit obligatoirement être conduit chez un médecin.

Nettoyage

Les plaies superficielles ou les écorchures sont fréquentes et la couche cutanée superficielle est alors seule atteinte. Les joueurs de football qui chutent sur un terrain en stabilisé, les coureurs qui chutent sur la cendrée, les cyclistes qui tombent sur l'asphalte présentent souvent des écorchures. Ces plaies doivent être nettoyées avec soin dans les 6 premières heures. Dans le cas contraire, la blessure s'infectera puisque les bactéries au bout de ce délai commencent toujours à pénétrer dans les tissus. Il est essentiel que toute souillure soit enlevée, spécialement pour les écorchures de la face puisque des tatouages inesthétiques pourraient autrement persister. Les écorchures qui sont fortement souillées doivent être nettoyées minutieusement avec du savon et de l'eau ainsi qu'avec une brosse douce pendant plusieurs minutes. Après ce nettoyage superficiel, la plaie est lavée avec par exemple du sérum salé physiologique et recouverte par une compresse stérile, qui est maintenue en place par une bande. Si la plaie suinte, la compresse doit être changée chaque jour. La guérison est facilitée si la plaie est traitée avec du tulle gras (sur prescription médicale).

Les plaies profondes touchent à la fois la couche superficielle de la peau et les tissus sous-jacents ainsi qu'éventuellement les tendons, les muscles, les vaisseaux sanguins et les nerfs. Les bords de la plaie bâillent souvent et le saignement peut être important. Des plaies pénétrantes qui sont occasionnées par des crampons ou des pointes peuvent être trompeuses et doivent être traitées par un médecin.

Une plaie profonde doit être nettoyée avec soin. Le médecin est parfois obligé d'effectuer une véritable «toilette de la plaie», c'est-à-dire d'enlever de la plaie une partie morte du tissu.

La règle fondamentale à ne pas oublier est que toute plaie qui n'a pas été traitée dans les 6 heures après qu'elle se soit produite doit être considérée comme infectée. C'est donc pendant ce laps de temps qu'une blessure doit être nettoyée et si nécessaire recousue par un médecin. Les points de suture doivent en règle générale rester en place pendant environ 7 jours, si la plaie est située sur la face et pendant 10 jours si la plaie est située ailleurs dans le corps.

Une plaie qui doit être recousue est une plaie profonde, une plaie qui saigne abondamment, une plaie qui bâille c'est-à-dire dont les bords ne sont pas en contact l'un de l'autre. Lorsqu'une plaie a besoin d'être recousue, on doit le plus tôt possible consulter un médecin, en tout cas avant le délai de 6 heures.

Une plaie infectée est caractérisée par des douleurs, une tuméfaction, une rougeur de la peau et une sensibilité douloureuse locale. Les bactéries d'une plaie infectée peuvent par l'intermédiaire des canaux lymphatiques diffuser jusqu'aux ganglions lymphatiques, par exemple au creux de l'aisselle et au niveau de l'aine. Les canaux lymphatiques peuvent alors ressortir sous forme de stries rouges sur la peau et le sujet peut présenter de la fièvre, une sensation de malaise ainsi qu'une tuméfaction et une sensibilité douloureuse au niveau des ganglions lymphatiques. Cet état est appelé en langage courant «une intoxication du sang» et la plaie qui l'a provoquée doit toujours être traitée par des médicaments. Les mesures à prendre classiquement sont : le nettoyage local, un traitement par un antibiotique, un bandage plâtré, etc. En cas de fièvre et d'atteinte de l'état général le blessé doit garder le lit. Le sportif ne doit pas s'entraîner ni participer à une compétition au cours de cette période d'infection (voir page 126 et suivantes).

> En présence d'une plaie infectée avec diffusion de bactéries, on doit toujours observer le repos.

Tétanos

Toutes les blessures avec plaie qui se produisent en plein air comportent un risque de tétanos.

Lors de la vaccination contre le tétanos, il est injecté 0,5 ml de vaccin antitétanique en 3 fois, les 2 premières fois avec au moins 4 à 6 semaines d'intervalle entre elles et la troisième fois au moins 6 mois après la seconde injection. La protection contre le tétanos dure ensuite plusieurs années. Le sujet qui n'aurait reçu qu'une ou deux doses de vaccin est incomplètement protégé mais si on a reçu 3 doses en l'espace de 10 ans on sera complètement vacciné. Le vaccin antitétanique est administré en règle générale à toute blessure avec plaie qui nécessite une visite médicale.

Ampoules

Les ampoules aux pieds constituent sans nul doute et de loin le supplice le plus désagréable pour le sportif ou pour les adeptes enthousiastes de la vie en plein air. Les ampoules aux mains peuvent poser des problèmes aux joueurs de tennis, de badminton et de squash. Les sujets handicapés qui restent constamment assis sur leurs fauteuils roulants sont souvent atteints d'escarres et d'ampoules qui peuvent être difficiles à traiter en raison des troubles de la sensibilité qu'ils présentent.

Une ampoule est une irritation de la peau qui peut se transformer en une plaie rouge, cuisante et sensible.

Mesures préventives

— Tout équipement doit être bien approprié à son but aussi bien à l'entraînement qu'en compétition. Les souliers doivent être bien «rodés», etc.
— Les bas doivent être d'une seule pièce, secs et propres et de la pointure convenable de façon à ne pas faire de plis. Les bas doivent être changés souvent.

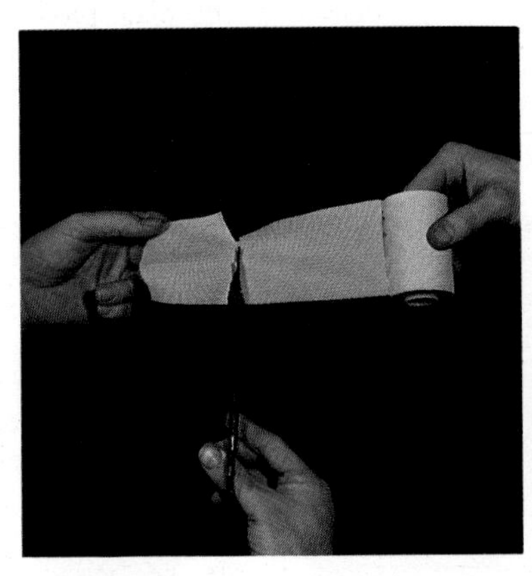

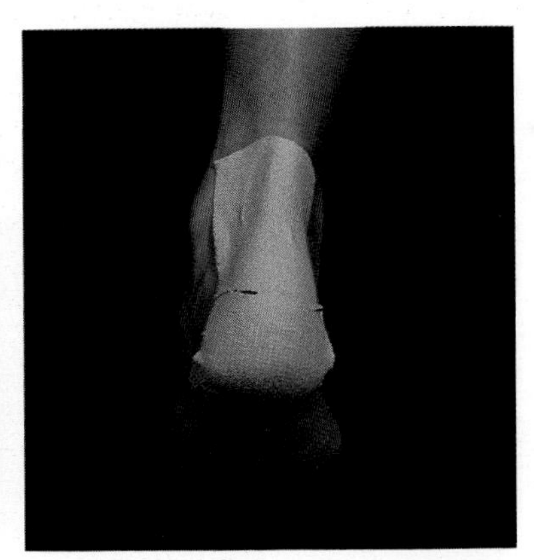

Les ampoules peuvent être prévenues en appliquant un sparadrap comme ci-dessus.

— L'hygiène doit être rigoureusement observée. Les pieds doivent être lavés chaque jour et peuvent être enduits d'un corps gras qui adoucit les callosités et rend la peau plus souple.
— Les zones sensibles de la peau peuvent être protégées au préalable par un sparadrap protecteur adhésif.

Traitement

— Au moindre indice de formation d'une ampoule, on doit s'arrêter pour empêcher l'irritation de se poursuivre. La zone irritée peut alors être protégée par un sparadrap protecteur adhésif. La moitié postérieure de la plante des pieds peut être protégée en posant un sparadrap comme le montre le cliché ci-dessous. Il faut éviter les plis.
— Si une cloque s'est formée, il y a lieu d'essayer de conserver la couverture cutanée puisqu'elle constitue une bonne protection contre les bactéries. Si la cloque est grande, on peut la ponctionner par le bord avec une aiguille propre.

Un morceau de caoutchouc mousse ou de mousse synthétique peut être découpé en anneau dont l'orifice correspond à la taille de la cloque. L'anneau est ensuite placé autour de la cloque.

— Si une ampoule est apparue, il est important de la nettoyer soigneusement, de préférence avec de l'eau et du savon. Comme pansement on emploie une compresse stérile ou une compresse grasse, qui est maintenue en place avec une bande de gaze, une bande élastique ou un dispositif de contention analogue. A un stade ultérieur, on emploie un sparadrap adhésif.

L'infection d'une ampoule peut entraîner de graves inconvénients, ce qui justifie qu'on soit souvent obligé d'interrompre l'entraînement. En outre l'infection contrarie le processus de guérison. Une plaie non traitée est considérée comme infectée 6 heures après qu'elle soit apparue.

> En matière d'ampoules on ne soulignera jamais assez que les mesures préventives constituent l'essentiel: on peut éviter d'avoir des ampoules.

Brûlures par frottement

Lors de l'entraînement ou de la compétition, principalement sur sol en matière synthétique ou sur des surfaces de plancher traitées il existe un risque en cas de chutes d'être victime de lésions de brûlures par frottement. Du fait que la peau soit venue en contact avec le sol, il peut en pareil cas par suite du frottement se produire une température si élevée qu'elle engendre des lésions de brûlures parfois en combinaison avec une éraflure, si le contact est brutal. Une brûlure n'atteint en règle générale

Une chute sur un terrain en gazon artificiel peut entraîner des lésions de brûlures par frottement. Photographie: Tommy Wiberg/Pressens bild.

que la couche externe de la peau et dans sa forme la plus bénigne n'occasionne qu'une rougeur de la peau, auquel cas il est inutile d'instaurer un traitement. Si des cloques dans la peau surviennent, celles-ci doivent être couvertes par un pansement. Lorsque la couche superficielle de la peau est arrachée, il survient une plaie suintante, qui doit être nettoyée et pansée aussi rapidement que possible pour arriver à empêcher l'infection. Les lésions de brûlures par frottement sont souvent estimées être propres et, pour cette raison, on s'abstient de nettoyer de telles plaies. Si une plaie de ce type s'infecte, cette infection peut avoir pour effet de retarder une intervention chirurgicale sur une autre lésion dans la même région.

Mesures thérapeutiques

Le sportif ou le dirigeant peut:
— prévenir les lésions de brûlures par frottement en veillant à ce qu'un équipement convenable soit utilisé;
— diminuer le frottement dans le cas d'une chute éventuelle en enduisant d'un corps gras les régions du corps exposées;
— traiter les lésions de brûlures par frottement en nettoyant soigneusement la plaie avec du savon et de l'eau, ainsi qu'en posant une compresse qui sera fixée avec une bande.

Crampes musculaires

La plupart des gens sont atteints de crampes une ou plusieurs fois dans la vie. Le sportif peut présenter des crampes dans certains muscles au cours ou après de durs efforts, par exemple un match de football ou une course de grand fond. Les crampes musculaires se produisent assez souvent chez les joueurs de football, de handball, de tennis, de badminton, les coureurs à pied, les skieurs, les coureurs de course d'orientation, les cyclistes, etc.

Causes

— En cas de course à pied extrêmement longue ou de tout autre effort de longue durée lorsque le temps est très chaud on peut être l'objet de fortes pertes de liquide. Il s'en suit un déficit relatif en sel qui peut être à l'origine d'une crampe. La concentration en sel dans le sang peut devenir faible si les pertes de liquide ont été remplacées par de grandes quantités de liquide, qui ne contenaient pas de sel (voir page 143 et suivantes).
— Le type de crampe dont peut être atteint par exemple un footballeur au cours de la dernière période de la fin d'un match est vraisemblablement dû à des modifications dans les muscles à la suite de séquelles d'hémorragies, de microruptures musculaires ou de l'état général du sportif — il peut être insuffisamment entraîné, inhabitué à jouer un match, être atteint de fatigue générale, etc.
— Les causes directes d'une crampe musculaire ne sont pas élucidées, mais les facteurs qui contrarient la circulation peuvent intervenir: bas qui serrent, souliers trop fortement lacés, accumulation d'acide lactique dans les muscles, varices, froid, infections, etc.

Mesures thérapeutiques

Le sportif peut:
— prévenir l'apparition des crampes musculaires par un entraînement foncier et des exercices d'échauffement, un équipement convenable et en apportant à l'organisme suffisamment de sel et de liquide;
— interrompre son activité sportive au moment d'une crampe aiguë et agir au niveau du muscle antagoniste (muscle qui a une action opposée à celle du muscle où la crampe s'est produite). Si, par exemple, on souf-

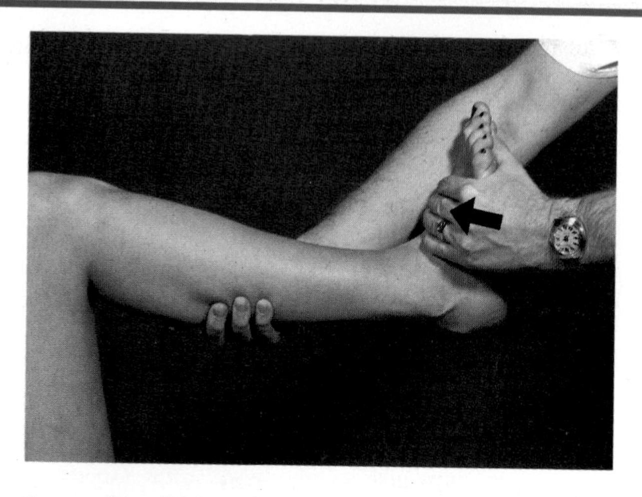

On peut faire disparaître une crampe dans les muscles du mollet, qui fléchit le pied vers le bas, en faisant fléchir le pied vers le haut tout en appuyant en même temps légèrement sur les muscles du mollet.

fre d'une crampe dans le muscle du mollet, qui réalise une flexion plantaire, on doit avec prudence, et avec le genou fléchi, relever le pied jusqu'à ce qu'il fasse un angle droit avec la jambe. Ne pas repousser le pied trop brutalement et ne pas masser le muscle qui est atteint par la crampe, mais appuyer seulement de façon légère contre lui.

Le médecin peut:
— faire passer un examen complet de médecine générale chez tout sportif qui présente des crampes à répétition.

Douleurs d'entraînement

Les douleurs d'entraînement c'est-à-dire douleur, sensibilité douloureuse, raideur et parfois tuméfaction de la musculature, peuvent apparaître plusieurs heures après une séance dure d'entraînement. Les douleurs se manifestent à la fois lors des mouvements passifs et des mouvements actifs et les muscles donnent l'impression d'être hypersensibles et sans force. Beaucoup de sportifs éprouvent des douleurs d'entraînement à la fin de l'automne et au début du printemps, lorsqu'ils changent de sol, commencent leur entraînement trop énergiquement et n'adaptent pas leurs chaussures au sol qu'ils utilisent. Les symptômes apparaissent spécialement lors d'un travail musculaire, où le muscle est allongé en même temps qu'il se contracte (travail excentrique négatif).

Lorsque les fibres et le tissu conjonctif des muscles sont soumis à une soudaine augmentation de charge, ils peuvent être lésés. Chez les personnes non entraînées qui sont soumises à des efforts trop durs, on a observé, 2 à 7 jours, après des modifications sous forme de «ruptures» dans ce qu'on appelle les disques Z, qui se trouvent dans les muscles. Les disques Z ne contiennent pas de corps tactiles et n'engendrent eux-mêmes aucune douleur. Lors des ruptures qui se produisent au niveau des disques Z, il apparaît cependant en même temps des ruptures dans les petits vaisseaux sanguins des muscles (les capillaires) et ces ruptures associées à des modifications des conditions de pression et à une altération du flux de retour dans les muscles créent de l'œdème qui à son tour peut occasionner des douleurs d'entraînement. Ces douleurs sont sans danger et disparaissent habituellement après plusieurs jours. La cause des douleurs d'entraînement n'est cependant pas encore établie avec certitude.

Mesures thérapeutiques

— Les douleurs d'entraînement peuvent être prévenues en adaptant son programme d'entraînement à son niveau d'entraînement et au sol et en employant un équipement convenable, etc.
— Même si on a éprouvé des douleurs d'entraînement, une certaine raideur dans les muscles venant se rappeller à vous au début, on peut poursuivre l'entraînement mais en en réduisant un peu le volume. L'intensité de l'entraînement doit être augmentée progressivement, spécialement au cours du stade initial.
— L'application de chaleur et de légers mouvements contribuent à faire disparaître la douleur.

Point de côté

Il n'est pas inhabituel qu'un coureur à pied qui est mal échauffé ressente des douleurs au niveau de la partie supérieure de l'abdomen quelques minutes après avoir commencé à courir. La douleur peut se manifester aussi bien au côté droit qu'au côté gauche de l'abdomen et survient souvent chez des personnes qui se mettent à faire du sport après un repas. Les douleurs peuvent être aggravées lors d'une expiration profonde et être soulagées lors d'une inspiration profonde.

Les causes véritables du point de côté sont pour l'essentiel inconnues. Selon des études, le déclenchement peut être purement mécanique. Le tissu conjonctif qui fixe les structures des organes de l'abdomen peut être soumis à de trop fortes charges spécialement juste après un repas. L'activité physique immédiatement après un très grand repas peut en partie être responsable de tiraillements et de petites hémorragies dans les structures du tissu conjonctif. Le point de côté peut être dû au fait que le sang ne parvient pas à transporter l'oxygène en quantité suffisante aux muscles respiratoires au niveau du diaphragme, et ce déficit en oxygène peut être à l'origine des douleurs du point de côté. Il est également possible que les douleurs soient déclenchées au niveau des organes internes de l'abdomen comme la rate et le foie en relation avec un changement de répartition du flux sanguin lors de l'effort physique.

Traitement

Le sportif peut :
— éviter de s'entraîner et de prendre part à une compétition au cours des premières heures qui suivent un grand repas ;
— courir incliné en avant ou s'arrêter de façon à ce que les douleurs du point de côté aient la possibilité de disparaître avant de reprendre l'entraînement ;
— serrer dans la main un objet dur par exemple une pierre De nombreux sportifs ont constaté qu'alors les douleurs du point de côté disparaissent mais le mécanisme de ce phénomène est inconnu.

2 Soins d'urgence sur le lieu même des blessures

Traitement des lésions des tissus mous

La plupart des lésions dues à la pratique du sport qui atteignent les membres supérieurs et les membres inférieurs peuvent toucher les tissus mous, c'est-à-dire les muscles, les tendons, les ligaments, les vaisseaux sanguins.

Par «*lésions des tissus mous*» on entend:

— les lésions musculaires et tendineuses, comme les ruptures musculaires, les hémorragies musculaires, les ruptures tendineuses, etc.;
— les lésions ligamentaires comme les entorses des articulations de la cheville et du genou, les luxations;
— les lésions des tissus mous en cas de fracture.

Lésions aiguës des tissus mous

En cas de lésions des tissus mous, ce ne sont pas seulement les muscles, les tendons et les ligaments qui sont lésés, mais ce sont aussi les vaisseaux sanguins qui sont déchirés et rompus dans la zone blessée. Il s'y produit une hémorragie, qui se répand de façon diffuse dans les tissus environnants. L'hémorragie entraîne un œdème qui a pour effet d'augmenter la

Intervention d'urgence sur le terrain. Photographie: Kenneth Jonasson/Pressens bild.

pression contre les tissus dans la zone blessée. Les tissus deviennent tendus et sensibles. L'augmentation de pression agit sur les tissus innervés et le blessé ressent une douleur. L'hémorragie, l'œdème et l'augmentation de pression entraînent une perturbation préjudiciable à la guérison.

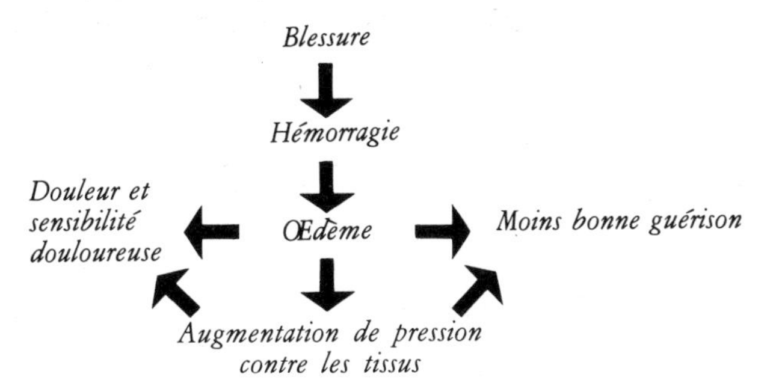

Si l'hémorragie, et par suite l'œdème, et l'augmentation de la pression contre les tissus peuvent être limités en cas de lésions des tissus mous, le processus de guérison sera en règle générale raccourci.

En cas de lésions des tissus mous, il est important de freiner et de limiter aussi rapidement que possible l'hémorragie dans la région blessée. Le traitement doit être commencé immédiatement. Une prise en main correcte en urgence d'une lésion des tissus mous constitue souvent le temps le plus important du traitement de ces lésions.

Quand, dans le cas d'une lésion des tissus mous, on est arrivé à bien limiter l'hémorragie, on se trouve en présence d'un épanchement sanguin qui persiste. Les produits de dégradation de celui-ci doivent être évacués et cette évacuation s'effectue essentiellement par les voies lymphatiques. En règle générale, du tissu cicatriciel se forme dans la zone atteinte et amène alors une diminution de résistance des tissus mous blessés qu'il s'agisse d'un muscle, d'un tendon, d'un ligament ou de tout autre tissu. Dans le cas d'une reprise trop précoce d'une forte charge, ce tissu cicatriciel peut se briser à nouveau.

Les blessures dues à la pratique du sport peuvent revêtir de nombreuses formes différentes, c'est pourquoi il est impossible d'établir un schéma standard de la façon dont elles doivent être soignées. Certaines règles de conduite peuvent cependant être tirées au sujet de la façon dont une blessure due à la pratique du sport peut être traitée sur place au moment où elle vient de survenir.

Traitement immédiat des blessures sur les lieux

Examen

— Un premier examen rapide de l'étendue de la blessure est fait par le sportif blessé ou par un dirigeant directement sur place. Lorsqu'une incertitude subsiste, un examen plus précis doit être pratiqué à l'écart, par exemple dans un vestiaire. Le blessé sera déshabillé de façon à bien voir la région blessée. Les contentions posées à titre préventif seront enlevées. Les circonstances de l'accident seront analysées par l'interrogatoire du blessé; on recueillera les symptômes qu'il décrit. On devra ensuite procéder comme suit:

— Observer la blessure : Existe-t-il un épanchement sanguin, une tuméfaction ou une plaie?
— Effectuer une épreuve fonctionnelle simple de la région du corps blessé: le blessé peut-il encore y effectuer des mouvements normaux avec ou sans charge?
— Examiner la région blessée: existe-t-il une sensibilité douloureuse au niveau des tissus mous ou du squelette? Peut-on localiser une excavation au niveau de l'un des tissus mous?

Si on trouve une sensibilité douloureuse, une douleur lors des mouvements ou lors de la mise en charge, une thérapeutique sera instituée selon les prescriptions suivantes:

Thérapeutique par application de froid

Dès que les lésions musculaires sont survenues, on s'efforcera en premier lieu de limiter l'hémorragie puisque celle-ci est responsable d'œdème, de douleur et de sensibilité douloureuse. En général, plus la quantité de sang qui se sera écoulée sera faible, plus rapidement l'épanchement sanguin disparaîtra et moins il se formera de tissu cicatriciel au niveau du tissu blessée. La base du traitement des lésions des tissus mous sera par conséquent constituée par les mesures visant à réduire l'importance de l'hémorragie, cad. rapide application de froid, pansement compressif, surélévation et repos. Les mécanismes d'hémostase de l'organisme pourront alors entrer plus facilement en action.

L'application de froid au niveau des tissus du corps a pour effet:
— d'obtenir une action sédative de la douleur locale qui pourrait avoir pour conséquence que le sportif blessé ressente une amélioration si nette qu'elle l'inciterait à reprendre son activité sportive. Le dirigeant a en pareil cas une grande responsabilité. Si une lésion nécessite l'emploi du froid, elle est souvent d'une gravité telle que le blessé compromettrait ses possibilités de guérison s'il faisait à nouveau des efforts; le bon sens doit prévaloir.
— les vaisseaux sanguins se contractent de façon à ce que la région blessée reçoive une moins grande quantité de sang, ce qui réduit l'œdème et accélère la guérison.

Lorsqu'il existe des signes de lésion étendue des tissus mous avec hémorragie ou une lésion du squelette, le blessé ne doit pas reprendre son activité sportive avant que la lésion ne soit guérie.

Pour que le refroidissement d'une lésion puisse devenir efficace, le froid doit pénétrer en profondeur dans le tissu lésé, c'est pourquoi on doit utiliser un dispositif convenable de refroidissement. Le traitement par application de froid doit également être relativement prolongé pour être efficace. En général, plus la région musculaire ou articulaire à traiter sera grande, plus le traitement par le froid devra être long. Une lésion de l'articulation de la cheville ou du genou doit être refroidie pendant des périodes de 30 minutes au moins, une lésion d'un muscle de la cuisse pendant des périodes de 45 minutes.

Au cours des 2 ou 3 premières heures après la survenue de la blessure, on s'efforce d'appliquer un traitement par le froid aussi continu que possible. Les dispositifs d'application du froid seront changés au bout de 30 à 40 minutes et en même temps l'aspect de la peau sous le dispositif sera contrôlé. Au cours des 3 à 6 heures suivantes, l'application du froid peut avoir lieu 30 minutes environ par heure, si une action de soulagement de la douleur est recherchée.

Différents types de traitement par application de froid

Les compresses froides à usage unique (théoriquement car certaines d'entre-elles peuvent être employées plus d'une seule fois) peuvent se maintenir froides pendant 40 minutes environ après qu'on ait déclenché le froid en appuyant fortement sur le conditionnement. Avec ce type de compresses froides le refroidissement pénètre également en profondeur dans la région du corps traitée. Le grand avantage avec les compresses à usage unique réside dans leur facilité de stockage.

Les compresses froides à usage répété renferment une substance visqueuse facile à modeler (gel) qui garde un effet de froid pendant 45 à 60 minutes après avoir été refroidies. Toute la compresse est placée sur la région du corps blessée et le froid pénètre alors en profondeur dans les tissus. Ce conditionnement de gel peut être utilisé plusieurs fois de suite et peut être modelé à la forme de la région du corps blessé. Il convient donc idéalement pour les traitements répétés par le froid, par exemple à la maison.

Les compresses de refroidissement ne doivent jamais être placées directement à même la peau. Placer un tour de bande élastique, un mouchoir propre ou un intercalaire analogue entre la peau et le dispositif refroidisseur.

La glace ou l'eau froide peut être employée pour le refroidissement des blessures lorsqu'on ne dispose pas de compresses froides préparées à l'avance ainsi que lorsque les blessures s'étendent sur des zones plus importantes qu'il n'est pas possible de couvrir avec les types habituels de compresses à usage unique. L'eau froide (ou les compresses froides) ne doit pas être employée directement sur les plaies ouvertes.

Les bombes d'aérosols qui exercent une action analgésique locale par le froid peuvent, le cas échéant, être employées mais alors seulement quand une atténuation locale de la douleur est recherchée, par exemple sur des zones où la peau est située contre le squelette — tibia, articulations des doigts, malléoles de l'articulation de la cheville, etc. Le froid d'un aérosol refroidissant ne pénètre que de 3 à 4 millimètres dans la peau et n'influence par conséquent pas les tissus blessés sous-jacents. Les éventuelles vasoconstrictions sanguines déclanchées de façon réflexe plus en profondeur dans les tissus sont certainement faibles et de courte durée d'action. Lorsqu'ensuite l'effet du froid cesse après qu'on ait terminé de projeter l'aérosol contre la peau, une augmentation du flux sanguin s'installe dans la zone refroidie et on obtient alors un effet opposé à celui recherché. Le risque de lésions de la peau par le froid existe également si on emploie les bombes à aérosol.

Pansement compressif

En même temps qu'une lésion des tissus mous sera traitée par application de froid, un pansement compressif doit être posé. Le but de ce pansement est de pouvoir exercer une contre-pression contre l'hémorragie, qui se développe à l'intérieur de la région blessée. Par ce moyen, les fonctions hémostatiques propres de l'organisme peuvent plus facilement entrer en action. Le pansement compressif peut être effectué avec des bandes élastiques qui sont posées avec une légère traction. Les compresses froides peuvent facilement être fixées avec une bande élastique. On obtient alors à la fois l'effet de refroidissement et l'effet de compression avec un seul et même pansement. Le pansement compressif sera maintenu également après que le traitement par le froid ait cessé si la localisation et l'étendue de la blessure le permettent. Un pansement de soutien sera mis en place après que le traitement par compression ait été retiré.

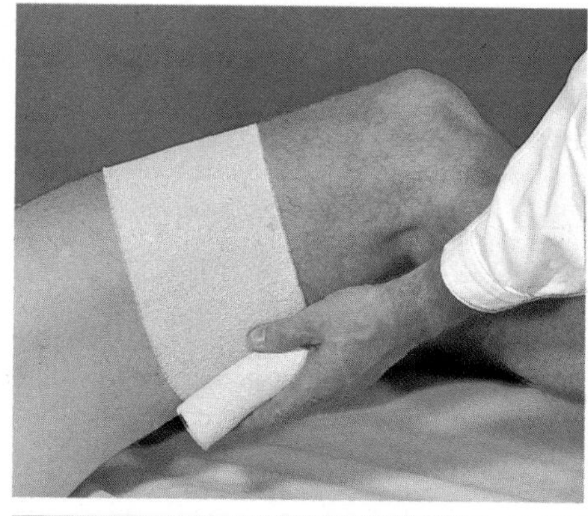

Une bande élastique est posée sur la région blessée.

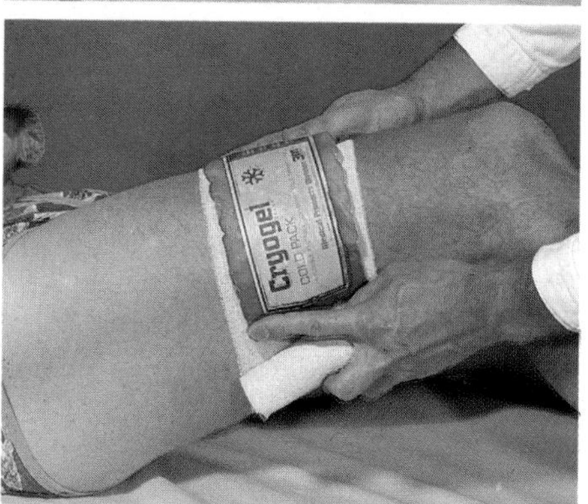

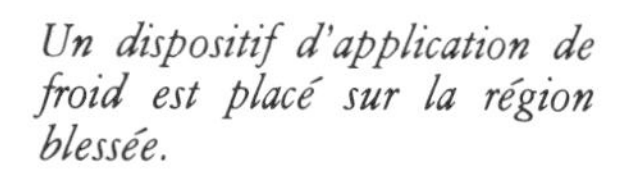

Un dispositif d'application de froid est placé sur la région blessée.

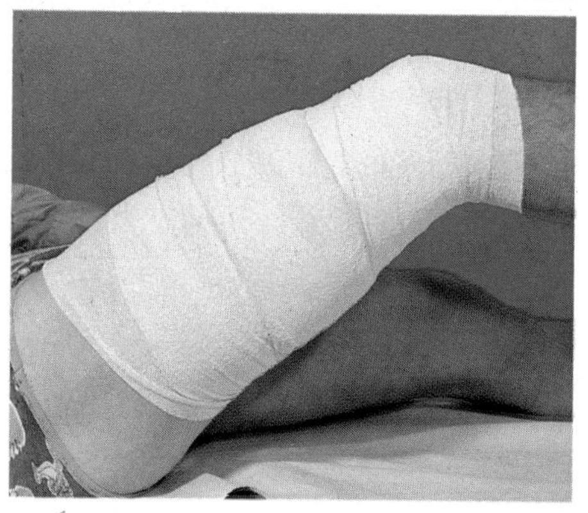

Un bandage compressif est posé avec une bande élastique qui en même temps fixe le dispositif d'application de froid. Ce bandage s'étend jusqu'à 20 centimètres en dessous et en dessus de la région blessée.

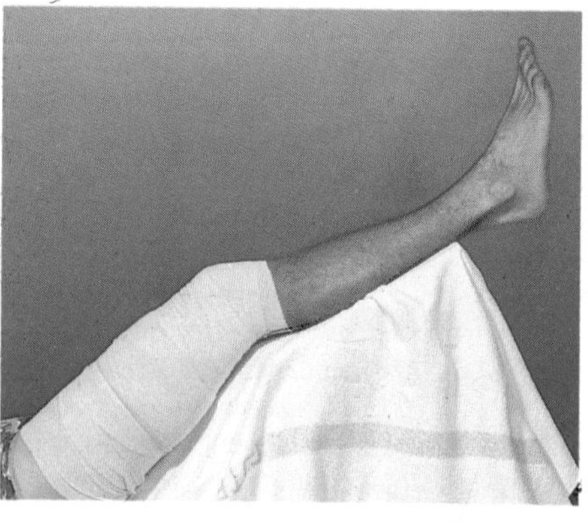

Le membre inférieur en surélévation. Par surélévation, on entend que le membre inférieur blessé fasse un angle d'au moins 45° avec le sol).

Repos

Il est généralement souhaitable qu'un sportif blessé puisse se reposer pendant 24 à 48 heures et que la région blessée ne soit pas mise en charge (voir page 146 et suivantes). Dans ce but le blessé doit être aidé à quitter le lieu de la blessure et à regagner son domicile ou à aller consulter un médecin.

Elévation de la région du corps blessée

Lorsqu'une région du corps blessée est placée en surélévation, l'approvisionnement sanguin diminue au niveau de la région blessée, et les produits de dégradation de l'hémorragie peuvent être plus facilement évacués, ce qui a pour effet de réduire l'importance de la tuméfaction.

Un membre inférieur blessé, qui est placé en surélévation, doit faire un angle de plus de 45° avec le sol. On peut par exemple placer 4 ou 5 coussins sous le membre inférieur ou installer un tabouret sous lui (voir page 66).

Dans le cas d'une hémorragie étendue avec tuméfaction, la région du corps blessée doit si possible être maintenue en position surélevée pendant 24 à 48 heures. Ensuite la région du corps sera placée en position surélevée toutes les fois où l'occasion s'en présentera.

Traitement par application de chaleur

Lorsqu'une blessure à la phase aiguë est traitée par application de chaleur, les vaisseaux sanguins se dilatent, le sang se coagule plus lentement et la quantité de liquide dans les tissus augmente. Ce qui entraîne une augmentation du saignement dans la zone blessée avec augmentation de la tuméfaction et une pression plus élevée dans les tissus environnants. Le blessé ressent alors des douleurs plus intenses et le temps de guérison est prolongé. Le traitement par le chaud ne doit par conséquent pas être institué avant qu'il ne se soit écoulé 48 heures après la survenue de la blessure.

> Lorsqu'une lésion des tissus mous se trouve dans sa phase aiguë, on doit éviter le traitement par la chaleur et le massage de la région du corps blessée.

Administration de médicaments analgésiques par voie générale

Le traitement des lésions des tissus mous décrit ci-dessus — froid et repos — exerce en général une bonne action analgésique (d'atténuation de la douleur). Les médicaments d'action analgésique ne doivent pas être administrés dans la phase initiale puisque cette action pourrait gêner la poursuite de l'observation et l'examen médical qui peut devenir nécessaire.

Mesures à prendre en cas de blessures aiguës

- Examiner la blessure.
- Traiter la blessure par application de froid.
- Poser un pansement compressif.
- Faire reposer le blessé.
- Placer, si possible, la région du corps blessée en position surélevée.
- Aider le blessé à aller chez le médecin, le cas échéant.

Poursuite du traitement des lésions des tissus mous au cours des premières heures

Lorsqu'une blessure des tissus mous est de telle nature que le blessé n'a pas besoin de traitement par un médecin mais continue à présenter: épanchement, douleur et limitation fonctionnelle dans la région blessée, le traitement peut être poursuivi par:

— renouvellement du traitement par le froid si une atténuation de la douleur est recherchée;
— pansement compressif qui, au bout de plusieurs heures, sera remplacé par un pansement de soutien (voir page 152);
— repos jusqu'à la disparition des symptômes;
— surélévation de la région du corps blessée.

En ce qui concerne le traitement des lésions des tissus mous après les 24 premières heures ainsi que le traitement de récupération, se reporter aux blessures respectives.

Une région du corps qui a été atteinte d'une lésion des tissus mous ne doit pas être mise en charge ni sollicitée avant qu'un diagnostic certain n'ait été posé. Devant une hémorragie étendue, une douleur persistante, une limitation fonctionnelle et lorsqu'il règne une incertitude au sujet de la méthode de traitement correct, on doit consulter un médecin.

Cas où le sportif blessé doit être immédiatement conduit chez un médecin

— perte de conscience ou mal de tête persistant, nausées, vomissements et vertiges après un traumatisme cranien (voir page 364 et suivantes);
— troubles respiratoires après un coup sur la tête (voir page 365 et suivantes), après traumatisme du cou (voir page 373) et de la cage thoracique (voir page 374);
— douleurs de la nuque après traumatisme, qu'elles irradient vers le bras ou non (voir page 221 et suivantes);
— douleurs abdominales (voir page 375 et suivantes);
— sang dans l'urine (voir page 377);
— fracture ou suspicion de fracture (voir page 18 et suivantes);
— lésions articulaires ou ligamentaires graves (voir page 22);
— lésions des tissus mous (voir page 25 et suivantes), ou lésions tendineuses (voir page 37);
— luxations (voir page 24);
— lésions oculaires (voir page 371);
— plaie profonde avec hémorragie (voir page 54 et suivantes);
— blessures avec douleurs intenses;
— blessures en présence desquelles on hésite sur le degré de gravité, sur le diagnostic et le traitement.

Cas où le sportif blessé doit consulter un médecin dans les 24 à 48 heures

— persistance des symptômes des lésions musculaires, tendineuses, articulaires et ligamentaires;
— fortes douleurs.

En règle générale, il y a lieu de faire appel à un médecin toutes les fois où on hésite sur le diagnostic et par conséquent sur le traitement à suivre.

3 Biomécanique des blessures dues au sport

La biomécanique est la science des fonctions mécaniques du corps. Une importante partie de la biomécanique traite de l'appareil locomoteur c'est-à-dire du squelette, des articulations, des ligaments, des muscles, des tendons, etc.

Pour comprendre de quelle manière une région du corps peut être blessée en cas d'accidents ou usée par la répétition des charges, on peut recourir à certaines des lois de la mécanique. La relation entre les forces qui agissent entre le corps humain, ou des parties de celui-ci — en mouvement et au repos — et son environnement peut être décrite par certaines des lois qui appartiennent à la mécanique classique. D'autres lois qui appartiennent à la physique des matériaux et aux théories sur leur résistance décrivent les efforts auxquels les tissus du corps sont soumis sous l'influence de ces forces.

Lorsqu'on applique les lois de la mécanique pour calculer les efforts auxquels sont soumis les tissus du corps, le résultat va plus ou moins être différent de la valeur réelle. Cette différence provient des inégalités entre les individus et de ce que les circonstances qui sont à l'origine des blessures dans chaque cas particulier ne sont pas toujours reproduites exactement. Malgré cet inconvénient, les lois de la mécanique facilitent la compréhension de la façon dont les blessures surviennent et de ce qu'on risque lorsqu'on soumet son corps à une charge.

CHARGE

Charge physiologique et capacité d'adaptation

L'homme se trouve bien d'un certain degré d'activité physique qui soumet de façon physiologique à des efforts sa musculature, sa charpente osseuse et ses articulations dans les limites d'une zone de mise en charge où les blessures sont rares. Les tissus du corps possèdent en outre comparativement avec les matériaux non-vivants la capacité singulière de pouvoir s'adapter aux efforts auxquels ils sont soumis et de pouvoir peu à peu tolérer une charge plus élevée. Au cours des années de la jeunesse, cette capacité d'adaptation est plus grande qu'à l'âge adulte mais malgré cela le risque de blessures reste également élevé chez les jeunes qui exagèrent leur entraînement physique sous la pression de leurs propres ambitions et celle d'autres attentes.

La capacité d'adaptation à une charge physique et la capacité d'entraîner le corps demeurent toute la vie. L'âge avancé n'est pas une raison suffisante pour s'abstenir d'entraînement physique, même si la capacité d'effectuer des performances et le niveau de tolérance des tissus est diminué.

Surcharge et lésions

De même qu'un objet quelconque, un tissu du corps humain cède lorsque son seuil de solidité est franchi par une forme quelconque de mise en charge. Le niveau où se situe ce seuil dépend d'une part de la composition du matériau et d'autre part du type de charge. Cette dernière est déterminée par la grandeur des forces, leur point d'application, leur direction et leur variation dans le temps. La lésion peut se manifester soit par une usure ou par une déformation suffisamment durable pour modifier la fonction. A l'aide des lois de la mécanique classique, nous allons d'abord expliquer comment de telles forces peuvent apparaître et pourquoi, dans ces cas malheureux, elles peuvent conduire à l'apparition de lésions. Puis nous passerons en revue le mécanisme de création de lésions au niveau microscopique en appliquant les lois de la résistance des matériaux. Un certain nombre de notions et de calculs mathématiques entrent dans notre exposé. La compréhension des principes de cet exposé est cependant plus importante que la capacité à faire des calculs et ceux des lecteurs qui trouveraient les formules compliquées n'ont pas besoin de trop se pencher sur elles.

FORCE ET MOUVEMENTS

La notion de «force» est difficile à expliquer quoique la plupart des gens aient une idée de ce qu'on doit entendre par «force». La pesanteur agit sur nous continuellement. Déjà après un court instant de chute libre le corps humain sous l'effet de la pesanteur est capable d'acquérir une vitesse suffisamment élevée pour qu'une blessure survienne si la chute est interrompue brusquement par l'environnement. Des blessures par suite de l'action de la pesanteur peuvent également survenir sans que le corps ne chute, par exemple lors des entorses. La relation entre les forces qui agissent sur un corps et l'état de mouvement et d'équilibre qu'acquiert le corps peut être résumée dans les 3 lois du mouvement de la mécanique: la loi d'inertie, la loi d'accélération et la loi d'action et de réaction.

Pesanteur — Force d'inertie — Mouvement uniforme

Un corps possède un certain poids qui correspond à sa masse: le poids du corps. Le poids est une force et son action sur le corps peut être considérée comme concentrée au niveau du centre de gravité du corps, qui est une sorte de point médian de la masse. La pesanteur est dirigée verticalement. Si l'action de la pesateur sur un objet au repos est contrebalancée par une force de même grandeur de sens contraire par exemple provenant du sol, l'objet (plus exactement son centre de gravité) va rester immobile. Si l'objet est en mouvement, ce mouvement va se poursuivre avec une vitesse inchangée sous réserve que les forces de la même façon s'annulent l'une l'autre, cad. que leur *résultante* soit nulle. Cette règle s'appele *1re loi de Newton*. Elle est une expression de l'inertie de masse. L'inertie de masse évoque une force qui contrebalancerait les modifications de situation et de mouvement d'un corps. Cette force s'appelle *«force d'inertie*». La force centrifuge en est un exemple. Elle est fictive, car elle ne constitue pas une véritable force; néanmoins, il est évident qu'une grande partie du sens de l'équilibre fonctionne grâce à elle. Un exemple d'une telle force d'inertie est donné par la force que le sens de l'équilibre nous permet de ressentir au cours d'un mouvement tournant, par exemple lors du virage à bicyclette et qui tendrait à éjecter le passager dans le virage, s'il n'inclinait pas sa bicyclette en sens contraire.

Un mouvement du corps n'est pas seulement déterminé par le déplacement de son centre de gravité (mouvement de translation) mais également par le déplacement du corps par rapport au centre de gravité (mouvement de rotation). Ce mouvement de rotation a aussi une inertie naturelle qui est déterminée par la masse ainsi que par la façon dont la masse est répartie par rapport à l'axe de rotation. Lorsque la masse est située près de l'axe de rotation, le corps a une inertie plus faible que si elle était située à une plus grande distance de l'axe. En faisant varier la distance de la masse par rapport à l'axe dans un corps en rotation, on peut modifier la vitesse de rotation, c'est cette circonstance qui explique pourquoi la vitesse de rotation augmente lorsqu'un patineur au cours de l'exécution d'une toupie rapproche du corps ses bras étendus et comment un plongeur de tremplin en redressant son corps au moment opportun peut arrêter son mouvement de rotation et éviter un contact violent avant la pénétration dans l'eau.

Mouvement accéléré Equation de force

Une pomme reste pendue à sa branche aussi longtemps que sa queue la retient. La résultante de force est alors nulle. Si la queue casse la pomme tombe par terre puisque la pesanteur n'est plus contrebalancée par la force de soulèvement de la branche. Le mouvement de chute, déplacement du centre de gravité, est déterminé par la pesanteur. Dans sa chute la pomme peut heurter une branche avec une certaine force: il se produit alors un changement dans la direction de chute et dans la vitesse de chute. La modification de vitesse par unité de temps est appelée «*Accélération*» lorsque la vitesse est augmentée et «*décélération*» (ou freinage) lorsque la vitesse est diminuée. L'accélération est directement proportionnelle à la force cad. qu'en doublant la force on double l'accélération. Masse et accélération sont inversement proportionnelles cad. que plus la masse du corps sera grande, moins un certaine force pourra produire d'accélération.

La relation entre une force et la modification de déplacement du centre de gravité d'un corps que cette force provoque est donnée par l'équation:

$$F = m \cdot \gamma$$

où F désigne la force en Newtons (N), γ est l'accélération en métrespar seconde^2 (m/s^2), m est la masse en kilogrammes (kg), qui est *la 2e loi de Newton.*

Pour le mouvement de rotation cad. le mouvement autour du centre de gravité, il existe une relation analogue à l'équation de force. Une modification de la force qui oblige le corps à tourner va modifier sa vitesse de rotation. Celle-ci peut, comme nous l'avons vu, également être modifiée par une nouvelle répartition de la masse du corps autour de l'axe de rotation.

L'unité kilogramme force a été dans le passé employée pour définir une grandeur de force. La force 1 kilogramme force (1 kg f) correspondait à l'action de la pesanteur sur une masse de 1 kg. Cette force engendre à la surface de la terre pour une masse de 1 kg une accélération de 9,81 m/s^2 lors d'une chute libre et 1 kg f est par conséquent égal à 9,81 N. On employe maintenant l'unité Newton (N) comme unité de force. La force de 1 N correspond environ au poids d'une masse de 0,1 kg cad. à ce que pèse une pomme pas trop grosse.

Action — Réaction

Des forces apparaissent aux points de contact entre le corps et son environnement. L'effet de force du corps sur l'environnement est une *force d'action* tandis que l'effet en retour de l'environnement sur le corps est une *force de réaction*. Selon *la 3e loi de Newton*, ces forces sont d'égale grandeur et de sens contraire. Chaque force qui agit sur un corps a un point d'application, une grandeur et une direction. L'action de la force sur le corps est déterminée par l'ensemble de ces facteurs. Lorsqu'un sujet se tient debout, lorsqu'il marche ou lorsque, selon *la 3e loi de Newton* la force que le pied applique sur le sol à chaque instant est ainsi de grandeur égale à la force qu'exerce le sol sur le pied dirigée en sens contraire.

Frottement

Lorsqu'une personne marche ou courre et que la surface de contact entre le pied et le sol est lisse, les forces d'action et de réaction vont être dirigées presque verticalement par rapport à la surface et un mouvement de glissement peut facilement apparaître. Si, au contraire, la surface de contact est rugueuse, il faut une certaine force pour provoquer un glissement. Cette force, *la force de frottement*, dépend des caractéristiques de la surface et de la partie des forces d'action/réaction qui est dirigée perpendiculairement par rapport à la surface de contact et qui est appelée force normale.

La relation entre la force d'action/réaction, la force normale et la force de frottement est illustrée par la figure de la page 73 dans laquelle le pied agit sur le sol par une force A. La force de réaction R sur le pied est d'égale grandeur avec A mais dirigée en sens contraire. R peut être divisée en 2 selon 2 parties perpendiculaires l'une à l'autre (composantes) N et F qui correspondent respectivement à la force normale (N) et à la force de frottement (F) du pied sur le sol. R dans ce cas est la résultante des forces N et F.

La relation entre la force de frottement et la force normale peut être exprimée par la loi de frottement:

$$F \leqslant f \cdot N$$

dans laquelle F est égal à la force de frottement, N est égal à la force normale (la force qui est perpendiculaire par rapport à la surface de contact).

Le coefficient de frottement f est un chiffre qui habituellement se situe entre 0 et 1. Une surface lisse a un faible coefficient de frottement. Le signe $\leqslant$ signifie moins grand ou égal avec et la 3e loi de Newton indique que la force de frottement ne peut pas devenir supérieure au produit de la force normale par le coefficient de frottement.

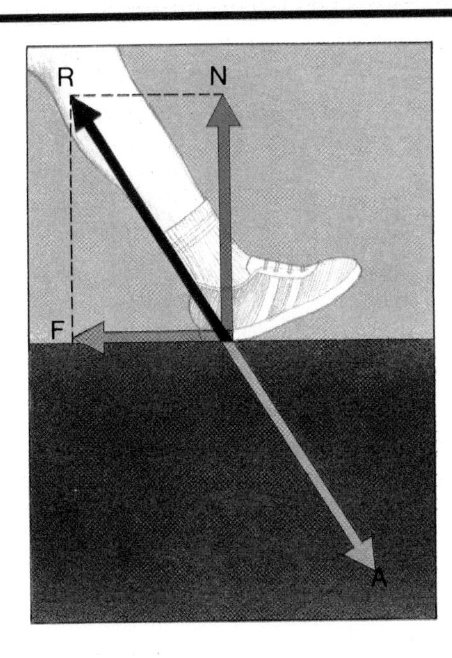

Relation entre la force d'action/réaction, la force normale et la force de frottement.
A = force d'action
R = force de réaction
N = force normale
F = force de frottement

Des adaptations sont nécessaires en ce qui concerne les caractéristiques de frottement des semelles de soulier et du sol. Lorsqu'on prend de l'élan pour sauter, faire une tête ou exécuter des gestes analogues, un frottement statique élevé entre la semelle de soulier et le sol est nécessaire. Par contre lorsqu'on saute à grande vitesse et lorsqu'on s'arrête brusquement le frottement entre la semelle de soulier et le sol ne doit pas être trop élevé puisque les articulations du genou et de la cheville pourraient alors être exposées à de trop grandes charges de torsion du fait que le pied est bloqué au sol.

Quand immobile, on pose le pied sur le sol, toute la force est dirigée dans le sens de la longueur du membre inférieur. Quand on veut commencer à sauter, à changer de direction au cours de la course à pied, le membre inférieur aura une certaine inclinaison. La force avec laquelle on pose le pied va par conséquent agir avec un angle par rapport au sol. Comme nous l'avons dit plus haut, la force peut être divisée en 2 composantes: N qui correspond à la force normale et F, qui correspond à la force de friction et qui est parallèle au sol. Lorsque le rapport entre ces forces (F/N) surpasse le coefficient de frottement, le soulier perd de l'appui et se met à glisser. Il est donc préférable de faire des petits pas sur un sol glissant.

Equilibre

Lorsqu'un corps se trouve immobile ou en mouvement uniforme rectiligne les lois de l'équilibre s'appliquent aux forces qui agissent sur ce corps. Ces lois sont au nombre de 2: l'une indique les conditions nécessaires pour l'équilibre du centre de gravité, l'autre celles pour les mouvements de rotation autour d'un point donné, par exemple le centre de gravité. Selon la 2e loi de Newton un corps se trouve en équilibre si les forces qui agissent sur lui remplissent les conditions suivantes:

— que la somme de toutes les forces soit nulle (condition d'équilibre des forces);
— que la somme de toutes les capacités de torsion soit nulle (condition d'équilibre de rotation);

Dans les paragraphes suivants vont être donnés plusieurs exemples de calculs d'équilibre.

La loi des leviers et son importance pour la survenue des blessures

Deux jeunes filles veulent se balancer sur une balançoire (voir schéma page 75). Les masses de Anna et Lina sont de 30 et 20 kg qui correspondent approximativement à des poids de 300 et 200 N. La longueur de la planche de la balançoire est de 6 mètres. Elle repose sur un appui en son milieu. Lina s'asseoit le plus loin possible à l'une de ses extrémités. Quel est l'ordre de grandeur de la force au niveau de l'appui? et à quel endroit Anna doit-elle s'asseoir pour que la planche puisse être chargée d'un poids égal de chaque côté? Nous supposerons que le poids de la planche peut être négligé et nous déciderons que la force au niveau de l'appui est de x Newtons et que l'écart entre l'endroit où Anna est assise et le point d'appui est de y mètres. Si la force dirigée vers le haut est considérée comme positive, on déduit des conditions d'équilibre des forces que:

$x - 200 - 300 = 0$
$x = 500$

La force au niveau de l'appui est de 500 N.
Des conditions d'équilibre de rotation on déduit que:

$300 . y - 200.3 = 0$
$y = 2$

Anna doit s'asseoir à 2 mètres du point d'appui. Cette dernière relation peut également s'écrire: 300 G = 200.3 par laquelle on indique que le moment de rotation, c'est-à-dire la force multipliée par l'écart vertical entre le point de rotation et la ligne d'action de force est identique pour les 2 forces. Ceci s'appelle *«la loi des leviers»*.

La loi des leviers indique qu'une petite force peut avoir un moment de torsion élevé si le bras de levier est long; de façon inverse, une force doit être plus grande pour obtenir le même moment de rotation si le bras de levier est court.

La loi des leviers explique pourquoi il arrive que certaines lésions sportives apparaissent au niveau ou à proximité des articulations à la suite d'entorses ou de tacles. Les ligaments et les insertions musculaires qui sont attachées à proximité d'une articulation dans une région du corps ont en règle générale des bras de levier courts par rapport aux forces extérieures. Selon la loi des leviers, la force de ces structures doit être plus grande que les forces extérieures. Le seuil de solidité peut être rapidement franchi si les conditions entre les bras de levier sont suffisamment défavorables. Ces conditions sont illustrées ci-dessous par des exemples types de blessures dues à la pratique du sport.

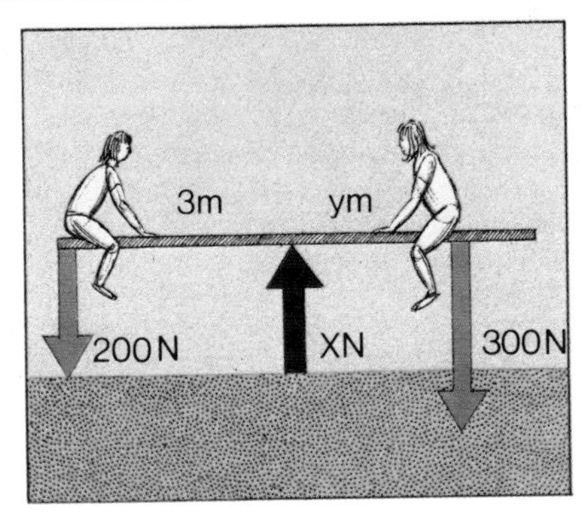

Les lois d'équilibre: un exemple de la loi des leviers.
x = force sur le support
y = distance par rapport au support

Entorses de l'articulation de la cheville

Une forme clinique fréquente d'entorses se produit lorsqu'on pose de travers le pied sur sa face externe ce qui met en tension le ligament correspondant. Supposons que la force du sol soit U avec un bras de levier u au point de rotation V. Pour que la force L dans le ligament avec un bras de levier 1 puisse arriver à contrebalancer le moment de torsion de U il faut que:

L.l = U.u

L = u/l. U

Dans un cas défavorable les muscles n'arrivent pas à assurer une protection contre l'entorse. L'articulation de la cheville subit alors une rotation toujours plus grande, car U peut devenir jusqu'à 3 fois plus grand que l. Il s'en suit que la force L peut devenir 5 fois plus grande que U et en conséquence rompre facilement le ligament.

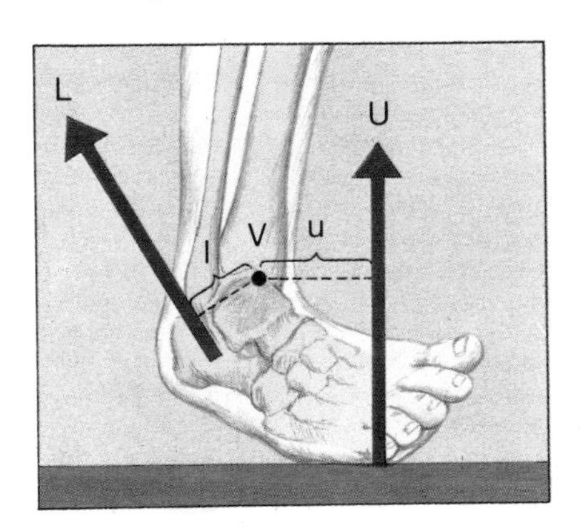

Forces qui sont mises en jeu lors d'une entorse de l'articulation de la cheville.
L = force au niveau du ligament
U = force provenant du sol
l = bras de levier pour la force au niveau du ligament
u = bras de levier pour la force provenant du sol

Tacle contre le genou

Une situation aussi défavorable que celle du ligament de l'articulation de la cheville existe pour le ligament (L) de la face interne de l'articulation du genou (voir schéma ci-dessous) lors du tacle avec une force T de la face interne du genou. C'est particulièrement le cas si le pied est bloqué au sol avec une certaine force M et si la force du sol est approximativement aussi grande que la force de tacle T. Le point de rotation est dans ce cas K. Selon la loi des leviers

$$L.l = M.m$$
$$L = m/l \times M$$

La force M avec laquelle le pied est bloqué au sol a un bras de levier m qui est environ 5 fois plus long que le bras de levier l du ligament. En conséquence le ligament peut facilement se rompre si la force du tacle contre l'articulation du genou n'est pas compensée par la défense des muscles ou des mouvements de parade.

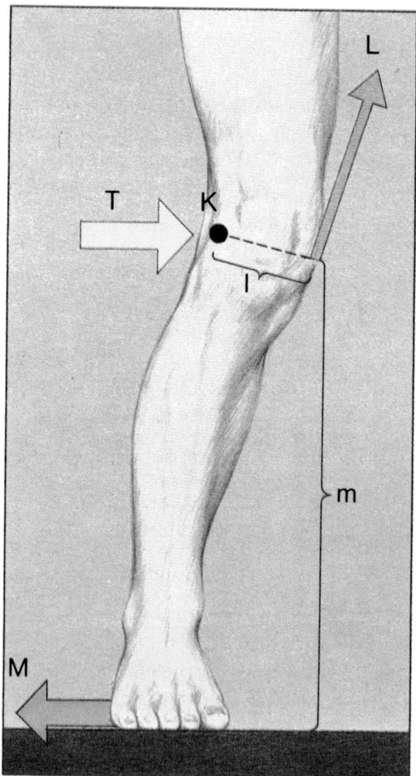

Forces qui sont mises en jeu lors du tacle contre une articulation du genou.
T = force de taclage
K = point de rotation
L = force au niveau du ligament
M = force provenant du sol
l = bras de levier de la force au niveau du ligament
m = bras de levier de la force provenant du sol

Forces internes et externes

Une partie de la charge à laquelle le corps humain est soumis provient des forces externes comme la pesanteur et les forces de réactions à l'environnement. Une autre partie est le résultat de l'action des forces internes c'est-à-dire l'action des muscles sur les tendons, les insertions musculaires, la charpente osseuse et les articulations. Les forces externes et internes dépendent en partie les unes des autres et peuvent s'associer ou s'oposer l'une à l'autre de façon favorable ou défavorable. A titre d'exemple de ce mécanisme, on peut citer l'influence commune de la pesanteur et de la force musculaire sur l'articulation du genou. Si le membre inférieur avec le genou fléchi est mis en charge avec le poids du corps, la charge au niveau de l'articulation du genou atteindra plusieurs fois le poids du corps car la force des muscles s'oppose à ce que l'articulation du genou ne cède. Les conditions opposées se retrouvent pour les autres articulations des extrémités inférieures.

Les muscles ont une fonction de protection importante, parmi d'autres, en étant responsables de la stabilité active des articulations, en particulier des articulations du genou. S'il s'exerce une bonne coopération entre les muscles et les nerfs, cad. une bonne coordination, le risque de blessures peut diminuer. L'expérience montre en outre que le risque de blessures augmente si la défense musculaire fait défaut ou si la fonction musculaire est perturbée par exemple en cas de fatigue.

Certains groupes de muscles agissent sur plusieurs articulations. Différents muscles dans un groupe musculaire peuvent avoir la même action sur le mouvement d'une articulation. Grâce à une coopération harmonieuse entre différents groupes de muscles la charge peut être maintenue aussi faible que possible. Cette fonction de réduction de la charge varie avec le type de mouvement. Il est fréquent qu'un sujet qui souffre du genou voit sa douleur au niveau du genou augmenter lorsqu'il monte ou descend un escalier. La différence peut s'expliquer par la technique de marche : lorsqu'on monte un escalier, on peut diminuer la charge de l'articulation du genou du membre inférieur placé en avant qui est plus fléchie que l'autre, en étendant fortement la cheville du membre inférieur placé en arrière au cours de la poussée en avant. L'articulation du genou de ce membre inférieur est alors presque étendue. Lors de la descente de l'escalier, on ne peut pas employer cette technique, puisque la force de l'articulation du genou dans ce cas exerce une action freinatrice. Ce freinage s'effectue en augmentant la flexion du genou. Cet angle de flexion plus grand donne une plus grande force à l'articulation du genou. En outre, lors de la descente de l'escalier, on ne peut pas incliner la partie supérieure du corps en avant au cours du pas, ce qui est une raison supplémentaire d'augmentation de la charge au niveau de l'articulation du genou. Les muscles de la cuisse doivent alors être plus tendus pour s'opposer au déplacement de poids en arrière pour freiner le mouvement.

TRAVAIL MÉCANIQUE — ÉNERGIE

Une pomme qui pend à une branche possède, malgré sa position immobile, une sorte de potentiel de force incorporée qui se manifeste lorsque la pomme tombe sur le sol. Le niveau où se trouve situé la pomme au-dessus du sol est un des facteurs qui détermine la grandeur que cette force potentielle peut avoir. A chaque niveau correspond une ressource en énergie pour la pomme qui, en conséquence, est estimée avoir une certaine «énergie de position» ou «énergie potentielle». Cette énergie correspond au travail mécanique qui est nécessaire pour remettre la pomme sur la branche après qu'elle en soit tombée. Ce travail est égal au poids de la pomme multiplié par la différence de niveau. Au cours de la chute de la pomme de l'arbre, la vitesse de la pomme va augmenter rapidement et l'énergie de position va être transformée en énergie de mouvement ou énergie cinétique. L'énergie de mouvement est exprimée par la formule $1/2\ mv^2$ où m est la masse du corps, v est la vitesse du corps. C'est la différence de niveau qui détermine la vitesse de chute à l'instant de la chute mais ce n'est pas la vitesse qui détermine la force d'impact. Cette force d'impact est déterminée au contraire par la masse et la décélération cad. par la rapidité avec laquelle la vitesse se modifie quand l'objet touche le sol, qui découle de la 2e loi de Newton.

La fosse de réception d'un sautoir à la perche est remplie de mousse de caoutchouc qui amortit la décélération du sauteur lors de la redescente d'un saut de 5 mètres de haut par exemple. Le risque pour le sauteur de se blesser est diminué bien que sa vitesse lors de sa chute (10 mètres/seconde) environ soit encore suffisamment élevée pour entraîner une blessure grave, s'il atterissait directement sur le sol.

Cet exemple illustre un des principes essentiels pour prévenir un type particulier de blessures accidentelles, la charge d'impact. En allongeant la distance parcourue lors du freinage, et par ce moyen le temps au cours duquel s'effectue la modification de vitesse, cette force peut être réduite et par voie de conséquence le risque de blessure aussi. Un autre principe essentiel qui permet d'atteindre le même but est la répartition de la force sur une plus grande surface. Les équipements modernes de protection qui ont été construits selon ces principes de protection doivent être employés dans toutes les circonstances où il existe un risque de blessures corporelles à la suite de coups, de collision ou de chute.

En diminuant la vitesse et en allongeant le parcours de freinage, en répartissant les forces dans le temps et dans l'espace, on peut arriver à diminuer le risque de blessures.

CHARGES — SOLIDITÉ

Traction

Un fil se rompt si on tire suffisamment fort sur lui. Un fil plus gros de même matériau supporte une force plus importante car c'est la «*section transversale*» du fil qui permet de calculer de combien de fois le fil est plus solide dans le second cas. Si une surface de section transversale est le double de celle du fil précédent on dit qu'il peut supporter *une force de traction* 2 fois plus grande. La «contrainte de traction», lorsque le fil casse, est cependant la même dans les 2 cas; elle est égale à la force de traction de rupture divisée par le nombre d'unités de surface de la surface de section transversale. La valeur limite de cette contrainte-limite indique le seuil de solidité du matériau. Cette notion de contrainte-limite est applicable, entre autres, aux muscles, aux tendons et aux ligaments, et peut donner l'explication des ruptures qui se

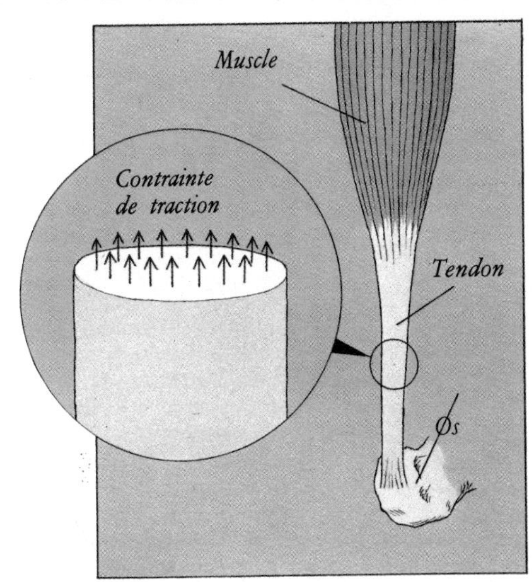

Exemple de contrainte de traction au niveau d'un tendon.

produisent en cas de fortes tensions musculaires et d'entorses (voir schéma page 79). La rupture du talon d'Achille et celle du muscle biceps au bras sont 2 exemples d'application de ce phénomène.

Compression

La glace mince peut céder sous les pieds d'une personne qui se tient debout sur cette glace. La même glace peut, par contre, la supporter si elle se couche sur la glace avec les bras et les membres inférieurs étendus. La force appliquée contre la glace est la même dans les 2 cas mais lorsque la personne se trouve en position couchée la force est répartie sur une plus grande surface et la contrainte de compression, cad. la force de compression par unité de surface devient moindre. La contrainte de compression s'exerce au niveau des surfaces cartilagineuses dans les articulations du corps

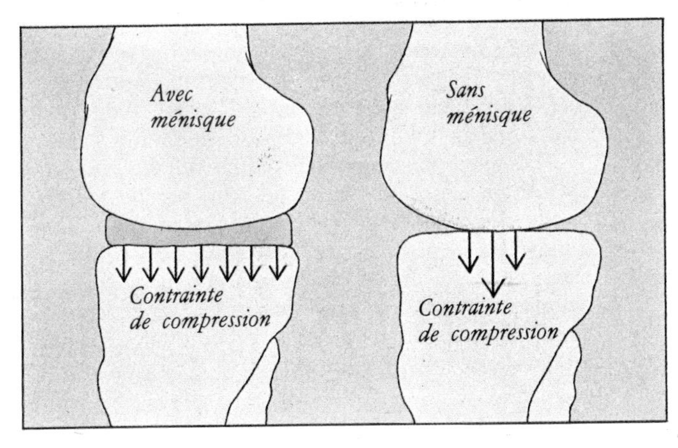

Exemple de contrainte de compression au niveau d'une surface articulaire.

(voir schéma ci-dessus). Une lésion ligamentaire peut avoir pour résultat que l'articulation devienne instable. A la suite de cette instabilité certaines zones de la surface cartilagineuse vont être soumises à une plus forte compression que normalement et le risque d'usure va augmenter, ce qui serait également le cas lorsqu'il existe une lésion du ménisque ou lorsque le ménisque a été enlevé chirurgicalement.

Flexion

Le rameau d'une branche qui est fléchi est soumis à une charge complexe qui crée une contrainte de traction sur le côté courbé en dehors et une contrainte de compression sur le côté courbé en dedans. S'il s'agit d'un vieux rameau, il arrive qu'il se rompe avec une fracture transversale qui part du côté externe de l'arc (l'endroit où la contrainte de traction com-

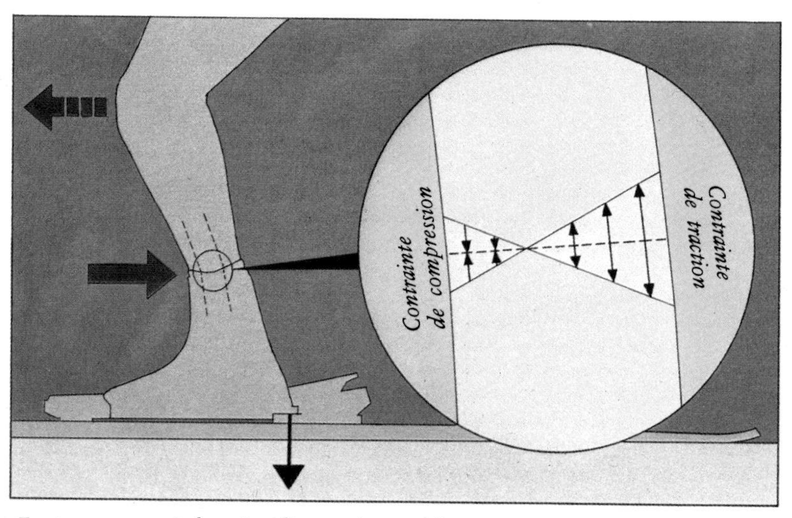

Fracture osseuse à la suite d'une mise en charge en flexion.

mence à dépasser le seuil de solidité). Un jeune rameau ne se romp pas de la même façon, car il est plus flexible et peut se plier par suite de la contrainte de compression sur le côté interne de l'arc. Que le rameau soit jeune ou vieux, les types de mise en charge sont cependant les mêmes et ce sont les propriétés du matériau qui font qu'une lésion va se constituer. Un rameau âgé a une moins bonne solidité de traction qu'un jeune tandis que la solidité à la compression varie guère entre les rameaux.

C'est une charge du type décrit ci-dessus qui en ski peut causer une fracture de jambe au niveau du bord supérieur de la chaussure de ski en cas de chute en avant lorsque la fixation de sécurité ne se détache pas du soulier. L'enfant a un tissu osseux plus souple que l'adulte. C'est la raison pour laquelle on observe souvent chez l'enfant dont le membre inférieur est soumis à ce type de charge, des fractures «en bois vert» (voir page 395) cad. du type qui se produit sur un jeune rameau encore vert lorsqu'on essaye de le casser.

Torsion

Lorsqu'on utilise un tournevis pour serrer une vis, il se produit dans le tournevis une contrainte de torsion. Si le matériau dont le tournevis est constitué est peu résistant, une fracture «en spirale» peut se produire sur le tournevis. La forme du trait de cette fracture sera alors déterminée en

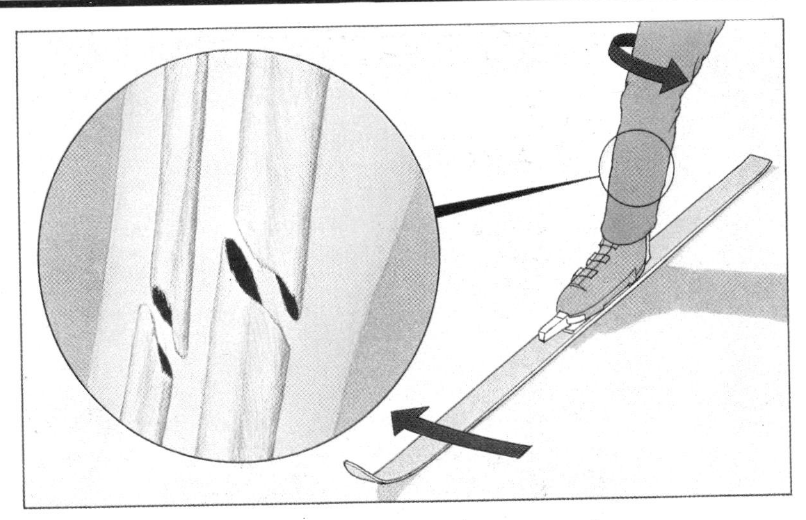

Fracture osseuse consécutive à une mise en charge par torsion.

partie par la direction de la plus grande contrainte de torsion du matériau. La jambe du skieur qu'on voit sur le schéma de la page 81 peut se casser pareillement si le pied du skieur est l'objet d'une forte tension lors d'une chute. Il se produit alors une fracture «en spirale».

Cisaillement

Les lames d'une paire de ciseau qui coupent un papier soumettent le papier à une contrainte de cisaillement. La contrainte est dirigée dans le plan de la surface de coupe et elle s'énonce par la même formule que les con-

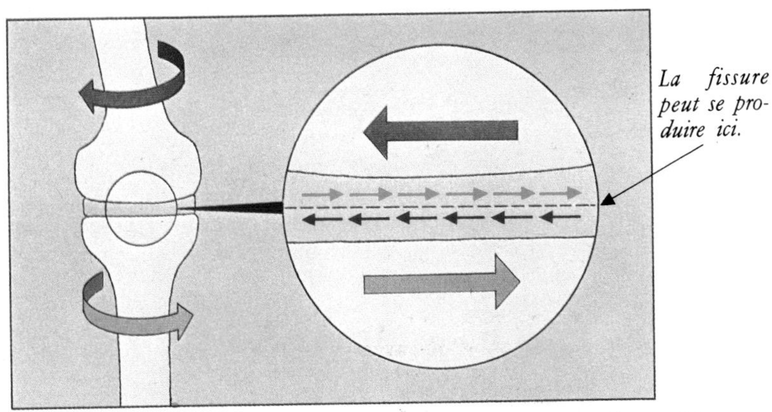

Mécanisme d'apparition d'une rupture horizontale au niveau d'un ménisque.

traintes de traction et de compression cad. en Newtons par unité de surface. La force qu'engendre la contrainte de cisaillement au niveau de cette surface de coupe est comparable à la force de frottement. Les contraintes de cisaillement se produisent au sein du matériau juste au-dessous de la surface de contact dans le cas d'une telle forme de charge de frottement. Dans le corps humain, il se développe de la même façon des contraintes de cisaillement, par exemple au niveau des surfaces articulaires et des ménisques. Ces contraintes peuvent créer des plaques de décollement dans les tissus au niveau des zones où le seuil de solidité du matériau est dépassé. Ce phénomène est la cause de certaines formes cliniques de lésions des ménisques (voir schéma ci-dessus).

EFFET DE FATIGUE PAR RÉPÉTITION DES CHARGES

Les tissus d'une région du corps peuvent se rompre sous l'effet d'une charge unique qui dépasserait le seuil de solidité maximale de ce tissu ; c'est la cause la plus habituelle de survenue d'une lésion mais une lésion tissulaire peut tout aussi bien survenir à la suite de la répétition de charges qui se situent en dessous de ce seuil de solidité. En effet, un matériau peut supporter la répétition d'un très grand nombre de charges si le niveau de cette charge se situe suffisamment loin du seuil de solidité ; mais, si

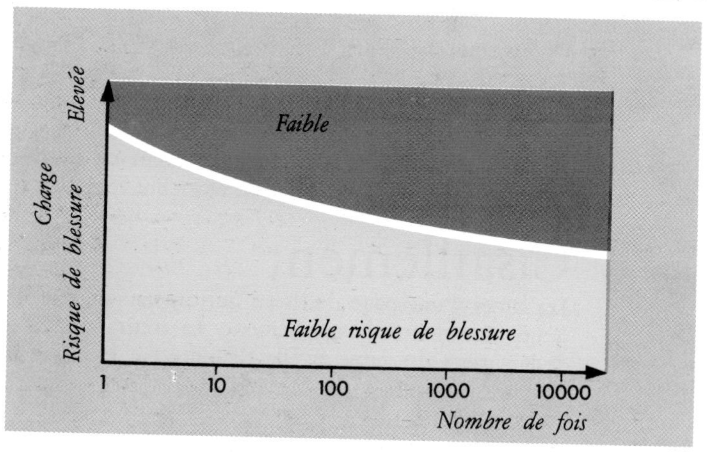

le niveau se situe juste en dessous de ce seuil, il faut s'attendre à ce que le matériau casse déjà après un nombre nettement plus faible de cycles de charge (voir le graphique ci-dessus).

Lorsqu'un organisme humain soumet une région de son corps à la répétition d'une charge mécanique une lésion peut survenir sans que la charge n'ait dépassée la solidité maximale du tissu. La distance à laquelle un individu donné se trouve par rapport au seuil de telles lésions d'usure et de fatigue dépend de plusieurs facteurs : non seulement de l'importance de la charge mais également de la fréquence des efforts et de leur durée. Les autres facteurs à prendre en compte sont par contre individuels : la constitution du corps, l'âge, le niveau d'entraînement, les lésions antérieures et éventuellement une maladie.

Il existe une différence essentielle entre la fatigue technologique et mécanique d'un matériau et la fatigue biologique et mécanique d'un tissu. Les tissus de l'organisme ont la capacité de s'adapter aux efforts auxquels ils sont soumis tandis qu'un morceau de métal ne dispose pas de cette capacité.

L'adaptation du corps à une charge répétée peut avoir pour résultat une inflammation a l'origine de désagréments plus ou moins importants sous forme de douleurs au niveau des muscles et du tibia ainsi que de crépitements tendineux. De tels désagréments indiquent qu'on se trouve dans la zone de risque. Si on ne tenait pas compte de ce signal d'alarme, l'organisme ne pourrait plus arriver à réparer une lésion à son début. Par contre si un niveau d'entraînement convenable est adopté, le tissu enflammé aura la possibilité de se remodeler et arrivera petit à petit à tolérer la charge plus élevée.

Il existe plusieurs régions du corps susceptibles d'être soumises à ce type de charges: les lésions de fatigue de certaines parties du squelette sont les plus connues; des fissures au niveau des os métatarsiens du tibia et du fémur peuvent se former par exemple chez les recrues qui effectuent une marche de longue durée sans avoir été habitué à exécuter cette sorte d'exercice.

Une musculature en bon état de fonctionnement et entraînée à l'endurance peut diminuer le risque de formation d'une lésion de fatigue en constituant une attelle pour la partie du squelette mise en charge de façon à ce que la contrainte de traction résultante demeure suffisamment éloignée du seuil de fatigue de cette partie du squelette. Des lésions par surcharge peuvent également survenir au niveau des tissus mous de l'appareil locomoteur. C'est certainement le cas plus fréquemment qu'au niveau du squelette proprement dit. Enfin, de minimes ruptures des tendons et des insertions musculaires peuvent être à l'origine d'états douloureux irritatifs qui rendent impossibles de poursuivre l'activité sportive pendant plusieur mois et parfois même plusieurs années, si la lésion n'a pas eu l'occasion de guérir à temps. Un des mécanismes qui entretient la lésion dans le cas de telles ruptures peut être l'augmentation de la contrainte de traction à laquelle sont soumises les fibres musculaires situées à proximité immédiate de la lésion, conjuguées avec un affaiblissement du tissu dont le processus inflammatoire est à l'origine normal au cours de la guérison de la lésion. Le coude du joueur de tennis, les tendons d'Achille du coureur à pied, le genou du sauteur et la pubalgie du footballeur constituent de bons exemples de lésions par usure des tissus mous de l'appareil locomoteur. De nombreux sportifs sont forcés d'interrompre pendant longtemps entraînement et compétition parce qu'ils ont éffectué un entraînement trop dur et trop localisé au point de venir à dangereuse proximité du seuil de résistance des tissus de leur corps. L'enfant est particulièrement sensible à ce type de surcharge au cours de certaines périodes de sa croissance. Les douleurs chroniques des insertions tendineuses situées juste à la face antérieure de l'articulation du genou chez les sujets atteints de maladie de Schlatter peuvent en partie être expliquées par l'existence d'une lésion de fatigue au niveau de l'insertion tendineuse. Les réactions inflammatoires d'autres parties du corps où s'attachent des muscles puissants, comme par exemple les talons et les os du bassin, peuvent avoir la même origine.

Les lésions de fatigue ou de surcharge sont très fréquentes chez les sportifs. Elles peuvent persister longtemps et passer à la chronicité. Beaucoup de sportifs guérissent sous l'effet d'un repos dit «actif» au cours duquel ils évitent de mettre en charge le lieu de la lésion avec une charge qui serait plus importante que la force musculaire normale du corps.

Une meilleure connaissance des bases biomécaniques de la survenue des lésions dues au sport contribuerait certainement à réduire la fréquence de ces blessures.

Mesures préventives

ENTRAÎNEMENT ET PRÉPARATION A LA COMPÉTITION

Généralités sur l'entraînement

Un entraînement intensif se trouve toujours à la base des bons résultats sportifs. Le sportif cherche à développer ses muscles, à renforcer ses articulations et son squelette et à améliorer sa capacité de coordination.

Un travail actif d'entraînement amène avec le temps une augmentation de la capacité de prestation. Un style de vie général sain avec une alimentation riche en éléments nutritifs constitue en outre une importante condition pour qu'on puisse arriver à atteindre de bons résultats.

Il est important que les tissus qui sont sollicités au cours de l'entraînement aient l'occasion de se reposer et de récupérer. Plus l'entraînement sera dur, plus il sera nécessaire d'intercaler des pauses plus longues pour une récupération totale. Un entraînement avec une mise en charge importante ou répétée, par exemple entraînement maximal de la force, nécessite — selon le niveau d'entraînement — de 24 à 72 heures de récupération avant la séance d'entraînement suivante analogue. Un entraînement avec une mise en charge moins importante et une intensité plus faible, par exemple un entraînement par la course à pied peut par contre être exécuté chaque jour. Les sujets qui ont arrêté longtemps l'entraînement ou qui sont sans entraînement ne peuvent tirer bénéfice de leur entraînement s'il est effectué chaque jour. Ils doivent au contraire commencer avec deux ou trois jours par semaine pendant une période initiale pour pouvoir avoir suffisamment de repos entre les entraînements.

En relation avec la détermination du but poursuivi, on doit analyser les exigences de la spécialité sportive choisie. Indépendamment de la technique de la spécialité particulière il existe d'autres facteurs qui influent sur la capacité de prestation du sportif. Une analyse doit servir de base à la planification détaillée de l'entraînement et cette analyse peut se faire en s'appuyant sur les réponses aux questions suivantes:

1. Quels facteurs influencent la capacité de prestation dans ma spécialité sportive?

2. Quels sont, parmi ces facteurs, ceux que je peux influencer et améliorer par l'entraînement?

3. De quelle façon dois-je m'entraîner pour influencer efficacement ces facteurs particuliers?

4. Combien de temps dois-je consacrer à l'entraînement pour influencer chaque facteur particulier et quand l'entraînement doit-il être effectué?

5. Comment, en tenant compte de ces facteurs dois-je m'entraîner pour réduire au minimum le risque de blessures?

L'intensité et la charge d'entraînement doivent être adaptées au niveau d'entraînement du sportif au moment considéré.

Condition physique de base

Une bonne condition physique de base est avec la plus grande certitude de la plus extrême importance pour arriver à éviter les blessures. Aussi bien les lésions par accidents que les lésions par surcharge surviennent souvent chez des sportifs dont la condition physique de base est plutôt mauvaise que bonne.

Une période d'inactivité a pour conséquence une diminution notable de la capacité maximale de prélèvement d'oxygène du sujet. Lors d'une expérience, on a demandé à 5 sujets de garder le lit pendant 20 jours durant lesquels ils ne se sont adonnés à absolument aucune activité physique. Cette période relativement courte d'inactivité a eu pour effet que la capacité de prélèvement maximal d'oxygène des sujets d'expérience a baissé de 20 à 45 %. Cette étude et d'autres expériences analogues démontrent que le corps s'adapte rapidement aux exigences physiques auxquelles il est soumis. Quand les exigences diminuent, la capacité du cœur à pomper du sang diminue. La musculature régresse et le volume sanguin diminue. En cas d'inactivité, la capacité du corps à transporter de l'oxygène et de ce fait également la capacité de la musculature à libérer de l'énergie, sont réduites.

Au cours de la phase de rétablissement après une maladie, une blessure, une interruption de l'entraînement ou un événement analogue, on doit s'attacher à l'amélioration de la condition physique de base avant de reprendre son activité de compétition.

On acquiert une bonne condition physique par un entraînement de la condition physique et une activité physique générale tout au long de l'année. Tout entraînement pour acquérir une bonne condition physique de base doit être effectué lentement et progressivement. Ce précepte est surtout valable pour celui qui n'est plus si jeune. Il existe un grand nombre de modèles d'entraînement à choisir et ceux des lecteurs intéressés doivent se reporter à la littérature en ce domaine.

Echauffement

L'objectif des exercices d'échauffement est de faire adapter les tissus et les fonctions du corps à l'activité sportive. L'échauffement a deux fonctions: il doit prévenir les blessures et élever le niveau de prestation.

Aussi longtemps qu'on se trouve en repos, le flux sanguin dans les muscles est relativement faible et un grand nombre de petits vaisseaux sanguins dans les muscles sont fermés. Lorsqu'on commence à exécuter un travail physique, le flux sanguin dans les muscles augmente au fur et à mesure que les petits vaisseaux sanguins s'ouvrent. Chez un sujet au repos, 15 à 20 % du flux sanguin va aux muscles tandis que les chiffres correspondants sont de 70 à 75 % dès que le même sujet s'adonne pendant 10 à 12 minutes à un dur travail physique. Quand l'ensemble des vaisseaux sanguins du muscle sont ouverts et remplis, le muscle peut exécuter la meilleure prestation possible.

Le travail physique amène une augmentation du métabolisme énergétique et une augmentation de la température dans les muscles ce qui a pour effet d'améliorer la fonction neuromusculaire, cad. la coordination. Grâce à l'échauffement, on peut également améliorer sa technique et le risque de blessure diminue.

Un échauffement progressivement conduit a pour résultat de diminuer de façon marquante le risque de blessures et d'augmenter la capacité de prestation. En même temps, on obtient une certaine préparation psychologique avant les efforts qui vont suivre.

L'échauffement est essentiel avant un entraînement ou une compétition.

Les exercices d'échauffement doivent commencer par une sollicitation des gros muscles puisque le sang est en grande partie réparti parmi eux. Après cet échauffement général, un échauffement plus spécialisé peut être commencé. Les coureurs à pied par exemple doivent orienter leur entraînement sur les muscles et les articulations des extrémités inférieures. L'entraînement des muscles et des articulations par allongement est essentiel. Il faut éviter la mise en charge violente des articulations en position extrême. Enfin, on passe à l'entraînement technique, par exemple, au contrôle de l'élan, aux exercices techniques et à des mouvements analogues. Le rythme des exercices peut être augmenté petit à petit. Les exercices d'échauffement doivent durer au moins 15 à 20 minutes quelle que soit la spécialité sportive.

Après l'échauffement, on doit changer de maillot de corps puisque dans le cas contraire, les muscles se refroidiraient rapidement à nouveau par évaporation de la sueur. On doit, en outre, mettre un survêtement pour maintenir la chaleur. L'effet de l'échauffement diminue déjà au bout de 10 minutes, c'est pourquoi le délai entre l'échauffement et le moment de la compétition ne doit pas être plus long.

L'échauffement doit être pratiqué aussi bien à l'entraînement qu'en compétition. Il constitue une part importante manifeste et non discutée des mesures de prévention et d'amélioration des performances.

Après l'entraînement et la compétition, on doit effectuer un retour au calme par un abaissement progressif du niveau d'activité : par exemple faire du jogging à cadence lente. Egalement, des exercices d'allongement peuvent faire partie de cette phase de réduction de l'activité d'entraînement car on dispose alors des conditions pour atteindre un effet maximal.

ENTRAÎNEMENT, PRÉVENTION ET RÉÉDUCATION

Action de l'entraînement sur les tissus des organes de soutien

Les tissus des organes de soutien sont constitués par le squelette, dont les os sont en partie attachés les uns avec les autres par les articulations. Les parties du squelette tiennent ensemble par les capsules articulaires et les ligaments qui passent en pont par-dessus les articulations. Le squelette est entouré de muscles et de tendons donnant la possibilité d'exécuter des mouvements actifs. Pour l'entretien et le fonctionnement des organes de soutien, des nerfs sont nécessaires et le sang doit arriver et partir des organes par l'intermédiaire des artères et des veines. Le squelette, les muscles et les articulations peuvent être influencés dans leur développement par une mise en charge sous forme de travail et d'entraînement physique. L'importance de cette influence peut varier avec l'âge.

Squelette

Le squelette est composé d'os externe dur (os cortical) et d'os interne plus mou (os spongieux). L'os cortical est entouré par le périoste. Le tissu osseux qui n'est pas mis en charge se décalcifie et s'affaiblit et chez les sujets alités ou immobilisés le squelette se décalcifie. Cette décalcification augmente le risque de fracture osseuse. Si le squelette est régulièrement mis en charge, par l'entraînement physique, il s'adaptera aux exigences accrues et deviendra plus fort et plus solide. Dans la partie du squelette déchargée ou moins chargée, il peut se produire un affaiblissement et une rupture.

Cartilage

Le cartilage articulaire recouvre les extrémités des os du squelette et a une surface élastique plane. Le liquide articulaire lubrifie les articulations lorsqu'elles sont en mouvement. Les surfaces d'une articulation non recouvertes de cartilage sont recouvertes d'une enveloppe articulaire qui sécrète du liquide articulaire. L'activité physique conserve la solidité du cartilage tandis que l'inactivité fait que le cartilage devient mou, mince et fragile.

Les parties centrales des surfaces articulaires tolèrent mieux la mise en charge, c'est pourquoi on doit éviter de mettre en charge les articulations en position extrême. Par exemple, on ne doit pas s'accroupir, sauter comme un oiseau et faire le grand écart, si on n'a pas durant une longue période amélioré par l'entraînement sa capacité à effectuer ces mouvements de mise en charge en position extrême. Le type d'entraînement qui ménage le plus le cartilage consiste à faire des mouvements sans mise en charge. Toute mise en charge extrême et localisée du cartilage articulaire peut être à l'origine de blessures.

Tissu conjonctif

Les ligaments, les capsules articulaires, les tendons musculaires sont composés de tissu collagène. Les ligaments sont assez peu élastiques. Ils donnent leur stabilité aux articulations et guident leurs mouvements.

Les articulations sont unies par une capsule (élément résistant) tapissée intérieurement par une membrane qui sécrète un liquide articulaire (synoviale). Le liquide articulaire diminue les frottements, réduit l'usure de l'articulation et facilite les échanges des éléments nutritifs au niveau du cartilage articulaire. Capsules et synoviales articulaires sont sensibles à la surcharge et aux états d'irritation. En pareil cas, il se forme une plus grande quantité de liquide articulaire que normalement; il s'en suivra un épanchement de liquide dans l'articulation.

Grâce à un entraînement régulier, on peut maintenir la solidité du tissu collagène et retarder les altérations dues à l'âge (dégénérescence) de celui-ci. L'inactivité amène un affaiblissement des ligaments et des capsules articulaires et dans certains cas, les ligaments peuvent aller jusqu'à devenir scléreux et se raccourcir, ce qui a pour conséquence une diminution de mobilité et une mauvaise mise en charge des articulations.

Muscles

Chaque muscle est constitué d'un certain nombre de fibres musculaires qui peuvent se contracter. Si on soumet à un entraînement un muscle, son volume augmente. Avec l'avancement en âge, le muscle garde son volume, mais sa force décline, puisqu'une partie des fibres musculaires est alors remplacée par de la graisse.

L'endurance et la force des muscles déclinent chez les sujets physiquement inactifs. En outre, leur coordination c'est-à-dire la capacité des muscles à agir ensemble s'altère, et le risque de blessures augmente. Chez les sujets qui ont une musculature bien entretenue par le travail, les effets des aggressions imposées aux articulations lors des traumatismes venant de l'extérieur pourraient être minimisés par ce moyen et une partie des blessures pourrait être évitée.

Entraînement des organes de mobilisation

Dans l'entraînement des organes de mobilisation figurent l'entraînement musculaire, l'entraînement de la mobilité articulaire et de la souplesse, l'entraînement de la coordination et l'entraînement spécialisé.

Différents types d'entraînements musculaires

On distingue 2 types fondamentaux d'entraînement musculaire, statique et dynamique. Au cours du travail musculaire, il se produit 2 types de contraction musculaire: concentrique et excentrique.

1. Entraînement musculaire statique (isométrique)

L'entraînement statique ou isométrique consiste en une contraction des muscles sans mouvements. On peut par exemple maintenir en l'air un membre inférieur avec le genou en extension ou tenir un poids dans la main avec le bras tendu.

Lorsqu'on se livre à l'entraînement isométrique les muscles travaillent constamment contractés. La pression dans un muscle peut de ce fait devenir tellement élevée que le flux sanguin et par son intermédiaire l'approvisionnement en oxygène des muscles est limité ce qui peut entraîner la formation d'acide lactique. Lorsque la teneur en acide lactique augmente dans un muscle, son milieu de travail est altéré. L'entraînement isométrique pour cette raison est souvent considéré comme dur et très épuisant. Cet entraînement musculaire est indiqué toutes les fois où on cherche à augmenter sa force en vue de l'exécution d'un dur travail musculaire.

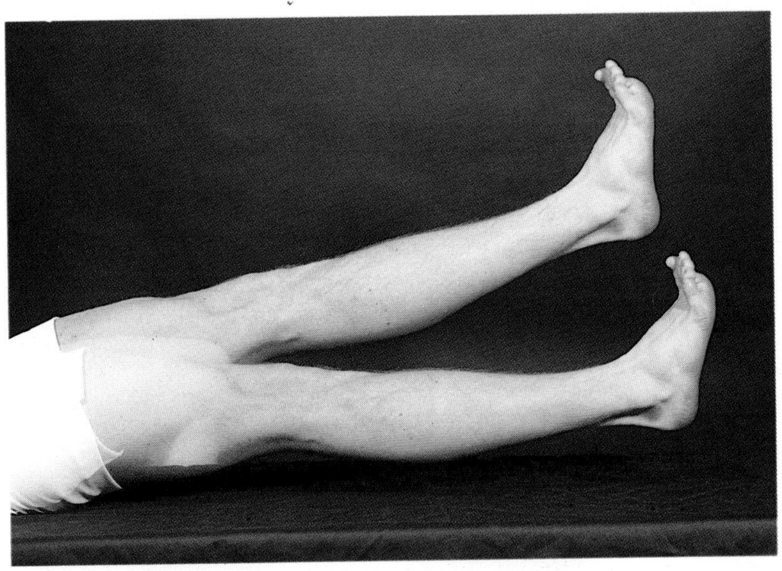

Exemple d'entraînement musculaire statique (isométrique) des muscles extenseurs de l'articulation du genou.

L'entraînement isométrique augmente le volume des muscles et la force de la zone qui est entraînée. L'augmentation de force dépend cependant de l'angle articulaire sous lequel la contraction isométrique a lieu, cad. l'amélioration de la force est influencée par l'angle articulaire sous lequel l'entraînement est effectué. Les longues périodes d'entraînement isométrique diminuent la vitesse de mouvement, c'est pourquoi cette méthode d'entraînement a ses limites en ce qui concerne l'entraînement à visée préventive et spécialisée. Il a par contre un rôle très important à jouer dans l'entraînement initial après une blessure. Par exemple, en cas d'atteinte du genou, l'entraînement isométrique peut être employé sous un plâtre ou un dispositif d'immobilisation analogue.

2. Entraînement musculaire dynamique

L'entraînement musculaire dynamique peut être exécuté de différentes façons, entre autres, sous forme d'entraînement isotonique et isocinétique ainsi que d'entraînement avec résistance variable.

Entraînement isotonique dynamique

L'entraînement isotonique consiste à exécuter un travail musculaire de mobilisation en conservant la même grandeur de tension durant tout le mouvement. La vitesse de mouvement peut varier avec la charge qui peut être constituée par le poids du corps ou un poids fixe qui est déplacé selon le parcours du mouvement. Un exemple d'entraînement isotonique est représenté par la flexion du genou avec un poids placé sur les épaules et la flexion du coude avec un poids dans la main.

Lorsqu'on utilise cette méthode d'entraînement, la lourdeur du poids est constamment la même ; elle ne s'adapte pas aux différences de force qui se produisent dans les différentes zones du parcours du mouvement. La sollicitation des articulations peut augmenter par exemple au niveau de l'articulation fémoro-patellaire en cas de flexion du genou, de redressement avec les poids sur les épaules ou d'entraînement du quadriceps avec une machine à musculation.

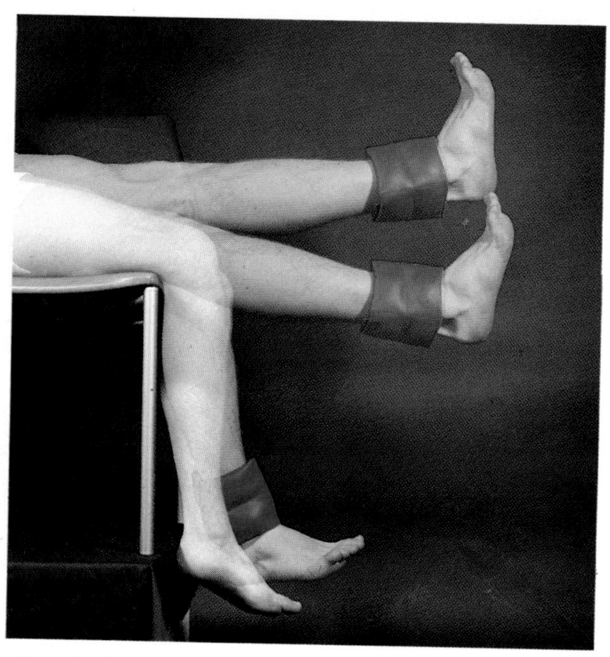

Exemple d'un entraînement musculaire dynamique des muscles fléchisseurs et extenseurs de l'articulation du genou.

Entraînement isocinétique dynamique

L'entraînement dynamique isocinétique consiste à exécuter un travail musculaire de mobilisation contre une résistance adaptée. La vitesse de mouvement demeure constante pendant toute la durée du mouvement et la résistance s'adapte au cours du mouvement de façon à pouvoir compenser les modifications dans le bras de levier du squelette ou dans le fonctionnement du muscle. Ces modifications fonctionnelles peuvent être dues à, par exemple, la douleur ou la faiblesse.

L'entraînement isocinétique est la méthode la plus efficace pour entraîner un muscle de façon dynamique. Elle présente de nombreux avantages et elle est moins dangereuse puisqu'avec elle les possibilités de surcharge des muscles, des articulations et du tissu conjonctif sont faibles. Cette méthode d'entraînement est spécialement indiquée lors de la rééducation fonctionnelle. S'il existe une zone douloureuse sur le trajet du mouvement, le blessé peut appliquer une charge plus faible à ce niveau tout en conservant une plus grande charge au niveau des autres zones. La méthode d'entraînement donne aussi la possibilité de longues séances d'entraînement, au cours desquelles on maintient une vitesse élevée. L'association d'une vitesse élevée et d'une résistance aussi élevée que possible peut aussi donner une forte augmentation de force et améliorer ce qu'on appelle la force explosive (la force rapide). L'entraînement isocinétique en d'autres termes est particulièrement efficace également lors de l'entraînement à visée préventive. Un appareil d'entraînement spécial est cependant nécessaire (voir ci-dessous).

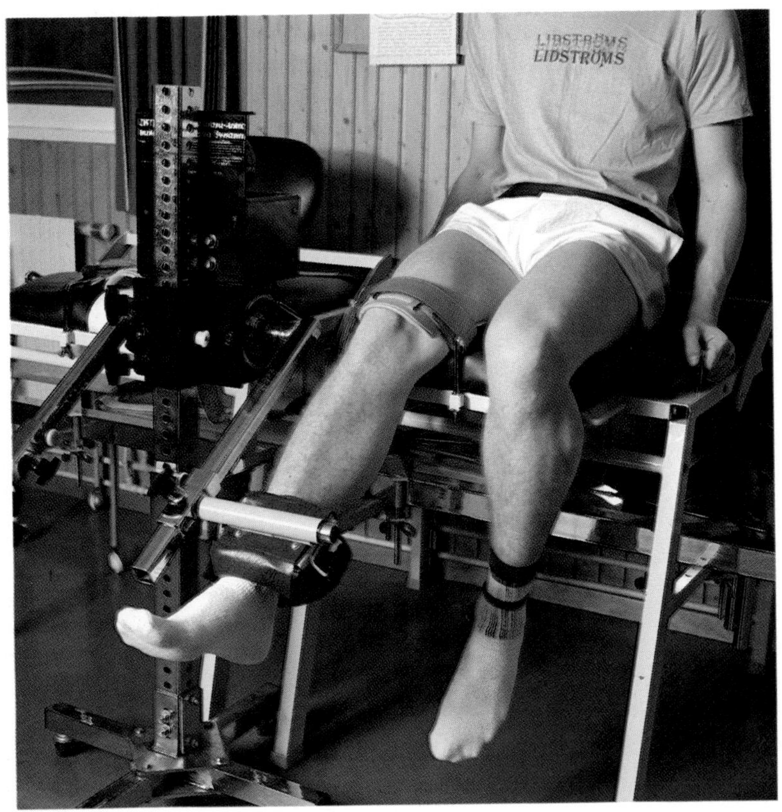

Appareil d'entraînement dynamique isocinétique.

Lors du travail, isotonique ou isocinétique, dynamique les muscles sont soumis alternativement à une contraction et à un relâchement, ce qui permet au sang d'être propulsé régulièrement à travers eux. C'est pourquoi, la méthode d'entraînement est considérée comme moins épuisante que l'entraînement isométrique. L'entraînement dynamique fait partie de l'entraînement spécialisé de la plupart des spécialités sportives.

Entraînement avec résistance variable

L'entraînement avec résistance variable, par exemple, avec une corde de traction qui s'enroule sur un moyeu en forme de rein (Nautilus) consiste à faire varier la résistance le long du parcours de mouvement de façon à ce que cette modification corresponde à la différence de force entre les différentes zones du parcours de mouvement. Grâce à ce type d'entraînement, on obtient une grande augmentation de force.

Egalement pour l'entraînement avec résistance variable un appareillage spécial est nécessaire. La méthode d'entraînement ne peut pas être employée au cours des phases précoces d'un processus de rééducation, puisque la résistance ne peut pas s'adapter aux zones douloureuses du trajet de mouvement. Parmi les avantages on peut citer les possibilités d'isoler des groupes spéciaux de muscles pour l'entraînement et de faire travailler les muscles de façon excentrique.

Indications

En résumé, on peut dire que l'entraînement isométrique ménage l'articulation et doit être employé en cas d'état pathologique douloureux. L'entraînement isométrique est employé au cours des stades précoces du processus de rééducation et lorsque, par exemple, un membre inférieur blessé est immobilisé par un plâtre ou par un dispositif analogue. Dans un but préventif, l'entraînement isométrique peut également être employé alternativement avec d'autres formes d'entraînement. L'entraînement isotonique est employé au cours des derniers stades de la rééducation et fait partie de l'entraînement préventif général. L'entraînement isocinétique ménage l'articulation puisque les zones douloureuses dans les trajets de mouvement soumis à l'entraînement sont protégées. Cet entraînement apporte en outre une augmentation marquante de la force soit qu'on s'entraîne à vitesse élevée ou à vitesse basse avec une résistance maximale. L'entraînement avec résistance variable mais non adaptée permet d'isoler des groupes particuliers de muscles et offre la possibilité de pratiquer un travail musculaire excentrique ainsi qu'un entraînement de la mobilité.

Travail concentrique et travail excentrique

Les muscles peuvent travailler de façon dynamique grâce aussi bien à un travail concentrique qu'à un travail excentrique. Lors d'un travail concentrique, le muscle se contracte en même temps qu'il se raccourcit de façon à ce que l'origine et l'insertion du muscle se rapprochent l'une de l'autre. C'est ainsi que se comportent les muscles de la face antérieure à la cuisse lorsque l'articulation du genou est en extension, quand on monte un escalier.

Le travail excentrique consiste à contracter un muscle en même temps qu'il est allongé de façon à ce que l'origine du muscle et son insertion s'éloignent l'une de l'autre. Les muscles de la face antérieure de la cuisse travaillent, par exemple, de façon excentrique lorsqu'avec l'articulation du genou, on freine lors d'une descente pendant une course à pied.

Lors du travail qui comporte le passage d'un travail musculaire excentrique à un travil concentrique et vice-versa, il existe un risque de ruptures musculaires et tendineuses.

Entraînement de la mobilité et de la souplesse

Quelle que soit la spécialité sportive à laquelle on s'adonne, il est de la plus grande importance d'améliorer par l'entraînement, et d'entretenir, la rapidité, la force et la technique. Il est également important de maintenir les articulations suffisamment mobiles pour pouvoir exécuter les mouvements et supporter la charge à laquelle elles sont soumises lorsqu'on s'entraîne et lorsqu'on participe à une compétition. Par «mobilité» on entend l'amplitude de mouvement qu'on peut normalement attendre d'une articulation. Il existe plusieurs facteurs intervenant dans la mobilité:
— la température des tissus, cad. le degré d'échauffement;
— le système d'impulsions et de réflexes qui existe dans tous les muscles ainsi qu'en connexion avec les articulations;

— les possibilités d'allongement des muscles, des tendons, des ligaments et des capsules articulaires;
— la force des muscles, leur degré de tension;
— la conformation des parties du squelette au niveau des articulations;
— le facteur âge;
— les facteurs psychologiques.

La mobilité articulaire n'est pas la même pour toutes les articulations; elle est spécifique pour chaque articulation. Elle diminue dès que la croissance est terminée; elle est plus grande chez les femmes que chez les hommes; elle n'est pas correllée avec la constitution corporelle ni le poids du corps et elle peut être développée de façon très différente selon les différentes activités. L'amélioration de la mobilité articulaire obtenue peut persister 6 à 8 semaines après la fin d'un entraînement spécial de la mobilité. Un bon échauffement améliorera la mobilité articulaire. L'amélioration de la mobilité articulaire par les exercices appropriés présente le double avantage de favoriser l'accomplissement de bonnes prestations et de prévenir l'apparition de blessures. L'entraînement de la mobilité doit faire partie de tous les types d'entraînement et constituer un élément de l'échauffement avant une compétition.

Les sportifs qui pratiquent des spécialités sportives qui nécessitent beaucoup de souplesse doivent entraîner leur mobilité articulaire lors de séances particulières d'entraînement. Par «souplesse» on entend une combinaison de mobilité articulaire, de force et de coordination. Un sportif doit adapter son niveau de souplesse selon la spécialité sportive qu'il pratique. La souplesse doit être entretenue pour satisfaire les exigences qu'impose la spécialité sportive, mais l'entraînement ne doit pas être exagérement poussé car l'installation d'une hypermobilité peut contribuer à la survenue de graves lésions par surcharge (exemple: exercices de dos en gymnastique).

L'entraînement de la mobilité allonge les muscles et augmente l'irrigation sanguine dans les tissus qui entourent les articulations. En outre, le risque de ruptures et de saignements dans les muscles est diminué et de ce fait aussi le risque de lésions par surcharge.

Au cours des périodes intensives d'entraînement, par exemple lors des stages d'entraînement, certains groupes musculaires peuvent être sollicités plus durement que d'autres, ce qui perturbe l'équilibre musculaire naturel au niveau de l'articulation. L'entraînement de la mobilité est alors important. Il n'a pas été constaté qu'une très grande mobilité articulaire soit un facteur favorisant les blessures.

On distingue 2 types de mobilité:
— *la mobilité articulaire active (dynamique)* qui est le mouvement maximal qu'on peut atteindre dans une articulation par une contraction volontaire des muscles;
— *la mobilité articulaire passive (statique)*, qui est le mouvement maximal qu'on peut atteindre dans une articulation, par exemple avec l'aide d'un engin, d'un camarade ou de son propre poids du corps. La mobilité articulaire passive est limitée par la conformation de chaque articulation: os, capsule articulaire et ligaments.

L'entraînement de mobilité se propose:
— de diminuer pour les articulations le risque d'être trop fortement sollicitées en position extrême. Une bonne mobilité articulaire donne une certaine marge de sécurité;
— de prévenir les blessures en instaurant une coordination naturelle entre les différentes parties des organes de mobilisation.

L'entraînement de mobilité sera plus efficace, s'il est exécuté lorsque les muscles sont bien échauffés et relâchés. Tout l'entraînement doit être effectué doucement. Il existe différentes méthodes pour l'entraînement de la mobilité et les termes suivants sont employés:
«étirement» — mouvement qui cherche à atteindre une position extrême du muscle par oscillations ou balancements du membre et retour direct;
«allongement» — mouvement consistant à exercer passivement une traction supplémentaire sur un muscle déjà amené en position extrême;
«stretching» — maintien pendant 10 à 30 secondes d'un allongement passif jusqu'à la position extrême.

Etirement

La pratique de l'étirement consiste à essayer d'étirer encore plus un muscle avec des mouvements lents et doux, en évitant les brusques à-coup et les tiraillements violents. Le muscle conservé étant en position extrême après le dernier étirement, 4 à 8 étirements donnent le meilleur résultat.

Pour entretenir une bonne mobilité articulaire, il suffit d'appliquer cette méthode. Elle peut être utilisée dans le cadre de l'échauffement lorsque les tissus qui entourent l'articulation ont été activés, le cartilage articulaire stimulé et la température du corps augmentée. Par contre, on ne doit jamais employer cete méthode lors du rééentraînement après une blessure.

Allongement

Le muscle qui doit faire l'objet d'un allongement est d'abord placé en position extrême presque jusqu'à ce que soit atteint le seuil de la douleur ou que la tension dans le muscle va se mettre à augmenter de façon marquante. Dans cette position de départ, on va effectuer une contraction isométrique maximale du muscle pendant 4 à 6 secondes. On laisse ensuite le muscle se décontracter pendant 2 secondes environ et on l'allonge encore un peu plus. Le muscle sera maintenu dans cette position allongée pendant 8 secondes environ. Toute la procédure sera répétée 3 à 5 fois ou bien jusqu'à ce qu'une position maximale soit atteinte. La contraction isométrique doit être aussi forte que possible pour que l'effet ultérieur de relâchement du muscle soit bon. Cette méthode améliore aussi bien la mobilité articulaire passive que la mobilité articulaire active. Elle est spécialement indiquée pour le sportif qui a besoin d'améliorer sa mobilité articulaire après une blessure. En appliquant cette méthode, chaque sportif peut espérer améliorer suffisamment sa mobilité articulaire pour satisfaire les exigences particulières du sport qu'il pratique.

Stretching

Le mot «stretching» est souvent employé à tort comme synonyme de «mobilité articulaire» ou de «souplesse». Le stretching n'est en fait qu'une des méthodes existantes d'entraînement de la mobilité articulaire. La technique du stretching consiste à maintenir en position allongée un groupe de muscles pendant 10 à 30 secondes. Dans cette position la tension musculaire diminue progressivement; dans le cas contraire, il faudrait diminuer un peu l'allongement. Après ce premier «stretch léger», si on allonge encore plus le groupe de muscles, on parvient alors au «stretch amélioré».

Si au cours des derniers mois un muscle (ou ses insertions tendineuses et osseuses) a été l'objet d'un claquage, d'une inflammation ou d'une autre sorte de blessure, on peut omettre la phase de stretch léger et n'effectuer le stretching que sous forme d'un allongement prudent et lent des muscles jusqu'à une position extrême non douloureuse, où ils seront maintenus pendant 8 à 10 secondes.

Le stretching est une méthode qui convient parfaitement pour entretenir et accroître la mobilité articulaire.

Entraînement de la coordination

La technique permettant aux gestes d'être exécutés au mieux avec le minimum de travail et conformément à leur objectif demande un long apprentissage.

Le sujet qui a été victime d'une blessure présente une mauvaise coordination. Même ensuite lorsque la blessure est guérie, il faut en règle générale une période supplémentaire avant de recouvrer une complète coordination entre les nerfs, les muscles et les articulations. L'entraînement de la coordination doit être commencé relativement vite après que l'entraînement ait été repris et en règle générale, on doit pratiquer un entraînement spécial de la coordination pendant au moins 6 mois après qu'on ait été victime d'une blessure.

Entraînement spécifique de certains muscles

Chaque spécialité sportive impose des exigences particulières à ceux qui la pratiquent. Les sportifs, les entraîneurs et les dirigeants doivent savoir quels sont les muscles qui sont spécialement sollicités au sein de la spécialité sportive considérée. Ceux-ci sont nécessairement amenés à faire de grands efforts et sont exposés au risque d'être atteints de blessures. Ces groupes musculaires doivent spécialement être entraînés avant la reprise sportive après blessure. Les principes de l'entraînement de la force se trouvent page 100.

Principes pour l'entraînement après blessure

La rééducation fonctionnelle et le réentraînement après blessure des muscles, des tendons ou des articulations nécessite de bonnes connaissances aussi bien chez le sportif blessé que chez celui qui traite la blessure. Si le seuil de solidité du tissu blessé est dépassé il peut effectivement arriver que la guérison soit compromise et que la blessure récidive.

L'entraînement des muscles, des tendons et des articulations après une blessure a pour but:

— de recouvrer une mobilité normale au niveau des articulations;
— d'allonger les fibres collagènes du tissu conjonctif jusqu'à leur longueur fonctionnelle dans les tendons et dans les muscles;
— d'augmenter la solidité au niveau des insertions osseuses, des tendons, de la jonction musculotendineuse ainsi que des muscles eux-mêmes;
— d'améliorer la capacité de coordination.

Points de vue biomécaniques

L'amplitude de mouvement dans une articulation est normalement limitée par le squelette, les ligaments et la capsule articulaire ainsi que par la longueur et la capacité d'allongement des muscles et des tendons. Les ligaments et la capsule articulaire sont pratiquement non-élastiques et assurent la stabilité passive tandis que les muscles et les tendons assurent la stabilité active.

Les muscles, les tendons et les ligaments contiennent des fibres collagènes. Un tendon est constitué de 90 % de fibres collagènes et de 10 % de fibres élastiques. Les fibres collagènes sont disposées parallèlement dans les insertions tendineuses, dans les tendons et dans la jonction musculotendineuse. Elles sont mises en charge et étirées lors des contractions musculaires. Au repos les fibres collagènes ne sont pas étirées. Le tissu collagène peut être élastique (allongeable) et plastique (modelable) et possède une grande viscosité (friction interne). Le fait que le collagène soit à la fois visqueux et élastique a pour conséquence que la vitesse avec laquelle le collagène est mis en charge joue un rôle important. Plus rapidement, par exemple, un tendon sera mis en charge, plus rigide (diminution d'élasticité) et moins modelable (diminution de plasticité) il deviendra. En cas de mise en charge lente, les propriétés élastiques et plastiques du tendon augmentent. Le collagène des tendons doit être soumis à un allongement d'au moins 6 secondes pour que ses propriétés plastiques puissent être modifiées. A une température d'environ 39 à 40° l'élasticité et la plasticité des fibres collagènes augmentent. C'est pourquoi un échauffement minutieux et global doit être effectué avant qu'on pratique un entraînement par allongement. Du point de vue biomécanique, un échauffement local des tendons avec un étirement effectué lentement jusqu'au seuil de la douleur a pour résultat un allongement des fibres collagènes des tendons à leur plus grande longueur. L'allongement doit avoir lieu dans les 10 à 15 minutes suivant l'administration d'un traitement local par la chaleur; dans le cas contraire, l'effet d'échauffement serait perdu.

1. Entraînement musculaire après blessure

La force musculaire est proportionnelle à la surface de la section transversale physiologique du muscle (épaisseur et nombre de fibres musculaires). Plus cette surface de section transversale sera grande, plus sera grande la force que le muscle peut développer. La force maximale qu'un muscle peut développer dépend de la vitesse à laquelle il se contracte. Le plus grand développement de force est obtenu lors d'une contraction isométrique d'un muscle car un plus grand nombre d'unité motrice est sollicité. Plus on contractera rapidement un muscle, plus la force développée sera réduite puisqu'alors un moins grand nombre d'unité motrice sera recruté.

L'entraînement de la force amène en outre une augmentation de la force musculaire ainsi qu'une augmentation de la solidité des insertions et des origines des muscles sur le squelette, des tendons et de la jonction musculo-tendineuse. Au cours de la rééducation fonctionnelle après une blessure, on doit pratiquer un entraînement de la force jusqu'au seuil de la douleur. La solidité des tendons, des ligaments et du squelette n'augmente pas aussi rapidement que la force musculaire. Ces tissus ont un métabolisme énergétique plus lent que celui des muscles. Cette différence de métabolisme doit surtout être prise en considération lors de l'entraînement des sujets en cours de croissance. Dans le but de raccourcir la durée de l'arrêt pour maladie après une blessure, on peut commencer l'entraînement des muscles dans la région blessée selon la méthode suivante.

Entraînement statique (isométrique)

L'entraînement isométrique peut souvent être commencé immédiatement après qu'on ait été victime, par exemple, de certaines blessures articulaires et musculaires. Pour donner le meilleur résultat possible, les contractions musculaires isométriques doivent être aussi fortes que la douleur l'autorise. Une contraction isométrique lente qui crée une augmentation progressive de la mise en charge du tissu blessé permet d'éviter de dépasser les seuils de la douleur et de la solidité. Le traitement est commencé avec relativement peu de contractions musculaires par jour puis augmenté graduellement. On augmente d'abord le nombre de contractions musculaires et ensuite la charge du muscle. Le blessé doit se reposer entre les contractions musculaires isométriques de façon à ce que l'acide lactique qui se forme dans le tissu puisse disparaître. Un kinésithérapeute doit si possible contrôler de façon continue que l'entraînement n'amène pas une recrudescence des symptômes. Un exemple type d'entraînement isométrique est représenté par l'entraînement des muscles extenseurs et fléchisseurs de l'articulation du genou qui est indiqué après des lésions ligamentaires de cette articulation. Lorsque le blessé peut effectuer sans douleur un entraînement isométrique sans charge, l'entraînement dynamique est commencé.

Entraînement dynamique

Dès que la contention, plâtrée ou non, éventuellement posée a été enlevée et que le blessé a été autorisé à bouger l'articulation, l'entraînement dynamique avec seulement le propre poids de la partie du corps concernée comme charge peut commencer. Lors de l'entraînement dynamique avec poids, entraînement isotonique, on ne peut cependant appliquer une charge maximale à une articulation que dans une partie seulement de son parcours de mouvement. Pour cette raison, il existe un risque de surcharge de l'articulation dans le secteur du parcours du mouvement où le développement de la force est le plus mauvais. Ce risque diminue avec l'entraînement isocinétique qui cependant nécessite de disposer d'un appareil spécial (voir page 91). L'entraînement isocinétique permet au sujet entraîné de travailler avec la plus grande résistance possible et à vitesse constante tout au long du parcours de mouvement. Le risque d'une aggravation des blessures diminue du fait que la résistance tout au long du parcours de mouvement est adaptée à la force que le blessé développe.

L'entraînement dynamique doit débuter avec une faible charge et le programme d'entraînement doit être envisagé en augmentant le nombre de répétition et non en augmentant la charge. L'endurance et la circulation sanguine dans le muscle en seront améliorées.

Les forces auxquelles une articulation est soumise peuvent être grandes.

L'entraînement dynamique a un effet limité sur la force isométrique du muscle sauf lorsqu'il est effectué à basse vitesse, auquel cas il ressemble à l'entraînement isométrique. A l'inverse l'entraînement isométrique a également un effet limité sur la force dynamique du muscle. Tout entraînement doit, en d'autres termes, être fonctionnel et être établi de façon à ce que soient entraînés les gestes que le blessé exécute lorsqu'il pratique son sport.

Les principes suivants doivent être observés lors de l'entraînement de la force après blessure :

— Tout entraînement de la force doit être commencé avec des exercices d'échauffement.

— Tout entraînement doit au début être pratiqué sans charge et jusqu'au seuil de la douleur, après quoi une lente augmentation, en premier lieu du nombre de mouvements par séance d'entraînement, en second lieu de la charge, doit être effectuée.

— La répétition monotone doit être évitée au cours de l'entraînement.

— Repos et récupération sont importants lors de tout entraînement de la force.

— L'entraînement de la force doit être associé avec l'entraînement de la mobilité articulaire.

2. Entraînement de la mobilité après une blessure

L'entraînement de la mobilité peut être aussi bien actif que passif et il se propose d'améliorer la mobilité articulaire.

La longueur d'un muscle dépend, entre autres, de l'extensibilité de son tissu conjonctif constitué de fibres collagènes. Egalement la capacité pour un muscle d'augmenter sa longueur dépend de son degré de tension interne (tonus) qui, à son tour, dépend du degré d'activité de certaines terminaisons nerveuses. La douleur augmente cette activité et influence par ce moyen le degré de tension du muscle qui conduit à un raccourcissement du muscle. Pour que la plasticité du tissu conjonctif puisse être modifiée, le tissu conjonctif doit être soumis à un allongement pendant au moins 6 à 10 minutes en même temps que le muscle ait une faible tension (tonus).

L'entraînement de la mobilité articulaire peut consister en étirements et en allongements. Lors des étirements on fait des mouvements de pendule et de bascule jusqu'à une position extrême du muscle avec retour direct. Cette méthode ne doit pas être employée lors d'un entraînement après une blessure. L'allongement consiste en une traction passive d'un muscle qui déjà se trouve en position étirée. L'origine et l'insertion du muscle doivent, en d'autres termes, être éloignées l'une de l'autre au maximum. Les allongements doivent être exécutés doucement et lentement car une cadence trop forte ferait que le muscle se contracterait et n'arriverait pas à s'allonger. Ce phénomène provient de ce que son système de réflexe est activé; une élévation tensionnelle musculaire réactionnelle interne se produit comme mécanisme de défense et l'exercice n'atteint pas son but. Pour chaque allongement on doit veiller à augmenter l'amplitude du mouvement sans que le muscle ne fasse intervenir ses mécanismes de défense réflexe. Ce type d'entraînement active les tissus situés autour de l'articulation et les allongements doivent être répétés jusqu'à ce que la mobilité augmente. (Technique de l'entraînement par allongement page 94.)

L'avantage de l'entraînement par allongement réside dans le fait qu'il est possible de contrôler qu'on agit bien sur le groupe musculaire concerné et que les muscles travaillent véritablement dans leurs positions extrêmes. La méthode d'entraînement n'est pas non plus fatiguante, si on excepte qu'elle peut prendre beaucoup de temps.

L'entraînement par allongement doit faire partie du programme de rééducation fonctionnelle de tout sportif qui a été victime d'une blessure. Dans la plupart des cas on peut commencer l'entraînement par allongement relativement tôt après la survenue de la blessure, mais en cas de ruptures des tissus mous on doit attendre pour commencer l'entraînement par allongement qu'un médecin ait donné le feu vert. En règle générale on peut commencer l'entraînement par allongement lorsqu'il n'existe aucune sensibilité douloureuse locale de la région blessée et lorsque les contractions musculaires isométriques peuvent être exécutées sans douleur.

3. Entraînement de la coordination après blessure

Le sujet qui a été victime d'une blessure présente également une altération de sa capacité de coordination; c'est pourquoi cette capacité doit être réentraînée avant qu'il ne recommence à participer à des compétitions. Le sujet qui a été atteint au niveau de l'articulation du genou par exemple ne doit pas recommencer à jouer des matchs de football sans s'être d'abord entraîné avec le ballon et avoir récupéré sa capacité de coordination («timing»). L'entraînement de la coordination consiste à exercer la proprioceptivité, cad. l'harmonie entre les impulsions qui vont au système nerveux central ainsi qu'aux muscles, aux tendons, aux articulations et aux ligaments. Lorsque la capacité de coordination est améliorée, on peut effectuer des mouvements avec une plus grande sécurité et une plus faible dépense énergétique. Une capacité de coordination défaillante peut avoir pour conséquence qu'on exécute de façon incorrecte divers moments d'entraînement et de compétition, ce qui peut amener des ruptures et des lésions par surcharge. L'entraînement de la coordination est important pour arriver à exécuter les mouvements de façon normale et contrôlée sans qu'ils soient contrariés par les muscles antagonistes. On doit adapter son entraînement de la coordination selon la technique utilisée dans la spécialité sportive à laquelle on s'adonne. L'entraînement doit au début comporter une seule séance d'entraînement et ne doit pas être répété à une fréquence où le seuil de la fatigue serait dépassé. Il faut signaler qu'il faut souvent longtemps, parfois 6 mois ou plus, avant qu'on arrive à recouvrer par l'entraînement une bonne coordination musculaire.

Pour tout entraînement au cours de la rééducation fonctionnelle, il est essentiel d'effectuer un entraînement général des grands groupes de muscles. Au fur et à mesure que la force musculaire, l'endurance, la mobilité articulaire et la capacité de coordination reviennent, on peut commencer un entraînement plus spécifique de la spécialité sportive.

4. Entraînement spécialisé des groupes de muscles

Chaque spécialité sportive impose des exigences spéciales à ceux qui la pratiquent. Le sportif, l'entraîneur et le dirigeant doivent bien savoir quels sont les groupes musculaires qui sont sollicités dans la spécialité sportive considérée et qui sont exposés à des contraintes extrêmement grandes et à des risques de blessures. Ces groupes musculaires doivent faire l'objet d'un entraînement spécifique avant que le sportif ne reprenne son activité sportive après une blessure.

Lors de la rééducation fonctionnelle après une blessure, on doit entraîner le côté du corps blessé parallèlement avec le côté sain. Le résultat est plus facilement jugé en comparant le côté blessé avec le côté sain. L'entraînement doit être pratiqué régulièrement et être adapté selon l'individu.

— Tout entraînement après une blessure doit au début être effectué sans charge. On augmente ensuite la fréquence des mouvements d'entraînement avant d'augmenter la charge.
— La répétition monotone doit être évitée au cours de l'entraînement.
— L'entraînement de la force doit être associé à l'entraînement de la coordination et à l'entraînement par allongement.
— Les groupes musculaires qui sont principalement sollicités par la spécialité sportive pratiquée doivent être l'objet d'un entraînement spécifique.

Entraînement par la course

Avant de reprendre son entraînement par la course à pied après une blessure, on doit avoir effectué un entraînement isométrique et dynamique avec ou sans charge. En règle générale, on doit reprendre son entraînement de la condition physique par le cyclisme, la natation, le ski de fond ou des activités analogues, tous exercices qui mettent moins en charge l'organisme.

On doit consulter un médecin ou un kinésithérapeute avant de reprendre son entraînement après une blessure. On doit en outre garder en mémoire les principes suivants:

— Quand on s'entraîne par la course à pied, la charge imposée au squelette et aux muscles est élevée.
— On doit commencer l'entraînement par la course à pied après une blessure en courant lentement sur un sol égal et pas trop dur.
— On ne doit pas parcourir en courant de trop longs trajets au début mais au contraire faire du jogging ou se promener sur des parcours courts avec de longs intervalles.
— L'équipement doit être convenable.
— L'entraînement par la course à pied doit être associé avec un entraînement musculaire général.

Entraînement de la force

Quelle que soit leur spécialité sportive, la plupart des sportifs ont besoin d'une musculature générale bien entraînée ce qui également réduit le risque de blessures.

Le but de l'entraînement de la force est d'améliorer la capacité des muscles à effectuer des prestations nécessitant l'utilisation de la force. Puisque la «force musculaire» n'est pas une expression univoque, l'entraînement de la force est seulement un terme général qui recouvre toutes les formes d'entraînement qui visent à augmenter la force et le fonctionnement des muscles à plusieurs points de vue.

Pour l'entraînement de la force musculaire, on doit toujours partir des exigences de la spécialité sportive en matière de force. Chaque spécialité exige un programme spécial pour l'entraînement de la force qui se propose d'entraîner exactement les fibres musculaires qui sont utilisées de façon la plus intensive dans les moments de compétition. Il n'est cependant pas suffisant, par exemple, pour un lanceur d'améliorer seulement par l'entraînement la force de son bras. Puisque le corps doit être développé en entier, on doit également se livrer à un entraînement général de la force de façon à ce que toute la musculature du corps soit entraînée.

Les facteurs suivants doivent être pris en considération lorsqu'on bâtit un programme d'entraînement:
— type de force: dynamique (voir page 89) ou statique (voir page 90);
— mise en jeu de la force: isolée maximale ou répétée, continue. Rythme de mouvement: lent ou rapide.

Conseils généraux

Tout entraînement de la force doit être commencé par des exercices d'échauffement et d'assouplissement, qui doivent durer au moins 15 minutes. Le risque de blessures est plus grand si les muscles ne sont pas échauffés.

Pour que l'entraînement de la force puisse donner le résultat souhaité, il doit être exécuté régulièrement et méthodiquement. L'entraînement de la force donne une très rapide augmentation de la force musculaire, mais cette augmentation de la force ne se produit pas au même rythme, au niveau du squelette, des ligaments et des tendons . Ces tissus sont, certes, bien développés proportionnellement à la musculature mais la prudence est recommandée, particulièrement en ce qui concerne les jeunes individus et les débutants. Il est important que l'intensité et la charge soient augmentées lentement pour que la force musculaire ne puisse surpasser le seuil de solidité des tendons et des ligaments et de leurs insertions.

Lors de l'entraînement de la force, tous les mouvements doivent être exécutés de la même façon d'une fois à l'autre. Les mouvements doivent être appris au cours d'une période d'apprentissage. On doit abais-

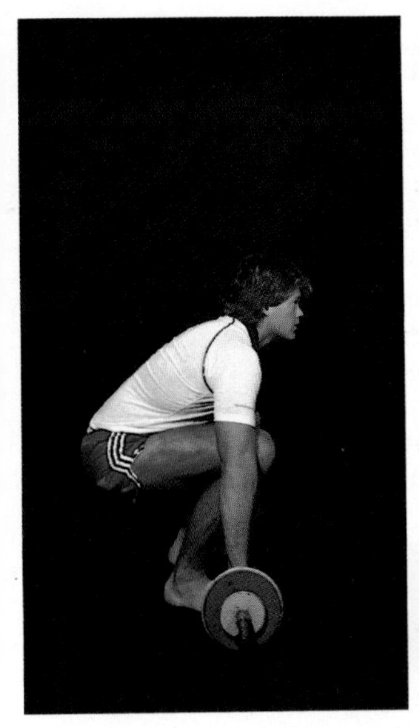

Technique correcte d'entraînement de la force avec barre à disque.

ser le rythme de mouvement et la charge pour que le mouvement puisse être appris de façon correcte. Le volume et la durée d'entraînement sont ensuite augmentés progressivement. Une trop rapide augmentation peut amener des blessures et un mauvais résultat. Lors du lever de poids, on doit commencer l'entraînement avec une faible charge et augmenter successivement le nombre de levers avant d'augmenter la charge. A une séance d'entraînement, on doit faire les mouvements qui font partie de la compétition. Le repos et la récupération sont très importants. Le temps de récupération est individuel et varie selon l'intensité de la séance d'entraînement.

Technique de levers

Une technique de lever correcte doit être utilisée si on veut arriver à mener à bien un entraînement avec une lourde charge sans se blesser. La pression sur les disques inter-vertébraux de la colonne vertébrale devient si élevée qu'ils peuvent être lésés et une hernie discale peut apparaître d'où le conseil:

Lever avec les membres inférieurs, maintenir le dos droit et placer la charge aussi près du corps que possible.

Lorsqu'on entraîne la force des membres inférieurs avec une barre à disque sur les épaules, on ne doit pas trop fléchir les genoux. Le risque de rupture de ménisques et d'autres lésions est grand si le mouvement est mal exécuté.

Pendant l'entraînement de la force avec flexions du genou, les genoux ne doivent pas être fléchis plus qu'à angle droit.

Le programme d'entraînement de la force doit être établi individuellement et en tenant compte de l'âge, du sexe, de la constitution corporelle, de l'état d'entraînement et de la spécialité sportive.

Technique et coordination

Il faut du temps pour acquérir une bonne coordination entre les muscles et le système nerveux. Une mauvaise coordination peut conduire à ce que les différents moments d'entraînement et de compétition soient mal exécutés, ce qui est souvent à l'origine de blessures et de mauvais résultats. Des lésions par usure peuvent, entre autres, être dues à une mauvaise mise en charge de la musculature, c'est-à-dire une technique déficiente.

La capacité de coordination peut être développée par l'entraînement de la technique et le sportif doit commencer celui-ci dans les jeunes années. On pense que la meilleure capacité de coordination se situe aux âges de 8 à 14 ans. L'amélioration de cette capacité a lieu par étapes lors de l'entraînement technique. Au début, l'amélioration progresse très rapide-

Dans certaines spécialités sportives, les exigences en matière de technique et de coordination sont importantes. Photographie: Pressens bild.

ment, mais ensuite la capacité de coordination ne se modifie habituellement plus au cours d'une période. Mais la poursuite de l'entraînement va amener ultérieurement des améliorations.

Lors de l'entraînement technique, les mouvements doivent être exécutés dès le début correctement, il pourrait être difficile, par la suite, de modifier un mauvais schéma de mouvement. En cas, par exemple, d'atteinte chronique chez un coureur à pied, sa technique de course doit être analysée. La pose du pied se fait-elle à plat sur la totalité du pied ou en avant du corps en appuyant fortement le pied au sol? Si un coureur à pied utilise une technique correcte, par exemple, en posant le pied près du corps avec la partie externe de la semelle du soulier d'abord pour ensuite mettre en charge la totalité du pied, la course deviendra plus efficace et plus économique et le risque de blessures diminuera.

Le perfectionnement de la capacité de coordination nécessite la répétition à l'entraînement des différents moments de mouvement. L'entraînement de la technique doit être placé au début de la séance d'entraînement, car on est alors plus concentré et reposé et cet entraînement doit être alterné avec d'autres formes d'entraînement, de façon à éviter un travail monotone.

Il est essentiel que les sportifs, les dirigeants sportifs et les entraîneurs, dans un but de prévention des blessures, tiennent compte des exigences des spécialités sportives et les replacent dans le contexte et les conditions particulières. Le sportif doit avoir acquis à l'entraînement une technique correcte avant de participer aux compétitions, puisque celles-ci augmentent les exigences.

PRÉPARATION PSYCHOLOGIQUE

Un bon équilibre psychique et un travail en équipe harmonieux sont souvent à la base de prestations couronnées de succès. Après avoir compris cette nécessité, différentes méthodes d'entraînement ont été développées au cours des dernières années.

Relations sportif-dirigeant

Cohésion du groupe

Dans tout travail en équipe, l'équipe est influencée par l'état d'esprit de chacun des membres. Chaque individu a sa propre personnalité. Des traits particuliers de personnalité peuvent être marqués plus ou moins chez les sportifs de certaines spécialités et de différents niveaux. Lors de plusieurs études, les sportifs d'élite qui semblent avoir le mieux réussis se sont montrés capables d'obtenir de meilleurs résultats aux tests de personnalité: aggressivité, instinct de domination, rigidité psychique, tonus, sociabilité et extraversion.

Pour que les différents tempéraments dans une équipe puissent s'accorder, il est important que le groupe comme entité ait un sentiment de cohésion («nous») c'est-à-dire que les membres de l'équipe se sentent solidaires et soient acceptés par les autres au sein du groupe. Si l'équipe a un fort sentiment collectif, chacun de ses membres éprouve une plus grande loyauté vis-à-vis de l'équipe. Ce sentiment collectif doit s'édifier au cours d'une longue période et peut être renforcé avant des compétitions importantes.

Un grand sentiment collectif. Photographie: HåKan Lindgren/Reportage bild.

Dans les groupes où les membres ont une très nette conscience de la valeur du rôle qu'ils sont amenés à jouer et un objectif commun, la cohésion augmente et par voie de conséquence l'efficacité. Les sportifs actifs doivent avoir l'occasion de définir ces objectifs et de discuter des questions concernant l'entraînement et les compétitions puisque le sentiment collectif en sera renforcé.

Dirigeant et capitaine

Une bonne et confiante relation entre dirigeant et pratiquants est importante pour la réussite dans le sport. Le dirigeant doit bénéficier de la confiance et du respect des sportifs actifs, il s'agit d'une condition qui se fonde souvent sur les connaissances techniques et l'habileté pédagogique de la part du dirigeant. Celui-ci doit également être stable au point de vue émotionnel. Un dirigeant doit pouvoir donner une sécurité dans une situation de compétition et si nécessaire calmer les sportifs. Un bon dirigeant sportif doit être attentif à l'ambiance psychologique et émotionnelle au sein du groupe et entre les sportifs.

L'importance des dirigeants augmente au cours par exemple des séjours à l'étranger et des longues tournées, où les grandes troupes par suite de désœuvrement peuvent être victimes de l'«ennui mortel des Palaces!». Les dirigeants doivent alors essayer de stimuler les sportifs à la fois sur les plans psychiques et physiques.

Les fonctions du capitaine d'équipe sont très importantes, car il est celui qui doit encourager et inciter l'équipe à accomplir de bonnes prestations aussi bien dans le succès que dans la défaite. Un capitaine est choisi souvent plus sûrement en fonction de ses qualités psychiques qu'en fonction de sa capacité sportive. Un bon capitaine d'équipe a habituellement établi sa position de leader au sein du groupe déjà avant d'être choisi comme capitaine.

Les dirigeants, les capitaines d'équipe et les membres de l'équipe doivent être persuadés que les sportifs, qui fournissent de moins bonnes prestations que prévu, ont besoin d'encouragements. Si l'entourage réagit de façon négative à de moins bonnes prestations, cette attitude peut avoir pour conséquence que le sportif concerné réagisse avec hésitation et indécision, ce qui à son tour peut conduire à ce que sa capacité de prestation se détériore encore plus. Une atmosphère dans laquelle une critique positive et constructive peut s'exercer et où des compliments sont donnés naturellement et fréquemment, constitue la meilleure base de réussite.

Tension psychique

Une élévation psychique entraîne une augmentation de la fréquence cardiaque et de la fréquence respiratoire, une élévation de la pression artérielle, une dilatation des vaisseaux sanguins des muscles, une augmentation de la libération de sucres à partir du foie. De cette manière, le corps acquiert une plus grande disposition à l'activité et en même temps augmente la dépense d'énergie.

Les exigences de tension psychique varient entre les différentes spécialités sportives. Les spécialités sportives qui sont techniquement simples exigeant de la force ou de la vitesse nécessitent une tension psychique élevée pour que le sportif puisse atteindre sa capacité de prestation maximale. Des exemples de telles spécialités sportives sont représentés par le cyclisme, la course de grand fond et la course de fond à ski. Parmi les spécialités

Joie partagée. Photographie: Kenneth Jonasson/Pressens bild.

sportives qui sont techniquement difficiles et nécessitent une coordination plus fine et une plus grande concentration, une trop forte tension psychique est inopportune. De tels sports sont représentés par exemple par la gymnastique, le plongeon, le tennis de table, le badmington et le football. Un exemple de spécialité d'exigence mixte de tension psychique et physique est représenté par la course d'orientation, où la course exige un niveau de tension élevé tandis que l'orientation en soi nécessite un niveau plus bas.

L'augmentation de tension psychique peut entraîner des réactions sous forme d'anorexie, de maux de tête et — parfois — de capacité de coordination défectueuse ce qui peut amener une augmentation du risque de blessures. Si un sportif fournit un résultat moins bon lors des compétitions que lors des entraînements il a certainement une tension psychique trop élevée. On doit alors adapter son entraînement selon les compétitions, par exemple, en incluant des moments de compétition dans l'entraînement ou en le faisant souvent participer à des compétitions.

Préparation avant une compétition

L'activité physique a en règle générale un effet inhibiteur sur la tension psychique et les exercices d'échauffement influencent en conséquence cette tension. Une longue période d'échauffement peut être avantageuse pour un sportif qui désire diminuer une tension psychique trop élevée. Il ne doit pas étudier ses concurrents pendant qu'il se livre à des exercices d'échauffement. Egalement la chaleur sous forme de douches chaudes avant les compétitions peut avoir un effet relaxant. Enfin le massage peut agir sur la tension psychique.

En ce qui concerne les sports d'équipe, l'entraîneur peut essayer de diviser la séance d'échauffement en une période d'échauffement commune à toute l'équipe, en une période plus longue pendant laquelle tout un chacun choisit lui-même ce qu'il veut faire et en une période d'échauffement terminale commune. On ne doit pas oublier qu'également les membres d'une équipe sont des individus qui ont leurs désirs et leurs besoins particuliers. Les habitudes ancrées ne doivent pas être modifiées car souvent les sportifs ont adopté des routines qui leur sont particulières. Si les habitudes sont interrompues, une augmentation de la tension psychique peut apparaître.

Parfois, les sportifs consciemment ou inconsciemment se sentent trop sûrs d'eux-mêmes et ont alors une tension trop basse. Il est par exemple facile de sous-évaluer une équipe adverse qui jouerait dans une division inférieure à celle où joue sa propre équipe. L'entraîneur doit alors essayer de recréer une certaine tension en rompant d'une manière ou d'une autre la routine habituelle de l'équipe par exemple en apportant des modifications inattendues dans la composition de l'équipe.

En résumé, on peut dire qu'un sportif qui veut réduire une trop forte tension psychique doit s'efforcer d'augmenter son attente de résultats au cours de l'entraînement et la diminuer au cours de la compétition.

La majorité des sportifs sont plus ou moins nerveux avant le moment de la compétition. Dans une pareille situation, il est certainement bon pour lui de pouvoir parler de sa nervosité avec quelqu'un d'autre et que cette nervosité soit acceptée par les dirigeants et les entraîneurs.

Entraînement pour augmenter la concentration

Entraînement de la concentration

Il est important pour un sportif d'avoir une bonne capacité de concentration, spécialement dans les spécialités qui réclament une technicité très avancée. Un affaiblissement de la capacité de concentration à la suite d'une tension psychique élevée et de nervosité se trouve certainement derrière les inhibitions dont les sportifs sont parfois frappés lors d'exercices techniques.

On peut, par l'entraînement, améliorer sa capacité de concentration, surtout sans doute en ce qui concerne l'endurance. Une concentration intense et de longue durée nécessite de l'énergie et entame les réserves psychiques du sportif. Les efforts de concentration doivent en conséquence être épargnés et être placés en premier lieu au bon moment. Le dirigeant sportif doit, le jour qui précède une grande compétition, s'efforcer de détourner la concentration du sportif de la compétition.

Training autogène

Par le «training autogène», on peut obtenir une amélioration de la tension psychique et musculaire, une augmentation du repos psychique et une meilleure capacité de concentration. L'«Autogen Training» repose sur une relaxation obtenue par une technique de concentration, par laquelle on peut arriver à se contrôler soi-même. La technique est basée sur les 2 constatations suivantes:

1. La pensée à une influence sur les fonctions du corps. Par une concentration intense on peut ainsi entraîner des modifications de ces fonctions.
2. Un effet de généralisation: si on a obtenu un état de relaxation dans une partie du corps, cet état a tendance à se généraliser c'est-à-dire à s'étendre à d'autres parties du corps.

La technique elle-même de l'«Autogen Training» permet au sportif en état de tension par suite de concentration psychique d'apprendre à ressentir un état de repos, de lourdeur et de chaleur. On peut à chaque séance d'entraînement suivre un schéma d'entraînement déterminé qui, cependant, prend du temps. (Pour des informations complémentaires, se reporter à la littérature spécialisée, voir page 449). Un tel «Autogen Training» peut être employé en cas de besoin. Dans les spécialités sportives où la rapidité de réaction est déterminante et où la force et l'endurance ne sont pas des facteurs limitatifs, les effets de l'entraînement peuvent être mis à profit par exemple immédiatement avant une compétition ou au cours des pauses pendant les compétitions.

Parce que l'«Autogen Training» peut exercer des effets psychologiques défavorables chez des individus présentant une tension psychique, il doit être pris contact avec des spécialistes de ce domaine avant de commencer ce type d'entraînement.

Méditation

La méditation consiste en une concentration passive et sans effort. Ni on ne dirige ni on ne contrôle les pensées qui émergent; on les enregistre seulement de façon passive. La méditation s'est montrée capable de diminuer le métabolisme énergétique, d'abaisser la teneur en acide lactique des muscles qu'elle relâche et de ralentir la fréquence cardiaque. La fréquence cardiaque de repos qui ne diminue pas au cours du repos normal s'abaisse lorsqu'on médite.

Les adeptes de cette technique pensent que la méditation procure un repos physique de qualité supérieure et qu'en conséquence le cœur peut travailler de façon plus calme, également au cours de l'activité physique. Le sportif éprouve par la méditation un certain calme et apprend à se relaxer. Selon les sportifs qui ont expérimenté la méthode, la capacité de concentration augmente également sous l'effet de la méditation.

La méditation est pratiquée chaque jour en 2 longues séances de 20 minutes. Celui qui médite pense à ce moment-là seulement à un mot spécial (mantra). La méthode est controversée mais on ne peut entièrement faire abstraction des résultats positifs de la méditation qui sont apparus.

«Pep-talk»

Le «Pep-talk» se propose d'instaurer en commun une charge psychologique (allumage) chez les sportifs avant une compétition au moyen de devises, de cris, de frappe du plancher, etc. Cette manière de procéder doit être considérée comme un moyen parmi tous les autres moyens de préparation psychologique. Le «pep-talk» peut avoir un effet excitant et les sportifs présentant une tension psychique élevée ne doivent pas y participer.

Dans les sports d'équipe, le «pep-talk» est à employer avec discernement puisque les réactions des joueurs au «pep-talk» peuvent être entièrement différentes selon leur niveau de tension et leur capacité à canaliser leurs sensations.

Le sportif doit être bien préparé aussi bien physiquement que psychiquement avant les séances d'entraînement et avant les compétitions, ce qui diminue les risques de blessures.

ÉQUIPEMENT

Souliers

De grandes exigences sont imposées aux chevilles et aux pieds qui ont pour mission de supporter le poids du corps et de le déplacer. En sport, ces exigences sont plus élevées que partout ailleurs. La course à pied participe de toute évidence à l'entraînement de la majorité des spécialités sportives. Lorsqu'on pose le pied contre le sol lors de la course à pied une charge correspondant à 2 ou 4 fois le poids du coprs doit être repartie sur le pied, le soulier et le sol, c'est pourquoi les relations entre eux sont de la plus grande importance pour la survenue des blessures. Pour la plupart des spécialités sportives, les souliers représentent l'élément d'équipement de loin le plus important.

Pour le choix des souliers, on doit tenir compte de plusieurs facteurs parmi lesquels la spécialité sportive pratiquée et le sol utilisé. Les souliers de sport peuvent en outre nécessiter une conformation individuelle. On trouve actuellement des souliers spécialement conçus pour la plupart des spécialités sportives. On se trouvera toujours bien de choisir la paire de souliers la plus chaussante et la plus adaptée même si celle-ci est peut-être plus chère que d'autres modèles de souliers.

Généralités sur les souliers de sport

Un soulier de sport doit être bâti en tenant compte de la construction de la voute du pied qui doit faire fonction de ressort. Les 26 os du pied sont maintenus ensemble par les ligaments articulaires et forment une voute du pied longitudinale et transversale. Lors de la mise en charge du pied,

Coupe longitudinale d'un soulier illustrant la façon dont la semelle doit être bâtie pour la prise d'appui.

Le soulier «idéal».

il se produit un amortissement par abaissement de cette voute, qui reprend sa position de départ lorsque la charge cesse.

Il faut utiliser les souliers qui conviennent au service qu'on en attend. Un joueur de football, qui effectue un entraînement de la condition physique sur l'asphalte, ne doit pas, par exemple, utiliser des souliers avec crampons. Lors du choix des souliers, on doit tenir compte des caractéristiques du sol, de la composition du programme d'entraînement, de l'anatomie du pied, des blessures antérieures, etc. Pour la plupart des sportifs, il est important d'utiliser des souliers à conformation orthopédique pour prévenir les atteintes des tendons d'Achille, des périostes, des voutes plantaires, etc. Dans certains cas, il est nécessaire d'ajouter à l'intérieur du soulier une semelle. Celle-ci sera fournie par un atelier d'orthopédie après prescription d'un chirurgien orthopédique.

Semelle

La semelle du soulier dans sa totalité joue un rôle d'amortissement des chocs. Un soulier de sport doit être constitué de couches possédant des propriétés différentes.

La face externe de la semelle doit isoler du froid, chasser l'eau et résister à l'usure, puisque la surface de frottement conditionne la longueur de vie du soulier. Des semelles usées modifient les conditions de mise en charge et exercent une friction défectueuse contre le sol. Le sportif qui va courir sur un sol mou ou sur un sol accidenté doit se procurer des souliers avec des semelles striées ou munies de crampons. Les crampons ne doivent pas être trop hauts et doivent également être placés loin des bords de la semelle de façon à ce que la charge exercée sur le soulier et le pied ne soit pas inégalement répartie.

Par ailleurs l'extérieur de la semelle doit être constitué en plusieurs matériaux absorbant les chocs: cuir, caoutchouc ou matériau de synthèse, selon le principe des couches superposées. Lors du choix du degré de dureté de la semelle, on doit tenir compte du poids de son corps. Plus on pèse lourd, plus on doit avoir une semelle de soulier qui absorbe les chocs.

Lors de la pose du pied au cours de la course à pied, on fléchit les orteils. Il est essentiel que la semelle du soulier puisse permettre ce mouvement et que la partie antérieure d'un soulier de course soit assez souple pour permettre une flexion d'au moins 45° sans grand effort de la part du coureur. Un coureur qui serait obligé de déployer beaucoup de force pour fléchir son soulier pourrait être victime de lésions par surcharge.

Les joueurs de tennis effectuent souvent une rotation du pied lorsque l'avant-pied est mis en charge. La semelle d'un soulier de tennis doit par conséquent être renforcée par un bâti plus fort déchargeant précisément cette partie de façon à ce que le pied ne puisse tordre le bâti.

Recouvrant la semelle externe plus dure dans un soulier, la semelle intermédiaire est une couche de matériau mou qui doit également être capable d'amortir les chocs. On peut essayer de différentes manière d'améliorer l'effet amortisseur des chocs de la semelle de soulier, entre autres, avec des coussins d'air dans la calle des talons. Il n'a pas encore été fait d'évaluation de ces essais.

La semelle interne dans un soulier de sport doit être réalisée avec un matériau solide pour pouvoir soutenir les voutes plantaires longitudinale et antérieure. Le sportif qui a besoin d'avoir sa voute plantaire soutenue doit faire établir ce dispositif par un atelier d'orthopédie ou un établissement spécialisé analogue. Les bâtis souples qu'on trouve dans la plupart des souliers de sport n'ont pas grande utilité.

La semelle interne doit être recouverte avec un matériau mou, élastique et épongeant l'humidité et qui préviennent la survenue de durillons et d'ampoules.

Surélévation des talons

Les sportif qui s'entraîne par la course à pied sur de longues distances et qui a des problèmes avec ses tendons d'Achille doit avoir des souliers dont les talons sont de 10 à 15 mm plus hauts que la semelle par ailleurs. Cette surélévation des talons soulage les tendons d'Achille et peut ainsi être utilisée par les sportifs dont les tendons d'Achille sont en phase de consolidation après une rupture. Le sportif qui n'a pas de problème avec ses tendons d'Achille n'a pas besoin de souliers avec un talon surélevé. Celui-ci peut parfois amener des troubles au niveau des orteils et de l'avant-pied.

Contrefort de talon

Le contrefort de talon d'un soulier de sport doit être réalisé en matériau dur, couvrir la totalité de la région du talon et bien mouler le talon. Un contrefort de talon bien placé doit augmenter la stabilité latérale, de façon à ce que les mouvements des articulations au-dessous de l'articulation de la cheville soient limités. La face interne du contrefort de talon doit être unie et souple et recouverte par exemple de peau pour prévenir l'apparition d'ampoules et de tallures contre le pied.

Dessus

Le dessus du soulier doit être souple mais cependant solide. Un dessus mou et flasque peut donner au pied une trop grande mobilité latérale et augmenter le risque d'entorses. Dans certains sports, il est avantageux que les souliers aient un bâti allant au-dessus des chevilles.

La languette et les bords de l'ouverture de la chaussure doivent être rembourrés. Le laçage doit être situé au-dessus du dos du pied et ne doit pas empêcher les mouvements des articulations du pied et des orteils. Il doit contribuer à ce que le soulier soit stable sans comprimer le pied. Le laçage doit être partagé en deux pour que l'effet escompté soit obtenu.

Partie antérieure

Dans la plupart des souliers les orteils manquent de place. La partie antérieure des souliers doit être large de fàçon à permettre d'écarter librement les orteils et d'exécuter à l'aise les mouvements du pied lors de la phase d'appui. Les orteils doivent être protégés vis-à-vis des coups et des chocs en étant entièrement recouverts avec un rembourrage placé à l'intérieur du soulier.

Poids

Le poids des souliers peut avoir une importance pour les courses de grand fond mais il ne doivent cependant pas être trop légers car la stabilité du pied serait compromise.

Entretien des souliers

Un pied d'homme produit normalement 4 centilitres de sueur par jour, tandis qu'un pied de femme produit un peu plus de 2 centilitres. C'est pourquoi on doit changer souvent de bas et de souliers. Les souliers ne se déformeront pas si on les met à se reposer en plaçant une forme à l'intérieur. Leur longévité sera également prolongée si on les met à se reposer en les maintenant propres et bien astiqués. La boue doit être enlevée en les lavant avec de l'eau savonneuse tiède, il ne faut pas les faire sécher près des radiateurs ni auprès d'autres sources de chaleur.

Dans la plupart des spécialités sportives, les souliers représentent l'élément le plus important de l'équipement.

Vêtements

Un bon vêtement maintient le corps chaud et le protège contre le froid, l'humidité et le vent.

Le corps perd de la chaleur par conduction, rayonnement, courant d'air et sudation. Les vêtements qui sont devenus humides par la sueur peuvent perdre plus de 99 % de leur capacité d'isolation de la chaleur. Le corps fonctionne au mieux à une température naturelle d'environ 38°, et il y a lieu d'adapter les vêtements aux exercices corporels: un sportif qui sue beaucoup en raison de durs efforts physiques doit porter des vêtements qui ne serrent pas avec une bonne ventilation. Les pertes de chaleur par ventilation se font en grande partie à travers les vêtements mais ne suffisent pas pour que la sueur puisse s'évaporer entièrement.

Les endroits du corps où le risque de gelures est le plus grand coïncident souvent avec les ouvertures des vêtements. C'est en réglant celles-ci qu'on peut régler la chaleur du corps en cas de besoin.

Lors des efforts physiques de longue durée, spécialement en hiver, on doit être habillé selon le principe des couches multiples: plusieurs couches de vêtements légers maintiennent mieux la température du corps qu'une ou deux couches de vêtements épais.

Couche interne

La couche la plus interne des vêtements peut être constituée d'un sous-vêtement qui permet à la sueur de s'évaporer plus facilement. Le sous-vêtement empêche également un tissu humide d'être directement en con-

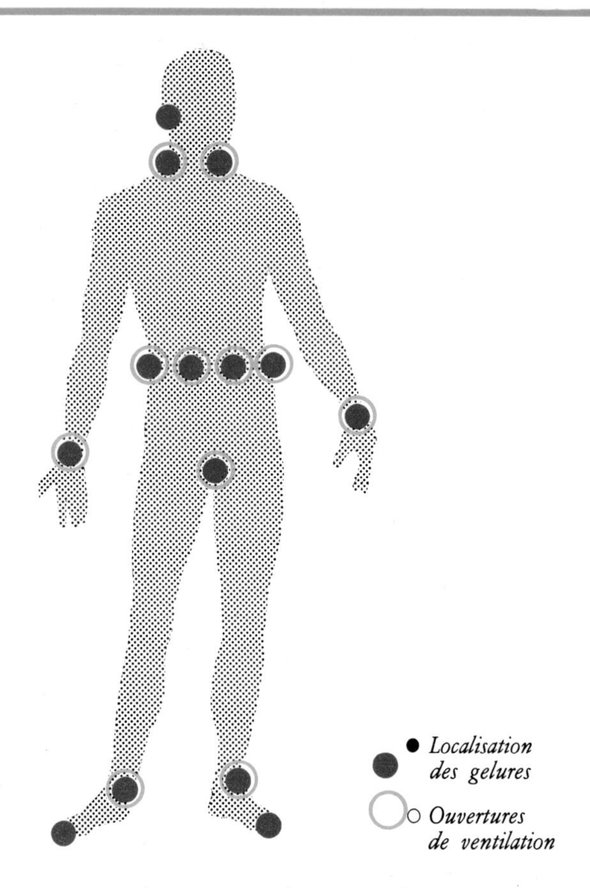

tact avec la peau. Un bon type de sous-vêtement est représenté par ce qu'on appelle un «sous-vêtement thermique». Il est tissé en coton avec des canaux verticaux qui aspirent rapidement les gouttes de sueur et les dispersent. Entre les canaux courrent de fins fils de Térylène® qui divisent encore plus la sueur, ce qui facilite son évaporation au moyen de l'air qui les traverse.

En hiver, le sous-vêtement doit avoir de longues manches, descendre bas en dessous de la taille, être ample et sans couture. Les caleçons longs doivent avoir les jambes taillées en biais et ne pas avoir de couture à l'enfourchure, car la peau y est délicate. Il doit être en coton, textile qui est bien toléré par la peau et qui éponge bien la sueur.

Il existe maintenant dans le commerce des sous-vêtements dits de superqualité qui ont la capacité d'évacuer la sueur de la peau et de l'orienter vers la couche de vêtements environnante. Ils sont faits dans une matière qui repousse l'eau et c'est la chaleur du corps qui chasse l'humidité à travers le sous-vêtement de façon à ce que le corps soit maintenu chaud et sec. Les sous-vêtements de super qualité représentent un progrès important qui, entre autres avantages, est d'une grande utilité dans des courses de très grand fond, comme la Vasaloppet en Suède.

Couche intermédiaire

La couche intermédiaire des vêtements doit contribuer à l'isolation pour conserver la chaleur et peut être composée d'une chemise ou d'un tricot en laine ou en coton. L'hiver, il est avantageux d'employer des vêtements de laine puisque la laine a une bonne capacité d'isolation et laisse passer l'humidité. Si on utilise une chemise, celle-ci doit de préférence être d'un numéro au-dessus de la taille normale de façon à ce qu'elle soit suffisamment longue et ample. Le col doit être souple.

Lors de l'échauffement, lorsque le temps est froid, de nombreux sportifs portent des pull-overs à cols en V ou des polos en tricot. S'il fait un froid rigoureux, on doit veiller à ce que le pull-over ou le polo ait des manches longues et descende suffisamment bas pour recouvrir les fesses.

Couche externe La couche la plus externe des vêtements doit être constituée d'un blouson long, étanche au vent, qui doit être entièrement imprégné contre l'humidité et avoir un double boutonnage, de façon à pouvoir régler la ventilation. En outre, le blouson doit permettre l'évaporation de l'eau et être ample autour de la taille. En cas de pluie ou de vent fort, on peut employer un blouson en nylon.

Survêtements Les survêtements varient d'une spécialité sportive à l'autre, entre autres, selon les exigences qu'elles imposent en matière d'isolation de la chaleur.

Bas Les bas doivent être en coton (de préférence bouclé) ou en laine qui éponge mieux l'humidité que les textiles synthétiques. Ils doivent être d'une seule pièce et ne doivent pas faire de plis au niveau du pied. Choisir surtout des bas qui vont jusqu'aux genoux ou au-dessus. Les bas doivent être changés et lavés souvent.

Bonnets Sur la tête, on peut porter une coiffure normale tricotée en double. Parfois, il peut être utile de porter un passe-montagne protégeant les oreilles, le front et la nuque.

On doit insister sur le fait que la tête est la plus grande source de déperdition de chaleur du corps, principalement en cas de temps froid.

Gants Les mains peuvent être protégées par des moufles ou des gants munis de rabats.

Divers On trouve dans le commerce des vêtements spécialement adaptés aux exigences de la pratique de certaines spécialités sportives: surblousons, surpantalons et coupe-vents pour le ski de descente, des suroîts et des combinaisons étanches pour la planche à voile, etc.

Les vêtements doivent être adaptés aux exigences de la spécialité sportive. Ils doivent être rationnels et agréables à porter.

Nécessité de porter un équipement de protection

Un équipement de protection doit à court et à long terme empêcher ou réduire la gravité des blessures dans la région du corps qu'il protège. Cet effet protecteur est obtenu en soustrayant la région du corps au traumatisme qui cause la blessure car la protection répartit la force du traumatisme sur une aussi grande surface que possible.

La protection ne doit pas être gênante pour l'activité sportive et l'exécution technique des gestes. Cependant, la capacité de l'homme à s'adapter est très grande. Certaines limitations de mouvement peuvent se produire lorsqu'on commence à employer une protection pour la première fois, mais on les surmonte rapidement en raison de cette capacité d'adaptation.

Dans la plupart des différents domaines, il n'existe ni normes au sujet de la façon dont les protections doivent être conformées ni de spécifications de marchandises, c'est pourquoi il revient à chaque sportif en particulier d'évaluer lui-même leur effet protecteur. Les protections mal conçues apportent une fausse sécurité qui peut avoir des suites malheureuses.

Les sportifs et le public ont souvent des idées préconçues au sujet de l'apparence que le sportif doit avoir. Si cette conception pouvait être changée par une information générale bien argumentée, la protection viendrait à être employée dans une mesure nettement plus importante et également à s'appliquer à beaucoup plus de domaines. Le nombre de blessures devrait alors pouvoir être réduit.

Des casques de protection de la tête doivent être utilisés pour certaines formes de jeu et de sports par exemple: l'équitation, la descente et le slalom géant à ski ainsi que le hockey sur glace.

Casques (voir page 364 et suivantes pour les blessures de la tête)

Les casques sont utilisés, entre autres, par les boxeurs, les joueurs de hockey sur glace, les cyclistes, les cavaliers, les skieurs de descente et tous ceux qui pratiquent des sports mécaniques. Des normes ont été établies au sujet de la façon dont les casques doivent être conformés pour, par exemple, le hockey sur glace. Les exigences de protection varient d'une spécialité sportive à l'autre mais devraient à peu près coïncider en ce qui concerne le hockey sur glace, le sport cycliste et l'équitation.

Des exigences nettement plus importantes devraient être adoptées au sujet de l'effet protecteur pour la pratique du ski de descente et des sports mécaniques en raison de la grande quantité d'énergie qui doit être absorbée par la protection.

La tête doit être protégée des contacts avec le sol et des objets de l'environnement ainsi que des coups donnés par exemple par les crosses, les palets et les balles. Une protection de tête peut être constituée d'une coquille externe dure, qui est maintenue à distance du crâne par une garniture plus souple. Lorsque le casque est exposé à un traumatisme, l'énergie est transmise à la garniture souple. Si la coquille externe est assez souple, cette souplesse va lui permettre d'être déformée sans venir en contact avec l'os sous-jacente ce qui amortit l'énergie du traumatisme. L'énergie restante est répartie sur une plus grande surface en raison de la garniture souple de la protection et elle est encore plus amortie lorsque la garniture est comprimée.

Une importante condition pour qu'un casque puisse véritablement remplir son office est qu'il soit solidement fixé de façon à ce qu'il ne s'en aille pas.

Important:
Dans les spécialités sportives où l'emploi de casques est obligatoire, les blessures graves du crâne sont devenues rares. Les blessures qui se sont produites malgré la protection ont été légères.

Protection du visage (voir page 368 et suivantes pour les blessures de la face)

Une protection du visage est employée par les gardiens de hockey sur glace, les escrimeurs et les skieurs de descente. Les blessures du visage peuvent survenir par traumatisme direct, par exemple par les crosses, les palets ou les balles et par collision avec des objets de l'environnement et avec des adversaires. Il est essentiel que la protection du visage soit conçue en tenant compte de son aspect et de la taille des engins qui sont utilisés dans les spécialités sportives respectives. Des normes au sujet de la façon dont la protection du visage des gardiens de but en hockey sur glace doit être conformée ont été établies.

Une visière fabriquée en plexiglas transparent couvre la partie supérieure du visage. Cette visière protège surtout contre les blessures des yeux et du nez. Une grille constituée de fils de fer couvre la totalité du visage. Cette grille protège contre les blessures des yeux, les fractures des os de la face, les plàies du visage et les lésions dentaires. Des normes ont été établies.

Important:
Une protection du visage empêche avant tout les blessures oculaires qui peuvent causer des dommages durables, des lésions de tissus mous et du squelette ainsi que des lésions dentaires. Il devrait être obligatoire pour les joueurs de hockey sur glace de porter une protection du visage. Parmi les sportifs qui portent des protections couvrant la totalité du visage, il ne se produit pratiquement jamais de blessures du visage.

Protection dentaire (voir page 372 pour les lésions dentaires)

Les lésions dentaires sont graves et coûteuses. Spécialement dans les sports de contact, surtout le hockey sur glace, les lésions dentaires constituent un grand problème. Puisque la perte d'une dent peut influencer le développement de la mâchoire, une lésion dentaire doit être considérée comme une blessure plus grave si elle atteint un sujet jeune en cours de croissance que si elle atteint un adulte. Il est obligatoire d'utiliser une protection dentaire dans les catégories: cadets et juniors de hockey sur glace, ainsi qu'en boxe. En principe une protection dentaire peut être conçue de deux façons différentes:

Une protection dentaire à l'intérieur de la bouche est constituée d'un moulage de la rangée de dents supérieure, tandis que la protection dentaire à l'extérieur de la bouche est portée devant la bouche. La protection la plus efficace contre les lésions dentaires devrait être obtenue en associant les deux types de protection.

Des normes pour les protections extraorales ont été établies.

Exemple de protection d'épaule.

Protection des épaules (voir page 170 pour les lésions de l'épaule)

Une protection de l'épaule est employée pour l'instant par les joueurs de hockey sur glace et les pratiquants des sports mécaniques. Une protection analogue devrait pouvoir être employée avec avantage également dans d'autres spécialités sportives par exemple l'équitation, le cyclisme, la descente à ski et le saut à ski, où les blessures de la région de l'épaule surviennent fréquemment. Une protection de l'épaule protège avant tout contre les traumatismes qui atteignent la face antéro-externe de l'épaule. La protection doit protéger la tête articulaire de l'articulation de l'épaule et la cavité et répartir l'énergie sur les tissus environnants plus résistants. Les causes les plus fréquentes de blessures de l'épaule sont la chute sur le sol contre la face externe de l'épaule et les chocs épaule contre épaule ou épaule contre une bordure. Toutes ces blessures peuvent être évitées par le port de protections d'épaule.

Important: Une protection d'épaule conçue selon les principes ci-dessus peut empêcher que des blessures habituelles de l'épaule ne surviennent. Celles-ci sont souvent difficiles à guérir et de longue durée.

Protection du coude (voir page 199 et suivantes pour les blessures du coude)

Une protection du coude est employée en basket-ball, en handball, en volley-ball et en hockey sur glace. La cause la plus fréquente de blessures du coude est la chute avec la pointe du coude contre le sol. La protection doit protéger la pointe du coude et empêcher les chocs contre le sol.

Important: A court terme, la protection de coude évite les blessures des bourses séreuses et de l'olécrane et à long terme, les lésions cartilagineuses au niveau de l'articulation du coude.

Suspensoirs (voir page 377 pour les blessures de l'abdomen)

Les suspensoirs sont utilisés par les joueurs de hockey sur glace ainsi que parfois par les joueurs de football et de handball. Un suspensoir doit enfermer aussi bien le pénis que les testicules et les protéger contre les traumatismes directs.

Important: A court terme, un suspensoir protège contre les fortes douleurs déclenchées par un traumatisme direct contre le pénis et les testi-

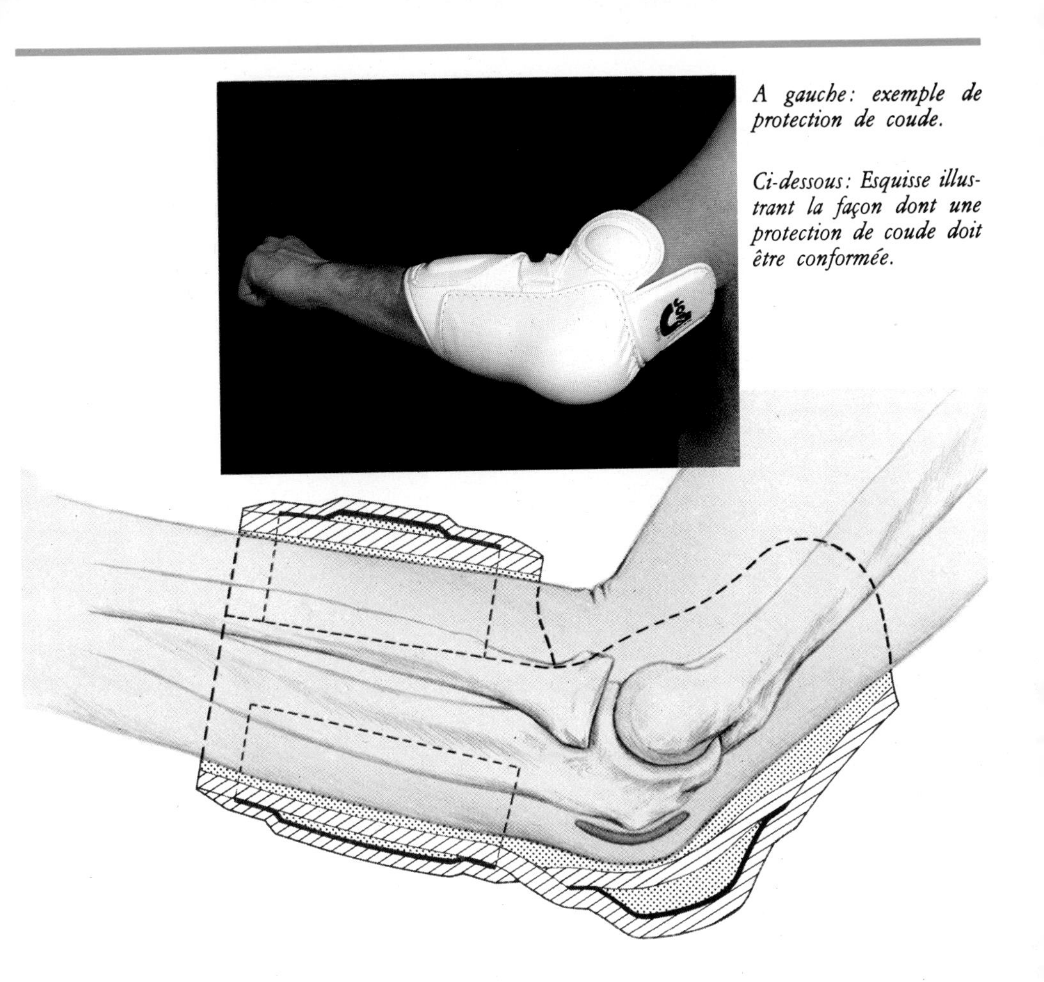

A gauche: exemple de protection de coude.

Ci-dessous: Esquisse illustrant la façon dont une protection de coude doit être conformée.

cules. Puisque ces organes possèdent un riche réseau vasculaire, il survient de légères hémorragies en cas de traumatisme contre l'abdomen. Les hémorragies peuvent être difficiles à traiter et donner lieu à un préjudice ultérieur.

Protection de hanche (voir page 274 pour les blessures de la hanche)

A l'heure actuelle, une protection de hanche est employée par les joueurs de hockey sur glace et les gardiens de but de handball mais elle devrait avoir un plus grand domaine d'utilisation. Il y a peu de modèles de protection de hanche sur le marché et elles sont mal développées. Une protection de hanche doit protéger le trochanter et par lui l'articulation de la hanche elle-même.

Important: A court terme, la protection de la hanche protège contre les douleurs et les hémorragies qui peuvent survenir en cas de chute contre le sol et lorsqu'on est taclé par un adversaire. A long terme, la protection empêche les lésions cartilagineuses de l'articulation de la hanche d'origine traumatique.

Protection du genou (voir page 272 et suivantes)

Les protections du genou qui sont employées actuellement ne protègent les genoux qu'en cas de chute mais pas lorsqu'ils sont exposés à des traumatismes latéraux ou à des torsions qui peuvent causer des lésions des ménisques et des ligaments. Des protections combinées du genou et du

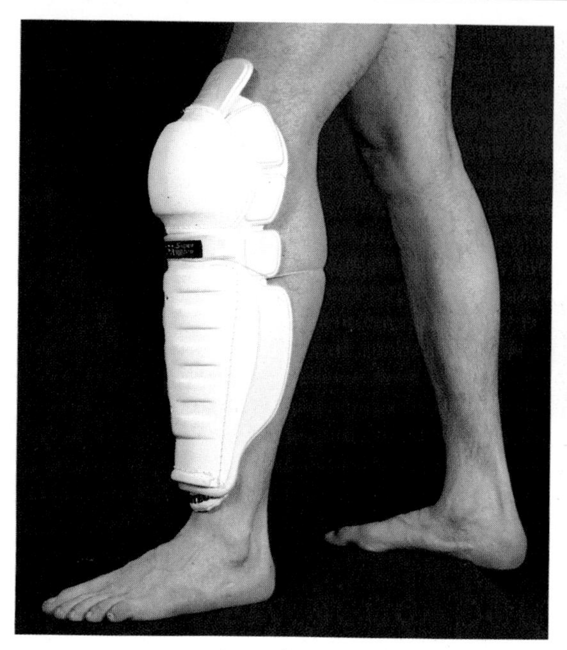

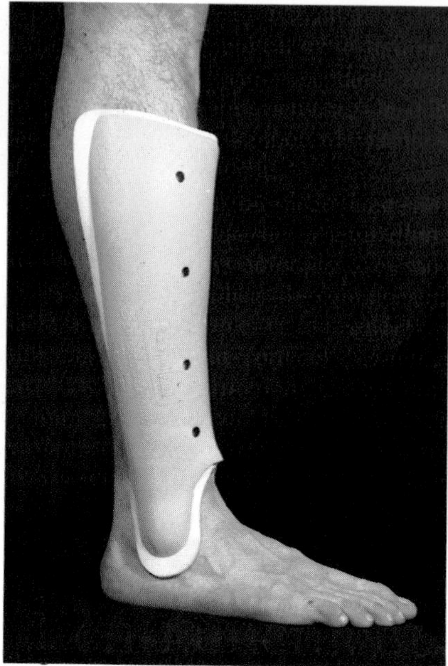

A gauche: exemple de protection associée de la jambe et du genou qui est utilisée, par exemple, lors du hockey sur glace. La rotule et le tibia sont mis en décharge. A droite: exemple de protection de jambe couvrant bien la région exposée. Une telle protection est utilisée par exemple pour jouer au football.

tibia sont employées par les joueurs de basket-ball, de handball et de volley-ball et par les gardiens de but de football. Des protections des ligaments réalisées individuellement peuvent être fabriquées par des fabriquants d'articles orthopédiques. Une protection doit amortir la force aussi bien lors des traumatismes directs en cas de chute qu'en cas de traumatismes par coup ou par shoot contre le genou et la jambe. La rotule est spécialement sensible et doit être protégée des traumatismes. Ceux-ci doivent au contraire être répartis sur les tissus environnants.

Important: Les points sensibles doivent être protégés, en particulier au niveau de l'articulation du genou de façon à éviter les lésions cartilagineuses.

Protection de jambe (voir page 305 et suivantes pour les blessures de jambe)

Une protection de jambe est employée pour protéger la jambe vis-à-vis des contacts douloureux contre l'environnement. Il devrait être urgent de promouvoir le développement des protections de jambe, de façon à ce qu'elles possèdent de meilleures propriétés d'absorber l'énergie (atténuation des coups) que celles qui existent actuellement si on veut arriver à abaisser le risque de lésions du squelette et des tissus mous.

Important: Une protection de jambe doit pouvoir empêcher la survenue de lésions du squelette ou tout au moins d'en diminuer le degré de gravité en répartissant sur une plus grande surface la force du traumatisme qui frappe la jambe.

Protection de l'articulation du pied et protection du pied (voir page 328 et suivantes)

Les joueurs de hockey sur glace bénéficient par l'intermédiaire de leurs souliers de patinage d'une protection naturelle contre les lésions de la cheville et du pied. Les descendeurs à ski bénéficient d'une protection équivalente de la part des souliers de ski. Les chaussures de patinage et de ski protègent les ligaments et les parties osseuses de l'articulation de la cheville. Un autre type de protection qui revêt une extraordinaire importance pour la prévention des blessures du pied, de la cheville, du genou et de la jambe lors de la descente à ski est représentée par les fixations de sécurité pour les skis, pourvu qu'elles soient bien construites et convenablement réglées. Pour de nombreux sportifs, les souliers revêtent une importance considérable car ils offrent une protection surtout contre les lésions par surcharge. Le développement des propriétés protectrices des souliers est cependant trop négligé. Les connaissances, par exemple, sur les relations entre le sol, la chaussure et le pied ainsi que l'importance de la conformation de la semelle du soulier sont encore limitées.

Important: Les protections de la cheville et du pied empêchent les lésions articulaires et osseuses de la cheville et du pied, ainsi que les lésions par surcharge lors de la course à pied sur différents sols.

Gants (voir page 215 et suivantes pour les blessures du poignet et de la main)

Les gants sont employés comme moyens de protection surtout par les joueurs de hockey et protègent contre les coups directs et les traumatismes par torsion spécialement au niveau du pouce et du poignet.

Important: En employant les gants comme protection, on évite les fractures des os de la main et les épanchements sanguins douloureux. Les lésions des ligaments du pouce et du poignet sont également prévenues.

Conseils généraux

— Il est de l'intérêt de chaque sportif de se protéger de la meilleure façon possible et de prévenir l'apparition de blessures.

— Chaque sportif doit lui-même prendre conscience des risques de blessures qui existent dans son sport et tester lui-même la protection qu'il

Dans les sports nautiques, le gilet de sauvetage est une protection qui peut sauver la vie. Une combinaison imperméable chauffante et protectrice peut permettre de s'entraîner même par temps froid. Photographie: Dam Ljungsvik.

doit utiliser. Si tous les sportifs suivaient ce conseil, la fréquence des blessures pourrait diminuer dans de nombreuses spécialités sportives.

ENGINS ET RÈGLEMENTS

Le rapide développement technique de ces dernières années dans le domaine des engins a été à la fois la meilleure et la pire des choses pour les sportifs. Les performances sont souvent améliorées au dépens d'une augmentation des risques de blessures. Un exemple en est donné par les souliers et les skis de descente modernes qui ont contribué aussi bien aux améliorations des performances qu'à des modifications dans le tableau clinique des blessures. La conformation des souliers de ski a fait que les blessures maintenant ne frappent plus surtout la région située en avant de l'articulation de la cheville mais au contraire le milieu de la jambe et l'articulation du genou des blessures sont par suite devenues plus graves que précédemment. Pour empêcher cette aggravation les fixations de sécurité ont été améliorées successivement.

Le développement technique a également contribué à améliorer les résultats en athlétisme, par exemple les résultats du saut à la perche.

Lorsque de nouveaux engins doivent être proposés, il est d'une grande importance que déjà au cours de la phase de développement soient envisagés les avis médicaux au sujet de la façon dont l'engin doit être conformé et employé. De cette façon, les constructeurs n'auraient plus à faire face à une augmentation inattendue du nombre des blessures du fait que leur engin est mal conçu du point de vue médical. Il est également urgent qu'on réexamine les engins existants — comment ils sont conformés et comment ils sont utilisés — et qu'on cherche à les améliorer. Si certains moments de risque existent, une protection doit être prévue avec l'engin. Ainsi, par exemple, les ouvertures des masques de protection du visage des gardiens de but de hockey sur glace doivent être adaptées à la conformation des crosses de hockey sur glace.

— Les engins sont souvent à l'origine de graves blessures, spécialement si les règlements au sujet de la façon dont ils doivent être employés ne sont pas appliqués. Il incombe à chaque sportif et à chaque dirigeant de respecter les règlements en vigueur.

— Si on estime que les règlements en vigueur contribuent à accroître les risques de blessures, ces règlements doivent être changés.

— Lorsque de nouveaux règlements doivent être promulgués les risques éventuels de blessures dont ils pourraient être à l'origine doivent être pris en considération avant qu'ils ne soient adoptés.

HYGIÈNE

Parallèlement avec l'élévation de notre standing de vie, l'hygiène personnelle est notablement améliorée. Les mesures d'hygiène doivent être appliquée au titre de soins des gens biens portants et être considéré comme un élément indispensable de la vie quotidienne de tous. Beaucoup de ce qui va être dit ci-dessous constitue une évidence pour beaucoup de gens, mais il ne nuit pas de mettre l'accent sur une hygiène minutieuse.

La peau sécrète de la sueur et de la graisse où se fixent la poussière et la crasse. Si la crasse demeure, elle devient un milieu de culture pour les bactéries qui sont à l'origine de produits malodorants. Des boutons, prurit et furoncles peuvent apparaître. Le savon dissout la graisse et élimine les bactéries.

Le sportif a en règle générale accès à des douches et il est évident qu'on doit toujours se doucher et se laver avec du savon après une séance d'entraînement ou une compétition. L'emploi régulier d'eau et de savon peut chez certaines personnes amener un déssèchement de la peau et des crevasses. Il y a lieu alors d'enduire le corps avec une crème à application locale non parfumée ou un produit de beauté analogue après la douche.

Le cyclisme est une excellente forme d'activité physique d'entretien et on peut par exemple faire de la bicyclette chaque jour en se rendant à son travail pour conserver sa condition physique mais après cet effort on aura chaud et on sera en sueur; c'est pourquoi on devrait disposer de la possibilité de prendre une douche et d'utiliser un déshabilloir avec un vestiaire à toutes les places de travail.

Personne ne tient à sentir mauvais. Les déodorants et les produits de beauté qui inhibent la transpiration doivent être largement employés mais ils ne pourront jamais remplacer l'eau et le savon.

Hygiène des pieds

Si on ne prend pas soin de ses pieds, la crasse peut s'accumuler par exemple sous la base des ongles et devenir un milieu de culture pour les bactéries et les champignons qui souvent décomposent la crasse en substances malodorantes. C'est pourquoi il est important à titre de prévention de laver ses pieds quotidiennement avec de l'eau et du savon puis de les sécher avec soin. Les sportifs qui fréquentent les piscines doivent être extrêmement attentifs avec les soins de leurs pieds. Si on est atteint de mycose (infection par les champignons), on doit s'abstenir complètement de fréquenter les piscines ou d'autres lieux publics analogues car dans le cas contraire d'autres personnes pourraient être contaminées par ces champignons.

En ce qui concerne les ongles incarnés, les mycoses du pied et les durillons, voir page 361 et suivantes.

Hygiène des plis de l'aine

La région des plis de l'aine est un des endroits du corps où on sue facilement, c'est pourquoi elle doit être lavée quotidiennement avec de l'eau et du savon. Les irritations de la peau qui substituraient malgré une bonne hygiène et un changement fréquent de caleçon devraient inciter à consulter un médecin.

Hygiène de la main

Il est évident qu'on doit se laver les mains avec de l'eau et du savon après chaque passage aux toilettes et avant chaque repas. Les ongles doivent être nettoyés souvent et coupés chaque semaine.

Hygiène de la bouche

Une bonne hygiène de la bouche prévient les affections dentaires et la mauvaise haleine. On doit brosser ses dents avec une crème dentifrice au moins 3 minutes chaque matin et soir et utiliser un cure-dent après chaque repas.

Hygiène de la chevelure

La chevelure doit être lavée avec un shampoing et le cuir chevelu doit être massé en même temps qu'on se douche. Les exigences en matière de propreté doivent être placées très haut spécialement lorsqu'on porte des cheveux longs.

> Une bonne hygiène corporelle augmente l'agrément et le bien-être et prévient les maladies.

Soins des vêtements

Dans la vie quotidienne, c'est une évidence qu'on doit laver les vêtements qui ont été portés et qui sont sales et imbibés de sueur. Certains sportifs désirent volontiers avoir les mêmes pantalons, chemises et maillots à chaque séance d'entraînement et à chaque compétition puisqu'ils se figurent y trouver un appui psychologique. Cette pratique peut cependant avoir pour effet que les vêtements ne sont pas entretenus normalement. On doit avoir plus d'une tenue de rechange pour pratiquer le sport de façon à ce qu'elles puissent être lavées souvent et régulièrement.

Un bon entretien des chaussures prévient les ennuis de pieds. Une simple forme à chaussure contribue à éviter les plis de marche, à tenir droits les contreforts du talon et à prévenir de cette façon les ampoules. Les souliers propres «respirent mieux» que les sales. Les souliers de cuir doivent régulièrement être graissés de façon à les maintenir souples et imperméables.

Les bas de sport doivent être souples et de pointure correcte. Les reprises en relief et les plis des bas peuvent creuser une irritation. Les bas doivent être changés souvent. S'ils sont imprégnés de sueur, ils possèdent une mauvaise capacité d'isolation et peuvent contribuer à créer un milieu de culture pour les mycoses et à favoriser les verrues du pied.

Hygiène pour l'entraînement et la compétition à l'étranger

Si des échanges internationaux d'entraînement et de compétition à l'étranger sont prévus, on doit avant le départ veiller à plusieurs points concernant le séjour à l'étranger:

Lorsqu'un voyage à l'étranger est envisagé, on doit réunir des informations au sujet des conditions de temps et d'humidité de l'air qui règnent en général à la destination finale du voyage à la période considérée. En outre, on doit savoir à quelle altitude au-dessus du niveau de la mer cette destination est située, quelle est l'importance du décalage horaire. Sur la base de ces renseignements, on peut ensuite adapter le moment du départ suivant le besoin d'acclimatement. Il est également important d'obtenir des renseignements sur le standing de vie et le niveau d'hygiène, sur les maladies qui surviennent particulièrement dans cette région et sur le niveau de la médecine locale.

Modifications nycthémérales

En cas de grande différence de fuseaux horaires entre le domicile et la destination, il se produit des perturbations dans le rythme de 24 heures du corps qui influencent le sommeil, la température du corps, le cœur et la circulation sanguine, la capacité de prestation psychique, l'appetit, les horaires pour aller à la selle et certains facteurs hormonaux.

Les troubles du sommeil conduisent à la torpeur et à la perte d'initiative. Si on se déplace en avion en direction de l'ouest, par exemple d'Europe vers les Etats-Unis, le rythme nycthéméral est décalé de 5 à 8 heures et 48 à 96 heures doivent s'écouler avant que le sommeil ne revienne normal. La durée d'acclimatement est plus courte pour les sujets jeunes.

Les modifications de la température du corps agissent sur le métabolisme énergétique et peuvent sans doute influencer la capacité de prestation.

La capacité de concentration est altérée et peut parfois être diminuée pendant 48 à 96 heures.

Les modifications des habitudes alimentaires et la diminution de l'appétit peuvent également induire les modifications dans la défécation car les selles sont soit plus molles, soit plus dures que normalement.

L'équilibre hormonal n'est rétabli qu'au bout de 4 à 10 jours au cours desquels la capacité de prestation est certainement diminuée. Chez les femmes, il survient des modifications du cycle menstruel; leurs règles peuvent ne pas venir ou venir plus précocement que d'habitude.

On peut prendre comme règle générale que les manifestations indésirables ci-dessus demeurent 24 heures pour chaque heure de décalage du rythme nycthéméral.

Les manifestations qui résultent des décalages du rhytme nycthéméral peuvent être prévenues en décalant son rythme nycthéméral pendant une semaine avant le départ de 2 heures par 24 heures. Si, au contraire, l'adaptation doit se faire à destination le moment du départ doit être fixé de manière à ce qu'on arrive en temps voulu avant la compétition — au moins 6 à 10 jours avant le jour de la compétition, si le voyage est fait dans le sens Europe-Etats-Unis.

Prophylaxie des maladies

Il est important avant un voyage à l'étranger de prévoir quelles sont les vaccinations qui sont obligatoires pour les voyages dans le pays de destination et lesquelles sont recommandées. Les vaccinations contre certaines maladies, par exemple le typhus et le choléra, doivent être commencées longtemps avant le départ pour que l'organisme ait eu le temps d'acquérir la protection nécessaire. Quand il s'agit d'autres maladies, par exemple, la malaria, on doit dans un but de prévention prendre des médicaments contre la maladie pendant et après le séjour dans une région où on peut devenir contaminé. On administre des gammaglobulines sous forme d'injections plusieurs jours avant le départ, ce qui protège pendant 4 à 6 semaines de l'hépatite épidémique (jaunisse).

Quand on séjourne à l'étranger, on entre en contact avec un autre milieu de bactéries et de virus que celui auquel on est habitué et on peut, pour cette raison, être plus facilement que dans son milieu de domicile atteint de maladies gastrointestinales et de refroidissement. C'est pourquoi, il est d'une grande importance qu'au cours d'un séjour à l'étranger on observe une hygiène rigoureuse. L'eau des canalisations d'eau est dans de nombreux pays impropre comme eau de boisson pour des visiteurs occasionnels et on doit en conséquence à la place boire par exemple de l'eau minérale en bouteilles. Si les conditions hygiéniques sont douteuses, on doit manger des plats chauds, cuits ou grillés et éviter les plats froids, les salades, les patisseries et les desserts et dans certains endroits également les glaces. Chaque fruit doit être pelé avant d'être consommé. Si ce n'est pas possible, le fruit doit être lavé dans de l'eau minérale. Les boissons de table doivent être de l'eau minérale, des boissons gazeuses (la prudence est cependant recommandée avec celles-ci) du lait pasteurisé ou des boissons portées à ébullition comme le café ou le thé.

Si une baignade à l'extérieur est proposée il est important de vérifier si l'eau est suffisamment propre pour s'y baigner. A l'hôtel on doit plutôt prendre une douche que se baigner dans une baignoire, si l'hôtel n'est pas de haut standing. Si quelqu'un logeant dans un dortoir tombe malade, il doit être isolé et un médecin doit chercher à préciser la nature de la maladie.

FACTEURS GÉNÉRAUX DE RISQUE

Fonction cardio-pulmonaire

Le corps humain est construit pour l'activité physique et pas pour le repos. Les hommes à travers les temps ont du faire travailler durement leurs muscles puisque le combat pour leur existence l'exigeait. Autrefois le travail corporel était présent aussi bien pendant le temps de travail qu'au cours des temps libres. Aujourd'hui nous passons la plus grande partie de notre vie en position assise ou couchée bien que nos organes aient des dimensions prévues pour l'activité physique. Un cœur humain pompe au repos 4 à 5 litres de sang par minute; au cours du travail ce volume peut augmenter jusqu'à 10 à 20 litres. Au cours d'une inspiration normale au repos on inspire 6 litres d'air par minute, mais ce volume peut augmenter jusqu'à 100 litres/minute, et un sportif bien entraîné peut inspirer jusqu'à 200 litres.

Le risque que l'activité sportive puisse amener des complications médicales d'une certaine gravité n'est pas élevé. Il varie cependant avec l'âge du sportif et sa constitution corporelle, et dépend de la façon dont l'entraînement est conduit. On pense que les facteurs qui augmentent le risque d'être atteint d'un infarctus du myocarde sont avant tout l'habitude de fumer le tabac et une tension sanguine élevée. Le sujet qui a atteint 50 ans, présente une tension sanguine élevée et fume beaucoup (cad. fume plus de 25 cigarettes par jour) augmente de 100 % son risque d'être atteint

Une activité physique régulière peut être pratiquée à tous les âges, même jusqu'à 92 ans.

d'infarctus du myocarde par rapport à un non-fumeur de même âge avec une tension sanguine normale.

Il est de nos jours encore impossible d'affirmer avec certitude si un des nombreux effets positifs qui résulteraient d'une vie physiquement active — par exemple une bonne capacité cardio-vasculaire, un bon métabolisme énergétique, une bonne circulation au niveau des muscles du cœur et du squelette — exerce un effet protecteur quelconque contre, par exemple, l'infarctus du myocarde. Il existe cependant plusieurs études qui démontrent que la fréquence des maladies cardiaques et des décès par suite de ces maladies est plus faible parmi les sujets physiquement actifs que parmi les sujets physiquement inactifs. On ne peut indiquer exactement qu'elle importance a l'activité physique mais en association, par ailleurs, avec la manière de vivre du sujet, elle a sans nul doute une grande importance. C'est l'activité physique pendant le temps libre qui importe. Par un entraînement physique régulier on peut diminuer l'élévation de tension sanguine à laquelle on est soumis lorsqu'on exécute une certaine quantité de travail corporel. La teneur en certaines des graisses du sang qui peuvent influencer le développement d'infarctus du myocarde peut baisser si on s'entraîne 2 à 3 fois par semaine.

Beaucoup de faits sont en faveur du grand intérêt d'une activité physique tout au plus modérée pour prévenir les maladies cardio-vasculaires.

Mort subite

Des cas de morts subites sont parfois rapportés comme s'étant produits au cours de compétitions sportives.

Il existe des facteurs qui doivent être pris en considération au sujet de leurs rapports avec la compétition. De nombreuses études ont montré que le nombre de morts subites augmente en cas de temps froid ; une douche froide ou un bain froid peut entraîner une élévation de la tension sanguine qui peut comporter un risque de mort subite chez les sujets non entraînés. Un lourd travail physique effectué à la chaleur peut causer une importante perte de liquide et de ce fait contribuer à augmenter le risque que la circulation sanguine ne puisse faire face à l'effort. Les facteurs de risque purement médicaux dont on doit tenir compte à ce point de vue sont : les douleurs du thorax quelqu'en soit le type, la notion d'un infarctus survenu précédemment, un rythme cardiaque irrégulier, des palpitations cardiaques, une inflammation du myocarde, une tension sanguine élevée, etc. Egalement le fait de fumer du tabac et de consommer de l'alcool sont des facteurs de risque. Un grand nombre de cas de morts subites ont été décrits en relation avec le dopage.

Des douleurs thoraciques et une fatigue anormale au cours de la pratique sportive sont des signes d'alarme sérieux. Dès qu'ils surviennent, on doit immédiatement interrompre l'activité sportive.
Les compétitions sportives ne doivent jamais avoir lieu lors d'un froid rigoureux. Les participants à la compétition doivent toujours disposer de la possibilité d'un échauffement convenable.
Le sport doit être pratiqué régulièrement. Le volume et l'intensité de l'entraînement doivent être augmentés progressivement.

Elévation de la tension sanguine

Le sujet qui présente une tension sanguine élevée ne doit pas se livrer à une activité sportive sans avoir pris conseil de son médecin traitant. D'une manière générale, on peut dire que les sujets qui présentent un tel type de tension sanguine élevée peuvent bénéficier d'effets positifs grâce à l'activité physique.

D'autres facteurs médicaux de risque lorsqu'il s'agit de la pratique sportive, qui sont représentés par les maladies : diabète, asthme et épilepsie, sont traités page 338.

Contrôle médical

Lorsqu'on se met à faire du sport seulement après 40 ans ou si en relation avec l'activité physique on éprouve des symptômes comme une fatigue accrue, une nette augmentation de l'essoufflement, un rythme cardiaque irrégulier ou des manifestations analogues, on doit se soumettre à un contrôle de santé chez le médecin. Même s'il existe certaines modifications de la circulation sanguine, celles-ci en règle générale ne représentent pas un obstacle à une pratique sportive raisonnée. Il est cependant nécessaire d'indiquer que le médecin ne peut pas toujours seulement sur la base de l'examen de santé le plus soigneux présager des troubles cardiaques ou vasculaires qui pourraient survenir soudainement.

Des études ont démontré que les gens qui ne fument pas, qui ne consomment que des quantités insignifiantes d'alcool, qui se nourissent correctement, qui se livent régulièrement à des activités physiques d'entretien, qui ont un poids normal vivent en moyenne plus longtemps que ceux qui ont des habitudes de vie moins saines. En conclusion : les habitudes de vie des gens importent plus que les mesures médicales lorsqu'il s'agit de la maladie et de la mort.

Infections

Le mot « refroidissement » est employé en langage courant pour plusieurs maladies infectieuses différentes des voies respiratoires. Ces maladies sont en règle diffusées par contact direct ou par l'air, par exemple, lorsque le malade éternue.

Lorsqu'un refroidissement (ou une infection des voies respiratoires supérieures) est en train de se déclarer, on commence à frissonner, on devient légèrement fébrile, on se sent fatigué et mal entrain. Au niveau des muscles, on éprouve la même sensation de sensibilité qu'on ressent lors des douleurs d'entraînement et on a mal à la tête. Le nez coule et la gorge est douloureuse. Il se produit fréquemment de la toux et des éternuements. Ces symptômes, associés avec de la fièvre à 38-39°, durent habituellement pendant 72 à 96 heures pour une infection virale. Pendant ce temps on doit rester tranquillement à la maison et se reposer. La fièvre peut être abaissée par des médicaments à base d'aspirine. On doit ne plus avoir eu de fièvre pendant au moins plusieurs jours avant de reprendre son activité sportive normale.

Le malade doit consulter un médecin pour examen et éventuellement traitement si :
- les symptômes et la fièvre ne cèdent pas après environ 4 jours ;
- la fièvre a baissé puis est de nouveau remontée ;
- le malade ressent un point de côté ou des douleurs à l'inspiration profonde ;
- apparaissent des douleurs aiguës au niveau des sinus, des oreilles, etc.

Lorsqu'un ou plusieurs des symptômes ci-dessus se manifestent, une infection bactérienne peut s'être installée et un traitement par un médicament d'action antibiotique, comme par exemple la pénicilline, peut devoir être instauré.

Si le malade présente certains signes d'angine — gonflement, amygdales rouges, souvent avec des points blancs, ainsi que des ganglions lymphatiques sensibles au niveau du cou, le médecin doit être consulté. L'angine doit être traitée puisque des complications graves, comme une inflammation du muscle cardiaque, des reins et des articulations pourraient autrement survenir.

Les infections accompagnées d'une élévation de la température du corps sont souvent négligées. Il peut cependant coexister une participation cardiaque sous forme d'une 2' inflammation du muscle cardiaque. Celle-ci peut évoluer avec des symptômes très banaux qui sont les mêmes que pour une infection générale: fatigue, sensation de malaise, etc. On peut également ressentir des douleurs thoraciques et des palpitations cardiaques. Les symptômes peuvent cependant être suffisamment modérés pour que le sportif ou l'entraîneur ne trouve aucune raison de suspendre l'entraînement et la compétition. L'inflammation du muscle cardiaque peut pourtant entraîner des complications graves, y compris la mort subite.

Les infections des voies urinaires comprennent les infections des uretères, de la vessie, de l'urètre, des bassinets et des reins. Elles se manifestent sous forme de douleurs à type de brûlures et d'un besoin souvent renouvellé d'uriner ainsi que parfois de la fièvre (spécialement lors des inflammations des bassinets rénaux, au cours desquelles suviennent souvent des douleurs dans le bas du dos). Les sujets qui sont atteints d'une infection des voies urinaires doivent consulter un médecin pour diagnostic et traitement.

Chez l'homme la prostate peut être enflammée, ce qui se manifeste par une douleur diffuse au niveau de la vessie, du ténesme lorsqu'on urine et une douleur à type de brûlures ainsi que parfois de la fièvre. Le médecin doit être consulté pour diagnostic et traitement.

Il est important d'éviter les refroidissements si on a des troubles urinaires.

On ne doit jamais pratiquer aucun sport que ce soit exigeant des efforts physiques, en cas d'infection fébrile. L'entraînement ne doit pas être repris avant que la fièvre n'ai cessé pendant plusieurs jours et que l'infection n'ait été guérie. Lorsqu'on recommence à s'entraîner l'entraînement doit se faire selon un rythme calme.

En présence d'une infection, il ne doit pas y avoir de «recul des limites de l'héroïsme» comme on le lit parfois dans les pages sportives des journaux.

Anémie et déficit en fer

La capacité du corps à transporter de l'oxygène est un facteur limitant de la capacité de prestation physique. Dans le sang l'oxygène est transporté lié à l'hémoglobine, la substance colorée en rouge des globules sanguins. Si la teneur en hémoglobine vient à diminuer la capacité de transport d'oxygène du corps va baisser et la capacité de prélèvement d'oxygène se détériore cad. que le niveau de condition physique baisse.

L'anémie est définie comme la concentration en hémoglobine qui se situe au-dessous de la valeur qui est considérée comme normale. Le sportif qui se soumet à un effort dur de longue durée peut présenter un certain degré d'anémie, par exemple, en s'entraînant chaque jour à la course à pied sur de longues distances ou en jouant au hockey sur glace 5 à 6 jours par semaine. Les causes de cette pathologie ont fait l'objet de très nombreuses discussions. En ce qui concerne l'anémie du coureur à pied, on s'est demandé si ce déficit pouvait provenir de ce que les globules rouges étaient détruits plus rapidement que normalement en raison de l'action mécanique à laquelle est soumis un coureur à pied lorsqu'il pose le pied un nombre de fois indéfiniment répété lors de l'entraînement sur son sol dur. On sait que cette destruction varie avec le type de souliers que le coureur à pied utilise. Une autre cause d'anémie pourrait être que le sang est l'objet d'un phénomène de dilution. Le sang est constitué des globules et d'un liquide (le plasma) et il est possible que le volume du plasma augmente plus que le nombre des globules lorsqu'on s'est entraîné.

Un apport insuffisant en fer pourrait être une raison supplémentaire de survenue d'anémie. Le fer est présent en petite quantité dans le corps humain. Chez un sujet adulte la quantité totale de fer est d'environ 4 à 5 grammes. Le fer se trouve, entre autres, dans l'hémoglobine des globules rouges du sang et dans une substance de constitution voisine: la myoglobine qui se trouve dans les muscles. Ces deux substances jouent un rôle très important dans le transport d'oxygène en ce sens que le fer lie l'oxygène.

Lorsqu'un sujet non entraîné commence un entraînement dur il acquiert une plus grande quantité de globules rouges et de masse musculaire et ces deux facteurs peuvent causer un léger état d'anémie.

Dans de nombreux endroits de la terre une alimentation déficitaire est la cause la plus habituelle d'anémie. Ce qui n'est pas le cas dans les pays occidentaux mais certains jeunes sportifs sont parfois négligents en ce qui concerne la composition de leur alimentation et peuvent être atteints d'anémie.

Lors d'une course à pied de longue durée sur le sol dur, surtout lors d'une course de marathon, de petites quantités de fer peuvent quitter l'organisme par l'urine. On permet au corps de compenser ces pertes en augmentant l'apport alimentaire en fer.

En relation avec de durs efforts physiques il se produit de grandes pertes de sueur. De nombreuses études tendent actuellement à penser que la quantité de fer qui est perdue par l'intermédiaire de la sueur n'est pas suffisamment importante pour qu'une anémie puisse apparaître.

Une femme sur cinq en âge d'être fertile présente une anémie en raison d'une perte de fer au cours de leurs menstruations. Ce sont surtout les femmes avec des hémorragies menstruelles abondantes (plus de 80 millilitres de sang par période) qui courrent le risque de développer une anémie. Les femmes qui pratiquent le sport doivent en conséquence faire contrôler régulièrement leurs valeurs sanguines cad. leur quantité d'hémoglobine dans le sang. Chez les femmes chez lesquelles une spirale anticonceptionnelle a été posée l'abondance de l'hémorragie à chaque menstruation peut parfois augmenter de plus de 50 %, c'est pourquoi il peut être particulièrement important que ce groupe de sportives contrôlent ces valeurs.

La quantité de fer qu'un jeune organisme a normalement en réserve est faible au cours de la phase de croissance du corps où les jeunes débutent leur pratique sportive, c'est pourquoi ceux-ci doivent être considérés comme un groupe à risque.

Diagnostic

L'anémie peut être constatée en mesurant la teneur en hémoglobine du sang. L'anémie peut être évaluée en déterminant en premier lieu la valeur de ferritine sanguine et en second lieu la quantité d'hémosidérine dans la moelle osseuse. Grâce à ces deux méthodes, on peut mettre en évidence précocement et avec certitude une anémie ou une diminution des réserves de fer chez un individu. Les jeunes n'ont notamment que de petites quantités de fer en stock. De faibles valeurs de ferritine sérique sont normales chez les sujets âgés de moins de 20 ans. Il faut être un examinateur particulièrement compétent pour pouvoir décider si un sportif présente ou non une anémie et il est parfois nécessaire d'employer plusieurs méthodes d'examen. En règle générale, on peut dire que la survenue d'une anémie chez un sportif adulte est rare.

Considérations thérapeutiques

Le besoin quotidien en fer est d'environ 15 à 20 milligrammes chez les femmes et de 10 à 15 milligrammes chez les hommes. 5 à 20 % du fer ingéré est normalement prélevé par l'organisme.

La meilleure façon d'éviter une anémie est de manger une alimentation bien composée. La viande, le boudin et le pain doivent y figurer en quantité convenable. Certaines substances alimentaires, avant tout la viande, augmentent la capacité du corps à assimiler du fer tandis que par exemple le thé et les œufs diminuent cette capacité.

Des sportifs d'élite avec des valeurs faibles de ferritine sérique doivent dans certains cas être traités «par sécurité». Le seuil quantitatif de fer à administrer doit pour les sportifs d'élite être calculé large et la dose quotidienne peut être de 100 à 200 mg de fer sous forme de comprimés pendant environ 2 mois. A la fin de cette période de traitement, la valeur en hémoglobine est déterminée à nouveau. Si on trouve alors une nette augmentation de la valeur en hémoglobine, cette constatation sera en faveur de la présence d'une anémie avant le traitement. Chez un sportif d'élite qui a reçu du fer à la dose préconisée ci-dessus, ce n'est pas seulement la valeur en hémoglobine qui a été normalisée par le traitement mais un certain stock de fer qui a pu être constitué. Le sportif peut ensuite cesser de prendre du fer mais il doit contrôler sa valeur en ferritine sérique au cours de l'année.

De nombreuses préparations différentes à base de fer sont disponibles dans le commerce mais elles doivent seulement être employées sur ordonnance médicale. Les médicaments à base de fer peuvent parfois donner des complications sous forme de nausées, de diarrhées ou de constipation.

En résumé, on peut dire que le sportif en général et le sportif qui pratique un sport de loisirs en particulier ne courent pas grand risque d'être atteints d'anémie. A ce groupe, il n'y a aucune raison d'apporter un supplément de fer. Les femmes qui ont des hémoragies menstruelles abondantes doivent cependant de même que les sportifs des plus jeunes tranches d'âge faire contrôler régulièrement leurs valeurs sanguines. Aussi longtemps que ces valeurs sont normales, les médicaments à base de fer ne sont pas nécessaires.

Menstruation

Chez les filles, la première menstruation survient habituellement aux âges de 12 à 15 ans, mais beaucoup d'entre elles ont leur première menstruation aussi précocement qu'à 10 ans et aussi tardivement qu'à 16 ans. Environ 2 ans avant que la première menstruation n'apparaisse, débute une poussée de volume des seins et une pilosité sexuelle et cette poussée dure environ 4 ans.

La menstruation cesse habituellement lorsqu'on a environ 50 ans (40 à 55 ans). Un cycle menstruel moyen dure de 27 à 30 jours mais il peut durer de 23 à 25 jours. Chez un même individu, la longueur des cycles menstruels ne varie pas de plus de 2 à 3 jours.

L'hémorragie menstruelle dure normalement 3 à 8 jours. Chez les filles de moins de 16 ans, elle peut durer un peu plus longtemps et les hémorragies viennent souvent de façon irrégulière.

Influence de la menstruation sur l'organisme

L'effet d'une menstruation varie énormément d'une femme à l'autre. Des modifications aussi bien physiologiques que psychologiques peuvent influencer la capacité des femmes à effectuer des prestations sportives.

Quelque temps avant la menstruation et au cours de ses premiers jours, ainsi que parfois lors de l'ovulation, peuvent apparaître des symptômes comme une tension psychique, des maux de tête, des nausées, des vomissements, des vertiges, des douleurs de l'utérus, des éruptions cutanées, une augmentation de poids, etc. Cette symptomatologie est plus fréquente chez les femmes qui ont une menstruation irrégulière. L'augmentation de poids provient de ce qu'une plus grande quantité d'eau stagne dans le corps et beaucoup de femmes ressentent un gonflement de leurs seins.

Le volume de l'hémorragie lors de la menstruation varie d'une femme à l'autre. Les hémorragies abondantes peuvent amener une anémie.

Au cours de la menstruation, la capacité intellectuelle et physique de certaines femmes est influencée. Le stress peut influencer aussi bien la longueur du cycle menstruel que la menstruation elle-même. L'activité physique s'est révélée être capable d'augmenter la capacité des femmes à surmonter les troubles de la menstruation et peut de cette façon exercer une influence positive sur les douleurs de la menstruation.

Une aménorrhée (absence de menstruation) se produit chez les femmes qui pratiquent un entraînement intensif aux longues distances ou le jogging. Lorque l'entraînement à la course à pied est abandonné les menstruations reviennent spontanément.

Lors des voyages à l'étranger, la menstruation se décale souvent de quelques semaines. Après le retour à son pays d'origine, les menstruations se renormalisent habituellement.

Traitement

La sportive peut:

— apprendre à se connaître soi-même, car les menstruations influencent différentes femmes dans une mesure très différente;

— tenir un protocole précis, dans lequel on consignera les variations de la capacité de prestation ainsi que la date des menstruations. La sportive pourra ensuite rapporter sa capacité de prestation aux différentes phases du cycle menstruel.

Le médecin peut:

— atténuer les troubles menstruels avec des médicaments (il existe cependant des femmes qui déclarent fournir leurs meilleures prestations au cours de la menstruation elle-même);

— exceptionnellement déplacer la menstruation en administrant des médicaments à base d'hormones. Le meilleur moment pour les prestations - record est très individuel mais se situe souvent juste avant ou juste après l'ovulation. Si on a l'intention de déplacer la menstruation en vue d'une compétition donnée, on doit le faire aussi précocement que possible.

Grossesse

Une grossesse normale n'est pas influencée défavorablement par l'activité physique, mais celle-ci doit être adaptée selon le déroulement de la grossesse. Une bonne condition physique peut faciliter à la fois la grossesse et l'accouchement. La majorité des sportives en activité arrêtent la compétition au 4ᵉ ou 5ᵉ mois de grossesse et poursuivent seulement un entraînement d'intensité convenable. La prudence est cependant conseillée spécialement lorsqu'il s'agit de sports de contact, comme le football.

Après l'accouchement, l'activité physique doit être reprise seulement après 6 à 8 semaines car les lochies ont cessées et l'utérus a retrouvé sa taille normale. Au cours des 8 premières semaines après l'accouchement, les femmes doivent entraîner leur périnée pour prévenir des troubles ultérieurs sous forme de descente d'utérus. L'entraînement par ailleurs et la compétition peuvent ensuite être repris progressivement.

La majorité des femmes nourrissent leur enfant et la sécrétion de lait est influencée par un dur entraînement physique. Au cours de la période d'allaitement, les seins sont relativement plus gros que normalement et peuvent être plus facilement lésés par l'activité physique.

Dopage

Par «dopage», on entend les tentatives d'amélioration des prestations sportives de manière artificielle à l'aide de médicaments ou de procédés analogues. Le nombre de cas de dopage a fortement augmenté ces dernières années et un certain nombre de cas mortels sont intervenus, ce qui a amené les autorités à prendre des mesures de contrôle plus strictes.

Médicaments interdits par les règlements en matière de dopage

Hormones

Les stéroïdes d'action anabolisante (substances qui sont voisines de l'hormone sexuelle mâle, la testostérone) ont été abusivement utilisés par plusieurs sportifs de l'élite internationale, surtout dans les spécialités mettant en jeu la force.

L'examen de la documentation scientifique recueillie permet de penser que les substances anabolisantes n'ont pas d'effet sur la force musculaire.

Lors de traitements de courte durée (4 à 6 semaines) par les stéroïdes anabolisants, des effets secondaires à type de maux de tête, de vertiges, de nausées, de diminution de la puissance sexuelle masculine et d'augmentation de la puissance sexuelle féminine peuvent survenir. Les femmes peuvent en plus être atteintes de masculinisation avec pousse de la barbe, augmentation de la masse musculaire et modification de la voix. Le risque de blessures par exemple de la musculature augmente. Lors de traitements de longue durée par les stéroïdes anabolisants, il existe un risque de lésions graves des organes internes comme les glandes surrénales et le foie. Des effets secondaires graves peuvent survenir : chez l'homme, la production de spermatozoïdes peut être influencée (cet effet secondaire survient presque toujours), ainsi que la croissance. En résumé, ces effets secondaires sont d'une nature si grave que l'utilisation des stéroïdes anabolisants en dehors de leurs indications médicales bien fondées ne peut être admise.

Les stéroïdes anabolisants ne doivent absolument pas être employés dans le cadre de la pratique sportive. De telles préparations augmentent le risque de blessures, spécialement chez les sujets en cours de croissance.

Médicaments décongestionnants des muqueuses et bronchodilatateurs

L'éphédrine est une substance d'action décongestionnante des muqueuses et d'action bronchodilatatrice qui entre dans la composition de médicaments d'usage courant contre la toux et contre le rhume des foins. C'est pourquoi on doit être prudent lors de l'emploi de ces médicaments lors des compétitions.

Médicaments stimulants du système nerveux central

Certains médicaments qui contiennent de l'éphédrine peuvent par dilatation des vaisseaux sanguins augmenter la capacité de travail du cœur. Certains des importants mécanismes, qui règlent la température du corps, la pression sanguine, etc. qui sont influencés par ces médicaments peuvent être supprimés et lésés en cas de durs efforts physiques. Sauf pour le groupe des amphétamines (voir ci-dessous) l'effet de dopage de ces médicaments est faible.

Psycho-stimulants amphétamines

Les préparations à base d'amphétamines sont les médicaments le plus souvent employées pour dopage parmi l'élite sportive. Les amphétamines entraînent une augmentation de l'agressivité et diminuent la sensation de fatigue, influencent le jugement et augmentent de façon marquante le risque de blessures. En éliminant l'action des mécanismes de défense de l'organisme, l'emploi des amphétamines a été la cause de certains décès au cours de la pratique du sport. A ce groupe de préparations appartient également la codeïne, qui donne un sentiment d'euphorie et des hallucinations. Le risque d'assuétude est très grand.

Narcotiques

La morphine et les substances voisines, par exemple la codeïne, entrent dans la composition de médicaments pour la toux et de médicaments pour calmer la douleur. La codeïne en elle-même ne doit pas être considérée comme une préparation narcotique, mais parce que 10 % de la codeïne qui est ingérée se dégrade dans le corps en morphine, la présence de codeïne ne peut être différenciée de celle de la morphine lors des tests de contrôle du dopage. La morphine crée une forte dépendance.

Dopage par restitution du sang prélevé

La condition physique dépend chez l'homme de l'importance de la capacité de transport maximale d'oxygène du corps. On sait que la capacité du corps à transporter de l'oxygène diminue si la teneur en hémoglobine du sang diminue, car cette substance lie l'oxygène dans le sang. En conséquence on s'est demandé si une augmentation de la concentration en hémoglobine pourrait augmenter la capacité de prélèvement maximale d'oxygène et par ce moyen également la capacité de prestation physique.

A l'Ecole Supérieure de Gymnastique et de Sport de Stockholm, on a montré le phénomène suivant: si un sujet reçoit une injection de son propre sang qui a été stocké pendant 4 semaines dans une banque de sang après qu'il ait été ponctionné, ce sujet peut obtenir une augmentation de sa capacité de prélèvement maximal d'oxygène de 9 % comparativement avec sa capacité de prélèvement d'oxygène avant qu'on lui prélève ce sang. Certains effets de cette restitution de sang peuvent durer jusqu'à une semaine. Les effets ne sont pas dus seulement à l'augmentation du taux d'hémoglobine, mais on pense que l'augmentation du volume sanguin a une importance au moins aussi grande.

La restitution de sang est une forme de dopage. Il existe notamment une clause générale dans la réglementation du dopage qui dit: «est considéré comme dopé celui qui a pris un médicament en quantité anormale et/ou de manière non naturelle dans l'intention d'accroître sa capacité de performance».

Toutes les formes de dopage doivent être évitées, ne serais-ce que par respect de la santé de l'individu et elles doivent être combattues par une meilleure information et par la recherche. Le dopage est une fraude.

Alcool

On considère qu'en Suède 90 % de la population masculine âgée de plus de 25 ans consomme de l'alcool et parmi ses consommateurs, on pense que 10 % abusent d'alcool. Un abus prolongé d'alcool peut donner une quantité de lésions des différents organes du corps comme le foie, le système nerveux et le cœur.

Effets sur le système nerveux central

Déjà, lors de très basses concentrations d'alcool dans le sang, le corps est influencé par une altération de la coordination des mouvements musculaires ainsi qu'une prolongation des temps de réaction. Ces symptômes peuvent être constatés chez une personne sans que par ailleurs, il apparaisse être sous les effets de l'alcool. Pour une concentration en alcool de 0,3 pour mille, il existe une nette influence de l'alcool avec diminution fonctionnelle de la mémoire, des troubles de la coordination et des modifications de l'humeur. Pour une concentration d'alcool dans le sang de 0,6 pour mille, la capacité de réaction est encore plus altérée et des difficultés pour contrôler ses sentiments et ses mouvements existent.

A faibles doses, l'alcool exerce une action stimulante sur le système nerveux central mais des quantités plus importantes d'alcool exercent un effet inhibiteur. A la fois ces deux effets sont vraisemblablement dus au blocage des voies nerveuses dans le cerveau. L'alcool donne un sentiment de détente déjà après une faible consommation et de grandes quantités d'alcool ont un effet sédatif et une action hypnogène accentués. Pour obtenir une détente, une personne peut commencer à boire de l'alcool de plus en plus régulièrement. Des quantités toujours plus importantes sont nécessaires au bout d'un moment pour atteindre la détente recherchée et pour cette raison, il existe une certaine accoutumance. Lorsque la consommation d'alcool commence à être ressentie comme une habitude agréable, une dépendance psychologique peut se développer. Lors de la poursuite de la consommation, une dépendance physique, une envie d'en avoir plus se développe, une dépendance à l'alcool s'installe facilement. Les dirigeants sportifs ont un rôle important à jouer pour lutter contre ce penchant: Il n'est pas nécessaire de fêter une victoire en buvant exagérément de l'alcool.

Autres effets

Lorsqu'on a bu de l'alcool, les vaisseaux sanguins se dilatent, ce qui donne une sensation de chaleur au niveau de la peau. En relation avec cette vasodilatation, les pertes de chaleur à partir du corps augmentent cependant et la température du corps baisse. On ne peut donc pas se réchauffer en buvant de l'alcool quand on a froid. L'alcool donne aussi une augmentation de l'élimination urinaire, qui est essentiellement une conséquence de l'augmentation de la quantité de liquide ingérée. En outre, l'alcool abaisse la glycémie (taux du sucre sanguin) ce qui peut être dépisté par une augmentation de la soif et de la faim.

L'alcool disparaît du corps par métabolisation et par excrétion. La métabolisation est un mécanisme tout à fait déterminant: plus de 95 % de l'alcool ingéré est transformé de cette façon. Le fait que l'alcool soit également éliminé par l'intermédiaire des voies respiratoires et par l'urine joue une rôle moins important. Il est inefficace de chercher à accélérer la disparition d'alcool de l'organisme par une forte sudation. Ni l'augmentation de l'exercice ni la sauna n'ont plus d'effet.

L'alcool est brûlé pour la plus grande part dans le foie. La dégradation a lieu à vitesse constante, ce qui fait que la même quantité d'alcool est dégradée par unité de temps. Le foie brûle par exemple 1 gramme d'alcool

L'alcool influence des fonctions vitales.

par kilo de poids corporel et par heure. Si par exemple on pèse 70 kilos, le foie brûle ainsi 7 grammes d'alcool par heure d'absorption d'alcool qui donne par exemple un taux de 1 pour mille dans le sang (environ 2 petits verres d'alcool) altère la fonction hépatique pendant 2 jours. La capacité de prestation physique, spécialement lors d'efforts de longue durée est diminuée pendant un temps légal après qu'on ait bu de l'alcool.

La consommation d'alcool détériore la capacité de prestation et augmente de façon marquante le risque de blessures. La dégradation de l'alcool dans l'organisme a lieu à vitesse constante et elle n'est pas influencée par, par exemple, l'activité physique ou le sauna. Le sport et l'alcool ne vont absolument pas ensemble.

Tabac

Dans un rapport de l'Organisation Mondiale de la Santé de 1970, «il a été constaté, entre autres, que les maladies en relation avec le fait de fumer ont une si grande importance comme cause de maladie et de décès précoce dans les pays industriels qu'une diminution du fait de fumer des cigarettes devrait être plus importante pour l'amélioration de la santé et l'augmentation de la durée de vie dans ces pays que n'importe quelle autre mesure de prévention prise en faveur de la santé».

Pris en groupe, les fumeurs de cigarettes ont un chiffre de mortalité de 30 à 80 % plus élevé que les personnes qui ne fument pas. La mortalité augmente avec la consommation de cigarettes et elle est plus élevée pour le fumeur qui a commencé à fumer dans ses jeunes années, lorsque les organes n'avaient pas terminé leur croissance, les rendant plus facilement influençables.

La fumée de tabac lèse aussi bien les muqueuses que les cils vibratils qui transportent les déchets des voies respiratoires. En même temps, l'excrétion de mucus augmente et ces facteurs causent ensemble une irritation des bronches et par suite la toux des fumeurs. Il s'en suit une diminution de la force de résistance contre les infections. En présence d'efforts, les fumeurs de cigarettes sont souvent atteints de troubles respiratoires et d'accès de toux.

Un des constitutants le plus important de la fumée de tabac est l'oxyde de carbone, un gaz qui se dégage des cendres lorsque le tabac est brûlé. La quantité d'oxyde de carbone varie entre 4 et 22 mg par cigarette, selon la marque de cigarette. Si on avale la fumée, l'oxyde de carbone reste dans le corps en plus grande quantité. Ce gaz est très dangereux pour la santé, mais le fumeur de cigarettes s'arrange pour rejeter l'oxyde de carbone en grande partie par l'air expiré. La capacité de l'oxyde de carbone de se fixer sur l'hémoglobine; la substance du sang qui transporte l'oxygène, est 300 fois plus grande que celle de l'oxygène et l'oxyde de carbone chasse l'oxygène du sang. Les personnes qui fument 15 à 25 cigarettes par jour ont 6 à 7 % de leur hémoglobine disponible liée avec l'oxyde de carbone et cette part de l'hémoglobine ne peut ainsi plus transporter d'oxygène. Puisque la condition physique d'un sujet dépend de sa capacité à transporter de l'oxygène, cette atteinte de la capacité de transport d'oxygène fait qu'en réalité la condition physique du fumeur sera fortement diminuée. Le «blocage» de l'hémoglobine, transporteur d'oxygène, ne se manifeste pas tant que le fumeur reste au repos, mais lors des efforts physiques les effets deviennent perceptibles. Le fait de fumer régulièrement des cigarettes peut diminuer la capacité de prélèvement d'oxygène de 9 à 10 %.

La fumée d'une cigarette contient également 0,5 à 2,4 mg de nicotine, qui est absorbée dans le corps par l'intermédiaire de la cavité buccale, du tube digestif, des voies respiratoires et de la peau. Chez les fumeurs qui avalent la fumée, 90 % de la nicotine pénètre dans le corps, chez les autres fumeurs environ 20 %. Environ 80 à 90 % de la nicotine absorbée est transformée dans le corps, principalement dans le foie mais également dans les glandes surrénales et les poumons. En même temps que ses produits de dégradation, la nicotine est ensuite éliminée rapidement et complètement principalement par l'intermédiaire de l'urine.

La nicotine fait augmenter les quantités d'hormones de stress: l'adrénaline et la noradrénaline, dans le corps, ce qui entraîne également une augmentation de la consommation d'oxygène. L'adrénaline a un effet constricteur des vaisseaux sanguins de la peau qui pour cette raison devient pâle et froide quand on fume. En agissant sur la sécrétion hormonale, la nicotine engendre une élévation du pouls de 10 à 30 pulsations par minute ainsi qu'une élévation de la pression sanguine. L'effet de la nicotine persiste pendant plusieurs heures après qu'on ait fumé et influence de cette façon la capacité de prestation physique. La nicotine est en outre génératrice de dépendance.

Le fait de fumer des cigarettes altère ainsi la condition physique, l'oxyde de carbone diminuant la capacité de transport d'oxygène du sang et la nicotine influençant la sécrétion hormonale et entraînant une élévation du pouls. Puisque les effets de la nicotine persistent plusieurs heures et puisqu'il faut plus de 24 heures pour évacuer l'oxyde de carbone de l'organisme, on ne doit pas fumer au cours des 24 heures qui précèdent une séance d'entraînement ou une compétition.

Dans la fumée de cigarette, on trouve aussi du goudron. Selon la marque de cigarette un fumeur fait pénétrer en lui 6 à 33 mg de goudron. Le goudron possède un puissant effet d'irritation au niveau des voies aériennes et des muqueuses et la propriété de provoquer à un haut degré le cancer. Ce ne sont pas seulement les cancers des poumons mais également les cancers d'autres organes comme ceux des voies urinaires et du larynx qui sont plus fréquents chez les fumeurs que chez les non-fumeurs.

Si quelqu'un fume dans un vestiaire la fumée peut agir également sur les personnes qui ne fument pas. Cet «enfumement passif» est nocif pour la santé. Selon certains travaux le sportif qui ne fume pas lui-même inspire une partie de l'oxyde de carbone et des goudrons lorsque ses camarades fument dans un vestiaire. Les responsables d'équipes, les entraîneurs et toutes autres personnes doivent s'abstenir de fumer lors des activités sportives puisque également l'«enfumement passif» influence la capacité de prestation. Ce respect des autres est une question de pure bienséance.

Enfin, le sportif doit s'abstenir de fumer pour une dernière raison: parce que l'effet de l'entraînement est en partie annihilé par les effets négatifs

Enfumement passif

du tabac. En outre, le fait de fumer altère l'appétit, les sens du goût et de l'odorat, le sommeil, etc., qui sont tous des facteurs importants pour un sportif.

Comment cesser de fumer?

Il est en général plus facile de cesser de fumer si on arrête brusquement. Ceux qui ne peuvent de leur propre initiative parvenir à arrêter de fumer doivent prendre contact avec une des consultations de sevrage du tabac qui existent dans les grands centres hospitaliers.

Conséquences de l'arrêt de fumer

Les conséquences positives immédiates lorsqu'on arrête de fumer vont se manifester déjà après environ une semaine:
— meilleurs sens du goût et de l'odorat et meilleure haleine;
— meilleure condition physique;
— moins de toux irritative.

A plus longue échéance, les conséquences positives consistent en:
— diminution des risques de maladies du cœur, du cerveau et des vaisseaux des membres inférieurs;
— diminution du risque d'être atteint de diverses maladies cancéreuses;
— diminution des risques des maladies des voies aériennes de longue durée.

Il peut cependant pour certains être difficile de cesser de fumer puisqu'il existe une dépendance. Au cours d'une période transitoire, celui qui cesse de fumer devient irritable, éprouve des difficultés de concentration, ressent des vertiges et présente de l'insomnie.

Beaucoup voient leur poids augmenter du fait de l'augmentation de leur appétit. Cette augmentation de poids peut parfois poser un grand problème. La bienséance exige que les fumeurs en premier lieu prennent en considération les personnes de leur entourage qui ne fument pas. Pour cette simple raison que l'enfumement passif est dangereux pour la santé. L'Organisation Mondiale de la Santé propose dans une résolution qu'il soit interdit de fumer dans les lieux publics. Il devrait également être interdit de fumer aussi bien dans les arènes sportives que dans les salles de réunion. Fumer du tabac doit seulement être permis en privé chez soi. Offrir une cigarette est en général considéré comme un geste amical. Cette attitude doit être changée.

Pour terminer, nous citerons Goethe:

«Fumer est une grossière impolitesse, un affront contre la société. Les fumeurs empestent l'air loin autour d'eux et asphyxient tout honnête homme qui ne se décide pas à fumer lui-même pour contre-attaquer».

Un bon moyen pour les fumeurs d'augmenter leur capacité de prestation est d'arrêter de fumer.

Tabac à chiquer

A la différence des fumeurs, le chiqueur échappe à l'absorption de goudron et d'oxyde de carbone. Il absorbe par contre une plus grande quantité de nicotine que le fumeur, puisque la nicotine passe dans le sang par l'intermédiaire de la muqueuse buccale. La nicotine exerce une action vasoconstrictrice des vaisseaux sanguins, ce qui entraîne une altération de la circulation sanguine avec pour conséquence une altération de l'approvisionnement en oxygène des muscles. Le cœur travaille plus rapidement et le système nerveux est influencé. Ces effets font que le chiqueur voit sa capacité de prestation diminuer.

Le tabac chiqué agit sur la muqueuse de la face interne de la cavité buccale et de petites vésicules peuvent s'y former. A l'endroit où la chique est placée la muqueuse se fronce pour ensuite prendre une coloration blanchâtre. Chez les personnes à muqueuse sensible, il peut se former des crevasses et des écorchures, lors d'un emploi prolongé, pouvant aller jusqu'à des modifications de type cancéreux.

Après une période de chiquage, la gencive peut être l'objet d'atteintes pathologiques. Le sujet qui chique doit être extrêmement minutieux avec le brossage des dents puisqu'une mauvaise hygiène buccale augmente le risque de déchaussement des dents. Même quand l'hygiène buccale est bonne, le chiqueur a mauvais haleine.

De même que pour les cigarettes et les autres présentations de tabac, le fait de chiquer provoque une dépendance — le besoin psychologique est cependant peut-être pas aussi fort chez les chiqueurs. L'usage largement répandu du chiquage parmi les sportifs est certainement une des causes de l'augmentation de son emploi parmi la jeunesse.

L'usage du tabac à chiquer tend à devenir un problème d'hygiène: les chiques utilisées sont jetées ou collées sur les murs ou le plafond des toilettes, des déshabilloirs et des salles de douche, etc. Outre leur caractère déplaisant, ces chiques usagées sont à l'origine d'une odeur que beaucoup trouve fort désagréable.

Obésité et embonpoint

Les personnes obèses sont habituellement moins actives que les personnes de poids normal et présentent de ce fait une musculature et un squelette plus faible. En association avec l'augmentation de charge, l'obésité augmente les risques de lésions et peut accélérer l'aggravation des lésions cartilagineuses.

La présence de graisse est un facteur de risque (quoique faible) de développement de maladies cardiaques et vasculaires.

L'excédent de graisse provient presque toujours de ce qu'on apporte au corps plus de calories qu'on en consomme. Cet excédent n'est dû qu'exceptionnellement à des troubles pathologiques. Le surplus de calories est toujours transformé en tissu graisseux qu'il provienne de lipides, d'hydrates de carbone ou de protides. Une personne qui exerce un métier sédentaire assis et qui ne pratique pas d'activités physiques pendant ses loisirs consomme environ 8 000 à 10 000 kj (kilojoules) par 24 heures (2 000 à 2 500 kcal/24 heures). Une alimentation complète du point de vue de toutes les substances nutritives nécessaires selon les recettes de notre alimentation traditionnelle entraîne une prise de calories quotidienne d'environ 10 000 à 12 000 kj (2 500 à 3 000 kcal), ce qui pour beaucoup de gens se situe très au-dessus de ce dont ils ont besoin. Le problème peut être résolu de 3 manières:

— manger une plus petite quantité d'aliments et veiller à ce que l'alimentation soit rationnellement composée.

— manger au bon moment au cours des 24 heures: si on mange le matin et au milieu de la journée, lorsqu'on est au travail, les conditions sont meilleures pour que soient utilisées les calories apportées que si on prend un grand repas juste avant d'aller au lit.

— augmenter son métabolisme énergétique en pratiquant un sport d'entretien ou toute autre activité physique.

Une association de ces 3 méthodes est à préférer.

Une composition rationnelle de l'alimentation est obtenue en mangeant surtout des viandes maigres, du poisson, des pommes de terre et d'autres légumes, du pain, des fruits et des baies ainsi qu'en réduisant la consommation de lipides et de glucides. Les graisses saturées donnent autant de graisse que les graisses polysaturées puisque ces 2 sortes contiennent la même quantité de kilojoules par gramme. Les graisses polysaturées sont cependant à préférer puisqu'elles ont un effet différent de celui des graisses saturées sur le taux de graisses dans le sang.

Un petit exemple de bilan va permettre de mettre en évidence l'importance de l'activité physique : un kilogramme de tissu graisseux correspond à 25 000kj (environ 6 000 kcal). Un excédent de 210 kj (50 kcal) par jour donne en un an 75 000 kj (18 000 kcal), ce qui est identique à 3 kg de tissu graisseux. On peut avaler ces 210 kj quotidiens (50 kcal) sous forme de 4 morceaux de sucre ou un chocolat aux pralines. Si on ne veut pas avoir à se passer de ces calories supplémentaires, on peut à la place marcher ou faire du jogging pendant un kilomètre par jour. Sous une forme un peu abrupte, cela revient à dire que celui qui veut conserver un poids normal peut choisir entre 2 solutions : mener une vie sédentaire et avoir souvent faim, et mener une vie physiquement active et grâce à elle pouvoir manger autant qu'il le désire.

Sur le tableau ci-dessous on trouvera le nombre de minutes qu'on doit consacrer à des exercices physiques d'entretien de diverses sortes pour consommer 400 kj (100 kcal). Ces valeurs concernent une personne qui a une condition physique moyenne, ce qui correspond à une capacité de prélèvement d'oxygène d'environ 3 litres/minute.

1. Course à pied	8 à 10 min
2. Ski de fond à cadence élevée	8 min
3. Cyclisme (également sur cyclergomètre)	11min
4. Natation, patinage de vitesse	12 min
5. Badmington	12 à 15 min
6. Gymnastique	15 min
7. Football et hockey sur glace	15 min
8. Tennis, promenade rapide	15 à 18 min
9. Jardinage	20 à 25 min
10. Promenade lente	25 à 30 min

DIVERS

Sudation et apport liquidien

Lors des efforts physiques, la température interne du corps, la température dite centrale, s'élève. Lorsque le corps n'est pas refroidi suffisamment par ventilation, par rayonnement et par perte de chaleur par l'intermédiaire de l'air expiré, la sudation commence et l'eau s'évapore de la peau. Elle débute au bout de 1,5 à 3 minutes de travail physique. Elle augmente ensuite de façon rectiligne pour atteindre au bout de 10 à 15 minutes un niveau stable.

Le corps humain est constitué de 70 % environ d'eau ; la plus grande partie de l'eau ne se trouve pas dans les cellules. Lorsqu'on sue, l'eau provient essentiellement des cellules et ce phénomène influence le métabolisme énergétique de celles-ci ; c'est le cas par exemple des cellules des muscles du squelette. C'est pourquoi les pertes d'eau entraînent rapidement une détérioration de la capacité de prestation et cette détérioration se manifeste habituellement dès une perte de liquide égale à 1 à 2 % du poids du corps. Si la perte de liquide atteint 4 à 5 % du poids du corps la capacité à effectuer un dur travail musculaire est réduite de près de 50 %. En cas de perte liquidienne supplémentaire, il existe un risque de collapsus et des collapsus se produisent pendant ou après les compétitions.

Apport liquidien

Pour qu'on puisse conserver sa capacité de travail physique au cours d'une longue séance de travail, il est de la plus grande importance d'apporter continuellement des liquides au corps. Dans les spécialités sportives ou les durées de compétition sont longues et où les pertes en liquide des sportifs importantes, il est presque impossible pour les sportifs de remplacer la totalité du liquide perdu au cours de la compétition elle-même. C'est pourquoi une prise correcte de liquide au cours des jours qui précèdent la compétition et pendant l'échauffement qui la précède est souhaitable.

Si la durée de la compétition est inférieure à 30 minutes, il n'est en règle générale pas besoin de prendre du liquide au cours de la compétition elle-même. La sensation de soif n'est pas un indice valable en ce qui concerne le remplacement de la quantité de liquide qui a été perdue par sudation. Le sportif qui ne boirait que pour ne plus ressentir la soif ne s'administrerait en général que la moitié environ de la quantité de liquide dont il a besoin. Pour empêcher la constitution d'un déficit liquidien, celui qui s'adonne à un dur travail physique doit ainsi absorber une plus grande quantité de liquide que celle dont il pense avoir besoin.

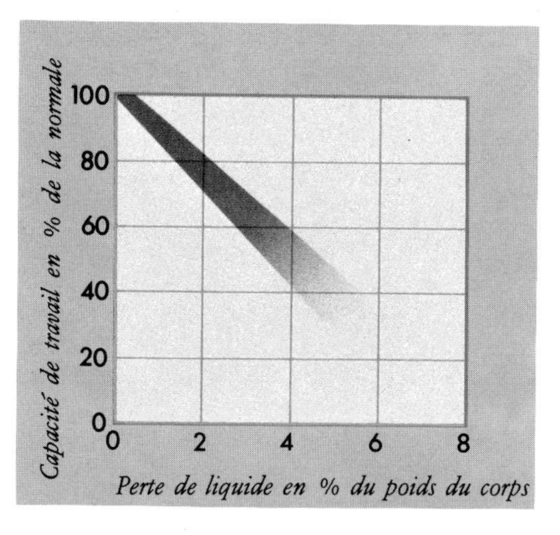

Diagramme illustrant la relation entre une perte de liquide et la baisse de la capacité de travail.

Le liquide qui est apporté au corps doit être composé de façon à ce qu'il remplace ce que le corps a perdu lors d'un dur travail physique. La substance principale est l'eau elle-même, mais les glucides consommés doivent également être remplacés. Le sucre est absorbé par le sang au niveau de l'intestin puis transporté aux muscles en travail ainsi qu'au cerveau et au système nerveux central. Si le taux de sucre sanguin baisse par trop au-dessous de la valeur normale, la capacité de prestation est altérée. On se sent alors las, confus et affamé et on peut être victime d'un collapsus. Le risque de blessures augmente car le jugement et la capacité de réaction sont atteints.

Une concentration en sucre trop élevée du liquide ingéré peut avoir des effets négatifs puisque le sucre à forte concentration n'est absorbé que lentement par l'organisme. Pour que le sucre puisse être absorbé le liquide doit parvenir à l'intestin; or le liquide stagne anormalement longtemps dans l'estomac en cas de concentration en sucre trop élevée, ce qui donne une sensation de pesanteur à son niveau. L'absorption de liquide dans le corps s'effectue indépendamment de l'intensité du travail. Il n'existe par conséquent aucune limitation d'absorption que le corps soit au repos ou qu'il effectue un dur travail. C'est la vitesse avec laquelle l'estomac se vide qui constitue le facteur limitatif.

Une intensité de travail élevée diminue cette vitesse et si au cours d'un dur travail physique on boit du liquide avec une trop forte concentration en sucre, l'estomac peut en conséquence presque cesser de se vider et le liquide ne passe pas dans l'intestin où il pourrait être absorbé. C'est pourquoi il est essentiel que les sportifs se ravitaillent en liquide, au cours des parties les plus faciles des compétitions, au moment des changements de joueurs dans les sports de ballons, pendant les pentes en faible descente lors des compétitions de ski de fond, etc. La boisson qui est ingérée au cours de l'entraînement et de la compétition doit avoir bon goût (être aromatisée par exemple par du citron) et être maintenue à la température de 25 à 30°.

Puisqu'il est difficile de boire plus que 1 à 2 décilitres de liquide à la fois, les prises de liquide doivent avoir lieu à courts intervalles (toutes les 15 à 25 minutes) et la mise à disposition de boissons doit être espacées de 5 à 6 kilomètres lors par exemple des courses d'orientation, des cross-country ou des courses de fond à ski. Plus le temps est chaud, plus souvent on doit boire et ceci également au cours des séances d'entraînement, d'une part pour s'habituer en prévision des compétitions d'autre part pour maintenir un bon rythme ce qui est au moins aussi important. Lors de tout entraînement qui dure plus de 20 à 40 minutes, on doit boire une solution sucrée plusieurs fois de suite.

On peut préparer soi-même la solution sucrée en dissolvant 75 g de sucre normal (ou de sucre de raisin) dans un litre d'eau. La teneur en sucre sera alors de 2,5 à 7,5 % c'est-à-dire aussi élevée que dans les boissons à usage sportif qui se trouvent actuellement dans le commerce.

Conseils pratiques

— On peut boire 2 à 5 décilitres de liquide au cours de l'échauffement.
— On doit boire une solution sucrée souvent et régulièrement au cours des activités sportives. En hiver la concentration en sucre doit être de 5 à 15 % et en été de 2,5 à 5 %.
— On doit boire de grandes quantités de liquide à la fin de l'activité physique.
— On peut également boire un demi-litre à un litre supplémentaire de liquide avant d'aller au lit.
— Peu importe ce qu'on boit.
— On doit contrôler son poids chaque matin car les modifications de poids dépendent de l'équilibre liquidien.

Alimentation

Valeur calorique des aliments

Pour pouvoir exécuter un travail musculaire, il faut de l'énergie. Celle-ci provient de la combustion ou de la dégradation de subtrats, substances riches en énergie, stockées dans l'organisme. Cette énergie sert à maintenir la température du corps à 37° ; ainsi qu'à entretenir les fonctions nécessaires à la vie des organes internes.

Lors du travail musculaire, le métabolisme énergétique devient 50 à 100 fois plus grand que lorsqu'on se trouve au repos.

Les tissus graisseux constituent la plus grande réserve de combustibles du corps. Un adulte de poids normal a environ 8 à 10 kg de tissu graisseux et une femme adulte 10 à 15 kg (cellules graisseuses plus tissu conjonctif) qui est situé dans différentes parties du corps. La combustion de tissu graisseux donne environ 25 kj/g (6 à 7 kcal). Les hydrates de carbone (par exemple le pain, le riz et les pommes de terre) que nous mangeons sont stockés sous forme de glycogène dans les muscles et dans le foie. Normalement il y a 10 à 15 g de glycogène par kilo de muscle dans le corps. Lors de la combustion, le glycogène donne environ 17 kj/g (4,1 kcal/g). Le glycogène des muscles et du foie qui représente ensemble 400 à 500 g peut par conséquent métaboliser au total 6 600 à 8 300 kj (1 500 à 2 000 kcal), ce qui correspond au métabolisme énergétique d'un skieur de fond ou d'un cycliste de l'élite au cours d'au plus une heure de compétition à forte vitesse. Le glycogène constitue ainsi une réserve d'énergie limitée.

Choix du combustible

Lors de la combustion pure d'hydrates de carbone, il est libéré 21 kj (5,1 kcal) et lors de la combustion pure de graisses 20 kj (4,7 kcal) par litre d'oxygène consommé. Au cours d'une compétition où le rythme est si élevé que le prélèvement d'oxygène des sportifs est maximal ou très voisin de celui-ci, les hydrates de carbone sont le combustible qui est brûlé le premier. Les acides gras sont cependant un aussi bon combustible que les hydrates de carbone. Plus la musculature est entraînée, plus les graisses seront brûlées. Les graisses sont dégradées plus lentement que par exemple le glucose et la présence d'oxygène est nécessaire pour que les graisses puissent être brûlées. En langage populaire, on peut dire que les hydrates de carbone sont un combustible «à plus haute teneur en octanes» que les graisses.

Au repos et au cours d'un travail musculaire modéré avec une faible mise en charge des organes de transport d'oxygène, le corps choisit principalement les graisses comme combustible.

Lorsque sous l'effet du travail musculaire, le prélèvement d'oxygène dépasse 75 % du prélèvement maximal d'oxygène les hydrates de carbone de l'organisme deviennent la source d'énergie absolument prédominante. Les hydrates de carbone (glycogène) représentent le principal combustible utilisé au cours des compétitions quelle qu'en soit la durée: longue ou courte. Quand le glycogène commence à manquer, l'organisme se met progressivement à brûler des graisses et le rythme va baisser. Le manque de glycogène a été dans de nombreuses compétitions le facteur directement déterminant du résultat final.

Normalement, les réserves de glycogènes suffisent au corps pour les compétitions qui ne durent qu'une heure. Pour des compétitions qui dureraient plus longtemps que celles-ci, un certain emmagasinement alimentaire est recommandé.

Compétition de courte durée

Avant des compétitions qui durent au maximum une heure, aucune charge alimentaire spéciale n'est nécessaire. Les réserves en glycogène dont le corps dipose normalement suffisent. Une prise inutilement importante d'hydrates de carbone ferait qu'on augmenterait de poids, puisque de grandes quantités de liquides sont liées aux muscles et au foie lors du stockage du glycogène (1 g de sucre liant 3 g d'eau).

Au moins 3 à 4 heures avant chaque compétition, on prend un repas léger à digérer. Celui-ci ne suffit pas pour stocker du glycogène et il sert plutôt à éviter d'avoir la fringale au cours des circonstances de compétition.

Compétition de longue durée

Avant des compétitions qui durent de 1 à 3 heures, on doit apporter une attention particulière à la préparation alimentaire. S'il s'agit de spécialités qui font fortement appel à la condition physique par exemple la marche, la course d'orientation, le cyclisme, le ski de fond ou le canoë, et où le risque est grand que le glycogène soit épuisé au cours de la compétition, au cours des jours qui précèdent une compétition, les repas doivent en conséquence être constitués d'une nourriture riche en hydrates de carbone. Il faut environ 48 heures pour remplir les réserves de glycogène. Au cours de cette période aucun entraînement trop prolongé ou trop dur ne doit être effectué puisque les réserves de glycogène constituées pourraient alors être consommées.

Compétition de très longue durée

Lors des compétitions qui durent plus de 3 heures, par exemple la course de ski de grand fond: Vasaloppet, ou la course de bicyclette: Vättern Runt, le résultat final dépend dans une certaine mesure des réserves en glycogène du corps au départ. Pour acquérir des réserves de glycogènes beaucoup plus élevées, on peut se préparer de la façon suivante:

7 jours avant le jour de compétition, on effectue une compétition d'une durée d'au moins 2 heures ou une séance d'entraînement équivalente, à la suite de laquelle les réserves de glycogène seront presque vides. Au cours des 3 jours suivants on s'entraîne, ou on essaye de s'entraîner, même si c'est pénible à la fois physiquement et psychiquement. La séance d'entraînement doit être assez longue. Au cours de ces jours, l'alimentation ne doit pas comporter d'hydrates de carbone et elle doit être constituée seulement de petites quantités de lipides et de protides.

Quand il ne reste plus que 3 jours avant la compétition, la charge alimentaire commencera. La nourriture devra alors pour la plus grande part être constituée d'hydrates de carbone et également un supplément liquidien devra être fourni au corps. Les réserves en glycogène vont à ce moment-là être doublées ou triplées par rapport à la normale (voir diagramme page 144).

Plus le glycogène sera disponible en quantité suffisante, plus un rythme élevé pourra être conservé pendant la plus grande partie de la compétition. Un meilleur stockage de glycogène sera encore réalisé si on observe un repos complet pendant les 72 heures qui précèdent la compétition. Si un entraînement doit être effectué, il doit être léger et de courte durée.

> L'épuisement des réserves en glycogènes et un taux bas de sucre sanguin détériorent aussi bien la capacité de prestation physique que la capacité de prestation psychique, et le risque de blessures augmente.

Le fonctionnement cellulaire, dans le cas par exemple de travail musculaire, dépend de ce que le corps contient une quantité suffisante de sel. De trop grandes pertes de sel se traduisent par une baisse de la capacité

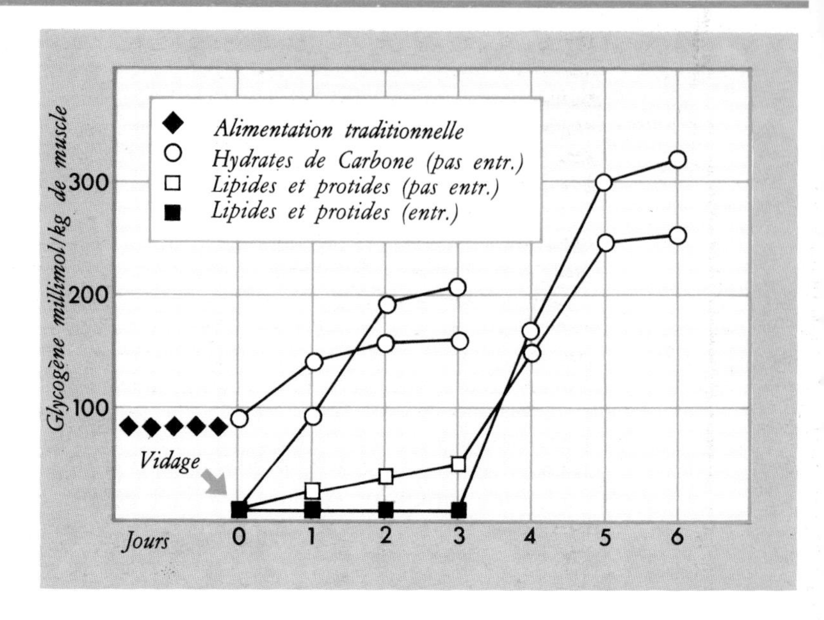

Concentration en glycogène dans les muscles lors de différents types de régime. On obtient les valeurs les plus élevées après 3 jours de régime lipidoprotidique avec entraînement chaque jour suivi de 3 jours de régime riche en hydrates de carbone sans entraînement. Le régime spécial extrême doit seulement être envisagé de rares fois par saison lorsqu'on veut obtenir un stockage extrêmement élevé en glycogène.

de prestation et dans certains cas des crampes. La concentration en sel dans la sueur est nettement plus basse que dans le sang (0,2 % comparativement à 0,9 %), c'est pourquoi la sudation fait augmenter la concentration de sel dans le corps.

Cette concentration en sel diminue cependant sous l'effet d'un apport liquidien correct. Pour ceux qui désirent avoir une marge de sécurité, l'apport d'une petite quantité de sel supplémentaire est recommandée au cours des jours qui précèdent une course de longue durée ou après une longue séance d'entraînement ou de compétition.

Les coureurs d'élite n'ont en règle générale pas besoin d'apporter à leur organisme une quantité supplémentaire de sel au cours d'une course de grand fond comme par exemple: Vasaloppet, mais le skieur qui pratique le ski comme activité physique d'entretien et qui boit considérablement plus de liquide peut avoir besoin d'un supplément de sel vers la fin d'une course de grand fond.

Vitamines

Chaque organisme humain a besoin d'une certaine quantité de vitamines, mais il n'existe aucune indication pour un excédent de vitamines. En consommant une alimentation ménagère normale, on dispose en règle générale de toutes les vitamines dont on a besoin et les préparations vitaminées sont pour cette raison superflues.

Substances protidiques

Le chapitre qui traite de l'entraînement (voir page 84 et suivantes) insiste sur le fait que le repos constitue une part importante de l'entraînement. Au cours des périodes de repos, des cellules sont détruites et de nouvelles cellules s'édifient. Pour pouvoir édifier de nouvelles cellules le corps doit être approvisionné en substances protidiques. Chez les adultes, le besoin est d'environ un gramme par kilo de poids corporel et par jour; chez les enfants, le besoin est encore plus grand. Le besoin quotidien en protides pour un adulte est par conséquent d'environ 40 à 80 g. Pour un sportif se livrant à un dur entraînement, le besoin est plus grand et le corps doit alors s'adapter à un métabolisme protidique plus élevé. Mais l'hypothèse: «En mangeant 2 fois plus de protides, je serai 2 fois plus fort» n'est pas valable. Le corps peut seulement tirer profit d'une prise quotidienne de protides d'environ 150 à 200 g au plus. L'excédent est stocké sous forme de graisses ou disparaît par élimination urinaire sous forme d'azote. Acheter des suppléments alimentaires sous la forme de préparations à base de protides onéreuses est un gaspillage d'argent et pourtant de nombreux sportifs en achètent. Dans la grande majorité des cas, les protides que contiennent ces préparations ne sont pas meilleures que celles qu'on peut obtenir en mangeant de la viande, du fromage, des œufs, du lait et du poisson.

Méthodes de traitement des blessures dues au sport

Pour obtenir une guérison satisfaisante des blessures, il est nécessaire qu'elles soient traitées de façon correcte au bon moment. Le traitement doit reposer sur un diagnostic correct. La condition principale pour qu'un tel diagnostic soit effectué réside dans le recours à un médecin. Une collaboration intime entre le blessé, le dirigeant sportif, le médecin, le kinésithérapeute et d'autres éventuellement, est cependant d'une importance déterminante car ceux-ci se complètent les uns les autres en apportant leurs connaissances respectives. Un bon travail en équipe conduit en général au meilleur résultat.

Les blessures dues au sport sont souvent des blessures aiguës qui sont causées par des traumatismes sur le terrain de sport. Il est essentiel que de telle blessures soient immédiatement soignées pour que l'hémorragie et la tuméfaction puissent être limitées. Plus le traitement sera instauré rapidement, plus la guérison se produira rapidement. Les règles de conduite pour ce traitement figurent page 62 et suivantes.

Beaucoup de blessures dues au sport sont causées par une surcharge, et le traitement de celles-ci doit suivre certaines règles de conduite pour qu'il puisse être efficace. Diverses alternatives pour le traitement des blessures dues au sport sont données dans ce chapitre.

Repos et mise en décharge

En règle générale, en présence d'une blessure, la mise au repos de la région du corps atteinte est nécessaire. Pour que le meilleur résultat puisse être obtenu, il est parfois indiqué que le sportif garde le lit. En cas, de lésions par surcharge et de certaines lésions des ligaments articulaires avec tuméfaction, un traitement par plâtre peut être précieux pour que le sportif blessé puisse observer le repos. Egalement après une intervention chirurgicale, le repos est à recommander.

Le repos en élévation, c'est-à-dire avec la région du corps blessée placée plus haut que le reste du corps, est souvent nécessaire lorsque la blessure est dans sa phase aiguë. Le flux sanguin diminue, et le flux de retour du sang est facilité. Lors du repos en surélévation, la région du corps atteinte est en décharge.

Le repos en décharge mais où un travail musculaire actif peut être toléré dans certains types de blessures, par exemple, les lésions articulaires ou les hémorragies musculaires immédiatement après que la blessure se soit produite ou quelques jours plus tard.

Des exercices en charge viennent souvent ensuite constituer l'étape de progression naturelle en rééducation fonctionnelle après qu'une phase de repos ait été suivie d'un entraînement de mobilisation en décharge. Les exercices de mobilisation en charge peuvent être exécutés sous la forme d'une augmentation progressive de la charge du membre inférieur atteint ou d'un entraînement à la fois de la mobilité et de la force de l'épaule en cas de blessure de l'épaule.

En règle générale, le repos est exigé jusqu'à ce que la douleur cède, que la tuméfaction et la douleur régressent et que ces 2 signes ne réapparaissent pas à l'effort. Lors des lésions de l'articulation du genou, le blessé doit cependant essayer de contracter les muscles antérieurs et postérieurs de la cuisse immédiatement après l'examen médical et ensuite continuer à entraîner de façon statique ces muscles pour diminuer l'atrophie musculaire.

Repos actif

Le sujet qui a été victime d'une blessure n'a en règle générale aucune raison de se reposer complètement mais il lui est recommandé d'observer le repos seulement pour la région du corps blessée. Les autres parties du corps doivent être entraînées avec un travail musculaire actif.

Repos actif.

Conseils pour un blessé traité par plâtre

Même lorsqu'une région du corps blessée est traitée par plâtre, les autres parties du corps doivent être entraînées et un entraînement de la condition physique doit être pratiqué. Le sujet qui a, par exemple, la jambe plâtrée, peut maintenir sa condition physique en faisant de la bicyclette ou tout autre exercice analogue. En cas de traitement plâtré de longue durée, un plâtre qui supporte l'eau peut être employé de façon à ce que le blessé puisse se doucher.

Lorsqu'une douleur, une sensation de pression ou d'engourdissement se produisent dans une région du corps traitée par plâtre, on doit se mettre en relation avec l'hôpital afin que le plâtre soit corrigé ou changé. Une région du corps qui est traitée par plâtre doit être maintenue en position surélevée et des contractions statiques répétées des muscles statiques doivent être effectuées dans la région du corps blessé. Un certain entraînement de la mobilité à l'intérieur d'une amplitude de mouvement limitée peut être possible, si on employe un plâtre articulé en cas de fractures ou de lésions du genou. La nutrition de l'articulation est alors améliorée et la diminution du volume musculaire est réduite.

Traitement par refroidissement

Le traitement par refroidissement est une mesure thérapeutique fréquente et importante, spécialement pour les lésions aiguës des tissus mous. En relation avec ces lésions, il se produit souvent une importante hémorragie et une désagrégation des tissus surtout cutanés et musculaires. L'augmentation de l'hémorragie fait augmenter la pression dans les tissus ce qui entraîne le risque d'autres lésions tissulaires.

La réaction du corps à ce type de lésions est une inflammation aiguë (voir page 39 et suivantes). Le processus inflammatoire est palliatif et a pour but de guérir les tissus blessés. Le délai de guérison est cependant en relation directe avec l'importance de l'hémorragie et de la tuméfaction.

Le refroidissement des tissus est employé en association avec le traitement des lésions aiguës ainsi que lors du traitement des douleurs, de l'œdème tissulaire, de la raideur musculaire, etc. Le refroidissement des tissus amène une vasoconstriction des vaisseaux sanguins dans le territoire de la zone atteinte et dans les parties avoisinantes. Lors du refroidissement, le flux sanguin dans les muscles diminue également. De cette façon la zone blessée reçoit une plus petite quantité de sang et à la fois l'œdème et la douleur diminuent. Plus l'hémorragie sera petite, plus le processus de guérison sera rapide.

Pour être efficace, le froid doit pénétrer en profondeur à travers les tissus atteints. Le traitement par application de froid doit enfin être de relativement longue durée. En règle générale, plus le muscle (ou l'articulation) est grand, plus longtemps le traitement devra durer. Il est préférable d'utiliser des compresses refroidissantes spéciales qui ont une longue durée d'action et qui font pénétrer le froid en profondeur. Il existe cependant un risque de lésions locales causées par l'application de froid, c'est pourquoi la peau qui recouvre la région blessée doit être protégée. On peut, par exemple, intercaler une couche de bande élastique avant de placer la compresse froide sur la région du corps blessée.

Le traitement par refroidissement peut également avoir une action locale calmante de la douleur, que le sportif considère comme très positive. L'atténuation de la douleur ne doit cependant absolument pas avoir pour effet que le blessé reprenne immédiatement son activité sportive. L'étendue véritable de la blessure peut en effet être cachée par l'action d'atténuation de la douleur du refroidissement et une reprise directe de l'activité sportive pourrait aggraver considérablement la blessure.

Après un traitement par refroidissement le blessé, ne doit pas reprendre immédiatement son activité sportive, puisque le degré de gravité et l'étendue de la blessure sont masqués par l'action calmante de la douleur du refroidissement.

Le traitement par refroidissement peut être employé avec avantage en cas de blessure puisque :
— le blessé ressent rapidement une amélioration des symptômes ;
— le traitement est facile à appliquer et il est bien toléré par le blessé ;
— il existe peu de contre-indications ;
— le traitement n'est pas onéreux.

Le traitement par refroidissement entraîne :
— une diminution de l'hémorragie par suite de la vassoconstriction des vaisseaux sanguins et de l'augmentation de la viscosité du sang. La diminution de l'hémorragie dans la région blessée raccourcit le processus de guérison ;
— une diminution de la sensation douloureuse et de la contracture musculaire associée à une amélioration de l'irrigation sanguine dans les tissus avoisinants non blessés ;

— une diminution de la circulation sanguine dans les petits vaisseaux sanguins (les capillaires) ce qui diminue l'œdème ;
— une baisse de métabolisme dans les tissus ce qui diminue le risque que des lésions tissulaires puissent être aggravées par déficit local en oxygène. Le traitement par refroidissement peut également être employé lors des états inflammatoires qui sont causés par surcharge, comme par exemple «le coude du joueur de tennis».

Le massage avec de la glace est une forme de traitement qui donne une vassoconstriction locale, ce qui après la fin du traitement amène une dilatation des vaisseaux sanguins avec augmentation de l'irrigation sanguine comme conséquence. Le massage avec de la glace est employé pour le traitement et la rééducation fonctionnelle des blessures et son effet peut être renforcé en alternant traitement par le chaud et traitement par le froid.

Employé de façon judicieuse, le traitement par refroidissement est de grande valeur lors du traitement et de la rééducation fonctionnelle des blessures dues au sport.

Traitement par la chaleur

La chaleur a depuis des milliers d'années été employée pour le traitement des différents états douloureux. L'expérience a montré que la chaleur a un effet positif, entre autres, sur les douleurs en relation avec les états inflammatoires. L'inflammation est un mécanisme de défense propre au corps humain à la fois lors des lésions par accidents et lors des lésions par surcharge (voir page 18 et suivantes). Les lésions par accidents, par exemple les lésions des ligaments de l'articulation de la cheville et les ruptures musculaires, sont souvent traitées de façon aiguë par, entre autres, refroidissement et bandage pour pouvoir limiter l'hémorragie dans la région blessée. Lorsque cet objectif a été atteint, après environ 48 heures, le traitement par la chaleur peut être mis en route pour aider à la guérison. Dans la phase de guérison, une augmentation de l'irrigation sanguine de la région blessée est intéressante puisque le processus de guérison est influencé favorablement.

L'effet peut être le plus important du traitement par la chaleur est que les fibres collagènes sont influencées. Un tendon est constitué de 90 % de fibres collagènes et de 10 % de fibres élastiques. Le collagène est une substance visco-élastique grâce à laquelle plus un tendon sera mis en charge rapidement, plus il deviendra dur (diminution d'élasticité) et moins extensible (diminution de plasticité). La chaleur augmente l'élasticité et la plasticité. Les fibres collgènes deviennent ainsi après échauffement plus extensibles et plus réceptives aux mesures de rééducation fonctionnelle généralement appliquées.

La chaleur peut être employée dans les périodes de prévention et de rééducation principalement des lésions par surcharge et dans les séquelles ruptures musculaires et tendineuses. La chaleur est également un facteur très intéressant au cours des exercices d'échauffement, avant une séance d'entraînement et une compétition, ainsi qu'en cas de temps froid, car la chaleur augmente l'extensibilité des articulations.

Le traitement par la chaleur amène une atténuation de la douleur, augmente l'irrigation sanguine, permet aux fibres collagènes de devenir plus extensibles et revêt une grande importance comme mesure de prévention et de rééducation fonctionnelle.

Lampes chauffantes, Sauna, etc.

Les lampes chauffantes, les compresses chaudes, les bains chauds, le sauna, ont une action d'augmentation de l'irrigation sanguine et agissent, entre autres, sur les douleurs d'entraînement.

Ondes courtes

Lors du traitement par ondes courtes, un courant alternatif de haute fréquence passe à travers le corps et engendre de la chaleur également dans les tissus assez profondément situés. Le traitement par ondes courtes est employé dans les états douloureux des articulations, des muscles et des tendons, mais leur effet est douteux.

Ultrasons

Les ultrasons produisent de la chaleur par un effet de vibration. L'effet de chaleur est obtenu également en profondeur au niveau de la région traitée. La fréquence des ultrasons se situe au-dessus de 20 000 oscillations par seconde. En plus de leur effet calorique, les ultrasons sont considérés comme ayant une action calmante de la douleur.

Le traitement par les ultrasons est employé lors des douleurs au niveau des insertions tendineuses, lors des inflammations des tendons et des bourses. Les tissus nerveux peuvent éventuellement être lésés par un traitement par ultrasons.

Exemple de compresse chaude qui a été chauffée dans de l'eau chaude. La compresse doit être utilisée enveloppée dans du tissu-éponge.

Compresses chaudes

Les compresses chaudes renferment un gel qui peut conserver à la fois le froid ou la chaleur. Ces compresses sont chauffées dans de l'eau chaude avant d'être appliquées sur la région qui doit être traitée par la chaleur.

Bandages chauffants

Les bandages «chauffants» sont des bandages qui sont tissés en matériau synthétique dont la propriété est de conserver et d'accumuler efficacement de la chaleur dans la région du corps qui est entourées par le bandage. Les bandages chauffants dont on dispose peuvent être employés aussi bien au repos qu'au cours de l'entraînement, la compétition et le travail. L'effet de chaleur est obtenu à la fois lors du repos et lors de l'activité, ce que des études ont démontré.

Les bandages «chauffants» ont été expérimentés cliniquement aussi bien dans un but de prévention des blessures que dans un but de prévention des rechutes de blessures antérieures et pour le traitement des diverses lésions par surcharge et par accident. Les résultats de l'expérimentation ont été bons. En amenant une atténuation de la douleur, l'élasticité des tissus est améliorée et l'amplitude de mouvement peut être conservée et augmentée. L'emploi des bandages «chauffants» est intéressant non seulement lors de la rééducation après lésions des ligaments des articulations du genou et de la cheville mais également lors des divers états douloureux en relation avec les lésions musculaires et les articulations atteintes d'arthrose.

Les bandages «chauffants» sont tissés avec un matériau percé de petits trous, ce qui lui confère un faible pouvoir d'absorption des liquides et

Exemple de protection conservant la chaleur.

une bonne capacité à conserver la chaleur. Le bandage protecteur possède une certaine élasticité, ce qui lui permet de rester en place sans empêcher les mouvements de la région bandée du corps. Ils exercent en outre une certaine action de soutien et une contre-pression qui peut être intéressante en cas d'œdème.

Des bandages «chauffants» qui sont adaptés à la plupart des articulations et des types de blessures sont disponibles. Ces bandages protecteurs peuvent généralement être employés comme une forme simple de traitement par la chaleur. Ils constituent un complément plein d'intérêt aux autres moyens de traitement et peuvent être employés aussi bien dans un but préventif que lors du traitement des lésions par surcharge ou par accident à la fois lors de la pratique du sport ou des loisirs de plein air, du travail professionnel ou des soins pour maladie.

Bandages

Bandage de soutien

Différentes sortes de bandages de soutien sont employées selon le degré de stabilité qui est recherché.

Bandes élastiques

Les bandes élastiques sont constituées de coton et de fils de caoutchouc. Ces bandes conviennent bien pour fixer un pansement lors des lésions par plaie ainsi que les compresses froides lors des lésions des tissus mous. Les bandes élastiques peuvent être employées également comme pansement compressif lors des lésions aiguës, par exemple les entorses de l'articulation de la cheville.

Les bandes élastiques se déforment sous l'effet de la traction et finissent par s'étendre après un certain temps d'utilisation. C'est pourquoi elles ne conviennent pas comme pansement permanent. Un de leurs avantages est d'être lavables et de pouvoir être réutilisées.

Bandes collantes élastiques (Elastoplaste)®

La capacité d'adhérence des bandes collantes élastiques leur confère un bon ancrage. Le bandage sera stable et souple et convient bien pour les lésions des ligaments du genou, de la cheville et du poignet. Les bandes collantes élastiques peuvent aussi être employées comme bande de strapping dans un but de prévention au cours de la phase de récupération après une blessure.

Le principal inconvénient des bandes collantes élastiques est qu'il faut les remplacer souvent et qu'elles ne peuvent être réemployées.

Bandes de strapping

(Voir page 153 et suivantes.)

Bandes élastiques autofixantes

Les bandes élastiques autofixantes sont constituées de fibres de polyester non tissées avec une double densité de brins. Elles s'attachent les unes aux autres sans se fixer sur la peau. La bande n'empêche pas les fonctions normales de la peau et n'occasionnent pas d'irritations. Elles ne lâchent pas dans le bain et sèchent rapidement après qu'elles aient été mouillées.

Les bandes élastiques autofixantes peuvent être employées aussi bien dans un but préventif qu'au cours de la phase de récupération après une blessure. Elles permettent de faire un pansement stable mais en même temps souple qui prend peu de place et tient dans les chaussures lorsque le bandage est posé sur un pied. Si une technique correcte de bandage est employée de façon à ce que l'élasticité de la bande ne soit pas dépassée, les bandes élastiques autofixantes peuvent être employées comme pansement permanent lors par exemple des lésions des ligaments et d'autres tissus mous.

Immobilisation plâtrée

Lorsqu'il est nécessaire d'immobiliser de façon stable une blessure (fractures, lésions des ligaments) et lorsqu'une immobilisation absolue est nécessaire (lors d'une inflammation tendineuse) le pansement plâtré est de loin le meilleur type de bandage. Selon la nature de la blessure, un entretien musculaire à l'intéreur du plâtre peut parfois être tolérée par exemple au moyen d'un entraînement isométrique. Un plâtre doit en principe englober la région blessée ainsi que les articulations sus et sous-jacentes. Dans une dernière phase du traitement, un plâtre articulé peut faciliter la guérison de la blessure.

Scotchcast

Le «*Scotchcast*®» est constitué d'un tissu en fibres de verre qui est imprégné avec un composé plastique, qui durcit dans l'eau froide. Ce pansement plastique devient modelable 5 à 7 minutes après avoir été trempé dans l'eau froide et peut alors être posé autour de la région du corps blessée et servir d'attelle. Au bout de 30 minutes, le pansement tolère une mise en charge. Le «Scotchcast» est employé avec avantage pour la fixation temporaire ou de longue durée des régions du corps et permet les bains, la douche et la natation, etc.

Pansement lors d'une blessure par plaie (Voir page 54 et suivantes.)

Au cours des dernières années, il s'est produit un rapide développement en ce qui concerne les pansements en matière plastique. Différents types de pansements en matière plastique avec des propriétés différentes sont disponibles, ce qui augmente les possibilités d'emplois de ces pansements pour le traitement des blessures.

Orthoplast® est disponible sous forme de plaques qui se ramollissent et deviennent modelables lorsqu'on les chauffe. La chaleur de l'eau chaude suffit pour ramollir la matière plastique qui ensuite durcit à la température de la pièce. L'Orthoplast est un bon moyen de fixation temporaire d'une blessure à la phase aiguë ainsi que de protection temporaire pour une blessure au cours du processus de guérison et de la rééducation fonctionnelle.

Strapping

Le strapping est une méthode de traitement couramment employée chez les sportifs. La méthode a été mise au point par des entraîneurs sportifs, il y a trente ans déjà, et elle a ensuite été adoptée par les médecins du sport. Le strapping est en passe d'être accepté comme méthode de traitement dans le monde entier.

Les sportifs sont souvent atteints de lésions musculaires, tendineuses et ligamentaires qui mettent un temps relativement long à guérir. Un sportif doit en règle générale cesser toute activité sportive au cours de la phase de guérison et l'entraînement ne doit pas être repris avant la guérison complète de la lésion. A une période de repos succède un entraînement progressif de restauration. La durée de cette période varie selon la nature de la lésion et son étendue. Il s'écoule, en règle générale, une très longue période avant qu'un ligament ou un muscle ne recouvre complètement toute sa force et toute sa mobilité.

Une lésion récemment guérie constitue un point faible. Les tissus récemment cicatrisés sont facilement lésés à nouveau lors d'une reprise trop précoce ou trop forte de l'entraînement. Le risque de récidive d'une blessure diminue grâce à un soutien correctement appliqué par exemple la pose d'un strapping.

Le principe fondamental du strapping est qu'il doit soutenir une région du corps affaiblie en empêchant les mouvements du corps qui la sollicitent sans cependant par ailleurs limiter la fonction de cette partie du corps. Un tel objectif idéal est cependant difficile à atteindre : même avec un strapping correctement posé, il est difficile de donner un soutien à la région précédemment blessée sans influencer par ailleurs sa fonction.

Domaines d'utilisation

1. Lésions aiguës
Il existerait de grands risques à poser un strapping en cas de lésion aiguë. Le strapping appliqué sur une zone œdématiée avec une hémorragie pourrait, avec une bande non élastique, occasionner des troubles circulatoires graves. *La pose d'un strapping à la phase aiguë ne doit être effectuée que par un médecin expérimenté.* En pareil cas, une bande élastique doit être utilisée. Pour pouvoir effectuer un strapping d'une lésion aiguë il faut qu'un examen clinique minutieux soit effectué au préalable comprenant un test précis de laxité. Lorsqu'il existe des signes de rupture totale, le strapping ne doit jamais remplacer un autre traitement médicalement indiqué, car le blessé pourrait éprouver une fausse sécurité et reprendre son activité sportive et, ainsi aggraver la blessure.

2. Strapping préventif
On s'est demandé si la pose d'un strapping sur une articulation de la cheville saine dans un but de prévention n'allait pas augmenter le risque de survenue de lésions du genou, puisque les conditions mécaniques sont modifiées. Des études ont montré qu'aucune augmentation notable du nombre des lésions du genou ne se produisait à la suite de la pose d'un strapping de l'articulation du pied. D'autres études ont montré que le strapping à titre préventif pouvait diminuer le nombre des lésions ligamentaires de l'articulation de la cheville et pour cette raison être intéressante dans les sports où l'articulation de la cheville est particulièrement exposée à des traumatismes. Il existe de nombreux sportifs qui sont exposés à des traumatismes répétés et qui ont contracté peu à peu des lésions des ligaments articulaires, par exemple de l'articulation de la cheville. Ces ligaments deviennent plus faibles et plus longs. En pareil cas, lorsqu'il s'agit de contribuer à la stabilité de l'articulation, le strapping trouve un important domaine d'application. S'il existe une instabilité croissante, l'intervention chirurgicale doit être discutée.

3. Strapping au cours de la phase de restauration
Le strapping trouve son application la plus importante dans le cas de rééducation fonctionnelle après une lésion opérée ou guérie spontanément. Il est devenu fréquent que le sportif utilise le strapping lorsqu'il reprend son activité sportive après une blessure. Aux U.S.A., on a mis en cause la valeur réelle de ce mode de traitement étant donné qu'il n'existe pas de preuves décisives de son efficacité. Des études scientifiques ont montré que le strapping de l'articulation du genou ne donne aucun soutien de stabilité notable. Après un strapping pour instabilité latérale du genou, il ne subsiste après aucun soutien véritable plus que le sujet strappé se soit adonné à une dure activité physique pendant cinq minutes.

On doit adopter une position raisonnablement critique vis-à-vis du strapping mais il ne doit pas être considéré comme un moyen thérapeutique de second ordre contre une multitude de lésions différentes. Bien employé, le strapping peut être intéressant après une blessure.

Différents types de strapping

La bande qui est habituellement utilisée doit être absolument non élastique. Elle est disponible en deux largeurs: 3,75 et 5 cm. La couche adhésive est perforée et la bande est facile à enlever. En étirant la bande à l'avance, on peut obtenir une limitation solide et précoce de l'amplitude de mouvement.

Risques généraux encourus avec le strapping

— Le strapping peut, dans certaines situations, occasionner des troubles circulatoires, par exemple en cas de lésions aiguës.
— Il existe des médecins qui pensent qu'un strapping peut rester jusqu'à une semaine en conservant son efficacité mais l'effet du strapping est certainement limité à la longue. Le strapping ne doit jamais constituer une solution durable et il existe peu de raisons qui autoriseraient de garder un strapping une semaine entière.
— Il existe un risque d'irritation cutanée si la bande reste directement en contact avec la peau pendant une période prolongée. La bande peut certes être posée directement sur la peau jusqu'à une semaine sans qu'on ne voit apparaître d'irritation mais en règle générale, on ne doit pas employer la bande directement sur la peau plus de quelques heures seulement à la fois. Si la bande doit rester pendant une période plus longue, on doit mettre dessous un matériau de protection recouvrant la peau. La bande peut occasionner des irritations cutanées par suite de réactions allergiques, ainsi que des irritations cutanées mécaniques et chimiques. En outre, la peau peut être irritée par la sueur, les bactéries ou le prurit. Pour diminuer le risque d'irritation cutanée, certaines bandes sont enduites au dos d'une couche d'oxyde de zinc.

Conseils pratiques

On acquiert des connaissances sur le strapping par l'enseignement et par sa propre expérience. Au début, le strapping doit être posé lentement et il n'y a que l'entraînement, encore et toujours, qui permette d'apprendre à poser un strapping rapidement et avec sûreté.
— Les poils de la région qui doit être bandée seront rasés. La présence d'écorchures ou d'eczéma impose d'attendre que ces lésions soient guéries avant de poser un strapping.
— La peau de la région qui doit être bandée doit être nettoyée. Si elle est grasse ou recouverte de sueur, la bande adhère mal. Un aérosol d'une substance adhésive doit être employé pour mieux faire tenir le bandage.
— Une bande de fine mousse de polyuréthane formant sous-couche, une crème adhésive ou une substance plastifiante des plaies (Nobecutan) peuvent être appliquées au contact de la peau. On doit employer une de ces sous-couches toutes les fois où le strapping doit rester pendant un certain temps ou s'il existe une hypersensibilité cutanée.
— Un strapping ne doit jamais être posé autour d'une articulation œdématiée puisque des troubles circulatoires pourraient alors survenir.
— En principe, le strapping doit être commencé plus haut que la région blessée, passer en pont au-dessus et se terminer plus bas.
— La bande adhère mieux sur la bande que sur la peau, c'est pourquoi on doit commencer à poser un «ancrage» de bande de chaque côté de l'articulation blessée. Le ligament articulaire atteint, qui par conséquent doit être «mis en décharge», doit lors du strapping, être maintenu détendu. Si par exemple, un ligament latéral externe du pied est atteint, le pied doit être porté en éversion et la bande doit maintenir cette position.
— Les plis et les inégalités dans le bandage doivent être égalisés puisque dans le cas contraire, des ampoules et des irritations cutanées pourraient être occasionnées par la bande. L'efficacité du bandage diminue également si la bande fait des plis.

— La bande doit être enlevée avec prudence. On doit de préférence essayer de décoller la peau de la bande au lieu de détacher la bande de la peau. Les bords de la peau sont souvent difficiles à libérer mais peuvent parfois être tirés en arrière en maintenant la peau tendue et en l'éloignant de la bande. Enfin, le strapping peut être retiré en utilisant un couteau à bande ou une paire de ciseau à bande ainsi que des agents dissolvants.

Le sportif auquel un strapping a été posé doit être interrogé sur la façon dont la bande se comporte: si elle écorche, si elle irrite et si elle occasionne une douleur de quelque façon que ce soit, on doit rectifier ou recommencer le strapping car c'est toujours celui auquel le strapping a été posé qui a raison.

Précautions pour certaines localisations

La bande adhère à la peau et la fixe. Entre la peau et les muscles, les tendons et les articulations, il existe une quantité variable de graisse souscutanée et la peau peut se déplacer légèrement par rapport aux tissus sousjacents au niveau de la plupart des zones des extrémités. Du point de vue purement mécanique, l'effet du strapping au niveau de telles localisations est douteux. L'efficacité du strapping au niveau par exemple d'une rupture musculaire de la cuisse est discutée.

Le strapping doit en premier lieu être employé pour les articulations où la tendance de la peau à se déplacer peut être bloquée dans une direction par exemple au niveau des articulations de la cheville, du poignet, des doigts. Au niveau de ces articulations, le strapping peut apporter un bon soutien au fonctionnement articulaire. Nous indiquons ci-dessous la façon de réaliser le strapping de ces articulations. Pour avoir des informations complémentaires sur le strapping, consulter la liste de références bibliographiques page 449 et suivantes.

Strapping d'une lésion du ligament latéral interne de l'articulation du genou

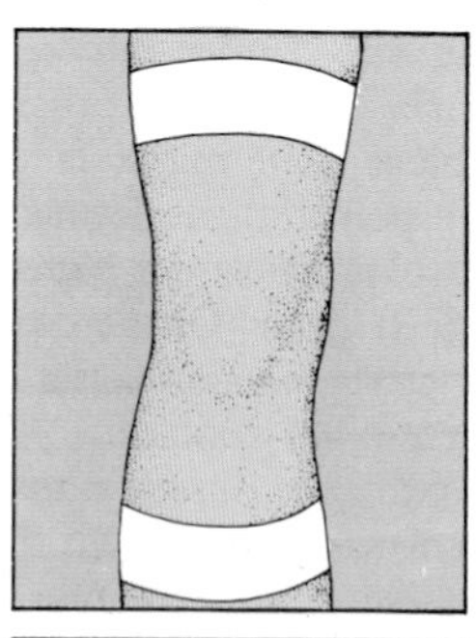

Position de départ: debout avec 3 à 4 cm de surélévation au-dessous du talon. Placer des ancrages ouverts 10 à 15 cm au-dessus et au-dessous de l'articulation du genou.

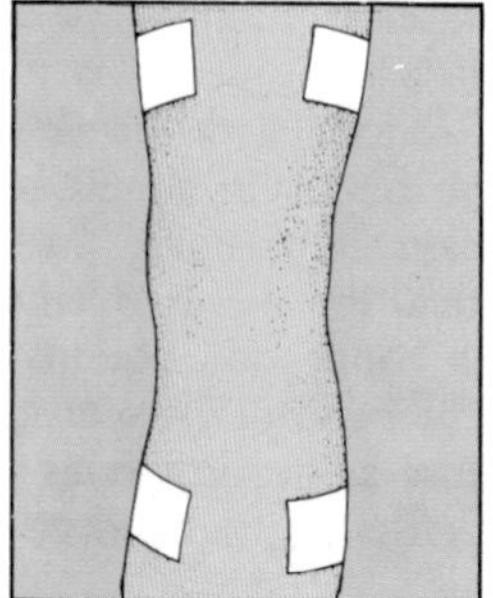

(Les ancrages doivent être ouverts en arrière pour que la circulation ne puisse pas être entravée.)

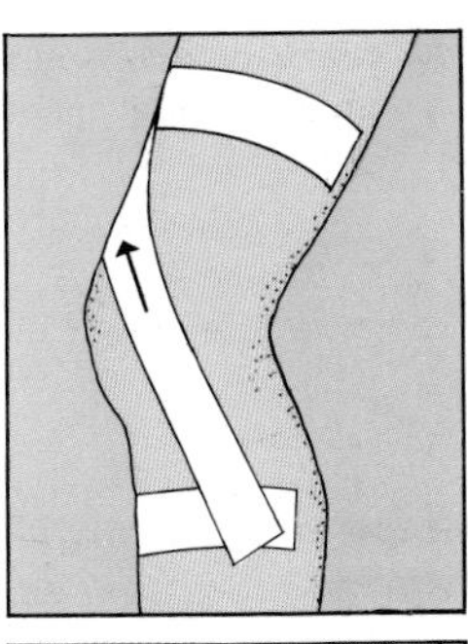

Commencer sur la face interne du membre inférieur au niveau de l'ancrage inférieur et tirer la bande obliquement vers l'avant en passant au-dessus de l'articulation du genou mais pas sur la rotule et en allant jusqu'à la face externe de l'ancrage supérieur.

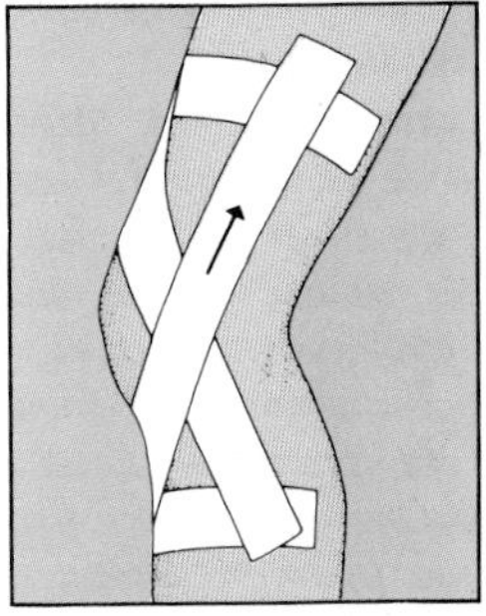

Commencer ensuite au niveau de la face externe du membre inférieur. Tirer la bande juste en dessous de la rotule en croisant la bande posée précédemment à la hauteur de l'interligne articulaire et fixer la bande au niveau de la face interne de l'ancrage supérieur.

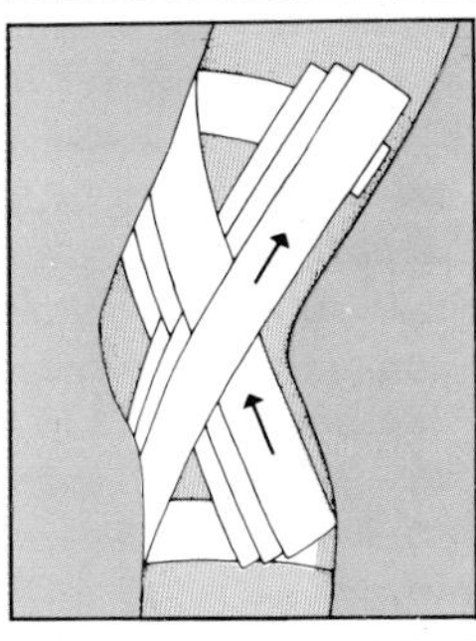

Placer deux à trois bandes croisées supplémentaires. Veiller à ce que les bandes ne touchent pas le creux poplité où elles pourraient occasionner des écorchures.

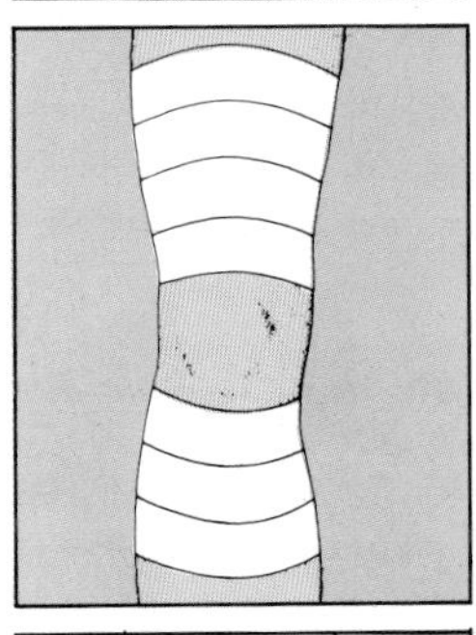

Placer des circulaires en commençant en bas et en remontant jusqu'à la rotule mais pas sur elle. Des circulaires supplémentaires sont placés en avant de la rotule.

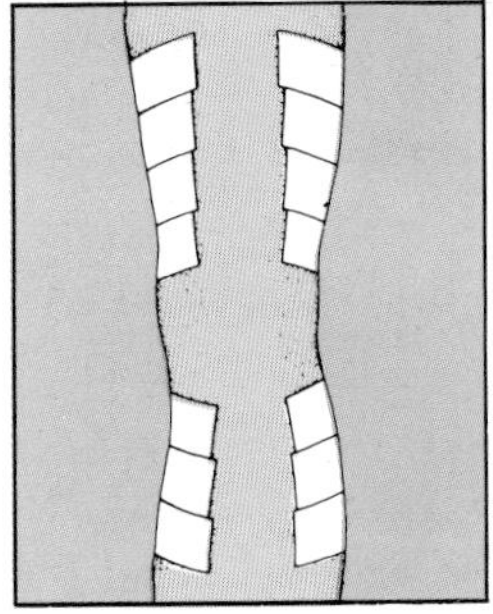

Laisser les circulaires ouvertes et maintenir le creux poplité libre de toutes bandes.

Strapping de l'articulation de la cheville présentant une lésion du ligament interne

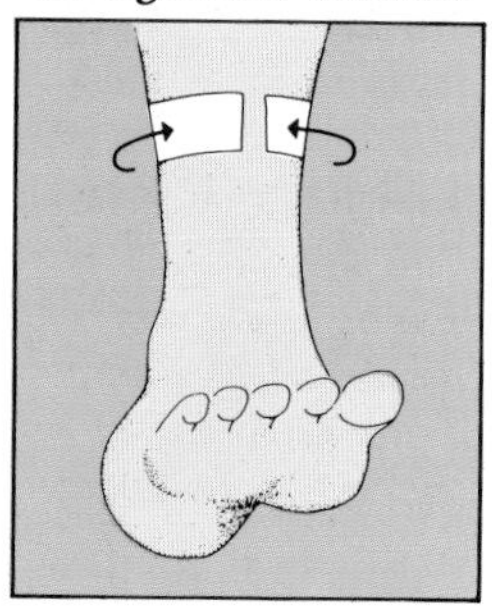

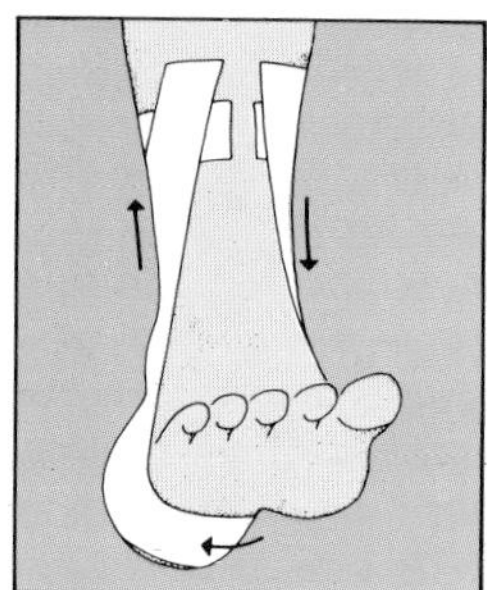

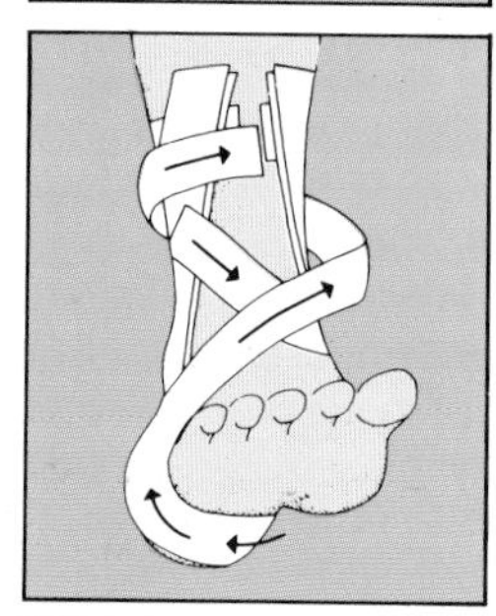

La position de l'articulation de la cheville est maintenue avec un angle de 90°. Un ancrage est placé à la partie inférieure des muscles du mollet.

En commençant au niveau de la face interne de la jambe à l'avant de l'ancrage, placer un étrier vers le bas au-dessus de la malléole interne sous le talon jusqu'en haut sur la malléole externe et remontant sur la jambe à l'avant de l'ancrage. Lors d'une lésion du ligament latéral externe, tirer la bande dans le sens des flèches. Lors d'une lésion du ligament latéral interne, placer et tirer l'étrier dans le sens contraire.

2 ou 3 étriers sont placés avec un décalage d'environ 1 cm en avant et en arrière.

Placer un 8 de bande c'est-à-dire tirer la bande depuis le côté externe obliquement vers le bas au-dessus du dos du pied puis en bas sous la voute plantaire. Tirer à partir de cet endroit la bande en haut au-dessus de la malléole externe et obliquement vers le haut au-dessus du dos du pied puis terminer en tirant la bande autour de la jambe.

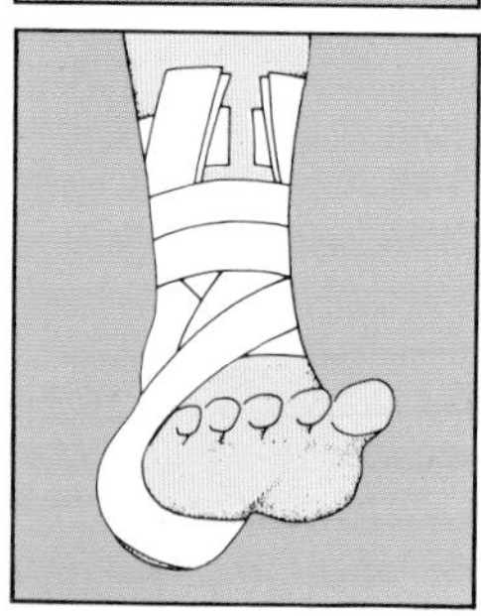

Placer un ou deux 8 de bande supplémentaires en commençant un peu au-dessous du premier. Le nombre d'étriers et de 8 de bande peut être augmenté si un soutien plus fort est nécessaire.

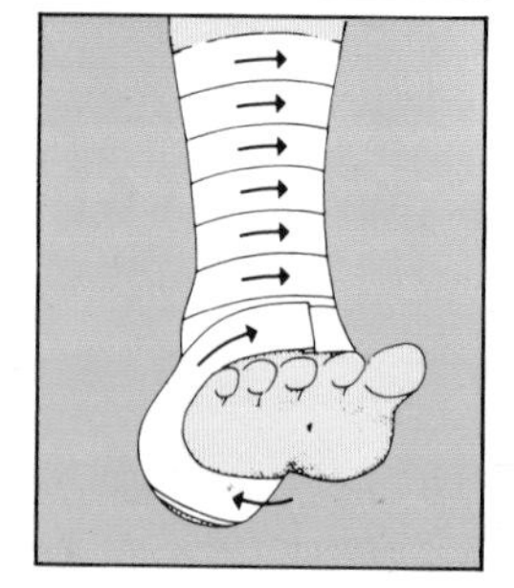

Placer enfin des circulaires en partant de haut en bas, un ancrage à la fois.

Strapping de la main et de l'articulation du poignet

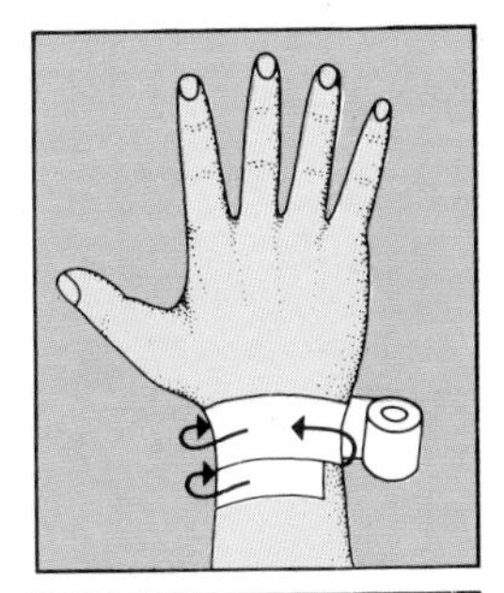

Position de départ: la main doit être légèrement fléchie vers le haut au niveau de l'articulation du poignet et les doigts doivent être légèrement écartés. Commencer à poser la bande au niveau de la face dorsale du poignet et la tirer deux fois autour de l'articulation du poignet (contre le pouce).

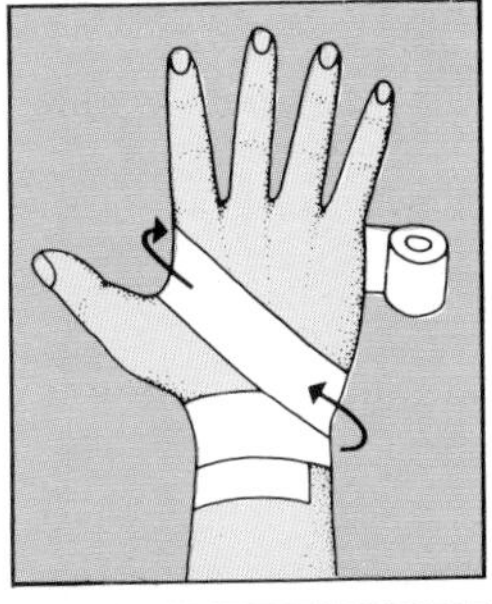

Poursuivre avec la même bande obliquement au-dessus du dos de la main entre le pouce et l'index et ensuite en dehors sur la paume de la main.

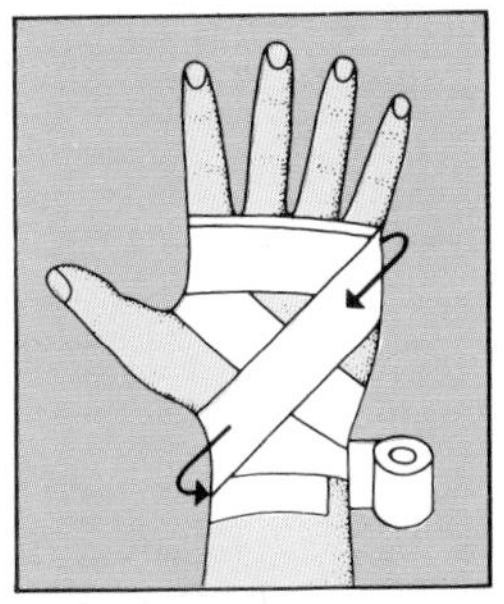

Placer encore un ou deux tours de bande autour de la main avec un léger décalage entre les tours. Tirer ensuite la bande obliquement au-dessus du dos de la main jusqu'à l'articulation du poignet au niveau du pouce.

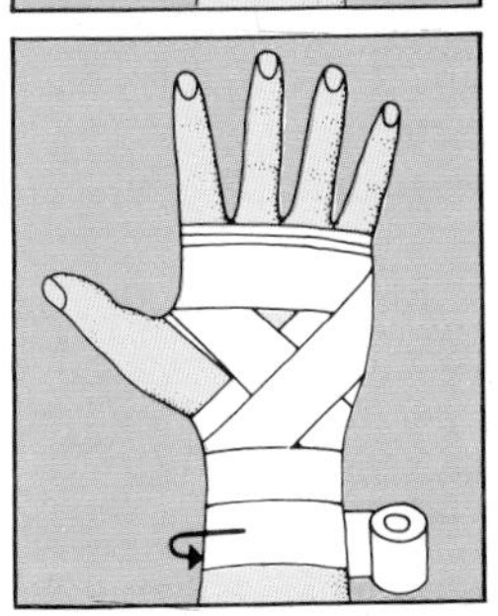

Si nécessaire, un tour supplémentaire de bande est placé autour de l'articulation du poignet.

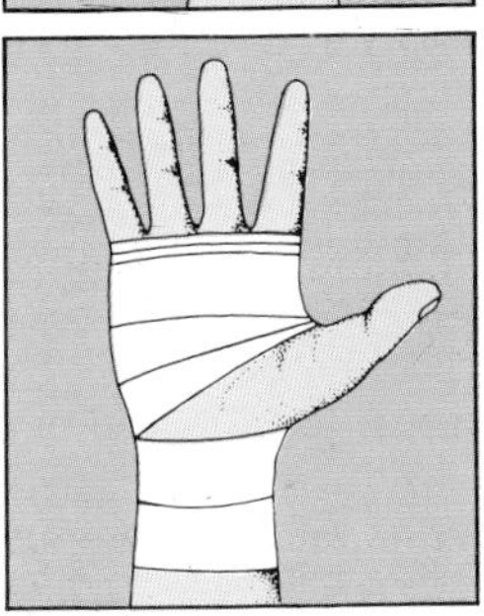

Paume de la main après que le strapping ait été terminé.

Strapping d'une lésion de l'articulation de la base du ligament latéral interne du pouce

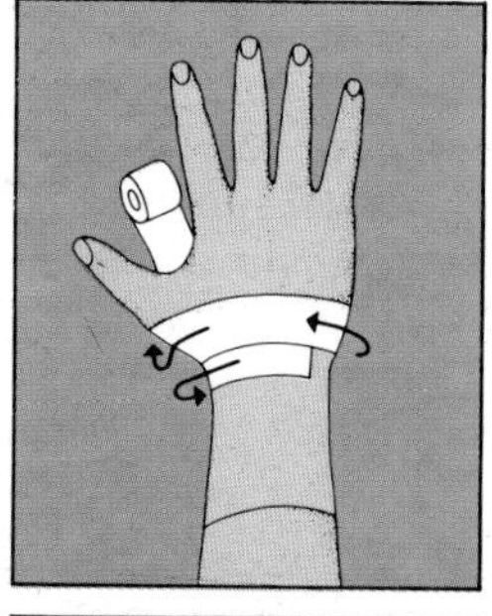

Commencer à placer la bande au niveau du dos de la main sur le côté du petit doigt (auriculaire). Placer un tour de bande autour de la partie médiane de la main et tirer ensuite la bande entre le pouce et l'index.

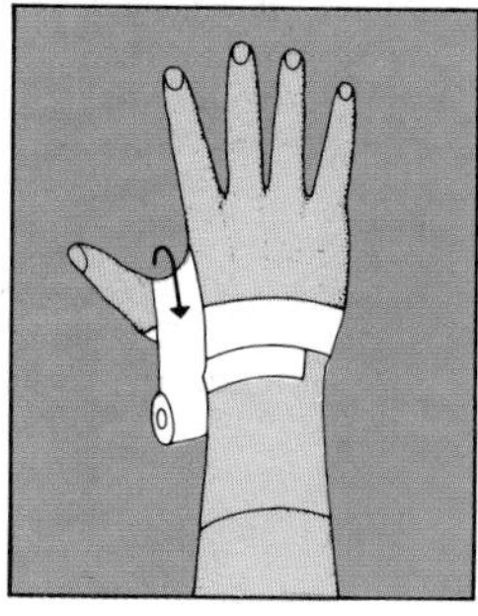

Continuer autour de la base du pouce et de l'articulation du poignet. Lorsqu'une plus grande stabilité est nécessaire, augmenter le nombre de boucles.

Massage

Le massage a de tous les temps été employé chez les sportifs : précédemment, on pensait que le massage augmentait l'irrigation sanguine et que pour cette raison, atténuait la douleur, la raideur et la sensibilité douloureuse. Ces derniers temps, des études n'ont cependant pas pu démontrer que le massage augmentait l'irrigation sanguine. Par contre la raideur, la sensibilité douloureuse, les douleurs d'entraînement et les symptômes qui les accompagnent sont atténués.

Les personnes qui n'ont pas de formation au sujet des principes fondamentaux du massage et des diverses techniques ne doivent pas essayer de le pratiquer. Le massage ne doit pas être trop dur et il doit être effectué en partant des extrémités du corps et aller dans la direction du cœur.

Le massage, lorsqu'il est exécuté par un kinésithérapeute compétent et expérimenté peut avoir un effet sur le bien-être psychique par suite du sentiment de bien-être et de relâchement qu'il procure.

Massage sous l'eau

Le massage sous l'eau est habituellement effectué avec de l'eau chaude. La région blessée est plongée dans l'eau pendant environ 20 minutes, pendant lesquelles de l'air à haute pression est injecté dans l'eau et donne une forme de massage. L'effet correspond à celui qu'on obtient avec un massage habituel.

Whirl-pool

Lors du massage dans un whirl-pool, la totalité du corps ou une partie de celui-ci est plongée dans un bain alternativement froid et chaud, ce qui est estimé favoriser la circulation et faciliter la guérison et la rééducation fonctionnelle.

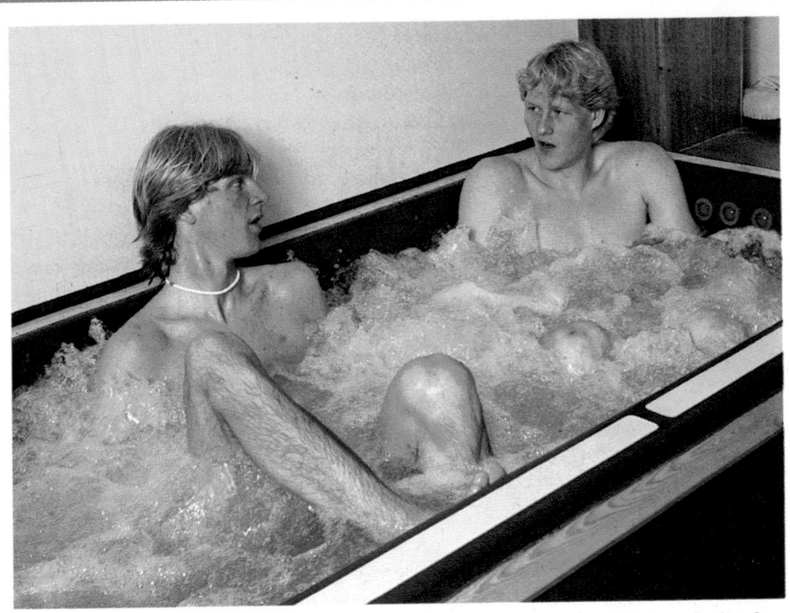

Exemple de massage sous l'eau où de l'air est injecté sous une pression élevée dans l'eau contre la région du corps à traiter. Cliché de la policlinique sportive Skatås à Göteborg (Suède).

Thérapeutique de mobilisation et kinésithérapie

Un entraînement généralisé de la mobilité figure comme une partie intégrante de l'échauffement du sportif avant une séance d'entraînement et une compétition et il joue un rôle essentiel dans la prévention des blessures.

Le rôle du kinésithérapeute en médecine du sport est, d'une part, de participer aux mesures de prévention et, d'autre part, aux mesures thérapeutiques. Par un entraînement préventif, on s'efforce d'empêcher l'apparition de blessures. Chaque spécialité sportive a son schéma de mouvement particulier, ce qui fait que les groupes de muscles sont soumis à des types différents de charge selon la spécialité sportive pratiquée. Une analyse de chacun des groupes de muscles qui sont sollicités lors de la pratique de la spécialité sportive fait partie des mesures de prévention et le kinésithérapeute peut jouer un grand rôle à ce sujet. La tâche du kinésithérapeute est, en outre, de donner des informations sur l'importance de l'échauffement, des conseils judicieux au sujet de l'entraînement de la force et de la mobilité en tenant compte de exigences respectives de la spécialité sportive ainsi que d'instruire et de motiver le sportif à s'entraîner par lui-même.

Dans les cas de graves blessures nécessitant une intervention chirurgicale, il est essentiel que le blessé améliore par l'entraînement sa musculature avant l'intervention. Avant, par exemple, une intervention chirurgicale sur un ligament articulaire ou un ménisque, l'entraînement doit se concentrer sur respectivement les muscles antérieurs et postérieurs de la cuisse, puisque ceux-ci stabilisent l'articulation du genou. Si la musculature de la cuisse est bien entraînée, la rééducation fonctionnelle sera facilitée après l'intervention.

Une fois la blessure guérie, on s'efforcera de redonner à la région blessée sa fonction initiale. Les instructions données par le kinésithérapeute sont de la plus grande importance pour que le bon groupe de muscles soit entraîné avec des mouvements corrects et une charge exactement dosée.

L'examen et l'évaluation de l'état fonctionnel du sujet font également partie des activités du kinésithérapeute. En analysant les causes et les conséquences d'une diminution fonctionnelle, un kinésithérapeute peut établir un programme pour le traitement des lésions des muscles, des articulations et des ligaments. Dans ce programme d'entraînement doivent figurer les exercices visant à améliorer la mobilité articulaire, la condition physique et la force. Le temps qui doit leur être consacré respectivement est fonction de l'état pathologique. Il est également très important que soient données des informations au sujet du repos à observer.

Le traitement des troubles fonctionnels, par exemple, la raideur articulaire due au raccourcissement des muscles et aux accollements, est basé sur une activation neuromusculaire c'est-à-dire sur une amélioration de la coopération entre les muscles et les nerfs. Lorsqu'une articulation est restée inactive, les impulsions entre les nerfs et les muscles cheminent plus lentement et les muscles ne reçoivent plus les bonnes impulsions en temps voulu. Lors de l'augmentation de la raideur articulaire, on trouve une augmentation du tonus des muscles qui entourent l'articulation. Lors du traitement de ces articulations, on s'efforce de relâcher la musculature de façon à pouvoir obtenir une augmentation de l'amplitude de mouvement (méthodes d'entraînement par allongement décrites page 94). Le relâchement permet que le muscle puisse être allongé encore plus, ce qui majore l'effet de l'entraînement par allongement. Les allongements doivent être exécutés lentement et doucement, puisqu'en cas de mouvements rapides, le muscle se contracterait du fait qu'un réflexe de protection se produirait au niveau de celui-ci, si bien que l'exercice n'atteindrait pas son but.

Lors de tout entraînement de la force, il est essentiel que le dosage soit correct. Lors de l'entraînement de la force après une blessure, l'entraînement doit être adapté à la nature de la blessure et au niveau de guérison. L'entraînement est commencé habituellement par un entraînement isométrique sans charge. Lors de l'augmentation de l'entraînement, on augmente d'abord la fréquence et peu à peu la charge. Lorsque l'entraînement isométrique pourra s'effectuer sans douleur, l'entraînement dynamique sera commencé. L'entraînement doit être aussi bien isométrique que dynamique, à la fois pour l'endurance et la force.

L'entraînement localisé doit être évité: on ne doit pas entraîner seulement la région blessée mais également les autres muscles et les autres articulations du corps. Un entraînement généralisé doit par conséquent être pratiqué. Celui-ci devra être fonctionnel et établi de façon à ce que le blessé entraîne également les moments qui entrent dans son activité sportive. Le repos et la récupération sont des composants importants de tout entraînement de la force.

Après une blessure, il est important de tenir compte de la guérison en cours, de façon à ce que la région blessée ne soit pas soumise à une surcharge, ce qui retarderait la guérison. Le sportif n'a peut-être pas toujours la patience nécessaire pour attendre qu'une blessure soit guérie et il n'est pas inhabituel qu'un dur entraînement soit commencé trop tôt. C'est pourquoi il est essentiel que le sportif reste sous le contrôle d'un kinésithérapeute au cours de la rééducation après blessures de façon à ce que l'entraînement ne soit pas seulement exécuté de façon correcte mais aussi avec la dose correcte.

Le kinésithérapeute doit être associé au traitement des blessures dues au sport dans une mesure beaucoup plus grande que ce n'est le cas actuellement.

Médicaments

Les médicaments et diverses préparations d'application locale (pour usage externe) ont vu leur emploi augmenter en médecine du sport. Il s'agit avant tout de médicaments calmants la douleur par action sur l'inflammation. On doit toujours mettre en parallèle les avantages que ces préparations apportent et les effets secondaires qu'elles peuvent avoir.

Les médicaments qui sont habituellement employés lors des lésions des tissus mous c'est-à-dire les muscles, les tendons et les ligaments, peuvent être classés dans les catégories suivantes:

— médicaments d'action calmante de la douleur et d'action anti-inflammatoire;

— médicaments d'action anticontracturante musculaire;

— hydrocortisone et médicaments d'action calmante de la douleur pour administration parentérale par injection;

— crèmes et liniments;

— médicaments d'action anticoagulante.

Nous renvoyons au sujet des indications, contre-indications et effets secondaires de ces différents médicaments aux ouvrages spécialisés. Nous n'insisterons que sur une seule classe de médicaments en injection locale: les injections de corticoïdes en raison de la prise de position des médecins du sport au sujet de leur emploi chez les sportifs.

Les corticostéroïdes pour injections locales

Les corticostéroïdes pour injection locale ne doivent pas être employées en cas de lésions aiguës. *Ces préparations doivent être employées avec une grande prudence et seulement par un médecin.* Toutefois, lors de certaines lésions par surcharge, entre autres, lors des inflammations des insertions tendineuses et musculaires, les injections de corticoïdes peuvent être d'un certain intérêt. De telles injections ne doivent pas être pratiquées directement dans les muscles et les tendons car ces injections pourraient entraîner une disparition de la douleur et un affaiblissement, qui lors d'une mise en charge pourrait aboutir à une rupture. Les injections de préparation corticostéroïdes doivent en conséquence seulement être faites dans des indications particulières et alors directement dans les insertions tendineuses et musculaires ou dans la gaine tendineuse qui les entourent; *après un tel traitement, au moins 14 jours de repos sans mouvement de mise en charge doivent être prescrits afin d'éviter le risque de ruptures.*

Dans le choix de la thérapeutique, le médecin devra tenir compte du fait que certains médicaments renferment des substances actives qui appartiennent aux groupes dont l'usage, interdit chez tout sportif participant à une compétition, donnerait un résultat positif au contrôle antidopage obligatoire selon les législations en vigueur. Le blessé ou le malade doit en être averti.

Nous reproduisons la liste de ces substances telle qu'elle est actuellement établie par la Commission Médicale du Comité Olympique International. (Des listes très voisines sont établies par les différentes Fédérations Internationales et par les autorités administratives nationales responsables.)

Groupes de substances dopantes et exemples

A. Stimulants psychomoteurs tels que:

amphétamine
benzphétamine
chlorphentermine
cocaïne
diéthylpropion
diméthylamphétamine
éthylamphétamine
fencamfamine
méclofénoxate
méthylamphétamine
méthylphénidate
norpseudoéphédrine
pémoline
phendimétrazine
phenmétrazine
phentermine
pipradol
prolintane
et substances apparentées.

B. Amines sympathicomimétiques telles que:

chlorprénaline
éphédrine
étafédrine
isoétharine
isoprénaline
méthoxyphénamine
méthyléphédrine
et substances apparentées.

C. Divers stimulants agissant sur le système nerveux central tels que:

amiphénazole
bémégride
caféine*
cropropamide (composant du «Micoren»)
crotéthamide (composant du «Micoren»)
doxapram
ethamivan
leptazol
nicétamide
picrotoxine
strychnine
et substances apparentées.

D. Analgésiques narcotiques tels que:

aniléridine
codéine
dextromoramide
dihydrocodéine

dipipanone
éthylmorphine
héroïne
hydrocodone
hydromorphone
lévorphanol
méthadone
morphine
oxocodone
oxomorphone
pentazocine
péthidine
phénazocine
piminodine
thébacon
trimepéridine
et substances apparentées.

E. Stéroïdes anabolisants tels que:

clostébol
dehydrochlorméthyltestostérone
fluoxymestérone
mestérolone
méthénolone
méthandiénone
méthyltestostérone
nandrolone
noréthandrolone
oxymestérone
oxymétholone
stanozolol
testostérone*
et substances apparentées.

F. Bêta bloquants tels que:

alprenolol
atenolol
labetalol
metoprolol
oxprenolol
propranolol
et substances apparentées.

P.S.: A la demande des Fédérations Internationales concernées (FIE et UIPMB), un contrôle d'alcoolémie sera effectué pendant leurs compétitions.
* Un échantillon sera considéré comme étant positif pour:
— la caféine, si la concentration dans les urines dépasse 15 micro-grammes/ml;
— la testostérone, si le rapport entre la concentration totale de testostérone et celle de l'épi-testostérone dans les urines est supérieur à 6.

Interventions chirurgicales

Pour qu'un sportif arrive à effectuer une prestation-record, un fonctionnement parfait des muscles, des tendons et des ligaments est nécessaire. Lors de lésions par rupture, il peut survenir, au niveau des muscles, des tendons ou des ligaments, une perturbation de leur fonctionnement. En pareil cas, une intervention chirurgicale est recommandée pour rétablir l'anatomie initiale.

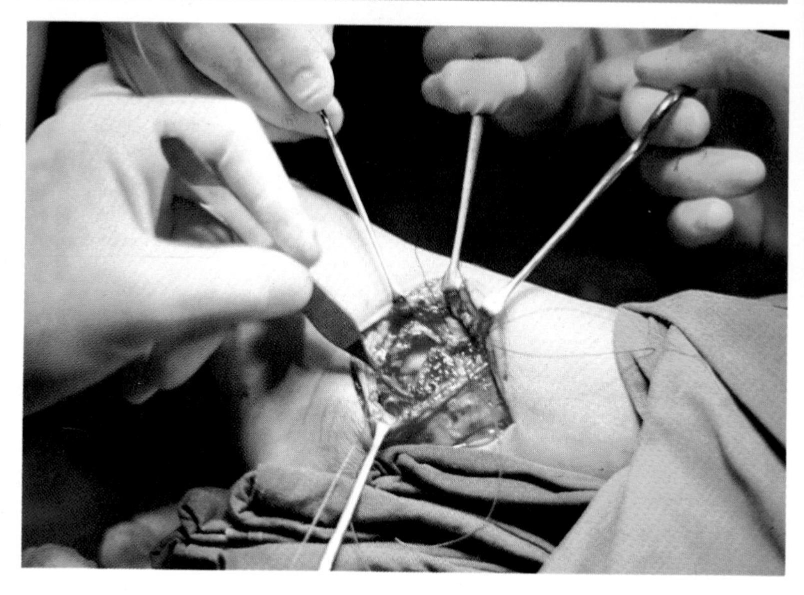

Exemple d'intervention chirurgicale sur un ligament externe de l'articulation de la cheville.

Une intervention chirurgicale aiguë est effectuée souvent lors des ruptures totales des tendons et des ligaments ainsi que lors des ruptures musculaires avec hémorragie importante. Une intervention chirurgicale à une phase ultérieure est effectuée également en cas de rupture de ligaments ou de lésions articulaires avec guérison insuffisante ou troubles persistants. L'intervention se propose de rétablir la fonction articulaire et il est parfois nécessaire alors d'employer un tissu de remplacement c'est-à-dire d'exécuter une opération plastique.

Lors de toute thérapeutique ayant recours à une intervention chirurgicale, il existe un risque d'infection. Le risque est plus grand en cas d'intervention aiguë que lors d'une intervention différée. Une infection du squelette ou d'une articulation après une intervention chirugicale peut nécessiter un traitement de longue durée mais cette éventualité est heureusement peu fréquente. Lors de séquelles après des ruptures musculaires ou tendineuses une intervention chirurgicle peut devenir nécessaire.

Acupuncture

L'acupuncture a été utilisée tout d'abord en Chine, où la méthode a été développée. L'acupuncture traditionnelle est basée sur le fait que chaque moitié du corps possède 12 méridiens, qui chacun représente un système d'organe déterminé. Le long de ces méridiens se trouvent une quantité de points différents qui sont en relation avec les organes en particulier. Ces points peuvent être stimulés par des aiguilles de différentes formes et de différentes longueurs, et par ce moyen les organes peuvent être influencés. Les rapports entre les méridiens et les voies nerveuses ne sont pas encore élucidées.

Lors d'un traitement par acupuncture, les aiguilles sont placées d'une part localement le long du méridien qui se trouve en relation avec la région où se manifeste la douleur, d'autre part au niveau des régions du corps qui représentent l'organe douloureux. Si les aiguilles — qui maintenant sont souvent en acier inoxydable — sont tournées à intervalle régulier ou mises en relation avec une source de courant à basse tension l'effet du traitement peut être renforcé.

Selon notre opinion l'évaluation scientifique de l'acupuncture est jusqu'à nouvel ordre encore incomplète et disparate.

Stimulation nerveuse transcutanée

La stimulation nerveuse transcutanée comporte une stimulation provoquant une régularisation des perceptions douloureuses. Un faible courant électrique est envoyé à travers la peau au-dessus de la zone douloureuse ou par l'intermédiaire d'un nerf à l'aide de petites électrodes. Ce qui libère des substances analogues à la morphine : les endorphines, qui inhibent la perception de la douleur. La réceptibilité d'un traitement par stimulation nerveuse transcutanée varie énormément. Il donne une bonne atténuation de la douleur.

Trousse médicale sur les lieux de la pratique sportive

Lors des séances d'entraînement et des compétitions, chaque club sportif doit toujours disposer d'une trousse avec un matériel de soins de base. Le contenu de cette trousse doit naturellement être adapté aux besoins entraînés par la spécialité sportive pratiquée.

Dans les arènes sportives plus grandes et dans les écoles, un équipement médical de base doit également être accessible.

Un médecin d'équipe doit avoir un certain équipement en complément de l'équipement de base, de manière à pouvoir exécuter des petites interventions de chirurgie sur les sportifs blessés directement sur place.

Trousses médicales pour clubs sportifs, installations sportives, etc.

Dans l'équipement dont un club sportif doit disposer doivent figurer :

A. *Des compresses réfrigérantes* à longue durée d'action. Aussi bien des emballages de compresses à usage unique que de compresses qui peuvent être utilisées plusieurs fois et qui se trouvent dans le commerce.

B. *Du matériel de pansement et de traitement des plaies* :
— bandes de gaze ;
— bandes élastiques ;
— Elastoplast®, bande collante élastique ;
— Strappal®, bande collante non élastique ;

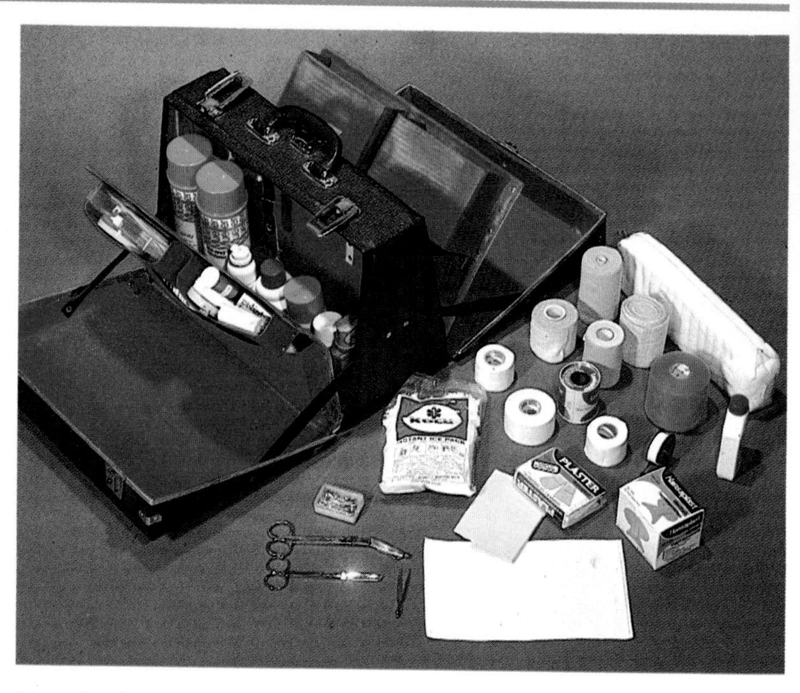

Exemple d'une trousse d'urgence de médecine du sport et de son contenu.

— coton;
— compresses stériles;
— sparadrap et pansement adhésif chirurgical stérile;
— solutions pour laver les plaies: serum physiologique;
— mousse de caoutchouc adhérente;
— couverture.

C. *Instruments*:
— pince à ongle;
— pincette;
— ciseaux;
— épingles de sécurité;
— gants à usage unique en matière plastique;
— thermomètre pour prendre la température.

D. *Préparations*:
— comprimés d'action antalgique;
— savon;
— liniment;
— glucose;
— pommade cutanée.

Un complément avec des médicaments sur ordonnance doit être effectué en liaison avec le médecin responsable.

Trousse médicale du médecin d'équipe

A. *Matériel de pansement et de traitement des plaies*: en dehors du matériel de premier soin généralement utilisé, qui a été détaillé précédemment, le médecin d'équipe doit disposer du matériel nécessaire pour effectuer des sutures.

B. *Instruments*:
— sthétoscope;
— appareil de prise de tension artérielle sanguine;
— gants stériles.

C. *Médicaments*:
— médicaments d'action calmante de la douleur;
— médicaments d'action anti-inflammatoire;
— médicaments anti-infectieux;
— médicaments contre la diarrhée;
— médicaments calmants de la toux;
— médicaments contre les affections de la gorge;
— médicaments contre le mal de mer;
— médicaments contre les manifestations allergiques;
— crèmes cutanées;
— médicaments sédatifs;
— médicaments somnifères;
— matériel d'injection locale pour réaliser une anesthésie avant suture;
— gouttes à usage oculaire;
— médicaments d'action diurétique.
En cas de circonstances particulières, par exemple en cas de compétition sur de longues distances, par une très forte chaleur, on doit disposer du matériel de perfusion pour réanimation ainsi que du matériel de réanimation et d'assistance respiratoire.

Equipement médical des grandes installations sportives et des écoles

En dehors de l'équipement qui est recommandé pour les clubs, on doit disposer du gros matériel suivant:
— brancards;
— couvertures;
— sacs de sable pour caler un membre;
— une paire de béquilles de longueur adaptable;
— des attelles pour immobiliser une fracture.

Lésions région par région

LÉSIONS DE LA RÉGION DE L'ÉPAULE

La région de l'épaule est construite autour des articulations suivantes:

1. *L'articulation de l'épaule proprement dite,* qui est constituée de la tête articulaire de l'humérus et de la cavité articulaire de l'omoplate. La capsule environnante est lâche et permet une grande amplitude de mouvement (voir schéma ci-dessous). Quatre courts muscles avec leurs tendons passent au-dessus de l'articulation et contribuent à former une coiffe qui enserre l'extrémité supérieure de l'humérus sur trois côtés: en arrière, en haut et en avant. En avant de cette coiffe se trouve une bourse séreuse qui est recouverte en partie par le muscle deltoïde.

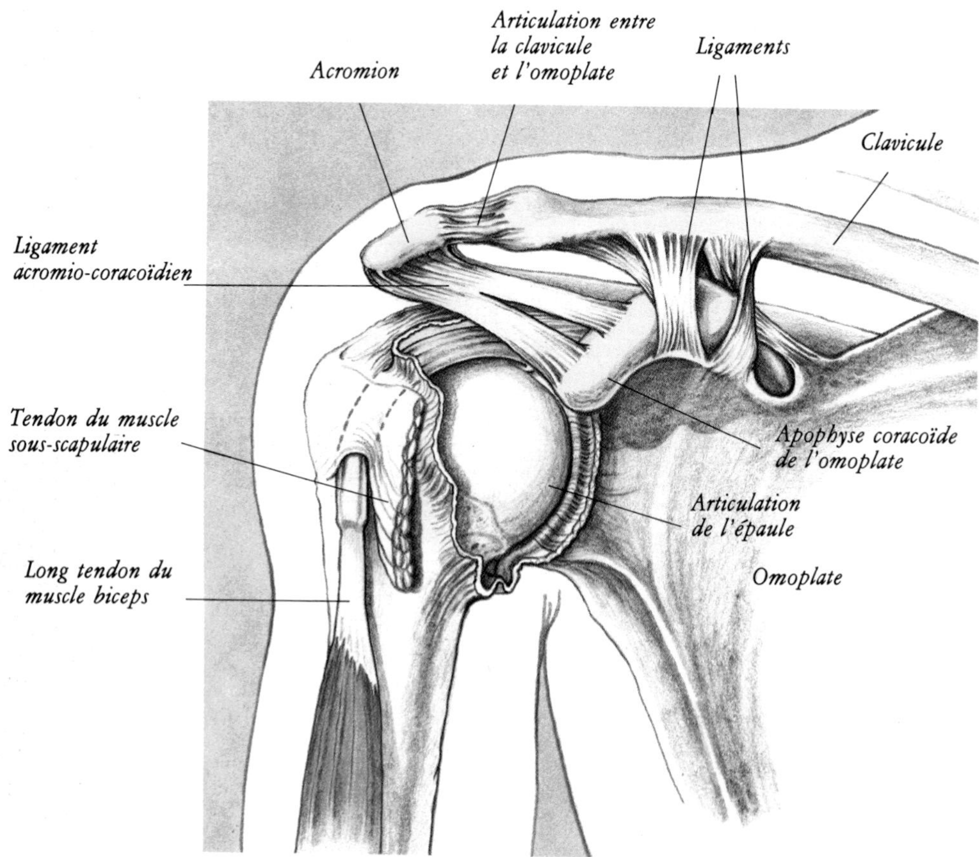

Schéma anatomique de la région de l'épaule.

2. *L'articulation entre la clavicule et l'omoplate.* La clavicule a une forme de S aplati et de puissants ligaments la relie avec l'omoplate.
3. *L'articulation entre la clavicule et le sternum,* qui sont réunis par une capsule articulaire et de puissants ligaments.

L'amplitude de mouvement totale de l'épaule est très grande du fait que l'articulation de l'épaule possède une cavité articulaire aplatie et une capsule articulaire lâche. Ce sont surtout les muscles et les tendons de la coiffe des rotateurs (voir page 179) qui assurent la stabilité. Des mouvements dans toutes les directions peuvent être exécutés et se passent au niveau des trois articulations énumérées ci-dessus, entre l'omoplate et la cage thoracique. Au-dessous de l'extrémité de l'omoplate qui recouvre l'articulation de l'épaule (acromion), il existe une bourse séreuse et une gaine séreuse entourant le tendon du biceps. Vingt muscles différents participent à ces mouvements, ce qui rend difficile de poser un diagnostic anatomique correct dans la région de l'épaule, où par ailleurs des associations lésionnelles sont fréquentes.

Les lésions qui atteignent la région de l'épaule sont des fractures, des luxations, des lésions des ligaments, des ruptures musculaires et des inflammations.

Fracture de la clavicule

Les fractures de la clavicule surviennent en cas de chute sur l'épaule dans les sports de contact ainsi que, par exemple, lors du ski, du cyclisme et de l'équitation. La fracture est souvent située au tiers moyen de la clavicule ou au niveau de la zone de transition à son tiers externe.

Symptômes

Le blessé ressent une sensibilité douloureuse intense et une tuméfaction apparaît au-dessus de l'endroit de la blessure. On peut sentir des crépitements entre les extrémités de la fracture lors des mouvements.

Traitement

Le médecin traite une fracture de la clavicule par une contention en 8 qui immobilise les deux épaules dans une position tirée en arrière. Le blessé peut bouger les bras librement en dessous du plan horizontal.

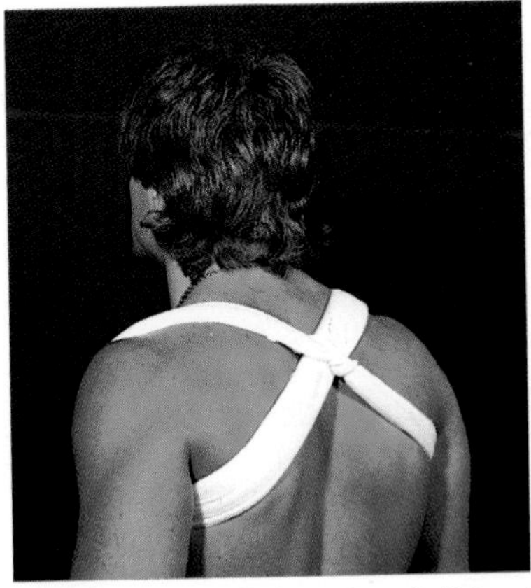

Bandage «en 8» de la région de l'épaule.

Dans certains cas, une intervention chirurgicale peut être nécessaire, par exemple en cas de fracture de l'extrémité externe de la clavicule. Un des ligaments peut alors rester intact et retenir l'extrémité de la clavicule si bien qu'il se produit une fracture oblique en travers de l'os au lieu d'une luxation. Ces fractures de la clavicule doivent être traitées par intervention chirurgicale.

Guérison

En cas de fracture de la clavicule, la guérison est satisfaisante. Un entraînement sérieux de la condition physique sous forme de course à pied ne doit être repris qu'après guérison de la clavicule, au bout de 4 à 8 semaines, mais, par exemple, la bicyclette peut être utilisée au cours de la période de consolidation.

Fracture de l'extrémité supérieure du bras

Une fracture de l'extrémité supérieure du bras survient en cas de chute sur le bras en extension mais aussi en cas de chute directe contre l'épaule dans les sports de contact, lors de la descente à ski, l'équitation, etc.

Symptômes

Sensibilité douloureuse, tuméfaction et douleurs en cas de mouvements.

Traitement

— Le blessé est conduit chez le médecin pour radiographie.
— Une contention de soutien est placée et conservée pendant 10 jours, après lesquels le gain d'amplitude est recherché, au début avec des mouvements pendulaires puis avec les différents mouvements décrits page 405 et suivantes.
— Kinésithérapie.

Guérison

En cas de fracture de l'extrémité supérieure du bras, la guérison est en règle bonne. L'entraînement par la course à pied peut être repris après 4 à 8 semaines.

Luxation de l'articulation de l'épaule

La luxation de l'articulation de l'épaule est une lésion relativement habituelle qui survient souvent dans les spécialités sportives comme le hockey sur glace, le handball, le football, l'équitation, la descente à ski, le patinage de vitesse et la lutte.

Causes

— Quand un sportif tombe, se lève ou se tourne, il porte instinctivement le bras en dehors pour protéger son corps. Lorsque le bras amortit le choc dans la chute, un luxation peut se produire.
— L'articulation de l'épaule peut être luxée en dehors de l'articulation en cas de chute directe du côté de l'épaule.
— Le bras peut s'accrocher avec un adversaire, par exemple, en handball. On effectue alors une forte flexion en haut et en arrière, qui peut faire sortir la tête humérale de l'articulation de l'épaule.

Types de luxation

— Luxation en avant et en bas fréquente avec tendance à la récidive.
— Luxation en arrière inhabituelle et parfois difficile à mettre en évidence.

Symptômes et diagnostic

— Douleur.
— Abolition de la mobilité. Le bras pend en avant et en bas.
— A l'intérieur du creux axillaire, on peut sentir l'extrémité supérieure du bras et lorsque la tête de l'articulation a été repérée, on sent une cavité articulaire vide.
— Le contour de l'épaule blessée est inégal en comparaison avec le contour arrondi de l'épaule non atteinte (voir schéma ci-dessous).
— Une exploration radiologique confirme le diagnostic.

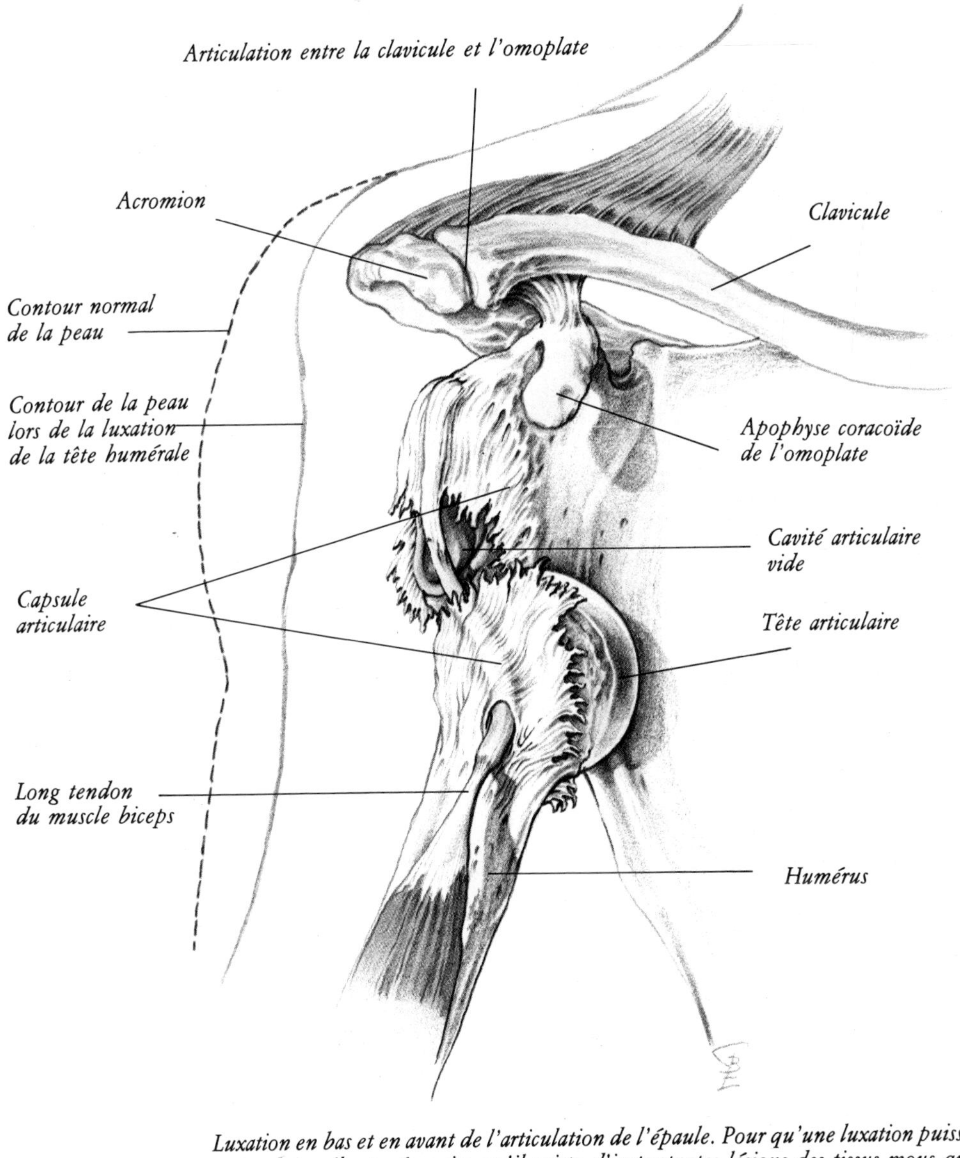

Articulation entre la clavicule et l'omoplate
Acromion
Clavicule
Contour normal de la peau
Contour de la peau lors de la luxation de la tête humérale
Apophyse coracoïde de l'omoplate
Cavité articulaire vide
Capsule articulaire
Tête articulaire
Long tendon du muscle biceps
Humérus

Luxation en bas et en avant de l'articulation de l'épaule. Pour qu'une luxation puisse se produire, il est nécessaire qu'il existe d'importantes lésions des tissus mous qui entourent l'articulation de l'épaule. Comparer les dégâts de la capsule articulaire avec le dessin de la capsule articulaire qui est montrée intacte page 175.

Traitement

Le sportif blessé doit être immédiatement conduit chez le médecin. Une luxation de l'articulation de l'épaule doit être remise en place par un médecin. Plus rapidement, le médecin aura l'occasion de replacer correctement l'articulation, moins de douleurs et de manifestations pathologiques seront éprouvées par le sportif lors du traitement et plus courte sera en règle générale la période de traitement. La manière la plus confortable de remettre l'articulation en place est de placer le blessé sous anesthésie. Après que l'articulation ait été remise en place, elle doit toujours faire l'objet d'une exploration radiologique, puisqu'une fracture peut coexister. Chez de jeunes sportifs blessés pour la première fois, le bras doit être immobilisé contre le corps pendant 6 semaines, puisque le risque d'une nouvelle luxation du bras est très grand. Chez les sportifs plus âgés, la durée d'immobilisation est raccourcie à 3 semaines. Sous l'effet de ce traitement, la douleur diminue et la capsule articulaire et les ligaments qui entourent l'articulation ont le temps de guérir. Si la contention n'était pas laissée suffisamment longtemps en place, il existerait un risque que les ligaments et la capsule articulaire puissent s'étirer avec une nouvelle luxation pour conséquence.

Après que la contention ait été enlevée, le blessé peut suivre un entraînement par des exercices pendulaires pendant 1 à 2 semaines. Puis le bras peut être mobilisé au-dessus du plan horizontal et une rotation prudente en arrière du bras peut être exécutée. En ce qui concerne le programme d'entraînement, voir page 405 et suivantes.

Guérison et complications

— En cas d'évolution sans complication, la guérison d'une luxation de l'épaule est bonne. Un léger entraînement par la course à pied ou une forme d'entraînement analogue peut être repris après 2 à 4 semaines.
— Le retour à la pratique du sport ne doit pas avoir lieu avant mobilité totale et pleine force, en règle générale 2 à 3 mois après le moment de la blessure.
— Parfois une luxation de l'articulation de l'épaule est compliquée d'une fracture de l'extrémité supérieure de l'humérus du bras ou de l'omoplate.
— Dans de rares cas, il peut coexister des lésions des nerfs et des vaisseaux ainsi que des ruptures des muscles de l'épaule.
— Après qu'une articulation de l'épaule ait été une fois luxée en avant et en bas, des luxations récidivantes peuvent facilement se produire, ce qui rend les ligaments et la capsule articulaire plus lâches en avant et en bas. Peu à peu une luxation finit par se produire lors d'un mouvement normal, par exemple en plaçant le bras derrière la nuque. Si une articulation de l'épaule a présenté 3 ou 4 fois une luxation, une intervention chirurgicale doit être envisagée pour stabiliser l'articulation.

Luxation de l'articulation entre la clavicule et l'omoplate

La luxation de l'articulation entre la clavicule et l'omoplate est une lésion relativement fréquente dans les sports de contact, l'équitation, le cyclisme, le ski et la lutte. L'articulation est entourée de ligaments : d'une part un ligament qui va de la clavicule à l'acromion (apophyse supérieure de l'omoplate) : le ligament acromio-claviculaire ; d'autre part un ligament qui va de la clavicule à l'apophyse coracoïde de l'omoplate : le ligament coraco-claviculaire. L'articulation possède parfois un ménisque ou un fibrocartilage plein.

Causes

L'articulation entre la clavicule et l'omoplate peut être atteinte lorsqu'on chute sur l'épaule, sur le coude ou le bras en extension, ce qui repousse l'articulation en dedans et en haut. Les ligaments et la capsule articulaire, qui entourent l'articulation entre la clavicule et l'omoplate, peuvent alors se rompre en provoquant une luxation partielle. Si également, le puissant ligament qui va de la clavicule à l'apophyse coracoïde de l'omoplate se rompt, il se produit une luxation totale. Parfois, le ménisque est également lésé.

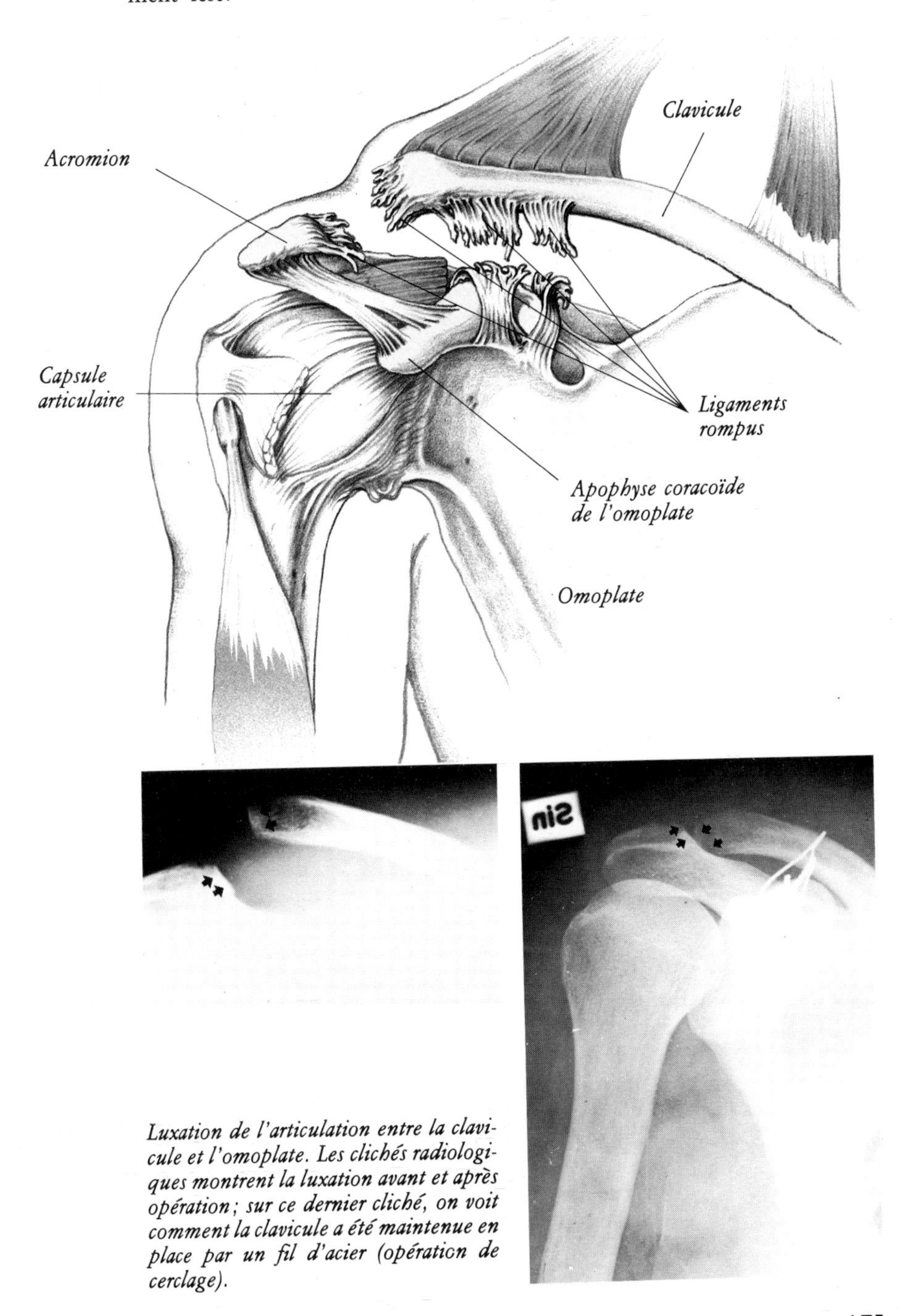

Luxation de l'articulation entre la clavicule et l'omoplate. Les clichés radiologiques montrent la luxation avant et après opération; sur ce dernier cliché, on voit comment la clavicule a été maintenue en place par un fil d'acier (opération de cerclage).

Symptômes et diagnostic

— Selon le degré de la luxation, l'extrémité externe de la clavicule est repoussée vers le haut plus ou moins fortement (voir schéma page 175).
— Douleur et sensibilité douloureuse au-dessus de l'extrémité externe de la clavicule ainsi que douleur lorsque le blessé bouge l'épaule.
— Le diagnostic est confirmé par une exploration radiologique, particulièrement si celle-ci est pratiquée avec une mise en charge de l'articulation.

Traitement

Le médecin peut:
— ordonner une institution précoce d'un traitement par mobilisation lorsque le déplacement est petit et que la blessure s'est produite chez un sportif âgé;
— ramener la clavicule en position correcte. Cette position peut être maintenue en posant un bandage sur l'extrémité externe de la clavicule et en bas sur l'articulation du coude, qui doit être fléchie à 90°. Ce bandage est porté pendant 1 à 2 semaines;
— opérer s'il existe des difficultés à maintenir en place la clavicule chez des sportifs jeunes et actifs. Les extrémités de la clavicule sont fixées alors à l'omoplate avec un cerclage ou un procédé analogue.

Guérison et complications

— Lorsque le bandage a été enlevé, un entraînement de la condition physique sous la forme, par exemple, de course à pied peut être repris.
— L'entraînement de la force ne doit pas être repris avant au plus tôt 6 à 8 semaines (selon le degré de gravité de la blessure) après la blessure.
— Si une luxation de l'articulation entre la clavicule et l'omoplate est négligée, on obtient une mauvaise position persistante de l'articulation. Celle-ci entraîne une usure qui, après plusieurs années, donne une douleur permanente ainsi qu'une diminution de mobilité de l'articulation. En cas de manifestations pathologiques persistantes, une intervention chirurgicale est effectuée dans une phase ultérieure.

Luxation de l'articulation entre la clavicule et le sternum

L'articulation entre la clavicule et le sternum est relativement peu souvent atteinte de luxation. L'extrémité interne de la clavicule et par son intermédiaire l'épaule est attachée au sternum par le ligament sterno-claviculaire et à la première côte par le ligament costo-claviculaire. L'interligne articulaire est pourvu d'un fibro-cartilage et est oblique. Lors d'un traumatisme contre l'épaule un glissement de l'articulation peut se produire et le ligament peut se rompre, ce qui permet à l'extrémité interne de la clavicule de se porter en avant (où on la remarque) ou en arrière.

Symptômes et diagnostic

— Douleurs qui peuvent se prolonger loin dans la région de l'épaule.
— Sensibilité douloureuse lors de la pression sur l'articulation.
— La lésion doit être radiographiée et examinée par un médecin. La clavicule est habituellement seulement luxée en partie, mais son extrémité peut être entièrement libre.
— Si l'extrémité de la clavicule se porte en arrière contre les gros vaisseaux, des lésions mettant la vie en danger peuvent survenir.

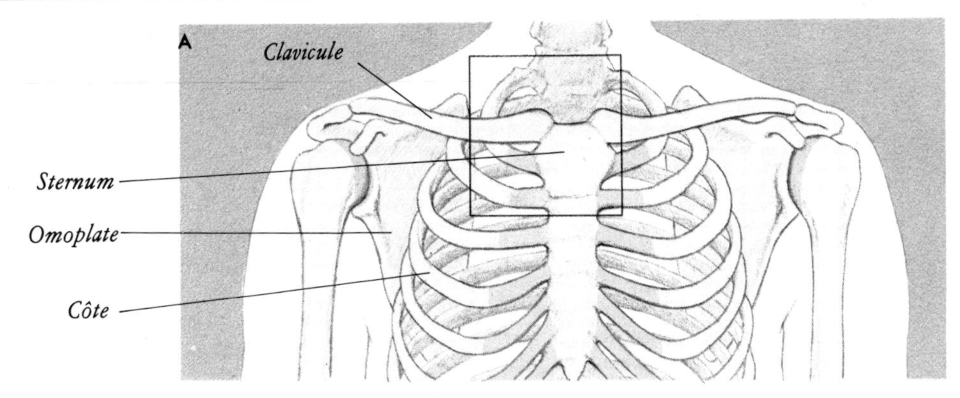

A. Vue générale des éléments constitutifs de l'épaule. Le cadre montre une articulation normale entre la clavicule et le sternum.
B. Articulation normale entre la clavicule et le sternum. Remarquer la proximité des gros vaisseaux qui vont irriguer la peau et les bras.
C. Subluxation de l'articulation entre la clavicule et le sternum. Les ligaments et la capsule articulaire sont rompus.
D. Luxation totale en arrière de l'articulation entre la clavicule et le sternum, avec, en même temps, arrachement du ligament entre la clavicule et la première côte. Lors de cette blessure, l'extrémité de la clavicule peut pénétrer dans les vaisseaux sanguins sous-jacents.

ligament et capsule articulaire de l'articulation entre le sternum et la clavicule

B

Vaisseaux sanguins

Ligament entre la clavicule et la première côte

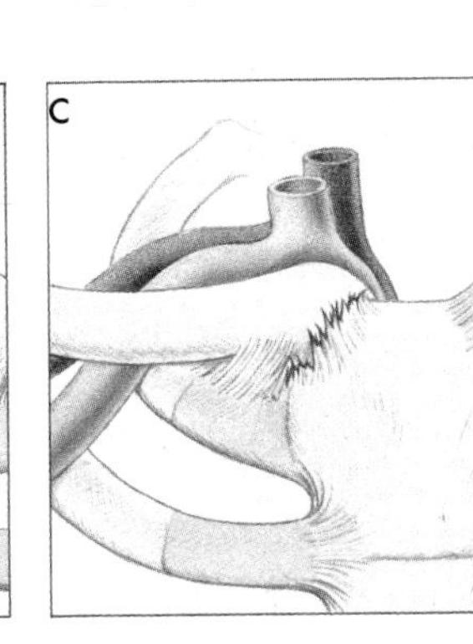

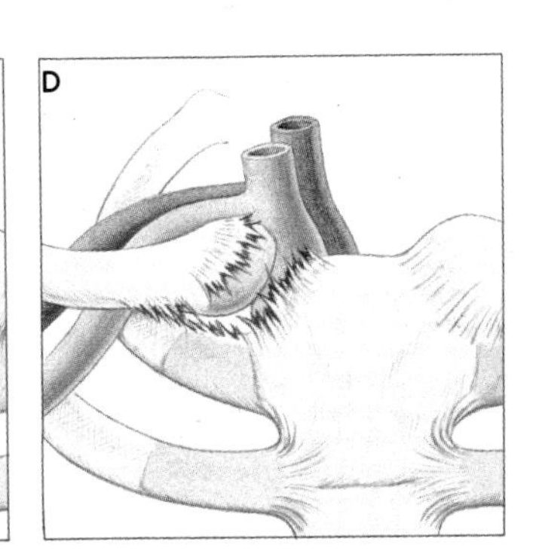

Traitement

Le médecin peut:
— laisser le blessé au repos sans traitement s'il existe seulement une luxation partielle;
— opérer, ce qui est indispensable si les extrémités de la clavicule sont détachées et difficiles à maintenir en place;
— traiter la blessure à l'hôpital en cas de luxation postérieure.

Guérison

En cas de luxation partielle de l'articulation entre la clavicule et le sternum, le blessé peut en règle générale reprendre relativement rapidement son activité sportive.

Rupture du tendon du muscle sus-épineux

La rupture du tendon du muscle sus-épineux est une blessure qui est typique surtout des sportifs âgés, qui après une longue période d'inactivité ont repris l'entraînement et la compétition dans des spécialités comme le handball, le football, le tennis, le badminton, les spécialités de lancer et le ski.

L'articulation de l'épaule possède 4 rotateurs qui forment la coiffe tendineuse en regard de l'articulation de l'épaule. Les muscles sus- et sous-épineux, le muscle petit rond, qui s'attachent sur la partie externe du bras,

Une activité sportive où on effectue des mouvements de bras au-dessus du plan horizontal peut provoquer des lésions musculaires et tendineuses de la région de l'épaule. Photographie : EPU.

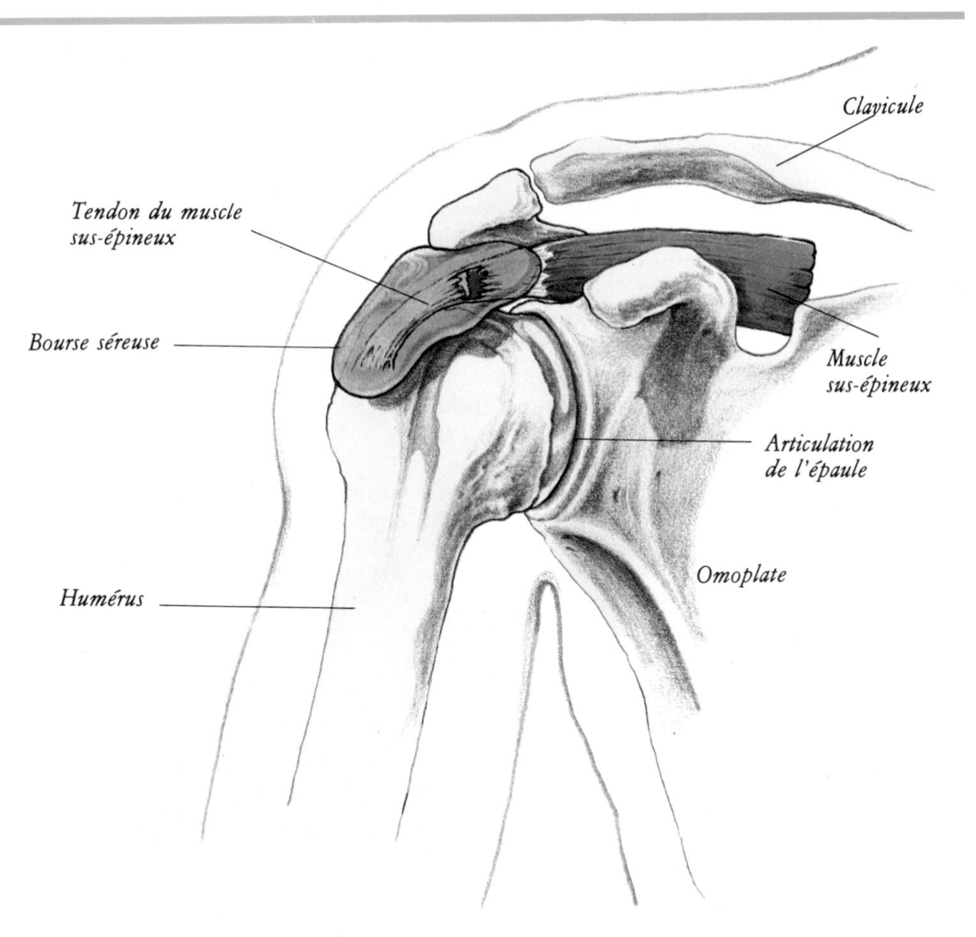

Rupture du tendon du muscle sus-épineux de l'omoplate. Le schéma montre la région de l'épaule droite vue de face.

font tourner le bras en dehors tandis que le muscle sous-scapulaire qui s'attache à la face antérieure du bras fait tourner le bras en dedans. Les tendons de ces muscles renforcent la capsule articulaire en arrière, en haut et en avant. Lors de l'abduction de l'articulation de l'épaule, le tendon du muscle sus-épineux se glisse sous une voûte qui est formée du ligament allant de l'acromion à l'apophyse coracoïde, le ligament acromio-coracoïdien. Dans le cas d'une rotation en dehors extrême le tendon du muscle sous-scapulaire va également glisser sous ce ligament. Les tendons des muscles sous-épineux, petit rond et sous-scapulaire ont leur force dirigée vers le bas et maintiennent solidement la tête articulaire contre la cavité articulaire de l'articulation de l'épaule.

Les trois quarts des causes des douleurs «pures» de l'épaule sont à rechercher au niveau de la coiffe des rotateurs et surtout au niveau du muscle sus-épineux. Ce muscle assure l'élévation du bras en dehors et en haut avec un maximum d'efficacité entre environ 80° et 120° par rapport au corps et met le bras en rotation externe, surtout lorsque le bras se trouve plus haut qu'à la hauteur de l'articulation de l'épaule. Le point le plus faible du tendon du muscle sus-épineux est la partie (qui forme un toit au-dessus de l'articulation) situé à environ 1 cm de l'insertion du tendon sur l'humérus. A cet endroit se trouve un réseau de capillaires dont la capacité d'irrigation sanguine diminue avec l'âge. Les altérations typiques dues à l'âge de ces capillaires peuvent être rencontrées déjà chez des sportifs âgés de 30 à 35 ans. Lorsqu'on porte en dehors le bras à 80 à 120° par rapport au corps et lors du travail statique dans cette position, il se produit une compression qui détériore la circulation. C'est dans cette zone du tendon du muscle sus-épineux que la plupart des ruptures se produisent. Celles-ci peuvent être totales ou partielles.

Causes

— Traumatisme qui met le bras en rotation interne contre une résistance ou qui empêche le bras d'être en rotation externe, par exemple en handball ou en lutte.
— Chute directe contre l'épaule ou contre un bras en extension.
— Lever ou jet d'un objet lourd.

Symptômes et diagnostic

— Une vive douleur peut être ressentie au moment de la blessure. La douleur revient lors de l'effort, peut augmenter au cours des jours suivants et peut irradier au bras. Le diagnostic repose sur le fait que le sportif a fait une chute contre l'épaule ou a levé ou jetté un objet lourd.
— Douleurs s'installant lorsque le bras est en rotation externe ou soulevé en dehors et en haut. Lorsque le tendon du muscle sus-épineux n'a été rompu qu'en partie, le blessé peut lui-même lever le bras jusqu'à 60 à 80° par rapport au corps sans douleurs ou avec seulement de légères douleurs. Les douleurs augmentent lorsque le bras est levé entre 80° et 120° par rapport au corps et cesse ensuite à nouveau (voir cliché ci-dessous). Lorsque le tendon a été atteint d'une rupture totale, le blessé peut maintenir le bras levé longtemps s'il se trouve à plus de 120° par rapport au

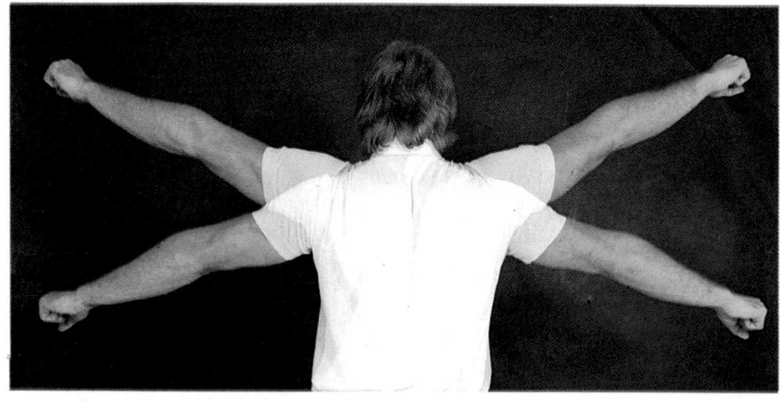

Lors de la rupture du muscle sus-épineux de l'omoplate, il existe une faiblesse musculaire dans l'amplitude de mouvement du bras blessé, et les douleurs augmentent lorsque le bras est soulevé faisant un angle de 80 à 120° par rapport au corps.

corps, mais lorsqu'il le rabaisse, il lâche soudainement le bras. C'est un signe important pour le diagnostic.
— Faiblesse musculaire dans l'amplitude de mouvement du bras atteint.
— Sensibilité douloureuse locale en regard du tendon ou de son insertion.
— L'exploration radiologique de l'articulation de l'épaule peut fournir le diagnostic.

Traitement

Le sportif doit :
— traiter par application de froid l'épaule à l'endroit de la blessure ;
— observer le repos ;
— consulter le médecin si les manifestations pathologiques ne disparaissent pas.

Le médecin peut :
— opérer en cas de rupture totale du tendon du muscle sus-épineux chez les jeunes sportifs ;
— ordonner le repos et l'immobilisation du bras avec un bandage pendant une durée de 2 semaines lorsque la rupture tendineuse n'est pas totale ;
— ordonner ensuite l'entraînement de mobilisation donné plus loin (voir page 405 et suivantes).

Guérison et complications

— Après que le bandage ait été enlevé l'entraînement de la condition physique peut être repris sous la forme par exemple de course à pied. Par contre le blessé doit éviter les exercices de lever et de lancer pendant 8 à 10 semaines selon le degré de gravité de la blessure.
— Une rupture non traitée du tendon du muscle sus-épineux peut donner un préjudice permanent sous la forme d'une diminution fonctionnelle.

Inflammation du tendon ou de l'insertion tendineuse du muscle sus-épineux

L'inflammation du tendon ou de l'insertion du muscle sus-épineux est une lésion d'usure fréquente dans les sports de contact ainsi que parmi les lanceurs, les haltérophiles, les joueurs de sports avec raquettes, les lutteurs, etc. Des manifestations pathologiques de l'épaule sont souvent dues à cette lésion.

Causes

— Effort de longue durée et répété des muscles de l'épaule avec le bras au niveau et au-dessus de la hauteur de l'épaule.
— Rotations en dehors répétées de l'avant-bras.
— Absence de guérison après une rupture du tendon du muscle sus-épineux.

Traitement

Le sportif doit :
— observer le repos jusqu'à l'absence de douleur lorsqu'une mise en charge survient mais maintenir la mobilité ;
— traiter localement par application de chaleur et utiliser une protection gardant la chaleur ;
— consulter le médecin si la douleur est forte ou ne cède pas.

Le médecin peut :
— prescrire des médicaments d'action anti-inflammatoire et sédative de la douleur ;
— faire une injection de corticostéroïdes lorsqu'une sensibilité locale au niveau de l'insertion est présente ;
— ordonner un entraînement de mobilisation sans charge (voir page 405) ;

— opérer en cas d'inflammation due à une rupture partielle qui ne guérit pas.

Guérison et complications

— Lorsque la guérison suit une évolution sans complication le blessé peut reprendre son activité sportive après 1 à 3 semaines.
— Une inflammation non traitée du tendon du muscle sus-épineux peut se prolonger et devenir chronique (en pareil cas elle peut devenir très difficile à traiter). Une inflammation chronique de ce tendon peut faire que le sujet atteint est obligé de faire une longue suspension ou peut-être une interruption définitive de son activité sportive.

Inflammation de la bourse séreuse

Une bourse séreuse est située dans l'épaule entre l'apophyse acromiale de l'omoplate et la coiffe des rotateurs. En état de gonflement elle peut prendre la taille d'une balle de golf. Les inflammations de cette bourse séreuse sont fréquentes.

Causes

— Une chute ou un choc contre l'épaule peut, de même qu'une rupture du tendon du muscle sus-épineux, provoquer une hémorragie dans la bourse séreuse qui pour cette raison sera enflammée.
— Des mouvements unilatéraux répétés peuvent entraîner une inflammation de la bourse séreuse, qui à son tour peut entraîner une augmentation de l'épanchement liquidien dans la bourse séreuse. L'épanchement

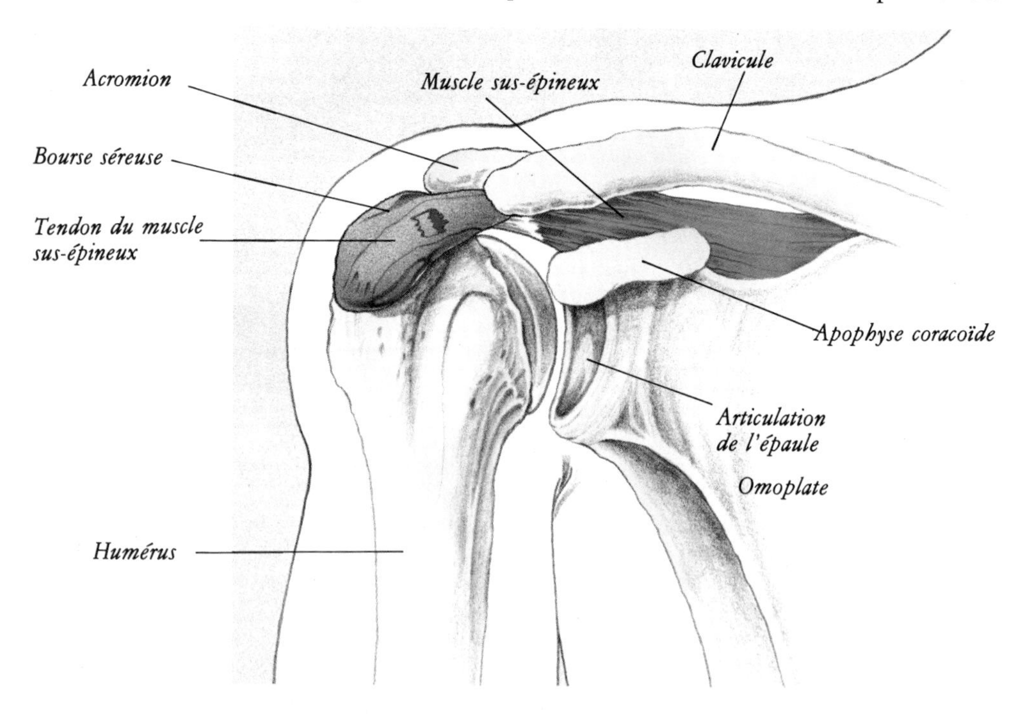

A. Le bras est maintenu en position de repos. Au niveau du tendon du muscle sus-épineux, il existe une rupture avec inflammation. (La bourse séreuse située à proximité n'a pas été dessinée).

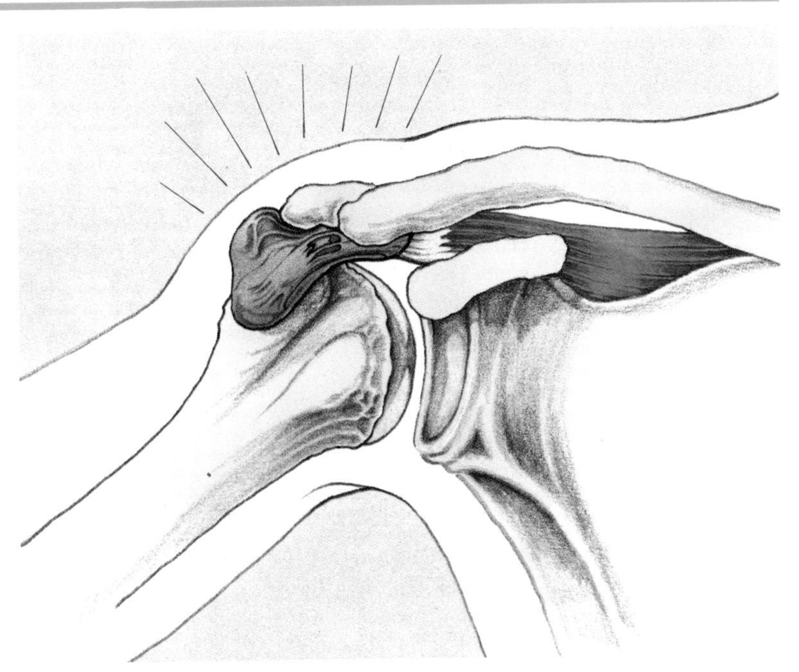

B. Lorsque le bras est levé en dehors et en haut faisant un angle d'environ 70 à 80° par rapport au corps, la bourse séreuse et le tendon lésés vont être coincés contre la face inférieure de l'omoplate (Acromion) et contre le ligament acromio-coracoïdien, ce qui peut occasionner des douleurs. Cet état pathologique est dénommé: «syndrome d'accrochage».

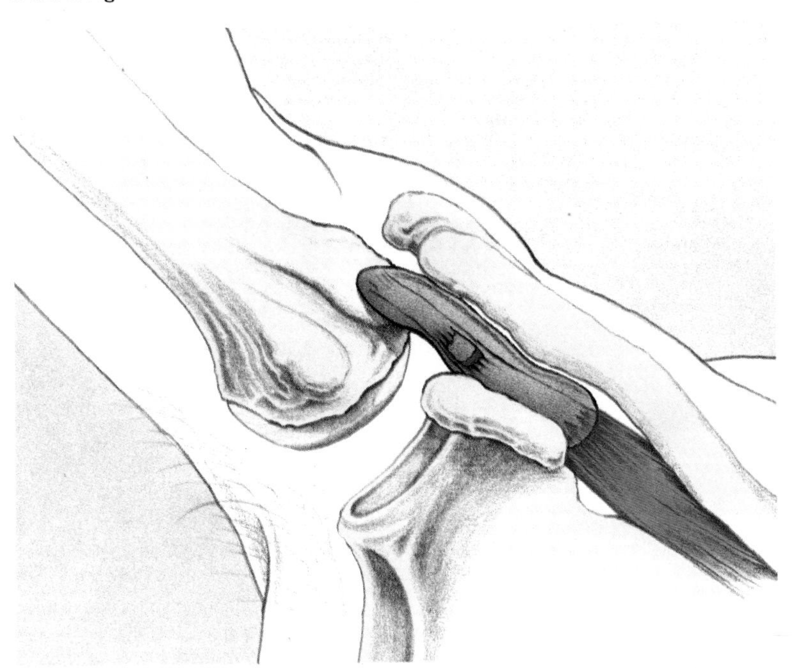

C. Lorsque le bras est levé encore plus en dehors et en haut, de façon à faire un angle par rapport au corps qui soit supérieur à 120°, la bourse séreuse et la zone atteinte du tendon glissent sous l'acromion. Plus aucune pression ne s'exerce alors et la douleur cesse.

cause une tension dans le tissus et entraîne des douleurs aux faces antérieure et supérieure de l'épaule.
— Une inflammation d'un tendon voisin s'étend facilement à la bourse séreuse.

Symptômes et diagnostic

— Douleur des parties antérieure et supérieure de l'épaule.
— Douleurs déclenchées lorsque le bras est soulevé en dehors et en haut et lorsque l'articulation de l'épaule exécute une rotation (voir schéma page 182 et 183).
— Sensibilité douloureuse lorsqu'on appuie contre la bourse séreuse.
— Parfois on peut sentir une tuméfaction fluctuante de la bourse séreuse.

Traitement

Le sportif doit:
— observer le repos jusqu'à ce que l'absence de douleur survienne;
— traiter localement par application de chaleur et utiliser une protection gardant la chaleur.

Le médecin peut:
— en cas d'hémorragie aiguë ainsi qu'en cas de manifestations pathologiques graves et récidivantes ponctionner la bourse séreuse, de façon à la vider de son liquide;
— prescrire des médicaments d'action sédative de la douleur et d'action anti-inflammatoire;
— ordonner des exercices de mobilisation (voir page 405 et suivantes);
— en cas d'inflammation chronique, faire une injection de corticostéroïdes et en relation avec celle-ci ordonner du repos;
— en cas d'inflammation chronique enlever chirurgicalement la bourse séreuse.

Guérison

En cas de mise en route précoce du traitement d'une inflammation d'une bourse séreuse l'absence de manifestations pathologiques est obtenue souvent en 2 à 3 semaines, après lesquelles le sportif peut reprendre son activité sportive.

Syndrome d'accrochage avec arc douloureux

L'accrochage peut être défini comme «un accrochage de tissus mous qui entraîne un état douloureux d'origine inflammatoire».

En cas d'efforts répétés des bras avec des mouvements allant jusqu'au plan horizontal ou au-delà les joueurs de tennis, les nageurs, les lanceurs, les sportifs qui suivent un entraînement de la force, etc. peuvent voir apparaître des états douloureux de l'épaule. La cause en est un accrochage des tissus mous entre la tête articulaire de l'humérus et le toit qui est formé par l'acromion et le ligament qui le relie avec l'apophyse coracoïde, c'est-à-dire le ligament acromio-coracoïdien. L'espace entre ce ligament et les tendons est limité et peut l'être encore plus lorsque ce ligament est épaissi et ossifié. Le bord antérieur de l'acromion de l'omoplate peut subir des altérations sous forme d'inégalités et de formations osseuses à la face inférieure, spécialement chez les sujets âgés. Egalement le long de certaines parties du ligament acromio-coracoïdien peuvent survenir des altérations sous forme de formations osseuses et de cette façon contribuer à un manque d'adaptation du ligament. Dans cet espace limité passent, entre autres, les tendons des muscles sus-épineux, sous-épineux, petit rond et sous-scapulaire ainsi que le tendon du long biceps, de plus c'est à cet endroit qu'est située la bourse séreuse qui recouvre le tendon du muscle sus-épineux.

Quand le bras est porté en avant et en haut (ce qui est un mouvement fonctionnel fréquent) jusqu'à faire un angle de 90° avec le corps et lorsqu'il effectue une rotation en dedans, les tissus mous sont coincés contre le bord tranchant du ligament acromio-coracoïdien. Lorsque les tendons et la bourse séreuse glissent contre le ligament survient un état inflammatoire d'irritation douloureuse. Puisque l'inflammation entraîne une tuméfaction qui fait que l'espace est encore plus réduit, l'état pathologique se détériore de plus en plus. Lors de l'accrochage mécanique des tissus mous sous le ligament acromio-coracoïdien en raison de charges répétées, il se produit une inflammation chronique avec épaississement des tissus mous. Ce sont souvent alors les zones sensibles des tendons des muscles sus-épineux et biceps qui alors sont engagées.

Symptômes et diagnostic

— Lorsque le bras est levé au-dessus du plan horizontal, des douleurs analogues à celles de l'inflammation du tendon du muscle sus-épineux sont ressenties (voir page 180). Les douleurs sont surtout accentuées lorsque les bras sont levés avec un angle de 80 à 120° par rapport au corps avec des douleurs maximales à 90°. Les douleurs augmentent lors du lever de bras contre résistance.
— Lors de la natation, l'accrochage peut se produire lors des mouvements de crawl portant le bras en avant et en dedans, ce qui déclenche la douleur («épaule du nageur»). L'état pathologique se produit également chez les nageurs de nage-papillon.
— Signe d'accrochage qui fait que le blessé ressent des douleurs aigus lorsque l'examinateur lève à toute force le bras en avant et en haut. Le blessé se tord souvent le visage de douleur.
— Sensibilité douloureuse à la face antérieure de la tête articulaire de l'humérus ainsi que, si le tendon du biceps est également enflammé, à la face antérieure de l'articulation de l'épaule en regard du tendon du biceps.
— Limitation de mouvement pouvant exister lors des états douloureux de longue durée.
— En cas d'états douloureux de longue durée les tissus s'épaississent et deviennent moins souples et l'état pathologique peut devenir chronique. Les douleurs en cas de mouvements peuvent alors ressembler à des maux de dents et peuvent survenir également au repos, souvent la nuit. Les joueurs de tennis atteints, par exemple, doivent cesser de servir parce qu'ils ont peur que des douleurs se produisent.

Mesures de prévention

— Mouvements d'échauffement méthodiques avec ensuite entraînement de la mobilité.
— Entraînement de la force.

Traitement

Le sportif doit:
— effectuer des mouvements actifs de l'articulation de l'épaule;
— maintenir sa condition physique;
— traiter localement par application de chaleur et utiliser une protection gardant la chaleur;
— reprendre progressivement l'entraînement sportif lors de l'absence de douleur.

Le médecin peut:
— donner des informations au sujet du traitement de mobilisation active;
— prescrire des médicaments d'action anti-inflammatoire;
— traiter par ultrasons;
— être parcimonieux avec les injections de corticostéroïdes (dans certains cas particuliers, une injection de corticostéroïdes dans la région peut être justifiée, mais elle doit dans ce cas être associée à 1 à 4 semaines de repos);
— opérer en cas de manifestations pathologiques de longue durée, ce qui permet de sectionner le ligament acromio-coracoïdien pour faire de la place pour les tissus mous. D'éventuelles formations osseuses sur l'acromion seront ruginées. Un bandage après l'opération devra être porté pendant 1 à 4 semaines. L'entraînement consécutif à cette intervention consiste en exercices pendulaires, des mouvements actifs avec rotation et levers ainsi qu'en un entraînement de la force.

Inflammation du tendon du muscle sous-scapulaire

Le muscle sous-scapulaire part de la face interne de l'omoplate passe en avant de l'articulation de l'épaule et s'attache haut en avant sur l'humérus. C'est le plus important des muscles rotateurs internes. Son tendon peut être atteint de rupture totale ou partielle. Une rupture partielle guérit avec inflammation. Une rupture totale est inhabituelle mais survient en relation avec une luxation de l'articulation de l'épaule.

Ce sont surtout les lanceurs qui sont atteints de lésions et d'inflammation du tendon du muscle sous-scapulaire. Les mouvements de lancer typiques exécutés, entre autres, par les lanceurs de javelot, les joueurs de handball et les gardiens de sports d'équipe. Le bras est alors porté en dedans jusqu'à un angle de 90° par rapport au corps en même temps qu'est effectuée une extension de l'articulation du coude dans un plan horizontal et une rotation extrême en dehors de l'articulation de l'épaule. Lors du lancer lui-même le bras est porté en avant avec en même temps une rotation en dedans de l'articulation de l'épaule. Le joueur de tennis lors du service et du smash et le joueur de volley-ball exécutent des mouvements analogues mais ils conservent leur articulation du coude fléchie jusqu'à ce qu'elle s'étende lors de la frappe. Lors d'enquêtes chez les joueurs de tennis d'élite, 25 % environ présentaient des manifestations pathologiques qui étaient en faveur d'une surcharge du tendon du muscle sous-scapulaire. Lors du service, du smash et de la prolongation d'un coup de revers en tennis le bras levé du joueur est en rotation interne, ce qui sollicite ce tendon.

Symptômes et diagnostic

— Douleurs lors des mouvements de l'articulation de l'épaule, surtout lorsque le bras est maintenu au-dessus du plan horizontal et est en rotation interne.
— Douleurs pouvant être déclenchées lorsque le bras est en rotation interne contre une résistance.
— Sensibilité douloureuse lors d'une pression directe contre le tendon et l'insertion tendineuse sur la face interne de l'épaule.
— Diminution de force dans le bras lors des mouvements qui le mettent en rotation interne.

Les pratiquants de sports à détente explosive peuvent présenter des lésions des muscles de la région de l'épaule, spécialement en cas de mouvements des bras au niveau et au-dessus du plan horizontal.

Photographie: Pressens bild

Traitement

Le sportif doit:
— commencer avec un entraînement de mobilisation active;
— observer le repos jusqu'à ce qu'une absence de douleur lors des mises en charge se produise;
— traiter localement par la chaleur et employer une protection gardant la chaleur.

Le médecin peut:
— prescrire des médicaments d'action anti-inflammatoire;
— ordonner de la kinésithérapie avec entraînement de la mobilité et un traitement par application de chaleur;
— en cas d'état douloureux de longue durée, faire une injection de corticostéroïdes et, en relation avec cette injection, ordonner 2 semaines de repos sans mouvements de mise en charge.

Guérison et complications

Le sportif blessé peut souvent reprendre son entraînement au bout de 1 à 3 semaines en cas de traitement correct. Lorsque surviennent des signes d'inflammation du tendon du muscle sous-scapulaire, on doit aussi vite que possible se reposer puisque, dans le cas contraire, la lésion devient facilement chronique, ce qui peut avoir pour conséquence que le sujet atteint doit suspendre son activité sportive pendant plusieurs mois ou cesser de faire du sport.

Luxation du long tendon du muscle biceps

A la face antérieure de l'humérus entre les insertions des muscles sus-épineux et sous-scapulaire, il existe un ligament qui a pour rôle de maintenir le tendon du long biceps dans le sillon où il glisse (voir schéma page 170). Si ce tendon est mis en tension et se casse ou si le sillon est peu profond, le tendon du biceps en partie ou en totalité peut glisser en dehors de l'articulation. Ce glissement se fait en règle générale dans une direction en dedans lorsque le bras travaille au-dessous du plan horizontal, puisque le tendon de ce fait lors de la contraction a un trajet plus direct. Dans l'articulation de l'épaule le tendon du biceps possède une certaine action de rotation en dedans.

Symptômes et diagnostic

— Les mouvements de flexion et de supination de l'articulation du coude peuvent donner des douleurs atteignant aussi l'articulation de l'épaule.
— Une rotation en dedans de l'humérus au niveau de l'articulation de l'épaule peut donner des douleurs à la face antérieure de l'humérus.
— On peut avec les doigts sentir si le tendon du biceps glisse à l'intérieur ou à l'extérieur du sillon.

Traitement

Le sportif doit:
— observer le repos;
— traiter localement par application de chaleur et utiliser une protection gardant la chaleur.

Le médecin peut:
— prescrire des médicaments d'action anti-inflammatoire;
— opérer lorsque le tendon tout entier a glissé en dehors de son sillon et s'il existe alors des manifestations pathologiques.

Cette lésion peut entraîner une inflammation dans le tendon et la gaine tendineuse. Symptômes et traitement pour cet état pathologique ont été donnés page 41.

Epaule calcifiée

Des altérations, dues à l'âge des tendons, peuvent, en relation avec des efforts, être à l'origine d'une inflammation chronique du tendon du muscle sus-épineux à l'épaule dès les âges de 30 à 35 ans. Le calcium peut se déplacer dans la bourse séreuse située au-dessus du tendon du muscle sus-épineux, ce qui donne une inflammation de la bourse séreuse. Le calcium peut ultérieurement disparaître 2 à 3 semaines après qu'il s'est formé et il peut également rester sans donner le moindre symptôme.

Symptômes et diagnostic

— Douleur intense de la face antérieure et supérieure de l'épaule pouvant s'installer presque soudainement. La douleur peut être vive au point de rendre le sommeil de l'intéressé impossible. En maintenant le bras immobile contre le corps, la douleur peut être diminuée.
— En raison de la douleur, le sujet atteint consulte souvent un médecin d'urgence. Le médecin trouve alors une sensibilité douloureuse sur la partie antérieure et supérieure de l'épaule. L'exploration radiologique donne le diagnostic.

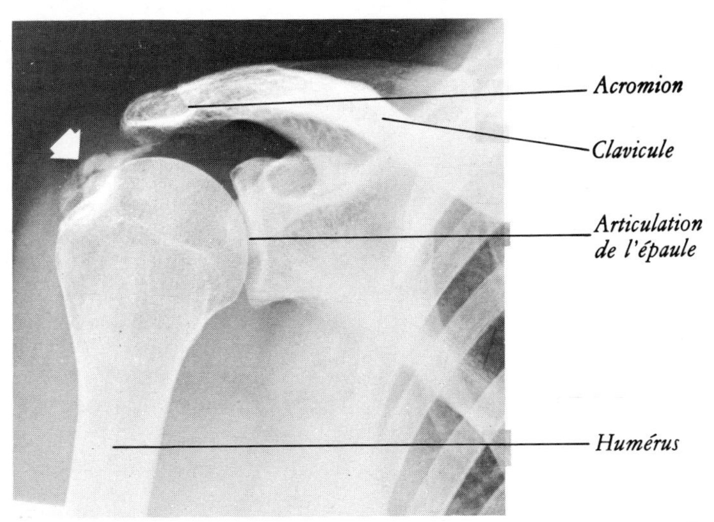

Cliché radiologique d'une épaule calcifiée. La flèche montre un foyer de calcification situé juste en avant de la tête de l'articulation à proximité de la bourse séreuse (voir schéma page 182).

Traitement

Le sportif doit :
— maintenir en mouvement l'articulation de l'épaule, de façon à éviter qu'elle ne s'enraidisse ;
— prendre des médicaments d'action calmante de la douleur.

Le médecin peut :
— ponctionner le foyer calcifié et aspirer le calcium ;
— injecter localement des médicaments d'action calmante de la douleur et des corticostéroïdes.
— prescrire des médicaments d'action calmante de la douleur ;
— opérer pour enlever le foyer calcifié.

Rupture et inflammation du muscle deltoïde

Une rupture du muscle deltoïde survient — quoique rarement — chez les joueurs de handball, les haltérophiles, les lutteurs, etc. Le muscle est souvent blessé par traumatisme direct, mais il peut également être lésé par surcharge. Une rupture du muscle deltoïde ne porte que sur une petite partie du muscle et celui qui en est atteint éprouve des difficultés à lever le bras en dehors et en haut (abduction). Une sensibilité douloureuse locale existe en regard de la rupture. Le traitement est le repos.

Les lésions par surcharge peuvent atteindre l'insertion distale c'est-à-dire située loin du centre, du corps du muscle deltoïde sur le bras. Les sportifs qui sont atteints de cette lésion sont surtout de jeunes sportifs, qui un grand nombre de fois portent leur bras en haut et en dehors sous une forte charge. La surcharge de la partie postérieure du muscle deltoïde sur-

Le muscle deltoïde (près de la flèche) peut être blessé lors d'un effort maximal dans les sports de force.

vient, entre autres, chez les nageurs de nage-papillon en raison de leur puissant ramené arrière des bras. La surcharge de la partie antérieure du muscle deltoïde n'est pas inhabituelle dans certains sports de ballon et surviennent lorsqu'un joueur avec le bras en extension s'efforce d'arrêter le possesseur du ballon qui est en train de le passer. Le traitement de ces types de lésions par surcharge est en règle générale: le repos et l'application de chaleur.

Lésions nerveuses de la région de l'épaule

Les lésions nerveuses de la région de l'épaule ne sont pas fréquentes mais elles sont importantes à connaître. Elles peuvent se produire surtout après des blessures causées par un traumatisme et une pression externe, mais aussi en cas de surcharge.

Lésion du nerf sus-scapulaire

Le nerf sus-scapulaire innerve les muscles sus-épineux et sous-épineux et passent dans un sillon sur le bord supérieur de l'omoplate. Un ligament de couverture enferme le nerf dans le sillon.

Le nerf sus-scapulaire peut être lésé en relation avec, par exemple une luxation en avant et en arrière de l'articulation de l'épaule où le nerf est étiré sur le bord de l'omoplate. En relation avec le sport, le nerf peut être atteint d'une part, en cas de traumatisme direct contre l'omoplate, d'autre part, en cas de pression externe par exemple par un sac à dos, enfin lors de mouvements unilatéraux répétés de l'épaule qui entraînent une traction sur le nerf ce qui peut amener un renflement et un enclavement.

Symptômes et diagnostic

— Douleurs qui irradient à la partie postéro-externe de l'épaule.
— Faiblesse lors de la rotation externe et de l'abduction de 80 à 120° de l'articulation de l'épaule c'est-à-dire les muscles sus- et sous-épineux.
— Une atrophie des muscles sus- et sous-épineux; l'atrophie est très accentuée.
— La région peut être insensible et cette absence de manifestations pathologiques confirme le diagnostic.

Traitement

— Repos actif.
— Entraînement de la mobilité et en cas d'absence de douleur, entraînement de la force.
— Injection de corticostéroïdes.
— Si des manifestations pathologiques demeurent, le chirurgien peut opérer pour sectionner le ligament et libérer le nerf.

Lésion du nerf circonflexe

Le nerf circonflexe innerve le muscle deltoïde et passe très près de l'articulation de l'épaule. Les lésions de ce nerf surviennent surtout comme complication d'une luxation de l'articulation de l'épaule mais aussi parfois en cas de fracture de l'extrémité supérieure de l'humérus. La symptomatologie consiste en douleur et diminution du tact dans les parties antérieure et externe du bras ainsi qu'en une faiblesse, lorsque le bras doit être porté en dehors. Cette manœuvre entraîne une paralysie du muscle deltoïde. Puisque le nerf circonflexe passe autour du bras tout à fait contre l'os sur un long trajet, un violent traumatisme contre cette région peut parfois atteindre ce nerf mais l'effet est souvent transitoire.

Lésion du nerf du grand dentelé

Le nerf du grand dentelé innerve les muscles «grand dentelé» et grand dorsal, qui maintiennent l'omoplate en place. Une lésion isolée de ce nerf peut survenir en cas de mouvements rapides de l'épaule qui seraient exécutés avec une grande force, par exemple, lors de l'haltérophilie. Les nageurs de dos peuvent présenter ce type de lésion, car les mouvements de leurs bras lors de ce type de nage sont une association de rotation externe et de soulèvement en avant et en haut.

Lorsque le nerf du grand dentelé est lésé, il existe une diminution de la capacité à lever le bras et en même temps une déformation en aileron de l'omoplate. L'omoplate ressort alors en arrière du côté blessé. Une manière de mettre en évidence cette lésion est de demander au sujet atteint de pousser coude tendu contre une paroi. Au début, le blessé peut ressentir une douleur sourde qui, en règle générale, disparaît spontanément.

Rupture du muscle grand pectoral

Le muscle grand pectoral a son origine sur la paroi antérieure de la cage thoracique et son insertion à la face antérieure de l'extrémité supérieure de l'humérus. La fonction de ce muscle est de porter le bras en dedans contre la cage thoracique et de lui faire effectuer une rotation interne. En cas de forte charge, le muscle grand pectoral peut se rompre et une rupture totale survenir en relation avec l'entraînement de la force (surtout tout entraînement au banc de presse), les levers en force et la pratique d'autres sports de force comme la lutte, le lancement de poids, le lancement du disque et du javelot, etc. Il est fréquent que l'insertion du muscle sur l'humérus soit lésée.

Symptômes et diagnostic

— Douleur au niveau de l'insertion du grand pectoral à la face antérieure du bras en relation avec une forte charge.
— Tuméfaction et ecchymose (en raison de l'hémorragie) à la face antérieure du bras.
— Sensibilité douloureuse à la face antérieure du bras.
— Diminution de force lorsque le bras est porté en dedans contre la cage thoracique ou mis en rotation interne contre une résistance.
— Le grand pectoral ne se contracte pas lorsque le bras est appuyé en dedans contre une résistance. On peut sentir ce phénomène en plaçant la main sur le muscle d'une part du côté blessé, d'autre part du côté sain.

Traitement

Le sportif doit :
— traiter la blessure en urgence selon les lignes générales données page 31 et suivantes et page 63 et suivantes;
— consulter un médecin pour le traitement à instaurer.

Le médecin peut :
— opérer en cas de rupture musculaire totale. Après l'intervention, un bandage doit être porté pendant environ 4 semaines.

Guérison

Une période de repos de 3 à 6 semaines est nécessaire. Ensuite, le blessé peut commencer l'entraînement de mobilisation et de condition physique. L'entraînement de la force ne doit cependant pas être repris avant au plus tôt 6 à 8 semaines après le moment de l'accident.

En haut : muscle grand pectoral. En bas à gauche : rupture totale du muscle. Grand pectoral lors de son insertion sur l'humérus.

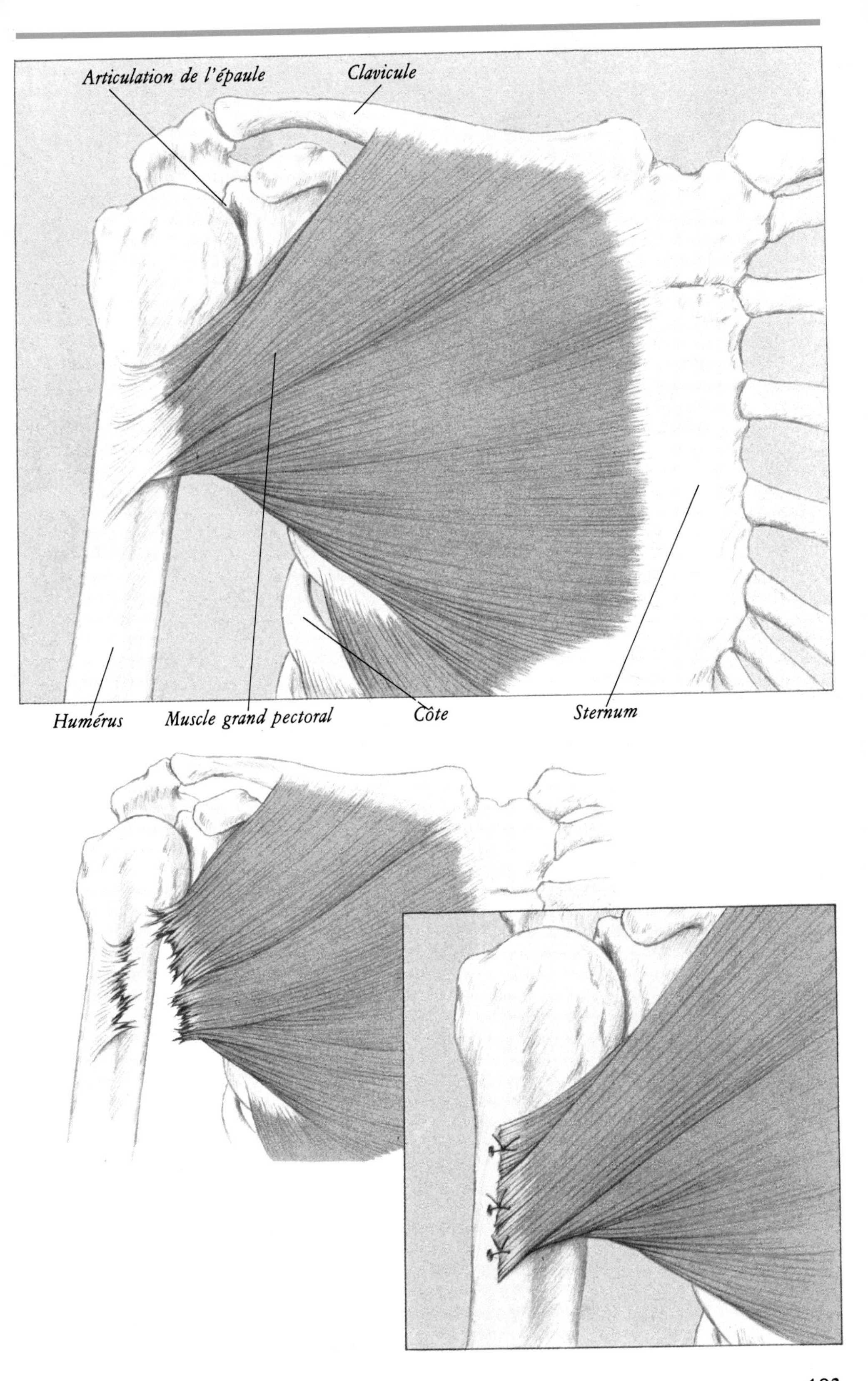

Articulation de l'épaule
Clavicule
Humérus
Muscle grand pectoral
Côte
Sternum

Inflammation de l'insertion du muscle grand pectoral

L'insertion du grand pectoral sur l'avant-bras peut être l'objet d'une inflammation locale. La lésion survient surtout chez les gymnastes, les joueurs de tennis, de badminton, de squash et de golf, les rameurs, les haltérophiles et les lanceurs. La cause déclenchante est souvent un entraînement de la force trop intensif.

Symptômes et diagnostic

— Douleur dans la région du muscle grand pectoral au niveau de l'insertion sur l'humérus.
— Sensibilité douloureuse en un point sur l'insertion du tendon du grand pectoral sur l'humérus.
— Douleur et parfois faiblesse lorsque le bras est porté en dedans contre la cage thoracique contre résistance.

Traitement

Le sportif doit :
— observer le repos et décharger la région atteinte ;
— traiter localement par application de chaleur et utiliser une protection gardant la chaleur ;
— faire une injection locale de corticostéroïdes et ordonner du repos.

LÉSIONS DU BRAS

L'humérus s'articule à son extrémité supérieure avec l'omoplate et à son extrémité inférieure avec le radius et le cubitus. A la face antérieure de l'humérus se trouve le muscle biceps du bras qui met en flexion et en supination l'articulation du coude et à la face postérieure de l'humérus se trouve le muscle biceps qui met en extension l'articulation du coude.

Rupture du long tendon du muscle biceps

Les ruptures du long tendon du muscle biceps surviennent chez les gymnastes, les joueurs de tennis et de badminton, les lutteurs, les rameurs, les haltérophiles et les lanceurs de javelot, etc.

Le long tendon du biceps passe sur la tête de l'articulation et s'attache immédiatement en avant et au-dessus de la cavité articulaire sur l'omoplate. Le tendon est l'objet d'altérations dues à l'âge et des ruptures à son niveau surviennent souvent chez les sportifs âgés de plus de 40 à 50 ans. Chez les sportifs plus jeunes, cette lésion est relativement rare.

Symptômes et diagnostic

— Douleur modérée en avant de l'articulation de l'épaule.
— Tuméfaction à la face antérieure du bras en raison de l'hémorragie.
— A la phase aiguë, il existe une incapacité à contracter le muscle contre résistance.

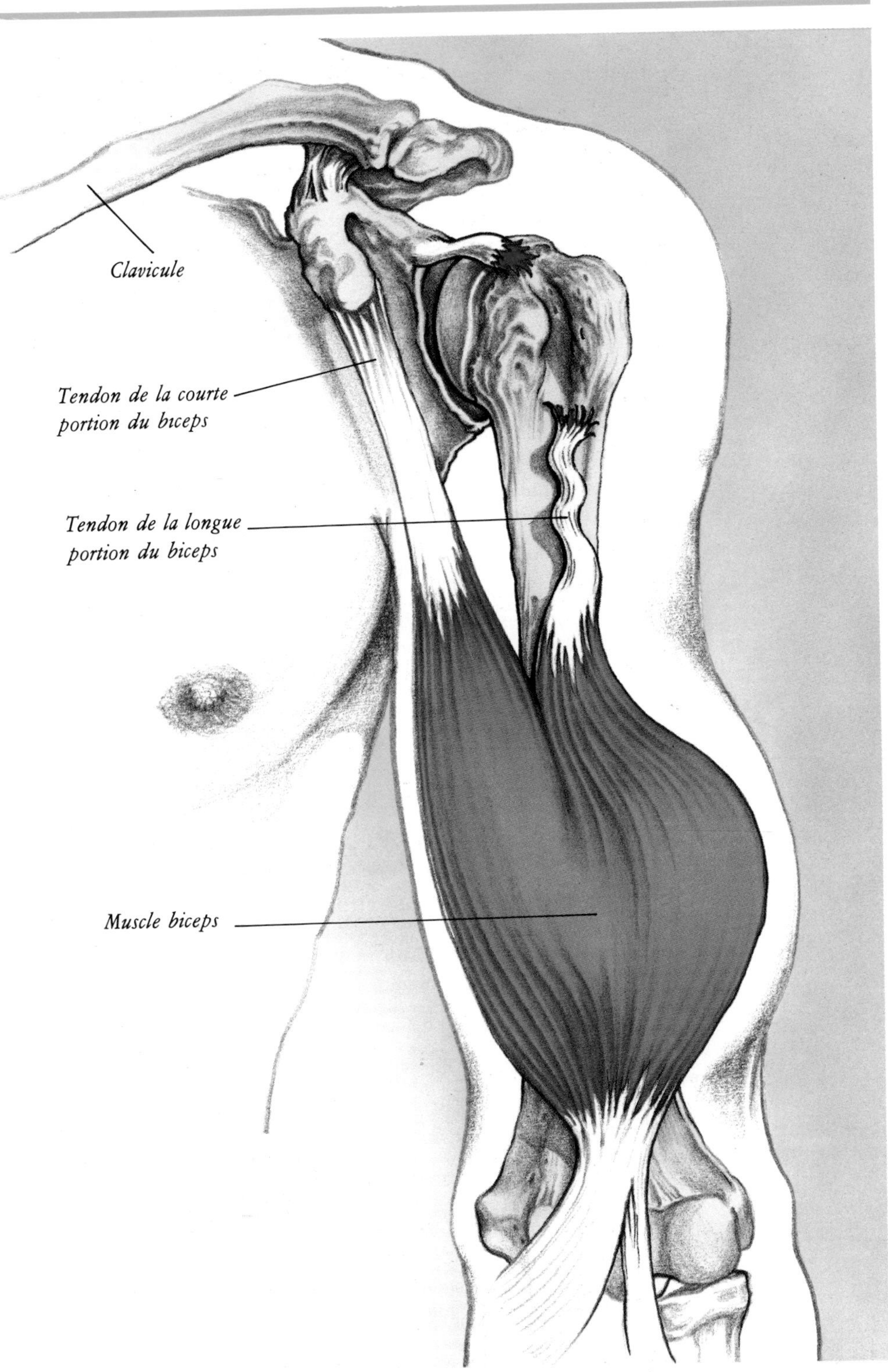

Rupture du tendon de la longue portion du muscle biceps.

— Diminution modérée de la force lors de la flexion de l'articulation du coude et lorsque l'avant-bras est mis en supination.
— Le muscle se rétracte peu à peu au bras et crée un volumineux corps musculaire (voir schéma page 195) qui est plus grand que le corps musculaire du muscle biceps du bras sain. Le muscle ne participe pas complètement aux flexions de l'articulation du coude.

Traitement

Le sportif doit:
— consulter un médecin pour bilan de la blessure.

Le médecin peut:
— ordonner de la kinésithérapie et des exercices de mobilisation (voir page 405);
— opérer lorsqu'une rupture totale est survenue chez un sportif jeune et actif.

Guérison

— Si l'intervention chirurgicale n'est pas jugée nécessaire, les entraînements de la mobilité, de la force et de la condition physique peuvent être commencés dès que les douleurs auront diminuées.
— Après l'intervention chirurgicale, le bandage doit être conservé pendant 4 semaines. Puis, les entraînements de la mobilité et de la condition physique sont commencés. L'entraînement de la force ne doit pas être repris avant plusieurs semaines. Les sports de contact ne doivent pas être pratiqués avant 4 à 6 semaines après que le bandage ait été enlevé.

Inflammation du long tendon du muscle biceps

L'inflammation du long tendon du muscle biceps est une cause relativement fréquente de douleurs de l'épaule. Ce tendon glisse sur la tête de l'articulation de l'épaule dans un sillon particulier de l'humérus et en cas d'inflammation du tendon, il existe une sensibilité douloureuse bien délimitée à l'extrémité supérieure du bras (voir schéma page 170). La lésion survient chez les canoéistes, les rameurs, les haltérophiles, les lanceurs de javelot, les escrimeurs, les lutteurs, les joueurs de golf, de tennis, de tennis de table, de badminton et de squash, etc.

Symptômes et diagnostic

— Sensibilité douloureuse à la partie supérieure et antérieure du bras et de l'épaule lors des mouvements de flexion de l'articulation du coude.
— Douleurs à la face antérieure de l'épaule pouvant être déclenchées si le blessé fait une supination de l'avant-bras contre résistance en même temps que l'articulation du coude est maintenue fléchie à angle droit ou est fléchie contre résistance.
— Des crépitements peuvent être perçus à la face antérieure de l'épaule lors de la flexion et de l'extension de l'articulation du coude.

Traitement

Le sportif doit:
— observer le repos;
— traiter localement par application de chaleur et utiliser une protection gardant la chaleur.

Le médecin peut:
— prescrire des médicaments d'action anti-inflammatoire;
— prescrire des médicaments d'action anticoagulante; par exemple héparine, pendant 3 à 5 jours.

Guérison

Le blessé peut reprendre son activité sportive lors de la disparition des symptômes.

Rupture du tendon du muscle triceps

Lorsqu'on chute sur la main avec le bras fléchi, une rupture du tendon du muscle triceps peut survenir et parfois l'insertion tendineuse peut se détacher de la pointe du cubitus.

Symptômes et diagnostic

— Douleurs de la pointe du cubitus (olécrane), où une brèche dans le tendon peut être perçue.
— Diminution de force dans le bras et incapacité à étendre l'articulation du coude. Une exploration radiologique doit être effectuée.

Traitement

— Lors d'une petite rupture, il n'est, en règle générale, pas nécessaire de traiter en dehors du repos. Une protection gardant la chaleur doit être utilisée.
— Une intervention chirurgicale doit être pratiquée lorsque des sportifs jeunes et actifs ont été atteints d'une rupture totale du tendon ou de l'insertion tendineuse.

En cas de chute en mouvement en avant, des lésions du muscle triceps peuvent se produire. Photographie: Marie Hedberg/Reportage bild.

Fracture

Une fracture de *l'extrémité supérieure de l'humérus* (voir page 172) peut survenir en cas de chute avec le bras en extension et contre l'épaule.

Une fracture du milieu de l'humérus peut survenir chez les cavaliers, les lutteurs, etc., et est traitée habituellement en immobilisant le bras contre le corps pendant 3 à 6 semaines. Quelquefois, une intervention chirurgicale de la lésion peut devenir nécessaire. On doit compter avec une durée de rééducation fonctionnelle de 3 à 6 mois avant que le blessé puisse reprendre son activité sportive dans les spécialités qui exigent que le bras blessé soit sollicité.

Une fracture de fatigue (voir page 55 et suivantes) de l'humérus peut parfois survenir chez, par exemple, les lanceurs de javelot.

Une fracture du bras peut se produire en cas de chute. Photographie: Pressens bild.

LÉSIONS DU COUDE

L'articulation du coude permet non seulement au bras de se fléchir mais aussi à l'avant-bras de faire des rotations en pronation et en supination. Une bonne coordination entre les os du squelette, les ligaments et les muscles qui entourent l'articulation du coude est capitale pour assumer les activités quotidiennes de routine comme de s'habiller, de se nourrir et d'aller aux toilettes. De plus l'articulation du coude est pourvue, en plus des muscles et des ligaments, de gros vaisseaux et de nerfs qui passent à proximité immédiate de l'articulation et qui, pour cette raison, peuvent être à l'origine de complications graves lors des lésions du coude.

«Coude du joueur de tennis» (épicondylite externe)

Le terme de «coude du joueur de tennis» date du début du 18e siècle. Ainsi qu'il l'indique, cette lésion est fréquente chez les joueurs de tennis. Peuvent cependant en être atteints les joueurs de squash, de badminton, de tennis de table, et de golf, de même que les personnes qui par leur métier (électricien, menuisier) ou leur activité de loisir (travail manuel) exécutent des mouvements unilatéraux répétés.

Le «coude du joueur de tennis» peut survenir lorsqu'on utilise une mauvaise technique en jouant au tennis. Le joueur de loisir, qui fait un revers avec un mouvement de la main au lieu de frapper sans bouger le poignet avec la totalité du bras et avec un mouvement de l'épaule, éprouve souvent des ennuis au niveau du coude. Frapper une balle de tennis qui part à une vitesse de 50 km/h correspond en théorie à soulever un poids de 25 kg. Les forces mises en jeu lorsque la balle rencontre la raquette doivent être réparties sur tout le corps du joueur. C'est pourquoi il est essentiel d'employer toute l'épaule ainsi que les gros muscles de l'omoplate et du torse pour y répartir les forces. Les joueurs de loisir effectuent parfois des frappes peu nettes, ce qui fait se produire dans la raquette des forces de rotation qui doivent être réparties sur les tissus.

Le «coude du joueur de tennis» est une affection fréquente. Des enquêtes ont montré que 45 % des sportifs qui jouaient au tennis quotidiennement et 25 % de ceux qui jouaient 1 ou 2 fois par semaine avaient souffert de cette affection. Le «coude du joueur de tennis» est particulièrement fréquent chez les sportifs âgés de 40 ans et au-delà. Les manifestations pathologiques sont localisées à une petite zone de l'apophyse osseuse: l'épicondyle, à la face externe de l'articulation du coude, où les muscles qui étendent les doigts et la main au niveau du poignet s'insèrent (voir schéma page 200). Ce sont surtout les muscles: 2e radial, l'extenseur commun des doigts, le 1er radial et le cubital postérieur qui sont sollicités lors du «coude du joueur de tennis». La zone d'où ces muscles proviennent est assez petite, c'est pourquoi les forces que les muscles peuvent mettre en jeu y entraînent une charge élevée par unité de surface.

Symptômes et diagnostic

— Douleurs qui siègent surtout à la face externe du coude mais qui peuvent également irradier vers le haut, le long du bras et vers le bas, le long de la face externe de l'avant-bras.

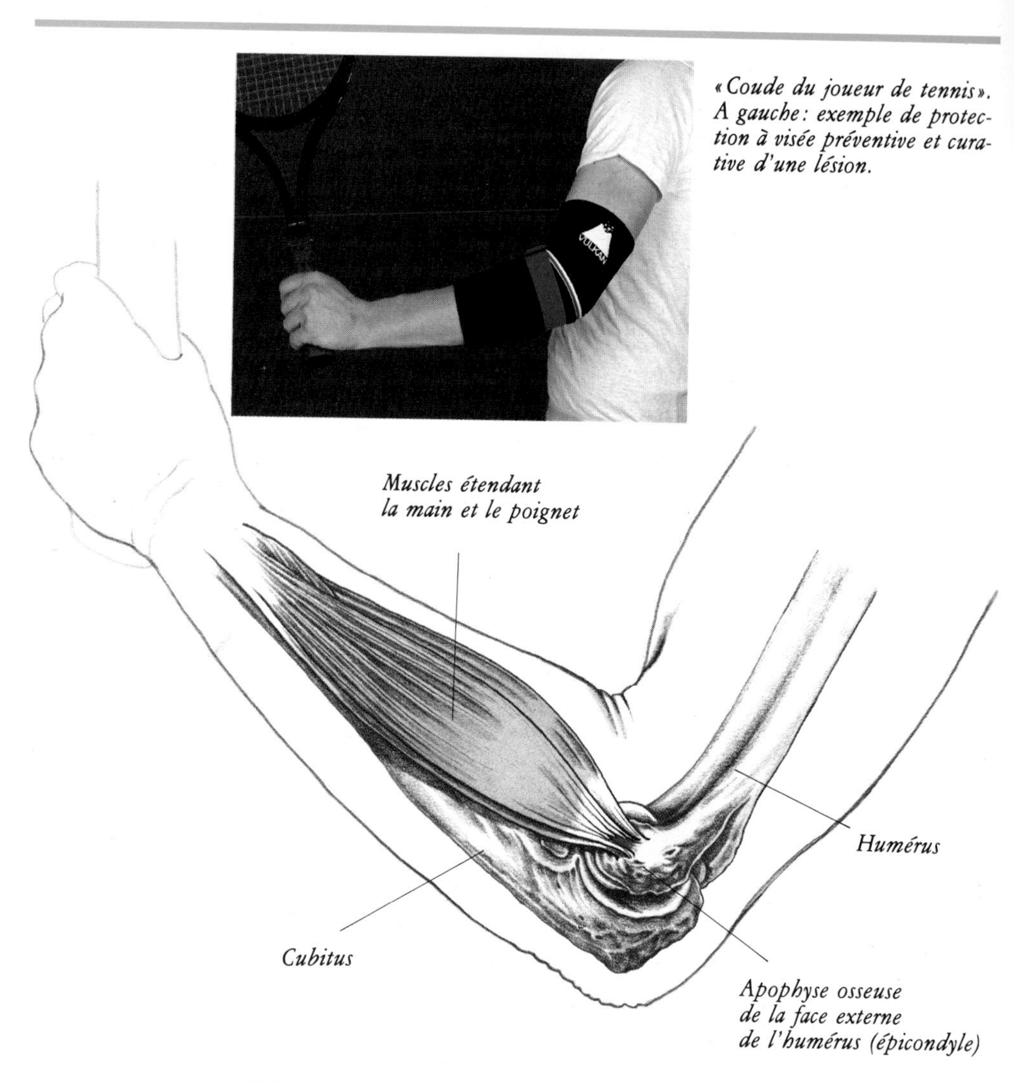

«Coude du joueur de tennis». A gauche: exemple de protection à visée préventive et curative d'une lésion.

— Faiblesse du poignet, un symptôme qui crée des difficultés à soulever un plateau ou une tasse de café, à ouvrir une porte, à tordre une serpillière mouillée, à serrer la main de quelqu'un en le saluant, etc.
— Sensibilité douloureuse distincte punctiforme qui se manifeste lorsqu'on appuie contre l'apophyse osseuse à la face externe du coude.
— Douleur au-niveau de l'apophyse osseuse du coude lorsque le blessé étend la main vers le haut contre résistance au niveau du poignet (voir cliché page 201). Ce symptôme est typique du «coude du joueur de tennis».
— Douleur à la face externe du coude pouvant être déclenchées lorsqu'on met les doigts en extension contre résistance.
— Une exploration radiologique de l'articulation du coude doit être effectuée pour pouvoir éliminer d'autres diagnostics que le «coude du joueur de tennis», par exemple un corps étranger dans l'articulation du coude et une fracture. D'autres diagnostics doivent être évoqués par le médecin: maladie rhumatismale, compression de nerfs (branche profonde du nerf radial et nerf cubital) ainsi que des douleurs dues à des altérations de la colonne vertébrale (spondylose entre la cinquième et la sixième vertèbre cervicale).

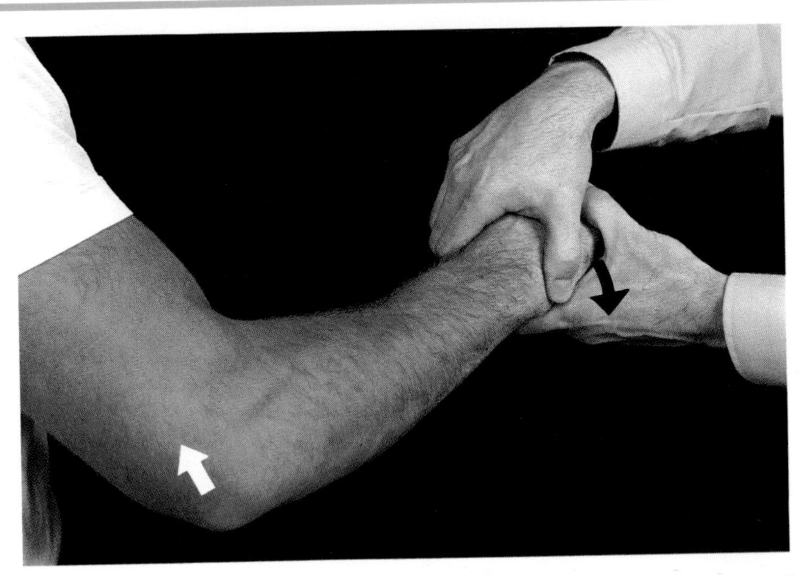

Lors de l'extension du poignet contre une résistance, il apparaît une douleur en regard de l'apophyse osseuse de l'humérus: l'épicondyle (l'emplacement précis de la douleur est indiqué par la flèche blanche).

Mesures de prévention

— Technique de jeu et de travail correcte constituant la mesure de prévention la plus importante.
— Parfois, un bandage de l'avant-bras ou une protection gardant la chaleur (voir cliché page 200) sont employés dans un but de prévention.
— Une unilatéralité dans l'entraînement doit être évitée.

Lorsqu'il s'agit de préciser une technique de jeu correcte en tennis, il y a lieu de tenir compte, entre autres, des points suivants:

1. Bon travail des pieds, de façon à marcher correctement jusqu'à la balle.
2. La balle doit rencontrer correctement la raquette au bon moment.
3. L'épaule et tout le corps doivent participer au coup de raquette de façon à ce que le mouvement ne soit pas freiné vers le haut lorsque la balle est rencontrée. Le coup doit être poursuivi beaucoup plus loin et le poignet doit rester ferme.
4. Le sol doit être lent. Des sols rapides comme le gazon ou le ciment font que la balle rencontre la raquette avec une force accrue, ce qui entraîne une augmentation de la charge du bras du joueur.
5. Les balles doivent être légères.
6. Un équipement correct doit être utilisé. La raquette doit être essayée individuellement en tenant compte de la technique de jeu. Un joueur de loisir doit avoir une raquette légère, puisqu'une raquette lourde entraîne une plus grande charge. La raquette doit être bien équilibrée et faciliter la tendance à la rotation lors du lift.
7. Une raquette trop durement accordée fait que la charge imposée aux tissus du corps augmente. Le cordage de la raquette doit être adapté individuellement et ne pas être trop tendu. Le joueur qui a souffert d'un «coude de joueur de tennis» doit faire corder sa raquette plus mou.
8. La taille du manche de la raquette pour la main doit être soigneusement choisie. Le manche de la raquette doit être bien en main et facile à tenir. Une méthode simple pour connaître la bonne taille du man-

che de la raquette est de mesurer la distance qui existe entre la ligne médiane de la paume de la main et l'extrémité du médius (voir schéma ci-dessous). La circonférence du manche de la raquette doit être égale à cette distance.

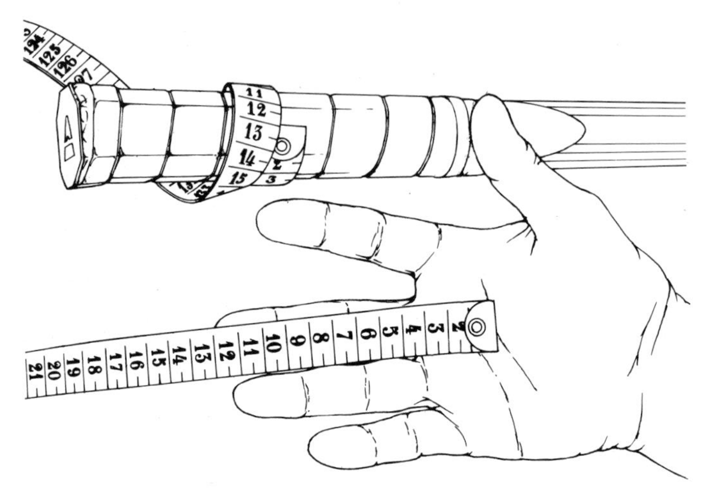

La circonférence du manche de la raquette de tennis au niveau de la prise de main doit etre égale à la distance qui sépare la seconde ligne de la paume de la main de l'extrémité du médius.

Traitement

Le sportif doit :
— lorsque la lésion se trouve à sa phase aiguë, diminuer la douleur en traitant la lésion par application de froid pendant 24 jours; (il n'est pas nécessaire de faire une surélévation et un pansement compressif, puisqu'il n'y a pas de problème d'œdème);
— observer un repos actif, c'est-à-dire éviter les mouvements qui déclenchent la douleur et à la place, s'entraîner en faisant de la bicyclette ou de la course à pied ou des activités physiques analogues;
— traiter localement par application de chaud et utiliser une protection gardant la chaleur lorsque la lésion après 24 jours n'est plus dans sa phase aiguë;
— traiter par massage glacé, éventuellement en alternance avec un traitement par application de chaleur;
— essayer si un strapping du poignet apporte une amélioration lorsque le coude doit être mis en charge;
— diminuer la charge de l'origine du muscle blessé à l'aide d'un bandage qui doit être posé le bras étant relâché et qui doit être conservé jusqu'à ce que la période de rééducation fonctionnelle soit terminée;
— améliorer par l'entraînement la force, l'endurance et la mobilité. Le programme d'entraînement pouvant être établi comme suit:

1. Entraînement isométrique des muscles extenseurs du poignet. L'entraînement est effectué avec le poignet dans trois positions: d'abord, flexion complète, ensuite en position neutre et enfin en extension complète. L'articulation ne doit pas être chargée et les exercices doivent être exécutés 30 fois dans la journée. Les extenseurs du poignet sont mis en extension pendant 10 secondes chaque fois. Lorsque ces exercices peuvent être exécutés sans douleur, on peut commencer avec une charge de 0,5 kg sur les muscles.

2. Entraînement dynamique. Un ruban élastique est tressé sur les bouts des doigts et on essaie ensuite d'écarter les doigts malgré la résistance du ruban élastique.
   Une autre méthode consiste, avec l'aide d'une charge de 1 à 3 kg, à étendre et à fléchir le poignet 10 fois. Répéter.
3. Entraînement par allongement (stretching) du poignet. Celui-ci est fléchi sous un angle de 90° et la main opposée est utilisée comme résistance. Le coude du bras blessé doit être maintenu en complète extension et l'avant-bras doit être en rotation interne. Le poignet fléchi est allongé jusqu'à une position extrême et maintenu alors pendant 10 à 15 minutes, après quoi l'articulation doit être mise au repos pendant 2 secondes avant d'être soumise à un allongement pendant encore 10 secondes. L'exercice étant répété 15 fois par jour.
4. Entraînement de la force et de la mobilité des épaules et du bras (voir page 405 et suivantes).

Une augmentation de l'entraînement avec charge peut être commencée lorsque la douleur est bien contrôlée, c'est-à-dire lorsque le sujet peut tolérer la douleur qui se produit lorsqu'il serre la main de quelqu'un pour le saluer.

Le médecin peut:
— prescrire des médicaments d'action anti-inflammatoire;
— en cas de manifestations pathologiques de longue durée, faire une injection de corticostéroïdes, traitement ayant souvent une bonne efficacité. Le blessé ressent cependant souvent une exacerbation des douleurs pendant 24 à 48 heures après cette injection. Une injection de corticostéroïdes doit être suivie de 1 à 2 semaines de repos et ne doit pas être répétée plus de 2 à 3 fois. Si malgré ce traitement les manifestations demeurent, une intervention chirurgicale doit être pratiquée. Les résultats de cette intervention sont bons;
— ordonner un traitement par ultrasons et par stimulation nerveuse transcutanée.

Guérison

Un véritable «coude du joueur de tennis» guérit souvent spontanément et le pronostic est en général bon. Les manifestations pathologiques peuvent cependant persister de deux semaines jusqu'à un an, spécialement si le sujet atteint continue à mettre en charge son bras. Le jeu de tennis à haute dose peut être repris lorsqu'une pleine mobilité, une pleine force et l'absence de douleur existent à nouveau dans le bras. Après une intervention chirurgicale, il doit s'écouler 6 à 8 semaines avant que le blessé ne recommence à jouer au tennis.

«Coudes des lanceurs et des joueurs de golf» (épitrochléite)

Le «coude du lanceur» et le «coude du joueur de golf» ressemblent au «coude du joueur de tennis» mais les manifestations pathologiques sont situées à la face interne du coude. La lésion se produit chez les joueurs de golf et les lanceurs (spécialement les lanceurs de javelot). Un golfeur droitier peut présenter un «coude de joueur de tennis» dans son coude gauche dominant et un «coude de joueur de golf» dans son coude droit qui accompagne le mouvement. Les joueurs de base-ball sont souvent atteints d'une forme plus discrète de «coude du lanceur».

Les joueurs de tennis d'élite peuvent, malgré une bonne technique de jeu, présenter des manifestations d'épitrochléite. Ce qui déclenche les manifestations est souvent le mouvement que les joueurs font lors du service. Ils fléchissent le poignet en même temps que leur bras est en rotation interne. Les muscles qui exécutent ce mouvement ont leur insertion sur l'apophyse interne du coude (l'épitrochlée). Le joueur de tennis qui effectue un «top spin» exagéré et à cette fin met l'avant-bras en forte rotation interne (pronation exagérée) peut également être atteint d'épicondylite médiane. Les muscles qui sont surtout sollicités ont leur origine sur l'apophyse interne du cubitus et sont utilisés lorsqu'on fléchit le poignet et les doigts.

Symptômes

La symptomatologie est la même que lors du «coude du joueur de tennis» (voir ci-dessus) mais elle est localisée à la face interne de l'humérus. Il existe une nette sensibilité douloureuse lorsqu'on appuie sur l'épitrochlée et le blessé ressent une douleur lorsqu'il fléchit vers le bas le poignet contre résistance.

Traitement

Le traitement est le même pour cette lésion que pour le «coude du joueur de tennis». La durée de rééducation fonctionnelle peut cependant être un peu plus longue après une intervention chirurgicale pour épitrochléite.

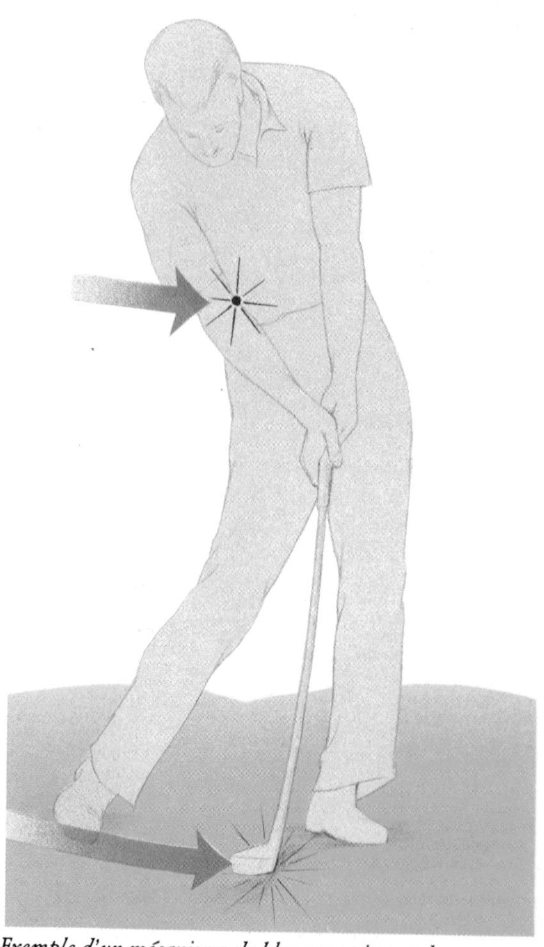

Exemple d'un mécanisme de blessure qui peut donner un «coude de joueur de golf».

Coude du jeune lanceur

Lorsqu'on lance un ballon lors d'un jeu de ballon, on commence par une forte abduction et en même temps une rotation en dehors suivies d'un puissant ramené en avant avec pronation du poignet et des doigts. Lors du mouvement de lancer, il se produit une mise en tension passive des tissus mous de la face interne du coude (ligament-muscle-insertion) et en même temps une compression du cartilage des surfaces articulaires sur la face externe. Les muscles qui répondent de ce mouvement sont tous situés à la face antérieure de l'avant-bras. La force du lancer se transmet directement au niveau de l'épitrochlée, c'est-à-dire l'apophyse interne du coude où les muscles ont leur insertion. Chez les sujets en cours de croissance, les origines de ces muscles sont attachés à un noyau de croissance: une apophyse qui est nettement plus faible que l'os environnant. Les manifestations pathologiques sont dues à un accroissement de la traction sur l'attache de cette apophyse.

Symptômes et diagnostic

— Douleur du coude. Celle-ci s'installe souvent graduellement. Si la douleur apparaît de façon soudaine, un arrachement de l'apophyse a pu se produire, ce qui parfois nécessite une intervention chirurgicale. La douleur peut être provoquée lors de la flexion vers le bas de l'articulation du coude.
— Raideur du coude.
— Sensibilité locale directement au-dessus de l'épitrochlée.
— Les 2 coudes doivent être radiographiés. Une fragmentation de la zone de croissance peut alors être vue.

Traitement

Le sportif doit:
— observer le repos et utiliser une protection gardant la chaleur;
— s'abstenir complètement de mouvements de lancer jusqu'à ce que la sensibilité douloureuse ait disparu, ce qui se produit habituellement après 8 à 9 semaines.

Le médecin peut:
— plâtrer le coude s'il existe une fragmentation de la zone de croissance;
— opérer si le déplacement est important. Il ne doit être donné ni corticostéroïde ni médicament d'action anti-inflammatoire chez un sujet en cours de croissance.

Guérison

Si la zone de croissance est lésée, l'entraînement à lancer sera repris au plus tôt 8 semaines après que la blessure est survenue. Auparavant une rééducation fonctionnelle soigneuse, notamment de la fonction musculaire, doit avoir lieu.

Compression des nerfs cubital et radial (syndrome canalaire)

Enclavement du nerf radial

La branche nerveuse profondément située qui part du nerf radial juste en dessous du coude aux faces antérieure et externe de l'avant-bras peut être comprimée lorsqu'elle traverse un canal étroit au niveau du muscle court supinateur, qui fait tourner l'avant-bras en dehors. La symptomatologie peut ressembler aux manifestations pathologiques qui surviennent lors du «coude du joueur de tennis».

Symptômes et diagnostic

— Sensibilité douloureuse pouvant exister en bas et légèrement en avant de la partie externe du coude.
— Douleur et diminution de force déclenchées lors de l'extension du poignet ainsi que lors de la rotation en dedans de l'avant-bras au niveau de l'articulation du coude.
— Une anesthésie locale du nerf peut, si elle supprime les manifestations, confirmer le diagnostic.

Traitement

Le sportif doit:
— observer le repos.

Le médecin peut:
— prescrire des médicaments d'action anti-inflammatoire;
— opérer pour libérer le nerf et agrandir le canal. L'intervention chirurgicale donne habituellement de bons résultats.

Compression du nerf cubital

Lorsqu'il arrive qu'on se cogne contre la partie interne du coude, on peut ressentir une douleur qui irradie jusqu'au 4ᵉ et 5ᵉ doigts de la main. Le nerf cubital passe le long du bord interne du coude juste derrière l'apophyse osseuse sur laquelle les muscles du poignet sont attachés. En relation avec les sports de lancer et de raquette le nerf peut être mis en extension et glisser en dehors de son sillon, ce qui entraîne une irritation du nerf.

Symptômes et diagnostic

— Douleurs de la face interne du coude après de longs matchs de tennis et de golf.
— Douleurs qui peuvent s'aggraver et irradier jusqu'aux 4ᵉ et 5ᵉ doigts.
— Engourdissement et diminution du tact peuvent survenir à l'auriculaire et à la moitié de l'annulaire.
— Sensibilité douloureuse pouvant survenir au niveau du nerf à la face interne du coude.
— Dans les cas graves un léger heurt avec le bout des doigts contre le nerf cubital donne des douleurs seulement en dehors jusqu'à l'annulaire.

Traitement

Le sportif doit:
— observer le repos.

Le médecin peut:
— prescrire des médicaments d'action anti-inflammatoire;
— en cas de lésion de longue durée, opérer pour libérer le nerf ou le déplacer vers une position plus relâchée. L'intervention chirurgicale donne habituellement de bons résultats.

Inflammation de la bourse séreuse («coude de l'étudiant»)

Juste en dessous de la pointe du coude se situe une bourse séreuse dans laquelle une hémorragie peut se produire s'il arrive de recevoir un coup contre elle ou de tomber avec le bras en avant contre un sol dur. Dans de nombreux sports comme, par exemple, la course d'orientation, la lutte, le volley-ball, le basket-ball, le football et le handball, les joueurs n'ont souvent aucune protection de leurs coudes et dans d'autres sports comme le hockey sur glace les joueurs utilisent habituellement des protections inefficaces. Les gardiens de but de handball sont spécialement exposés aux hémorragies des bourses séreuses du coude.

Après une hémorragie dans une bourse séreuse ainsi que lorsque le coude a été exposé à une charge de longue durée, la bourse séreuse sera enflammée et tuméfiée. Cet état pathologique est souvent appelé «coude de l'étudiant» puisque, selon les descriptions folkloriques, il atteint les étudiants en posant leurs coudes sur leur pupitre.

Symptômes et diagnostic

— Tuméfaction et sensibilité douloureuse sur la pointe du cubitus lors d'une hémorragie aiguë dans la bourse séreuse après traumatisme. Parfois, la peau est déchirée.

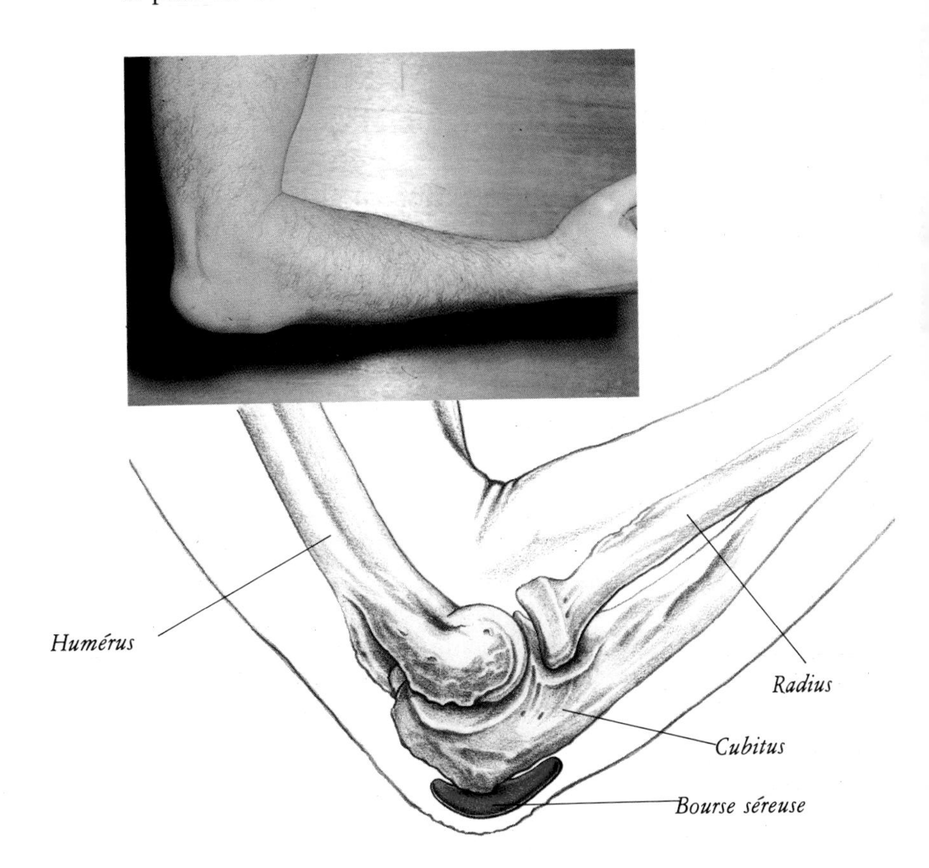

Inflammation de la bourse séreuse du cubitus, «coude de l'étudiant».

— Des caillots sanguins persistants peuvent former de petits corps libres dans la bourse séreuse et créer une irritation du fait de la pression exercée sur les tissus. Cette irritation entraîne une inflammation et un épanchement de liquide (hygroma).
— Lors d'une inflammation dans la bourse séreuse ainsi que lorsque la bourse séreuse est soumise à une pression de longue durée, celle-ci est tendue par le liquide, sensible, et une rougeur se produit. L'œdème peut diffuser à l'avant-bras.
— Limitation de mouvement de l'articulation du coude.

Mesures de prévention

Une protection de coude d'un type qui protège la pointe du cubitus (voir page 117) doit être employée, spécialement par les gardiens de handball et de football, ainsi que par les joueurs de volley-ball, de handball et de hockey sur glace.

Traitement

Le sportif doit:
— observer le repos jusqu'à disparition des manifestations pathologiques.

Le médecin peut:
— ponctionner la bourse séreuse et aspirer le sang et le liquide;
— poser un bandage (parfois un plâtre) qui doit être conservé pendant 4 à 7 jours;
— faire une injection locale de corticostéroïdes en cas d'inflammation de longue durée;
— enlever chirurgicalement la bourse séreuse si elle est le siège d'une inflammation répétée, spécialement lorsque des corps libres sont présents dans la bourse séreuse.

Guérison

Lors d'un cas mineur d'inflammation de la bourse séreuse du coude, le sportif peut reprendre son entraînement une semaine après que le traitement médical ait été commencé.

Luxation

Une luxation de l'articulation du coude survient surtout dans les sports de contact, par exemple le handball, le football, le hockey sur glace, ainsi que chez les cavaliers, les cyclistes, les lutteurs, les skieurs et les joueurs de squash. Une cause fréquente de cette lésion est une chute sur la main avec l'articulation du coude fléchie. La lésion peut également survenir si le coude est en hyperextension lorsqu'on tombe.

Une luxation de l'articulation du coude se produit habituellement avec le cubitus en arrière et peut être associée avec une fracture. Les luxations ne peuvent jamais se produire sans lésions des capsules articulaires et des ligaments qui entourent l'articulation. Même si l'articulation blessée est rapidement remise en place, il faudra du temps avant que les tissus mous environnants soient guéris.

Symptômes et diagnostic

— Douleur intense, tuméfaction et sensibilité douloureuse, ainsi que limitation de mouvement.
— Modification du contour de l'articulation du coude.
— Exploration radiologique donnant le diagnostic.

Traitement

Le médecin:
— doit remettre en place l'articulation et ensuite faire une épreuve de stabilité; plus tôt cette réduction se fera, plus facilement elle aura lieu;

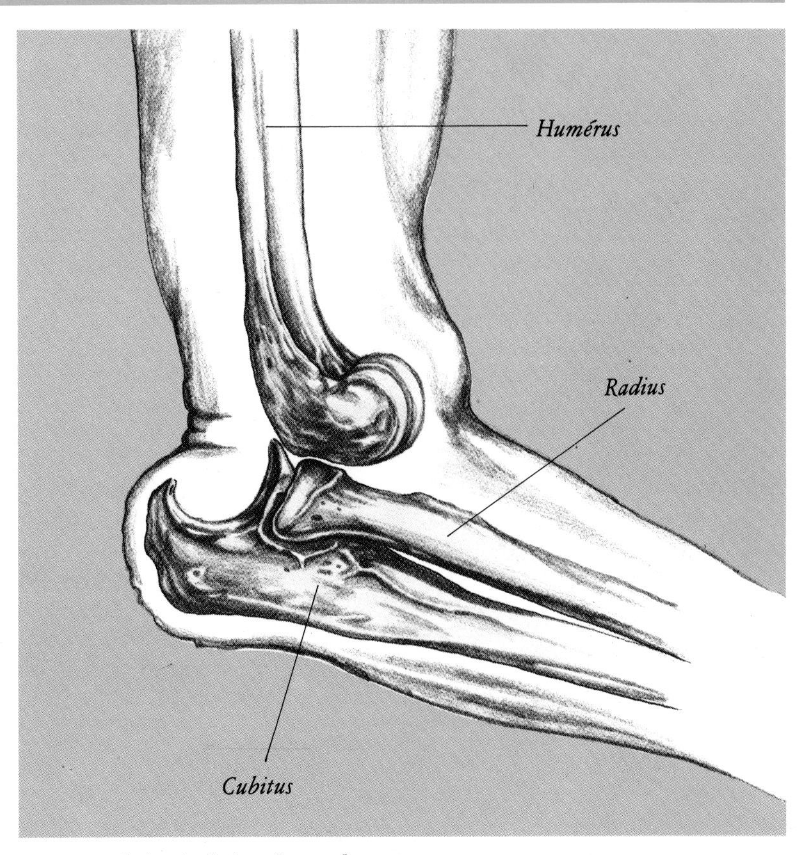

Luxation de l'articulation du coude.

— doit demander une exploration radiologique de l'articulation après qu'elle ait été correctement replacée;
— immobiliser ensuite l'articulation du coude dans une gouttière plâtrée qui sera conservée pendant 2 à 5 semaines, suivant l'étendue de la lésion; un entraînement de mobilisation (voir page 405 et suivantes) peut ensuite être commencé;
— peut opérer s'il existe des lésions importantes des ligaments et une instabilité de l'articulation.

Guérison et complications

Lorsque le plâtre a été enlevé, le blessé peut reprendre son entraînement de la condition physique sous forme par exemple de course à pied. Ce n'est que 8 à 10 semaines après le moment de la blessure, lorsque les ligaments sont guéris et qu'il existe une totale mobilité que le sportif peut retourner, par exemple, à la pratique du handball.

Si le traitement d'une luxation de l'articulation du coude n'est pas poursuivi, les ligaments et la capsule articulaire ne guérissent pas de façon satisfaisante. Une nouvelle luxation peut alors facilement se produire.

Corps étranger dans l'articulation du coude (ostéochondrite disséquante)

En relation avec les mouvements de lancer, l'articulation du coude est soumise à de très fortes charges, spécialement lors des mouvements en avant lorsque le bras est relâché. La surface articulaire supérieure ronde du radius à l'avant-bras peut, par suite de ce mouvement, venir cogner contre la surface articulaire inférieure externe de l'humérus et entraîner une lésion de celle-ci. Le cartilage de la surface articulaire peut alors en même temps qu'un fragment de l'os sous-jacent quitter sa place et devenir un corps étranger dans l'articulation.

Symptômes et diagnostic

— Douleurs de la partie supéro-externe du coude. Les douleurs sont déclenchées surtout en relation avec les mouvements de lancer.
— Il existe des difficultés à étendre et à fléchir l'articulation du coude.
— Un blocage de l'articulation peut se produire au cours du mouvement de lancer. La raison en est que le corps étranger empêche la poursuite du mouvement et ces blocages sont très douloureux. Il existe en règle générale des contractures musculaires et une tuméfaction ainsi qu'une incapacité à étendre le coude.
— Tuméfaction.
— Sensibilité douloureuse, surtout à la face externe de l'articulation du coude.
— Une exploration radiologique des 2 articulations du coude doit être pratiquée, spécialement lorsque le blessé n'est pas un adulte. Sur le cliché radiologique de l'articulation du coude blessée, on peut alors voir au niveau de l'humérus une niche dans laquelle peut se trouver un fragment.
— L'arthroscopie confirme le diagnostic.

Traitement

— Repos.
— En cas de manifestations pathologiques de longue durée une intervention chirurgicale doit être pratiquée.

Guérison

Le blessé peut en règle générale reprendre son activité sportive 2 à 3 mois après une opération.

Fracture de l'extrémité inférieure de l'humérus

L'enfant est souvent atteint de fracture de l'extrémité inférieure de l'humérus en raison de traumatismes par hyperflexion, qui surviennent en chutant des appareils de gymnastique ainsi qu'en cas de chutes au cours, par exemple, de l'équitation et du cyclisme.

Symptômes et diagnostic

— Douleur intense lors des mouvements de bras.
— Sensibilité douloureuse à la pression.
— Tuméfaction.

Traitement

— Le blessé est amené le plus rapidement possible à un médecin. La fracture de l'extrémité inférieure de l'humérus impose souvent une hospitali-

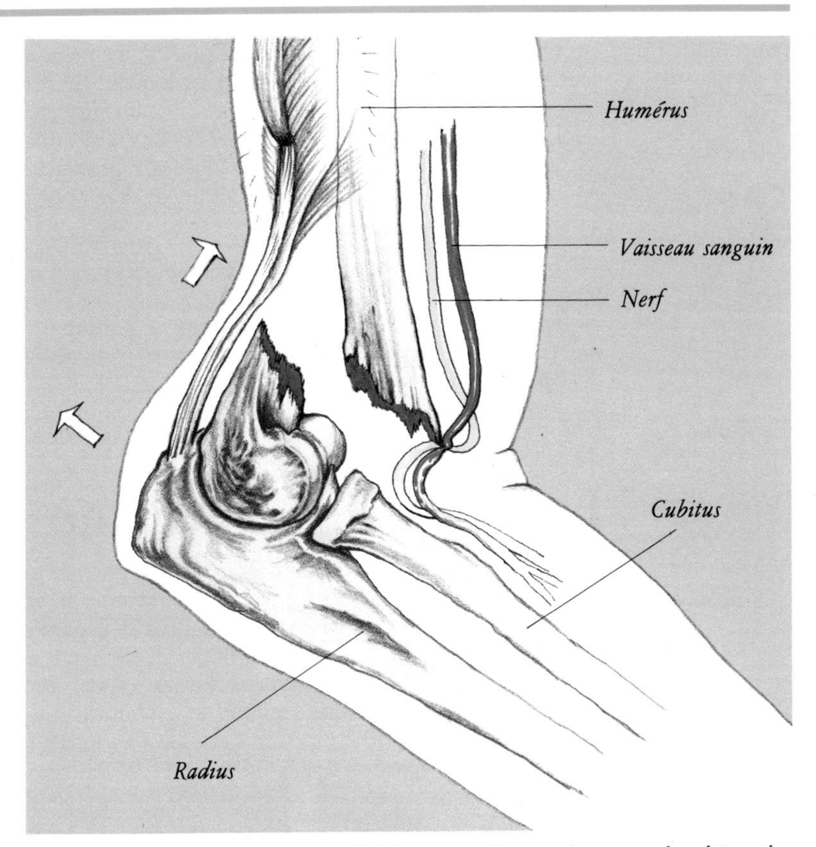

Fracture de l'extrémité inférieure de l'humérus. Comme le montre le schéma, lors de ce type de blessure, une extrémité osseuse peut appuyer sur les vaisseaux sanguins et les nerfs et leur créer éventuellement des lésions.

sation, spécialement lorsque ce sont des enfants ou des adolescents qui sont atteints; Ceci, parce que des nerfs importants et des vaisseaux sanguins sont situés à proximité des extrémités de la fracture et parce qu'ils risquent d'être lésés et d'être touchés par l'hémorragie. Le pouls et le tact doivent être contrôlés en dessous de la lésion.
— *Le médecin* s'efforcera de corriger tout déplacement éventuel de la fracture. Si cette réduction de la fracture n'est pas possible, une opération est nécessaire.

Guérison

Une thérapeutique de mobilisation (voir p. 405 et suivantes) sera mise en route à un stade précoce si la lésion n'est pas trop grave. Après 8 à 10 semaines lorsque le blessé aura recouvré sa pleine mobilité du bras, il pourra reprendre son activité sportive.

Fracture de la tête du radius

Le radius est très épais et très fort à la hauteur du poignet, mais il est nettement plus fin au coude. En cas de chute avec le bras en extension, les forces sont réparties par l'intermédiaire de l'avant-bras à la partie la plus supérieure du radius. La tête du radius constitue une partie de l'articulation du coude et sa fracture peut entraîner des manifestations pathologiques de longue durée.

Symptômes et diagnostic

— Douleur survenant immédiatement au moment de la blessure. La douleur s'aggrave au fur et à mesure en raison du gonflement de l'articulation par suite de l'augmentation de l'hémorragie.
— Limitation de mouvement qui augmente lorsque la tuméfaction augmente. L'articulation du coude est en règle générale fléchie à 90°.
— Une exploration radiologique donne le diagnostic.

Traitement

Le médecin peut :
— avec une seringue aspirer le sang de l'hémorragie dans la région blessée ;
— poser une gouttière plâtrée, que le blessé portera pendant 1 à 2 semaines (après quoi les muscles du bras seront réentraînés) ;
— opérer lorsque le radius est fortement éclaté.

Guérison

Une fracture de la tête du radius correctement réduite guérit en 6 à 8 semaines.

Fracture de l'olécrane

En cas de chute avec le coude fléchi, par exemple dans les sports de contact ainsi que dans les sports mécaniques, comme le speedway, une fracture de la pointe du coude, l'olécrane, peut se produire. La symptomatologie est une tuméfaction, une sensibilité douloureuse au-dessus du coude et une incapacité à étendre l'articulation du coude. Une intervention chirurgicale est jugée nécessaire, puisque le tendon du muscle triceps du bras écarte les extrémités de la fracture l'une de l'autre. Le blessé peut reprendre son activité sportive 2 à 3 mois après le moment de la blessure.

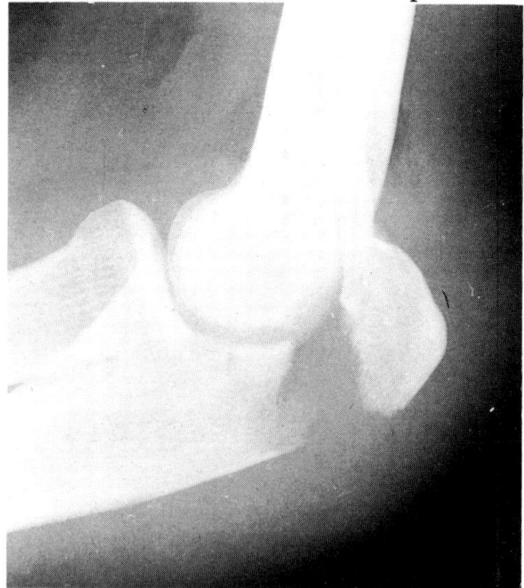

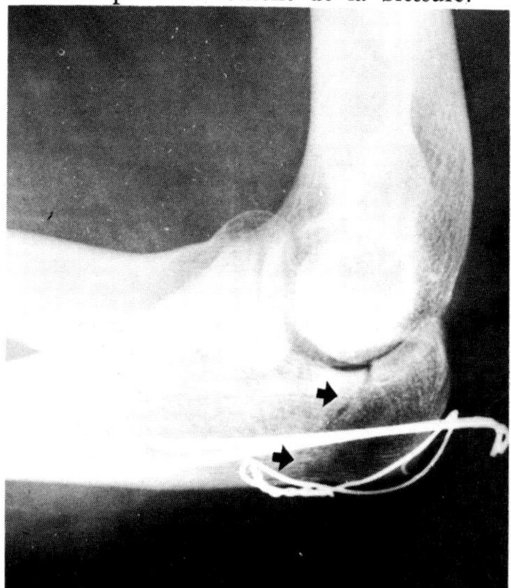

Clichés radiographiques d'une fracture de l'olécrane. Sur le cliché de droite, on voit que le fragment d'os a été fixé à l'aide d'un cerclage autour d'une broche.

LÉSIONS DE L'AVANT-BRAS

L'avant-bras est interposé entre deux articulations joignant radius et cubitus.

Inflammations des tendons, des gaines tendineuses et des muscles

A la suite d'une pression externe ou de mouvements unilatéraux répétés, les muscles extenseurs et fléchisseurs de l'avant-bras ainsi que leurs tendons et leurs gaines tendineuses sont l'objet d'une inflammation. La lésion survient surtout chez les rameurs et les canoéistes lorsque ceux-ci commencent des séances d'entraînement intensif au début de la saison, mais également les joueurs de tennis, de squash, de tennis de table et de badminton, les skieurs, etc. peuvent être atteints.

Symptômes et diagnostic

— Douleurs lors des mouvements d'extension et de flexion de la main.
— Tuméfaction locale et sensibilité douloureuse au niveau du muscle et du tendon atteints.
— Crépitements tendineux pouvant être ressentis en regard des tendons de la main atteinte et au niveau de l'avant-bras lors des mouvements des doigts et du poignet (voir clichés ci-dessous).

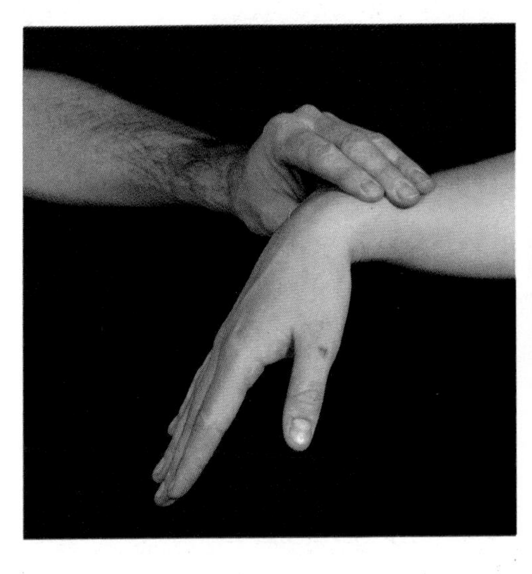

Mesures de prévention

— Entraînement et mise en charge progressivement augmentées.
— Variation de l'entraînement, lorsque la lésion résulte de mouvements unilatéraux.
— Technique correcte.
— Equipement correct.

Traitement

Le sportif doit:
— observer le repos. La lésion guérit alors souvent, mais la guérison peut être longue à venir.

Le médecin peut:
— prescrire des médicaments d'action anticoagulante, par exemple héparine, pendant 3 à 5 jours, ce qui se montre efficace;
— traiter par plâtre pendant 1 à 4 semaines;
— prescrire des médicaments d'action anti-inflammatoire.

Fracture de l'avant-bras

Une fracture de l'avant-bras peut se produire après une chute ou un coup contre l'avant-bras et habituellement atteint à la fois le radius et le cubitus.

Une fracture du cubitus peut être associée à une luxation du radius au niveau de l'articulation du coude. C'est pourquoi l'articulation du coude doit également être examinée et explorée radiologiquement, lorsqu'il existe une fracture du cubitus.

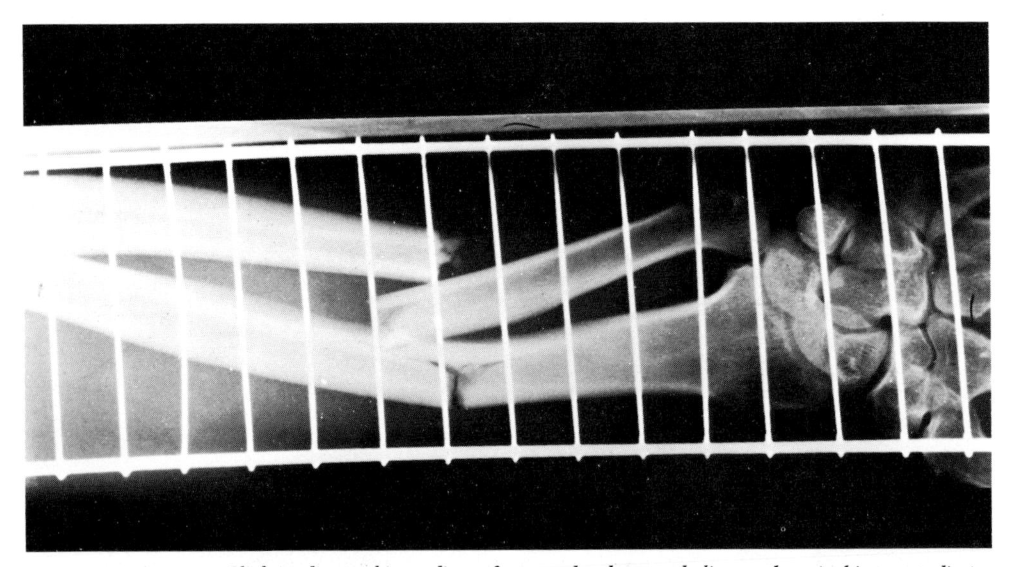

Cliché radiographique d'une fracture des deux os de l'avant-bras (cubitus et radius). L'image de grille provient de la présence d'une gouttière métallique.

Traitement

Il est important que le cubitus et le radius soient exactement remis à leur place normale. Un traitement par plâtre pendant 6 à 10 semaines est conseillé et une intervention chirurgicale n'est pas exceptionnelle, spécialement en cas de déplacement.

Après un traitement par plâtre, le bras doit être réentraîné pendant 6 à 10 semaines avant que le blessé ne reprenne son activité sportive.

LÉSIONS DU POIGNET

Fracture du poignet (fracture du radius)

La fracture du radius est la plus fréquente de tous les types de fractures. La fracture survient en règle générale lorsqu'on tombe en avant le bras en extension, ce qui a pour effet d'obliger la main à se porter en extension. La lésion n'est pas rare parmi les joueurs de hockey sur glace, de football et de handball, les cavaliers, les lutteurs et les skieurs de descente, etc.

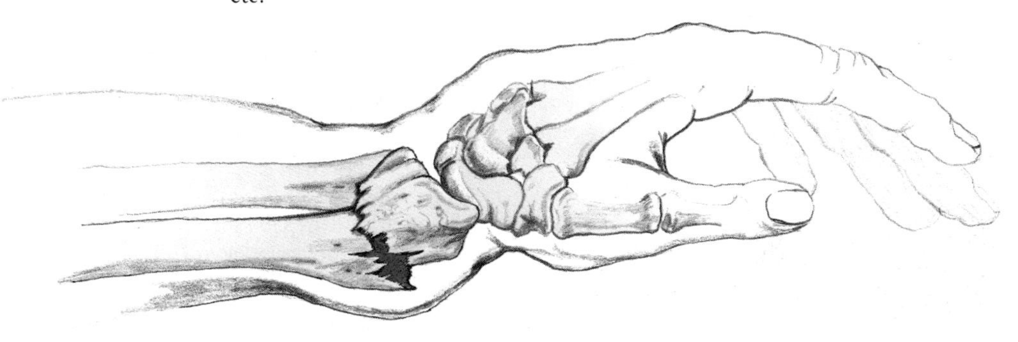

Vue latérale d'une fracture du poignet.

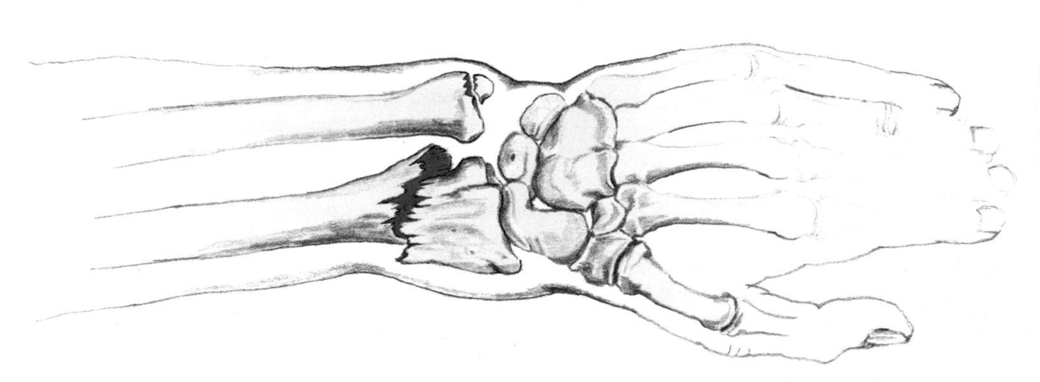

Vue cavalière d'une fracture du poignet. Il n'y a parfois qu'un seul os fracturé.

Symptômes et diagnostic

— Position en baïonnette du poignet (voir schéma ci-dessus). Cette position provient de ce que le fragment de radius est repoussé en arrière par rapport à l'avant-bras.
— Tuméfaction et sensibilité douloureuse du poignet.
— Douleur lors des mouvements.
— Dans les cas légers, la tuméfaction et le déplacement peuvent être limités. La lésion peut alors être interprétée comme un écrasement mais, également en pareil cas, le poignet doit être radiographié.

Traitement

Le médecin peut:
— réduire la fracture;
— poser un plâtre, (habituellement une gouttière plâtrée), qui en l'absence de complications pourra être enlevé après 4 à 5 semaines, après quoi le poignet sera réentraîné;
— intervenir chirurgicalement en cas de fracture grave.

Guérison

L'entraînement de la condition physique peut souvent être maintenu au cours de la période de plâtre. Par ailleurs, l'activité sportive pourra être reprise après 8 à 12 semaines.

Faiblesse du poignet

Les jeunes filles de constitution gracile, dans leur vingtième année, peuvent se plaindre de douleurs qui surviennent au niveau du poignet lors des efforts (mais qui disparaissent souvent au repos) et qui irradient le long de l'avant-bras. Lors de l'examen clinique, on peut noter une certaine hypermobilité et une laxité du poignet, mais il n'existe en règle générale aucune véritable lésion. Parfois, on peut trouver une petite surélévation, prise pour un ganglion, à la face supérieure de la main. La jeune fille atteinte ne doit pas s'arrêter de s'entraîner mais seulement porter un bandage de soutien autour du poignet et pratiquer parallèlement avec l'entraînement ordinaire un entraînement de force. Les manifestations pathologiques disparaissent souvent avec le temps.

Fracture du scaphoïde

La fracture du scaphoïde du poignet peut se produire lorsqu'on fait une chute avec la main fléchie en extension. La lésion est surtout fréquente au sein des sports de contact comme le football, le hockey sur glace et le handball mais elle peut également se produire chez les skieurs, etc.

La circulation sanguine alimentant le scaphoïde est facilement atteinte, spécialement dans le cas d'une fracture située au milieu du scaphoïde et pose des problèmes de consolidation. Le sportif éprouve souvent des difficultés à accepter la longue durée du traitement, qui est nécessaire pour que cette lésion puisse guérir.

Symptômes et diagnostic

— Douleur modérée avec sensibilité douloureuse dans la région du scaphoïde, c'est-à-dire dans le prolongement du pouce sur le poignet.
— Diminution modérée de la force lors des mouvements de la main.
— La lésion est souvent prise à la légère et considérée comme une contusion en raison des symptômes immédiats souvent mineurs.

Traitement

Le sportif doit:
— consulter un médecin pour exploration radiologique pour toute blessure de la main qui peut être soupçonnée d'être une fracture du scaphoïde.

Le médecin peut:
— poser un plâtre lorsqu'il existe une suspicion de fracture, même si l'exploration radiologique ne montre pas de fracture. Une nouvelle exploration radiologique doit être effectuée 2 à 3 semaines plus tard, puisqu'il peut s'écouler un long moment avant que la fracture ne soit perceptible;
— lorsqu'il existe une fracture du scaphoïde, poser un plâtre qui au cours

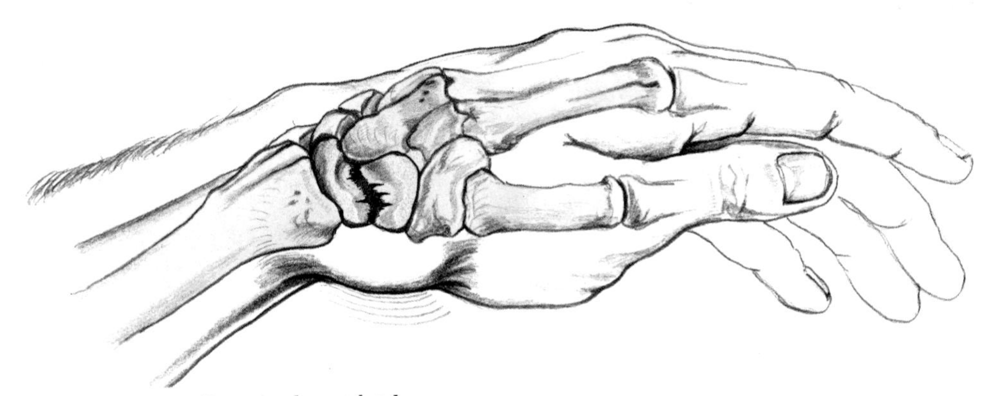

Fracture du scaphoïde.

des 4 à 6 premières semaines englobera à la fois le coude et le poignet et descendra jusqu'à l'ongle du pouce. Un plâtre d'une si grande dimension est nécessaire pour arriver à empêcher les mouvements de la région de la fracture. Ce traitement par plâtre doit durer au moins trois mois, après quoi une nouvelle exploration radiologique sera effectuée. Si alors la fracture du scaphoïde est guérie, le traitement par plâtre sera arrêté.

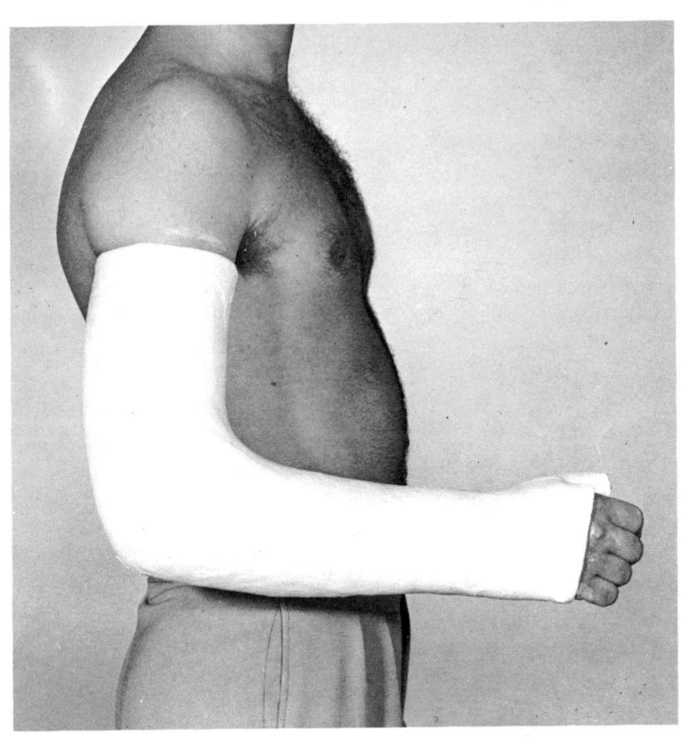

Exemple de plâtre pour une fracture du scaphoïde. Le plâtre descend jusqu'au niveau de l'articulation la plus extrême du pouce.

Guérison et complications

— Il n'est pas rare que le blessé s'abstienne de consulter un médecin et que les manifestations pathologiques initiales disparaissent. La guérison peut alors ne pas se produire et une pseud'arthrose peut se former. Celle-ci peut, peu à peu, entraîner une usure du poignet avec douleur lancinante, douleur de mobilisation, raideur et incapacité de travail.
— De même, une durée de traitement trop courte peut amener la formation d'une pseud'arthrose qui devra être opérée.
— Le sportif peut, malgré une fracture du scaphoïde, maintenir un entraînement acceptable de sa condition physique.

Compression du nerf médian (syndrome du canal carpien)

Un des nerfs de la main, le nerf médian, passe à la face antérieure du poignet dans un canal étroit dit «canal carpien». Par suite d'une inflammation chronique des tendons et des gaines tendineuses, d'une fracture du poignet mal guérie, d'une infection de la main, etc., ce canal peut devenir plus étroit si bien que le nerf médian est soumis à une augmentation de pression. Le sujet qui en est atteint peut alors ressentir une douleur lancinante, des douleurs irradiantes et un engourdissement au niveau du pouce, de l'index, du médius et de la moitié de l'annulaire. Les symptômes surviennent habituellement la nuit et sont couramment décrits comme une main «qui dort». Elle peut être réveillée par des mouvements actifs des doigts. En cas d'état pathologique de longue durée, une perte du tact et une atrophie musculaire peuvent survenir. Le traitement consiste en premier lieu en repos et en médicaments d'action anti-inflammatoire. L'intervention chirurgicale sur cette lésion donne de bons résultats.

Une augmentation de la pression exercée sur le nerf cubital à la paume de la main peut se produire, par exemple en cyclisme.

Compression du nerf cubital

Le nerf cubital peut être exposé à une compression surtout à la hauteur du coude mais également lorsque le nerf traverse le poignet à la face externe de l'avant-bras. La cause peut en être une augmentation de tension contre les tissus qui entourent le nerf. Cette compression peut survenir en relation par exemple avec la pratique du cyclisme et donner une irritation du nerf. Les symptômes de névrite cubitale sont la perte de force lorsqu'on écarte les doigts ainsi qu'une diminution du tact dans l'auriculaire et la moitié de l'annulaire, dans lesquels également une sensation d'engourdissement et des douleurs peuvent survenir. Le traitement consiste essentiellement en repos. L'intervention chirurgicale sur cette lésion donne de bons résultats.

LÉSIONS DE LA MAIN ET DES DOIGTS

Fractures du métacarpe

Les fractures du métacarpe sont spécialement fréquentes parmi les joueurs de handball mais surviennent également parmi les joueurs de volley-ball, de hockey sur glace, de basket-ball et de football, etc. La fracture peut être causée par un coup direct sur le métacarpe. Egalement un coup dans l'axe du métacarpe (boxe) peut entraîner une fracture.

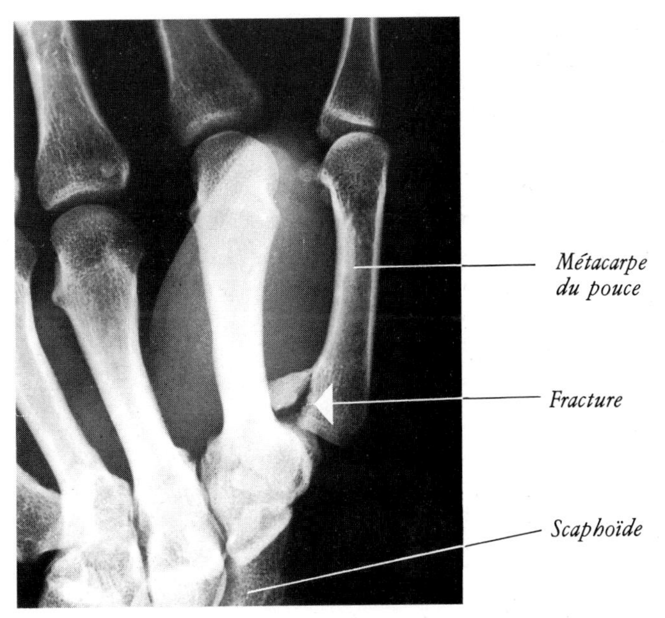

Cliché radiographique d'une fracture du métacarpe du pouce. La fracture est articulaire (fracture de Bennett).

Symptômes et diagnostic

— Sensibilité douloureuse, tuméfaction et douleur au niveau de la main.
— La lésion doit être radiographiée.

Traitement

— La fracture du métacarpe du pouce qui pénètre dans l'articulation, dite «fracture du Bennett», doit, dans la majorité des cas, être opérée. Si la blessure n'est pas traitée correctement, elle peut entraîner une diminution fonctionnelle durable lorsque le pouce sera devenu faible et aura perdu presque toute sa capacité de préhension.
— La fracture des autres métacarpes des doigts n'a pas besoin d'être opérée si les extrémités osseuses restent bien adaptées l'une à l'autre. Dans la plupart des cas un bandage permanent, par exemple un plâtre, pendant 3 à 4 semaines suffit largement.

Guérison

Le sportif blessé peut reprendre la pratique du handball et des activités sportives analogues 6 à 8 semaines après le moment de la blessure.

Infections

Les blessures par plaies des doigts et de la paume de la main doivent être nettoyées de façon particulièrement soigneuse. Si ces plaies étaient négligées, une infection bactérienne pourrait facilement survenir et un traitement de longue durée serait nécessaire. Le sujet qui présente par exemple une rougeur, une tuméfaction, une douleur des doigts doit consulter un médecin sans délai. Une infection d'un doigt peut par l'intermédiaire des gaines tendineuses diffuser à la paume de la main et alors une intervention chirurgicale d'urgence est nécessaire pour limiter l'infection.

Une plaie infectée, particulièrement à la main et aux doigts, ne doit jamais être négligée, car les suites pourraient être catastrophiques si la plaie n'était pas traitée correctement.

Rupture du ligament latéral interne de l'articulation de la base du pouce

Quand le pouce, du fait d'un traumatisme, est rompu en direction des autres doigts, il se produit une lésion du ligament latéral interne du pouce. La lésion peut survenir, par exemple, en hockey sur glace lorsque la crosse est accrochée, en ski lorsqu'on tombe avec le bâton resté dans la main, et en handball lorsqu'on s'accroche le pouce.

Symptômes et diagnostic

— Douleur lorsque le blessé remue son articulation du pouce à la hauteur du pli du pouce.
— Sensibilité douloureuse lors de la pression au-dessus de la face interne de l'articulation du pouce à la hauteur du pli du pouce.
— Hémorragie qui peut donner une ecchymose de la peau et une tuméfaction.
— Lorsque le pouce est portée en avant de la main, on sent au niveau de l'articulation de la base une instabilité. La lésion doit être examinée par un médecin.

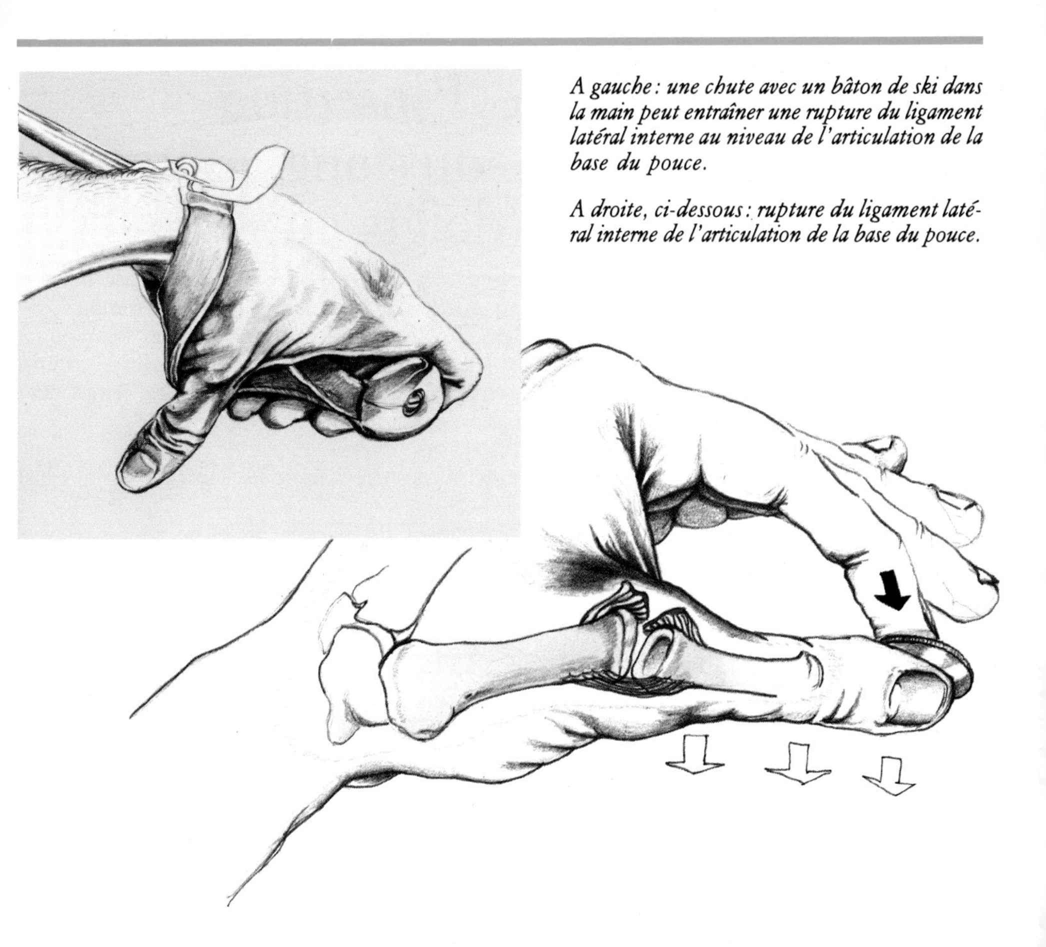

A gauche : une chute avec un bâton de ski dans la main peut entraîner une rupture du ligament latéral interne au niveau de l'articulation de la base du pouce.

A droite, ci-dessous : rupture du ligament latéral interne de l'articulation de la base du pouce.

Traitement

Le sportif doit :
— au moment de l'accident, traiter immédiatement l'articulation de la base du pouce par application de froid, poser un pansement compressif et maintenir la main en position surélevée.

Le médecin peut :
— opérer s'il existe une instabilité de l'articulation comparativement avec l'articulation du pouce de main saine. Le traitement par plâtre à lui seul pendant 5 à 6 semaines ne constitue pas une garantie pour que le ligament puisse guérir en restant à sa place.

Guérison et complications

— Le blessé peut reprendre son activité sportive 4 à 6 semaines après la fin du plâtre.
— En cas d'absence de traitement de cette lésion, il existe un risque d'une instabilité permanente, d'une faiblesse de préhension du pouce, une usure articulaire, etc. L'intervention chirurgicale sur une lésion négligée peut cependant donner un bon résultat.

Rupture de l'insertion du tendon du long extenseur des doigts (doigts en «maillet»)

Le tendon du muscle extenseur des doigts qui s'attache à la face dorsale de la 3e phalange des doigts ou de la 2e du pouce, peut être rompu lorsque, par exemple, un ballon de handball rencontre de façon inattendue le bout des doigts et oblige le doigt à se fléchir alors qu'il était en extension. Un petit fragment osseux peut alors se détacher en même temps que le tendon, ce qui se voit à la radiographie.

Symptômes

— Légère sensibilité douloureuse derrière l'ongle et l'articulation la plus extrême du doigt.
— Le bout du doigt est légèrement fléchi et le blessé ne peut pas avec sa seule force redresser l'articulation de l'extrémité du doigt.

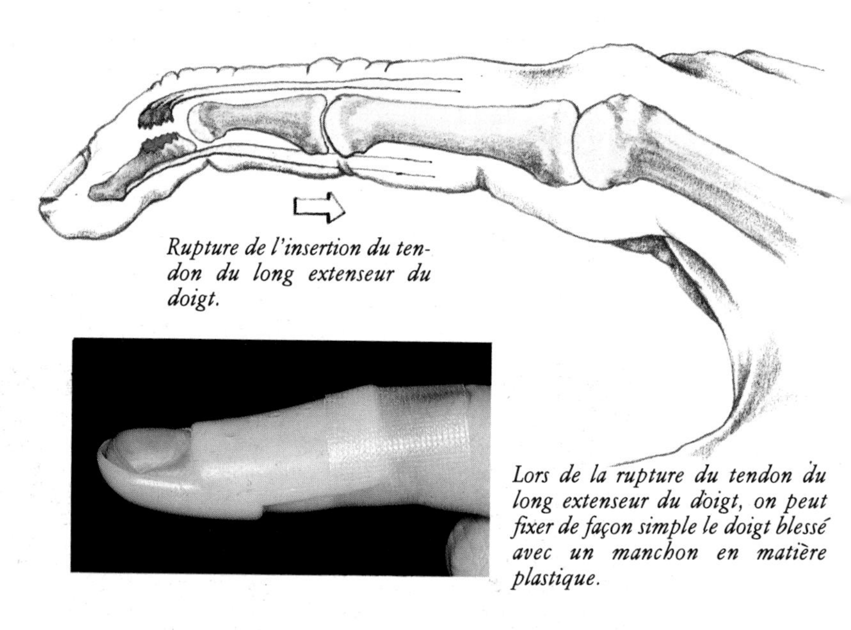

Rupture de l'insertion du tendon du long extenseur du doigt.

Lors de la rupture du tendon du long extenseur du doigt, on peut fixer de façon simple le doigt blessé avec un manchon en matière plastique.

Traitement

Le médecin peut:
— traiter avec une attelle qui maintient en hyperextension l'articulation de l'extrémité du doigt pendant environ 6 semaines (voir schéma ci-dessous);
— opérer lorsque le fragment osseux s'est détaché.

Guérison et complications

Les ruptures de l'insertion du tendon du long extenseur des doigts guérissent en 6 semaines. Si la blessure n'est pas traitée le blessé conserve un «doigt en maillet» où le bout des doigts est fléchi en permanence.

Lésions des ligaments des doigts

Les lésions des ligaments des doigts sont fréquentes. Les ligaments latéraux des articulations des doigts sont souvent blessés en handball, en volley-ball et en basket-ball.

Symptômes et diagnostic

— Douleurs et sensibilité douloureuse bien délimitée du doigt blessé.
— Diminution de la mobilité.
— Une instabilité peut exister en cas de rupture totale.

Traitement

— Les lésions des ligaments peuvent être traitées en attachant avec un bandage le doigt blessé avec un doigt voisin. Des mouvements actifs de flexion et d'extension sans mise en charge latérale du doigt blessé peuvent ensuite être commencés. Le bandage est porté pendant une durée de 2 semaines.
— Les lésions des ligaments plus importantes sont traitées par la pose d'un plâtre. Aucune intervention chirurgicale n'est nécessaire lors des lésions des ligaments du pouce (sauf à la base).
— Des séquelles douloureuses avec une légère tuméfaction et une raideur au niveau du doigt blessé peuvent persister relativement longtemps (6 à 9 mois après le moment de l'accident).

Luxations des articulations des doigts

La luxation des articulations des doigts est une lésion fréquente chez les joueurs de handball, de basket-ball et de volley-ball, et dans 80 % des

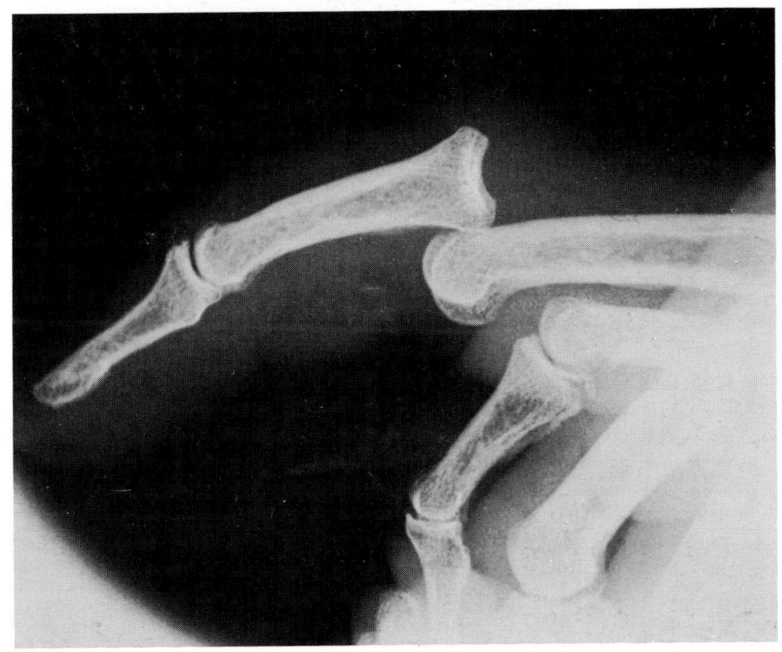

Cliché radiographique d'une luxation d'une articulation du doigt.

cas, c'est l'auriculaire ou le pouce qui sont atteints. Lors de la luxation latérale de l'articulation, le ligament du côté opposé de l'articulation du doigt est lésé. Lors des luxations en extension, sont en plus lésés le ligament capsulaire antérieur ainsi que les 2 ligaments latéraux, tout au moins en partie.

Symptômes

— Douleurs et sensibilité douloureuse.
— Le contour de l'articulation est modifié.

Traitement

Le médecin peut :
— réduire la luxation en remettant l'articulation en place ;
— poser un plâtre qui sera porté pendant 2 à 4 semaines ;
— faire une exploration radiologique de l'articulation puisqu'un fragment d'os peut avoir été arraché.

Plus rapidement l'articulation pourra être remise en place après la survenue de la blessure, mieux cela sera. Le blessé ne ressent pas, en général, de douleurs particulièrement importantes si la luxation est traitée dans les minutes qui suivent le moment de son apparition.

Des lésions des doigts peuvent être causées par le ballon, lorsqu'on joue, par exemple, au volley-ball. Photographie : Adidas.

LÉSIONS DU DOS

La colonne vertébrale est composée de 7 vertèbres cervicales, 12 vertèbres dorsales et 5 vertèbres lombaires ainsi que du sacrum et du coccyx. Chaque vertèbre est constituée d'un corps vertébral, sur lequel s'attache un arc vertébral. Sur chaque arc vertébral se trouve une apophyse articulaire qui permet une mobilité limitée entre les vertèbres. Entre les vertèbres se trouvent des disques de cartilage qui rendent possible les mouvements de la colonne vertébrale et exercent une fonction d'amortissement. Les disques ne reçoivent ni apport sanguin ni apport lymphatique et sont pauvrement innervés.

La colonne vertébrale exerce des fonctions de soutien, de protection et de mobilisation. La colonne cervicale est très mobile et la colonne lombaire extrêmement mobile. On trouve la plus grande mobilité de la colonne lombaire entre la 5ᵉ vertèbre lombaire et la première vertèbre sacrée. La colonne dorsale est, par contre, moins mobile du fait que les côtes sont attachées aux vertèbres. Les régions de la colonne vertébrale qui ont la plus grande mobilité donnent en général le plus de manifestations pathologiques.

Il existe un système de ligaments longitudinaux antérieur et postérieur ainsi que de plus petits ligaments entre les articulations et entre les vertèbres et leurs apophyses épineuses. Ces ligaments assurent la stabilité passive du dos. La stabilité active repose sur les muscles du dos et a une grande importance. Les muscles du rachis peuvent être divisés en un groupe de muscles antérieurs (muscle psoas) et de muscles soit postérieur profond soit postérieur superficiel (par exemple muscles trapèze et grand dorsal).

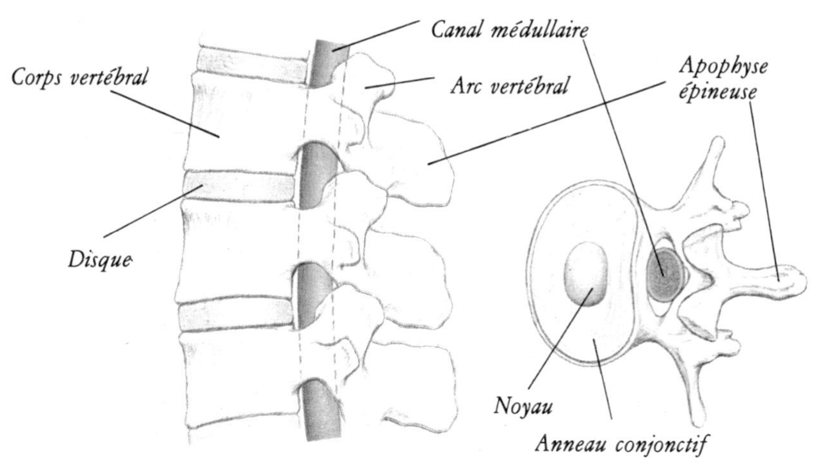

Schéma anatomique de la colonne dorsale.

La colonne vertébrale est soumise à des charges élevées lorsqu'on se penche en avant et lorsqu'on tourne le corps. Les muscles du dos voient leur activité augmenter de façon marquante lorsqu'on se penche en avant avec un angle de 30°. En règle générale on doit éviter de soulever des objets lorsqu'on fléchit le dos en avant, lorsqu'on le tourne de côté ou lorsqu'on le met en charge de façon asymétrique. Lorsqu'on soulève un objet, la charge doit être tenue le plus près possible du corps. On pense qu'une colonne lombaire raide va de pair avec des manifestations pathologiques du dos.

Mise en charge extrême du dos (Olga Korbut). Photographie: Reportage bild.

Généralités sur les manifestations pathologiques du rachis

Les manifestations pathologiques du rachis atteignent 80 % de tous les individus une ou plusieurs fois dans leur vie. Il n'existe pas de catégorie précise d'individus qui souffriraient plutôt que d'autres de troubles du rachis — les mineurs sont atteints aussi souvent que les employés de bureau, les hommes aussi souvent que les femmes — Les facteurs favorisants qui amènent des troubles du rachis sont le travail physique lourd, les levers, les positions de travail statiques et les vibrations. Bien que maintenant les phases de travail les plus lourds soient exécutés par des machines à de nombreux postes de travail, on constate que le nombre de troubles du dos n'a pas diminué. Parmi les individus qui souffrent du dos habituellement 20 % guérissent en l'espace de 3 semaines et 90 % en l'espace de 3 mois indépendamment du traitement.

Généralités sur le diagnostic

Le diagnostic des manifestations pathologiques du dos nécessite une évaluation particulière de la douleur, un examen clinique, une étude fonctionnelle du dos et une exploration radiologique, etc. En ce qui concerne la douleur, on doit estimer sa localisation, son intensité, sa nature et sa qualité. La fonction du dos doit être étudiée en ce qui concerne son amplitude de mouvement, son schéma de mouvement, son maintien, son contrôle musculaire et sa tension musculaire, etc. Les modifications dans la forme de la colonne dorsale, par exemple courbure en S (scoliose), peuvent, de même que la constitution du corps en son ensemble, avoir de l'importance.

Beaucoup d'altérations comme le glissement des vertèbres l'une sur l'autre, les fractures de fatigue, les remaniements sur les bords des corps vertébraux, les décalcifications et l'usure au niveau des articulations peuvent être détectés avec une radiographie normale tandis que les hernies discales peuvent être étudiées par radiologie avec liquide de contraste. Les explorations à l'aide du scannographe (examen radiologique faisant appel à l'ordinateur) peuvent donner des indications sur l'aspect des différents tissus.

La situation sociale du blessé et son contexte psychologique peuvent être évalués en l'interrogeant sur ses conditions familiales, sa formation et ses conditions de travail, etc.

Lésions de la colonne cervicale

La colonne cervicale est composée de 7 vertèbres qui sont maintenues par des ligaments et entre lesquelles se trouvent des disques. La rotation se fait surtout entre les 2 premières vertèbres, l'extension et la flexion se fait entre la 4ᵉ et la 6ᵉ vertèbre essentiellement.

Les lésions qui peuvent se produire au niveau de la colonne cervicale sont, parmi d'autres, les fractures osseuses et la luxation avec lésion des ligaments. Les altérations dues à l'âge au niveau des disques (dégénérescence discale) peuvent entraîner des remaniements osseux sur les bords des corps des vertèbres, ce qui peut conduire à une compression des nerfs avec pour conséquence un état douloureux. Les lésions et les affections de la colonne cervicale peuvent donner des douleurs lancinantes au niveau de la nuque qui irradient jusqu'à la face postérieure de la tête, à l'angle de la nuque et au bras.

Lésions accidentelles de la colonne cervicale

Un traumatisme de la colonne cervicale peut entraîner des fractures osseuses des vertèbres cervicales ainsi qu'une luxation avec en même temps des lésions de la capsule articulaire, des ligaments, et des disques. Les lésions pouvant être soit stables, soit instables.

Les mécanismes de blessure les plus fréquents sont l'extension sous l'effet du traumatisme, la torsion traumatique et le traumatisme direct qui touche le crâne et se transmet à la colonne cervicale. Un traumatisme par flexion en avant peut donner une lésion par compression en avant et des lésions des ligaments en arrière d'une vertèbre. Il peut parfois se produire également une fracture d'une apophyse articulaire et une lésion de la capsule articulaire. Des lésions des ligaments peuvent également exister sans qu'aucune lésion visible du squelette ne soit présente. Il est essentiel, lors des lésions consécutives à un traumatisme avec flexion antérieure, de pouvoir déterminer si la lésion est stable ou instable, ce qui peut être obtenu à l'aide d'une exploration radiologique. Un traumatisme par extension donne des lésions correspondantes avec lésions des disques et des ligaments en avant et des lésions du squelette en arrière des corps vertébraux. Un traumatisme par torsion peut se produire isolément ou en association avec des traumatismes postérieures et antérieurs. En cas de traumatisme par torsion, une lésion unilatérale peut se produire au niveau de l'apophyse articulaire et des ligaments avec pour conséquence une luxation.

Une fracture et/ou une lésion des ligaments au niveau des vertèbres peuvent survenir lorsqu'on se heurte violemment contre un adversaire ou un objet de l'environnement, par exemple un poteau de but ou une bordure et ces lésions peuvent être graves. Derrière les vertèbres cervicales passe la moelle épinière dans le canal médullaire et lors d'une fracture des vertèbres ou lors de lésions des ligaments la moelle épinière et les racines des nerfs qui en sortent sont soumises à une compression.

Un autre mécanisme de lésion est représenté par une hyperextension en arrière de la colonne cervicale qui suit une forte flexion. Celle-ci peut, par exemple, se produire lorsqu'on est assis dans une automobile qui est heurtée par derrière. Des lésions des ligaments et des muscles qui peuvent avoir pour résultat un état douloureux de longue durée peuvent se produire alors. Il s'agit d'une blessure en «coup de fouet» ou du coup du lapin. Celui qui en a été victime doit être exploré radiologiquement.

Symptômes et diagnostic

— Douleur au niveau de la colonne cervicale, spécialement en cas de mouvement.
— Douleur irradiante avec sensation d'engourdissement dans les bras.
— diminution du tact au niveau de la peau en dessous du niveau de la blessure.
— Faiblesse et abolition de la capacité de mouvement (paralysie) en dessous de la blessure.

Traitement

Le dirigeant sportif a l'obligation:
— de préparer l'évacuation du blessé jusqu'à un hôpital pour examen clinique;
— de remettre le blessé entre les mains d'un personnel compétent si celui-ci est accessible.

Le blessé sera placé avec prudence sur un brancard en soulevant la tête et le corps en même temps, de façon à ne pas modifier la position des vertèbres. Des vêtements, des coussins ou des objets analogues seront placés de chaque côté de la colonne cervicale du blessé au cours du transport à l'hôpital.

Le médecin:
— fait un examen clinique précis de la fonction nerveuse et pratiquer une exploration radiologique des vertèbres cervicales pour juger de la stabilité. Suivant le degré de gravité de la blessure, le traitement peut consister en une fixation par un collier, un traitement par extension ou une intervention chirurgicale.

Douleurs irradiantes de la colonne cervicale (scapulalgie d'origine cervicale et névralgie cervico-brachiale)

Des douleurs au niveau de la colonne cervicale peuvent, entre autres, être causées par une dégénérescence des disques intervertébraux avec pour conséquence des remaniements osseux sur les bords des corps vertébraux. Ces altérations compriment les racines nerveuses et peuvent donner des douleurs irradiantes. Egalement une hyper-extension passagère ou un enclavement d'un nerf peut être à l'origine de telles douleurs.

On a l'habitude de distinguer les douleurs qui siègent au niveau de la nuque (cervicalgies, voir page 229) et celles qui siègent également à la face postérieure du crâne et au niveau de l'angle de la nuque, et les douleurs qui sont soit diffuses (scapulalgies d'origine cervicale) soit bien délimitées (névralgies cervico-brachiale irradiant toutes vers le bras).

Symptômes et diagnostic

— Irradiation de la douleur depuis la nuque jusqu'à l'épaule, le bras et/ou les doigts. L'irradiation de la douleur est habituellement diffuse et très profondément située mais elle peut avoir une zone d'irradiation nettement délimitée avec une douleur vive et intense qui suit le territoire des nerfs. La douleur est plus fortement ressentie lors des mouvements de la nuque que lors des mouvements de l'épaule.

Mise en charge extrême de la colonne cervicale.

— L'irradiation de la douleur jusqu'à la nuque et la face postérieure du crâne peut donner des maux de tête et des insomnies. Des vertiges peuvent survenir.
— Une sensation d'engourdissement et de faiblesse au niveau des bras et des doigts. Une perte du tact peut exister.
— Une exploration radiologique doit être pratiquée spécialement si les douleurs sont déclenchées par les mouvements. L'exploration doit être effectuée dans la position qui crée la douleur lorsqu'une mobilité anormale peut être mise en évidence.

Traitement

— Repos.
— Collier et protection gardant la chaleur.
— Médicaments d'action analgésique et anti-inflammatoire.
— Kinésithérapie avec traitement par traction.
— Intervention chirurgicale en cas de névralgie cervico-brachiale de longue durée.

Cervicalgies et torticolis

La douleur qui n'irradie pas au bras et localisée à la colonne vertébrale est appelée «cervicalgie» (comparer avec le lumbago page 234).

Le torticolis est un état douloureux qui peut se produire chez les jeunes sportifs en relation avec de brusques mouvements de torsion de la colonne cervicale par exemple lors des plongeons ainsi que lors des têtes en football. Sont particulièrement touchées en pareil cas les racines nerveuses issues de la moelle épinière cervicale, ce qui peut entraîner une contracture réflexe des muscles du cou.

Symptômes et diagnostic

— Douleur qui est ressentie comme un accès douloureux au niveau de la région située entre la nuque et l'épaule, et qui ne descend jamais au-dessous de l'épaule. La douleur est déclenchée par les mouvements de la nuque. La musculature est sensible et tendue.
— Mauvaise position douloureuse de la tête.

Une cervicalgie peut survenir à la suite de vifs mouvements de la colonne cervicale.

— Diminution de la capacité de mobilisation de la colonne cervicale («blocage» de la nuque = limitation de mouvement).
L'état pathologique disparaît souvent en l'espace d'une semaine. Si ce n'était pas le cas un médecin doit être consulté.

Traitement

— Traitement local par application de chaleur et utilisation d'une protection gardant la chaleur.
— Médicaments d'action décontracturante musculaire.
— Repos.
— Traitement par extension.
— Collier plâtré.

Lésions de la colonne thoracique et de la colonne lombaire

Fractures des vertèbres dorsales et lombaires

Les fractures des vertèbres dorsales et lombaires sont peu fréquentes en sport mais elles peuvent survenir chez les cavaliers, les skieurs de descente, les acrobates lors des sauts périlleux en arrière, etc.

Symptômes et diagnostic

— Forte douleur au niveau de la fracture.
— Douleurs déclenchées lorsque le blessé bouge.

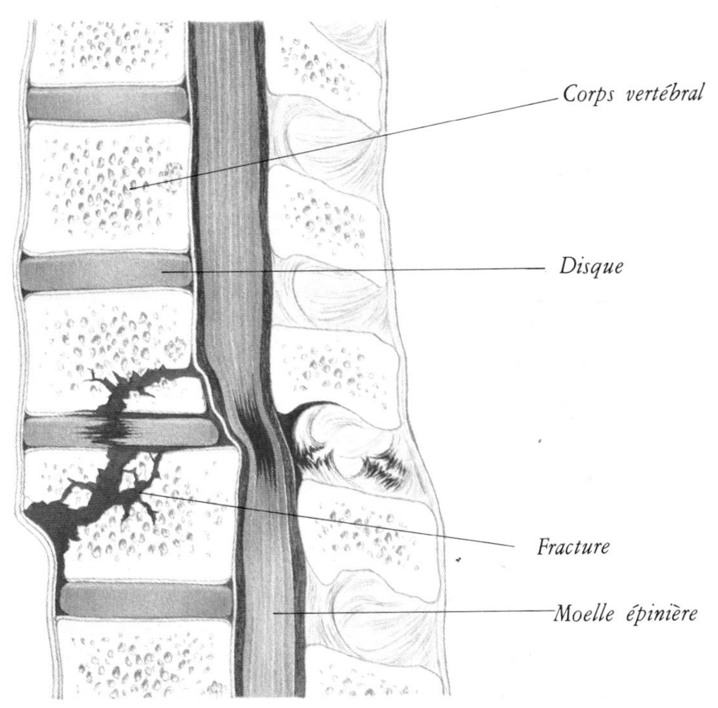

Fracture d'une vertèbre avec déplacement et compression de la moelle épinière.

— Si les douleurs irradient vers le membre inférieur, on doit penser à la possiblité d'une atteinte de la moelle épinière et des racines qui en proviennent.
— Perte du tact et paralysie sont des indices de blessure grave.

Traitement

— Le blessé est transporté à l'hôpital pour qu'y soit pratiqué notamment une exploration radiologique et une étude de stabilité des vertèbres.
— Lorsque des vertèbres thoraciques ou lombaires ont été lésées au cours de la pratique du sport la compression des vertèbres atteintes est en règle générale modérée. La blessure est alors de bon pronostic et guérit après une période de repos.

— En cas de traumatisme violent, une forte compression des vertèbres peut se produire et des lésions peuvent alors survenir au niveau de la moelle épinière et des racines nerveuses qui en sont issues. Ces lésions sont traitées par alitement et éventuellement par un corset pendant 1 à 3 mois ou par une intervention chirurgicale.

Fracture des apophyses transverses des vertèbres lombaires

Une fracture des apophyses transverses des vertèbres de la colonne vertébrale peut survenir lors d'un traumatisme direct contre les faces latérales des vertèbres mais elle peut également résulter d'une usure lors de lésions musculaires, surtout en cas de lésions de la colonne lombaire.

Symptômes et diagnostic

— Sensibilité douloureuse paravertébrale au niveau des apophyses transverses.
— Douleur lors des mouvements, spécialement lors de la flexion latérale.
— Exploration radiologique donnant le diagnostic.

Traitement

— Repos jusqu'à disparition de la douleur. La blessure a un bon pronostic et guérit en 6 à 8 semaines.

Ruptures musculaires des muscles du dos

Les ruptures des muscles du dos surviennent chez les haltérophiles, les lanceurs de javelot et de poids, les sauteurs à la perche, les joueurs de football, de handball, de basketball et de volley-ball, les lutteurs et les boxeurs, etc. La lésion consiste habituellement en microruptures des faisceaux musculaires et elle est souvent située au niveau des muscles longs extenseurs du dos.

Symptômes

— Douleur tranchante lorsque le blessé se penche en avant et se redresse.
— Sensibilité douloureuse locale au-dessus de la région de la rupture.

Traitement

Le sportif peut:
— commencer un entraînement musculaire après quelques jours;
— observer du repos tout en maintenant sa condition physique au moins jusqu'à ce qu'à la disparition des douleurs lors des mises en charge (3 à 8 semaines);
— traiter localement par application de chaleur et utiliser une protection gardant la chaleur, mais seulement 48 à 72 heures après le moment de l'accident.

Le médecin peut:
— prescrire des médicaments d'action sédative de la douleur et (éventuellement des médicaments d'action anti-inflammatoire.)

Guérison

Si le blessé reprennait l'entraînement et la compétition avant que la lésion soit guérie, il existerait un risque de nouvelles ruptures et une prolongation de l'évolution de la guérison.

Inflammation des insertions musculaires

Les insertions musculaires qui se font sur les apophyses des vertèbres thoraciques et lombaires peuvent, de même que les insertions sur les vertèbres et sur les os du bassin, être l'objet de phénomènes inflammatoires

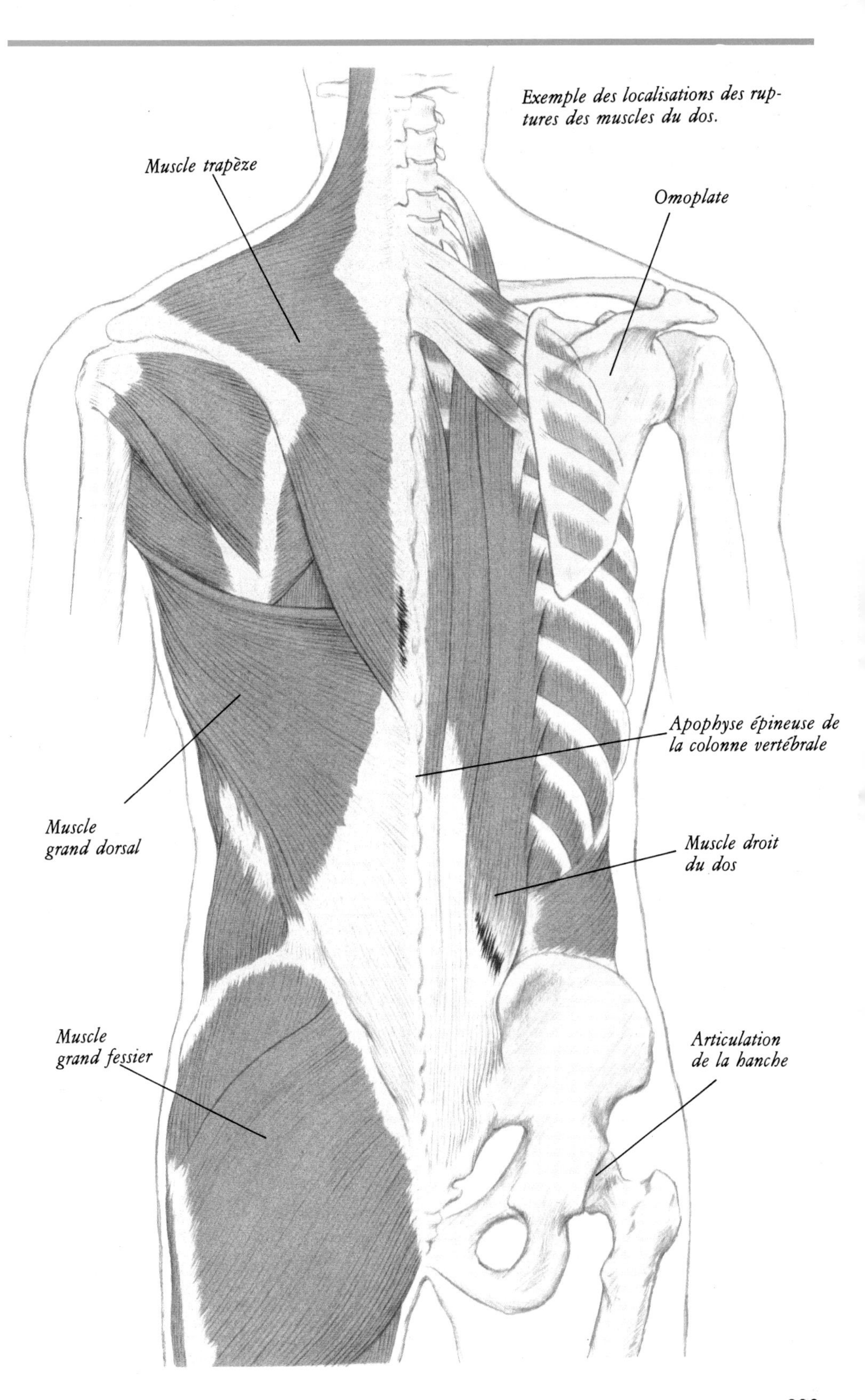
Exemple des localisations des ruptures des muscles du dos.
Muscle trapèze
Omoplate
Apophyse épineuse de la colonne vertébrale
Muscle grand dorsal
Muscle droit du dos
Muscle grand fessier
Articulation de la hanche

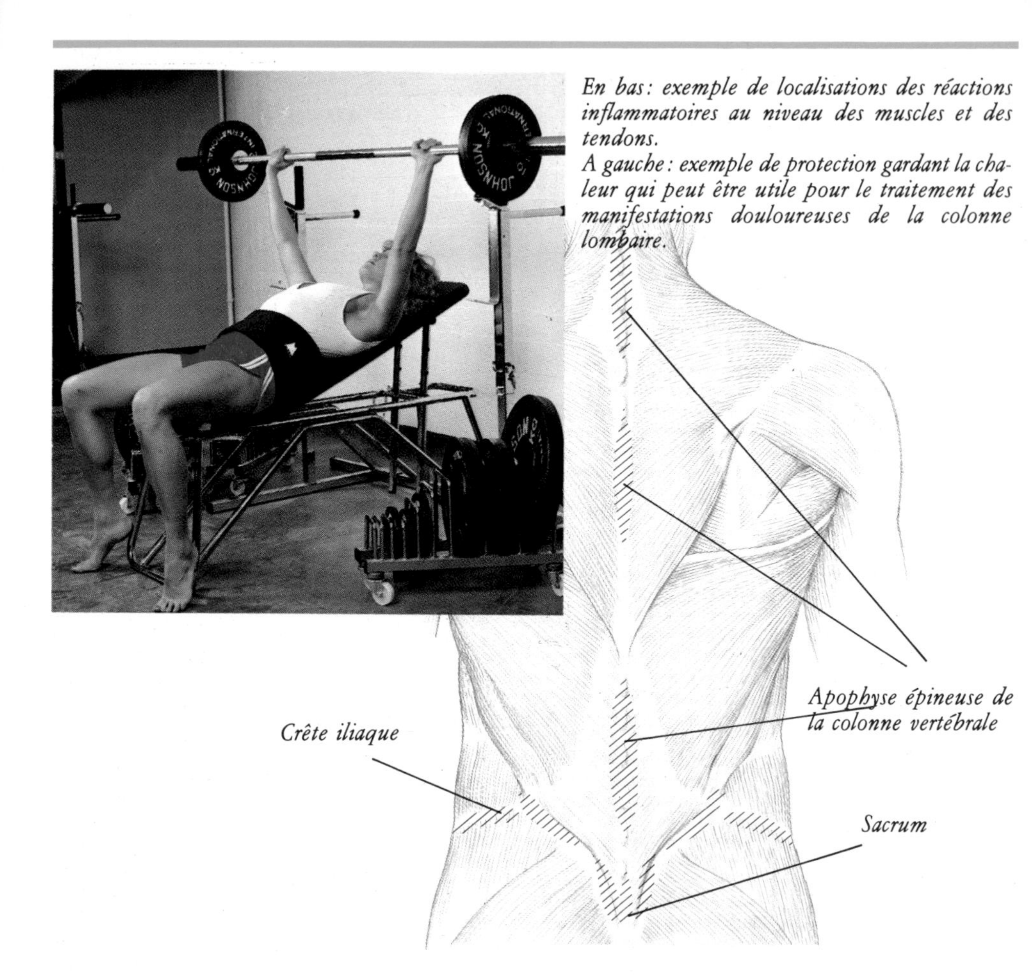

En bas : exemple de localisations des réactions inflammatoires au niveau des muscles et des tendons.
A gauche : exemple de protection gardant la chaleur qui peut être utile pour le traitement des manifestations douloureuses de la colonne lombaire.

en cas de surcharge. Cette lésion se produit habituellement chez les skieurs, les lanceurs de javelot, de disque et de marteau, les haltérophiles, etc.

Symptômes

— Douleur en relation avec les efforts.
— Douleur lancinante après les efforts.
— Sensibilité douloureuse lors de la pression sur les apophyses vertébrales.
— Douleur survenant au niveau de l'insertion du muscle concerné lorsque celui-ci se contracte.

Traitement

Le sportif doit :
— observer du repos jusqu'à ce que survienne l'absence de douleur lors des efforts ;
— traiter localement par application de chaleur et utiliser une protection gardant la chaleur.

Le médecin peut :
— donner des médicaments d'action anti-inflammatoire ;
— faire des injections locales de corticostéroïdes et ordonner 2 semaines de repos en relation avec cette injection en cas de persistance des manifestations pathologiques.

Guérison

L'inflammation guérit souvent en quelques semaines.

Des inflammations peuvent se produire au niveau de l'insertion des muscles du dos, lorsque ceux-ci sont exposés à des mises en charge répétées, par exemple chez des sportifs pratiquant les spécialités de lancer. Photographie: Pressens bild.

Lumbagos

Des états douloureux, surtout de la colonne vertébrale lombaire, peuvent survenir lors de la pratique de plusieurs spécialités sportives. Le lumbago donne des douleurs de la colonne lombaire entraînant un tableau pathologique dont l'origine continue à être pour l'essentiel indéterminée. Le lumbago aigu atteint surtout les sujets âgés de 30 à 40 ans. Après 50 ans les atteintes sont rares.

Symptômes et diagnostic

— Les manifestations pathologiques débutent souvent de façon soudaine en relation avec le soulèvement d'un poids lourd ou d'une rapide rotation du corps, mais elles peuvent également se produire sans un effort préalable.
— Douleur qui est en règle générale localisée à la colonne lombaire. En cas de lumbago, la douleur n'irradie pas en bas vers le membre inférieur.
— Raideur du dos.
— Désaxation du dos en raison des contractures musculaires qui empêchent les mouvements du dos qui déclenchent la douleur.

Traitement

Le sportif doit:
— observer le repos et rester au lit pendant 3 à 5 jours dans une position du corps aussi peu douloureuse que possible;
— traiter par application de chaleur (bains chauds et application locale), utilisation d'une protection gardant la chaleur;
— éviter les positions: incliné en avant et en rotation.

Le médecin peut:
— prescrire des médicaments sédatifs de la douleur pour rompre le cercle vicieux de la douleur, qui survient lorsque les muscles sont atteints de contractures. Les médicaments d'action décontracturante peuvent parfois être utiles;
— imposer le repos plusieurs fois par jour en position de relâchement hanches et genoux fléchis (voir cliché page 239) et donner d'autres conseils pratiques comme, par exemple rechercher un bon appui lorsqu'on s'asseoit ou éviter les positions qui entraînent la douleur. Lorsque le sujet est couché sur le côté, il doit se redresser en s'aidant de ses bras et lorsqu'il est assis il doit se relever en s'aidant du bras du fauteuil;
— ordonner un programme spécial de kinésithérapie lors des manifestations pathologiques récidivantes;
— ordonner un traitement par traction ou une mobilisation manuelle lors de manifestations de longue durée;
— ordonner un corset ou une ceinture lombaire qui peuvent parfois être efficace en cas de manifestations dorsales ou lorsque le sujet exécute un travail qui déclenche habituellement les manifestations pathologiques. Un corset peut se montrer particulièrement utile à la phase aiguë d'un lumbago mais doit être employé pendant le temps le plus court possible;
— pratiquer une exploration radiologique de la colonne lombaire si le blessé a présenté des douleurs pendant plus de 2 mois ou des douleurs récidivantes. Demander une vitesse de sédimentation sanguine et éliminer une atteinte infectieuse, inflammatoire ou tumorale en particulier au niveau d'autres articulations;
— aussi rapidement que possible ordonner un entraînement de prévention et de rééducation fonctionnelle (voir page 415 et suivantes).

Guérison et complications

Le lumbago est une affection à bon pronostic où les symptômes en règle générale disparaissent spontanément en 1 à 3 semaines. Chez certains sujets, il peut cependant donner des manifestations pathologiques de longue durée.

> Les personnes qui sont atteintes de troubles du dos doivent avoir une vie physiquement active. Leurs activités doivent cependant être adaptées aux troubles dont ils souffrent présentement.

Sciatique et hernie discale

Lors d'un état pathologique où la douleur est ressentie au niveau du rachis lombaire et irradie à un seul membre inférieur il s'agit d'une lombo-sciatique. Si la douleur n'est ressentie que dans un membre inférieur il s'agit d'une sciatique.

La douleur sciatique est une douleur irradiante qui souvent est aggravée par un effort, la toux, l'éternuement et par la poussée à la selle. Une des causes les plus fréquentes de sciatique est la hernie discale qui appuie sur une des racines du nerf sciatique. Les manifestations pathologiques de la sciatique peuvent également être déclenchées par une compression locale temporaire dans un espace étroit ou une traction des nerfs et des racines

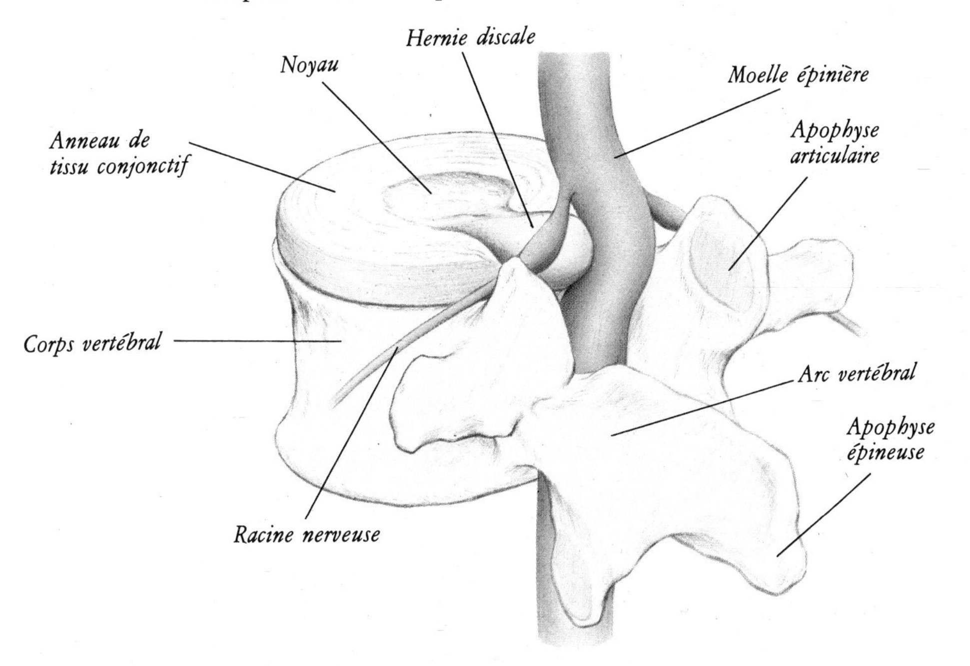

L'hernie discale comprime la racine du nerf.

nerveuses. Il existe cependant d'autres causes de sciatique par exemple des tumeurs, des ostéophytes et des infections, qui peuvent agir sur le nerf sciatique au cours de son trajet au membre inférieur.

Les disques qui se trouvent entre les corps vertébraux sont constitués d'un anneau conjonctif et d'un noyau formé d'une masse gélatineuse et visqueuse. Lors d'une hernie discale, il existe souvent une dégénérescence discale due à l'âge. Cette dégénérescence peut survenir également chez des individus relativement jeunes. Par suite de fissures dans l'anneau conjonctif du disque, la masse gélatineuse est repoussée à l'extérieur et appuie contre les nerfs qui passent au niveau du disque (voir schéma ci-dessus). La cause déclenchante la plus fréquente d'hernies discales est une flexion en avant en relation avec un lever lourd ou une manœuvre analogue. Le sportif qui a présenté une hernie discale a souvent déjà eu précédemment des périodes de lumbagos aigus. Selon l'endroit où elle est située par rapport aux racines nerveuses on parle de syndromes différents:

— *syndrome L 4* où les racines nerveuses qui traversent le disque entre la troisième et la quatrième vertèbre lombaire sont lésées;

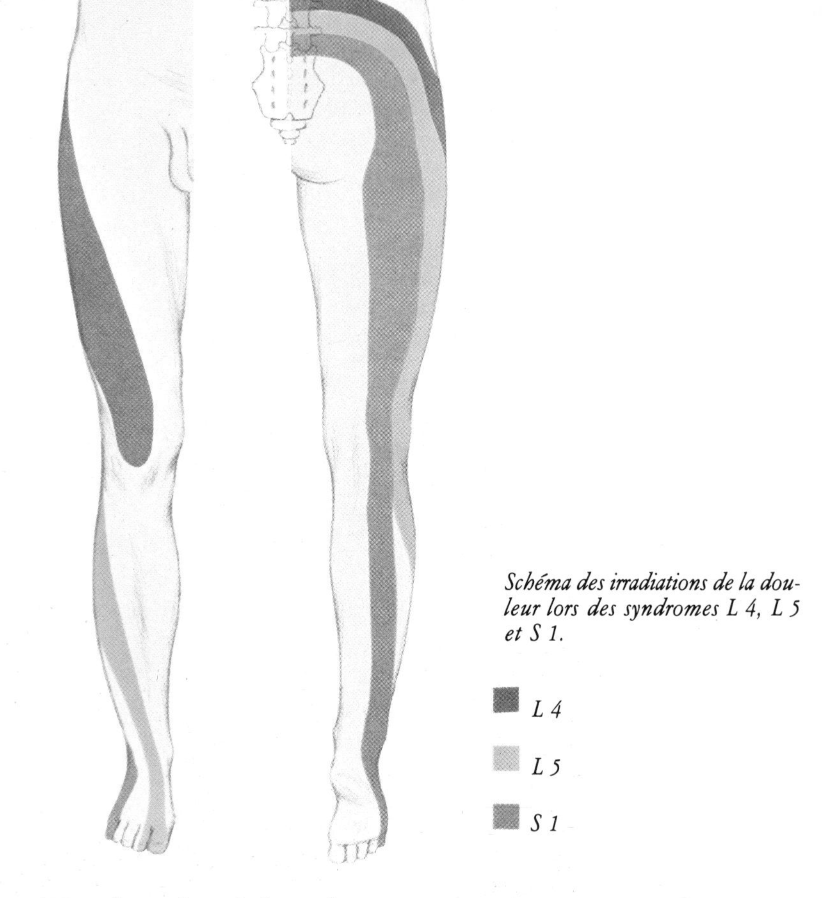

Schéma des irradiations de la douleur lors des syndromes L 4, L 5 et S 1.

— *syndrome L 5* où les racines nerveuses qui traversent le disque entre la quatrième et la cinquième vertèbre lombaire sont atteintes;
— *syndrome S 1* où les racines nerveuses qui traversent le disque entre la cinquième vertèbre lombaire et la première vertèbre sacrée sont atteintes.

Symptômes

Le syndrome S 1 atteint en règle générale les sujets âgés de moins de 35 à 40 ans, tandis que le syndrome L 5 atteint souvent des sujets plus âgés. Les différents syndromes donnent des irradiations douloureuses caractéristiques (voir schéma ci-dessus) et agissent sur la sensibilité superficielle au toucher, sur les réflexes et sur la force musculaire. Le symptôme d'une lombo-sciatique est une douleur qui est ressentie surtout au niveau de la colonne lombaire mais qui irradie à un seul membre inférieur et qui augmente lors d'un effort. La sensation d'engourdissement au niveau de la zone de projection du nerf, une faiblesse du membre inférieur et une action sur les réflexes peuvent exister également. La douleur peut être déclenchée par la toux ou à la selle et peut entraîner une position incurvée de scoliose de la colonne lombaire (attitude en baïonette).

Diagnostic

— Le diagnostic est fourni par la douleur caractéristique.
— L'examen de la colonne vertébrale peut dépister une position de scoliose qui est due à une forte contracture de la musculature de la colonne vertébrale lombaire. La mobilité est abaissée tandis que les muscles sont sensibles et tendus.

— Le signe de Lasègue est positif, c'est-à-dire que le membre inférieur du sujet, couché sur le dos, soulevé par l'examinateur déclenche des douleurs au niveau du membre inférieur.
— L'examen neurologique montre une action sur les réflexes et des signes de paralysie, de faiblesses et de diminution de sensibilité cutanée.
— En cas de sciatique grave, des troubles vésicaux peuvent survenir avec pour conséquence une difficulté à uriner. Un médecin doit alors immédiatement être consulté.
— Le diagnostic de hernie discale est confirmé par une exploration radiologique avec liquide de contraste dite myélographie.

Traitement

Le sportif doit:
— observer le repos au lit de préférence avec décharge du dos dans une

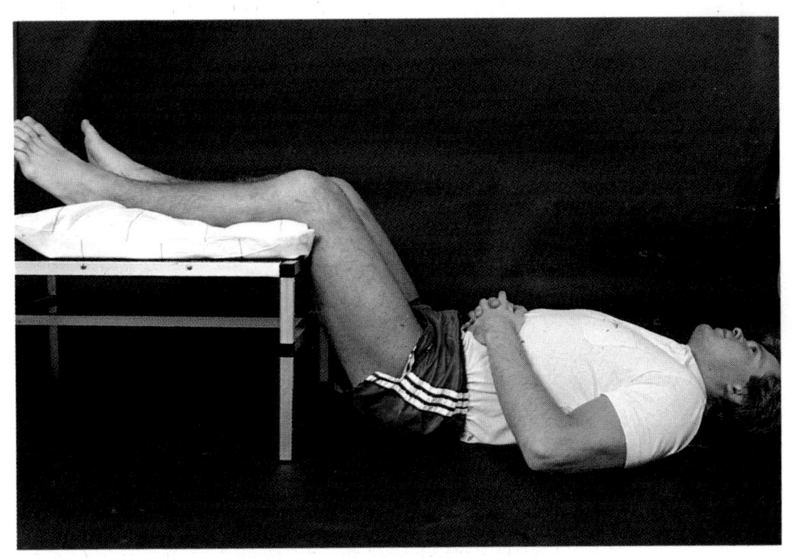

Décharge du dos en position de relâchement du psoas.

position de repos spéciale (position de relâchement, hanches et genoux fléchis, voir cliché ci-dessous). Une rééducation de la musculature du dos doit être commencée dès la phase d'indolence;
— traiter localement par la chaleur et utiliser une protection gardant la chaleur.

Le médecin peut:
— ordonner la poursuite du repos;
— prescrire des médicaments d'action sédative de la douleur, anti-inflammatoire et décontracturante musculaire;
— faire exécuter sous surveillance un traitement par élongation lorsque l'état pathologique n'est plus à sa phase aiguë. La manœuvre dite « Autotraction » peut être effectuée dans certains hôpitaux. Le sujet peut faire lui-même des élongations du dos dans un appareil spécial sous contrôle;
— ordonner une Stimulation Nerveuse Transcutanée (voir page 167);
— opérer d'urgence en cas de troubles urinaires ne disparaissant pas;
— opérer en cas de douleurs insupportables malgré les médicaments antalgiques, en présence de paralysies ou lors d'attitudes vicieuses antalgiques et lorsque l'état pathologique ne regresse pas et aurait plutôt tendance à

s'aggraver. Des contrôles répétés du blessé doivent être effectués et on attend habituellement 3 à 6 mois. Avant le traitement chirurgical d'une hernie discale, on effectuera une radiologie avec liquide de contraste (myélographie) pour donner au médecin la possibilité de déterminer avec certitude l'aspect et la localisation de la hernie discale.

Guérison et complications

— La majorité des sujets atteints de hernie discale sous l'effet du repos voient peu à peu leurs troubles disparaître.
— Le séjour à l'hôpital après une opération pour hernie discale est habituellement de 4 à 8 jours et la durée de la convalescence est de 4 à 8 semaines. C'est seulement au bout de 3 à 4 mois que l'opéré, en règle générale, retourne à ses activités sportives ou à un travail physiquement lourd.
— Les résultats des interventions chirurgicales pour hernies discales sont bons. 95 % de ceux qui ont été opérés sont débarrassés de leur douleur du membre inférieur et peuvent reprendre leur travail initial.

Rétrécissement du canal vertébral (sténose rachidienne)

Le canal vertébral peut également être atteint pour d'autres causes que la hernie discale. L'usure des facettes articulaires peut, de même que les excroissances osseuses, donner de tels rétrécissements. Cet état pathologique qui atteint surtout les sujets âgés de plus de 60 ans est rare.

Symptômes et diagnostic

— La symptomatologie est souvent confuse avec des douleurs mal définies.
— Douleurs survenant au niveau du dos, spécialement lorsqu'on le met en extension.
— Douleurs du membre inférieur survenant après un parcours limité de marche. Les douleurs disparaissent avec le repos, spécialement si le blessé s'asseoit, mais reprenent après un nouvel effort d'une durée presqu'aussi courte.
— L'exploration par radiographie simple, radiographie avec liquide de contraste (myélographie) ou scannographie donne le diagnostic.
— D'autres causes des douleurs, par exemple d'origine artérielle (artérite), doivent être éliminées.

Traitement

Le médecin peut :
— prescrire de la kinésithérapie ;
— prescrire le port d'un corset ;
— dans certains cas opérer et enlever les causes de rétrécissements. L'intervention chirurgicale est cependant importante et il existe un risque de récidive.

Usures des articulations entre les arcs vertébraux (syndrome des facettes articulaires)

Les articulations vertébrales postérieures sont composées de 2 facettes ou apophyses articulaires supérieure et inférieure. Celles-ci sont orientées de façon à diminuer les possibilités des vertèbres de tourner de côté. Si les facettes articulaires n'existaient pas les disques s'useraient plus rapidement en raison des moments de torsion de la colonne vertébrale.

Lorsque les disques sont atteints de dégénérescence dues à l'âge, il peut se produire soit des pincements du disque, soit des déplacements des vertèbres, avec le risque de glissement par usure des facettes. La partie antérieure de ces articulations peut s'hypertrophier et venir appuyer sur les nerfs, si bien que l'on peut éprouver une douleur irradiante sans avoir d'hernie discale.

Symptômes et diagnostic

— Les manifestations pathologiques atteignent des sujets âgés de 40 ans et plus et peuvent se traduire par une douleur soudaine au niveau de la colonne vertébrale.
— Douleur aggravée par le repos et soulagée par le mouvement et l'entraînement, qui différencie ce type d'arthrose des autres.
— Raideur et limitation de l'amplitude de mouvement du dos.
— Sensibilité douloureuse sur les apophyses épineuses, au niveau des articulaires postérieures et lors de l'extension du dos.
— Douleur du dos et des fesses lors du lever d'objets avec les membres inférieurs tendus.
— L'exploration radiologique fournit le diagnostic.

Traitement

Le médecin peut:
— ordonner de la kinésithérapie et le port d'une protection gardant la chaleur;
— prescrire des médicaments d'action sédative de la douleur;
— faire une injection des médicaments sédatifs de la douleur sur les nerfs qui entourent l'articulation (ce qui se réalise dans une salle d'opération sous le contrôle d'un amplificateur de brillance);
— pratiquer une intervention chirurgicale pour libérer le nerf de l'apophyse articulaire.

Insuffisance du rachis

Certains sujets ont un dos faible, ce qui comporte qu'ils présentent de la fatigue, de la raideur et de la faiblesse accompagnées de douleur lancinante au moment ou après une faible mise en charge du dos.

Traitement

Le sportif peut:
— améliorer sa technique au sein de sa spécialité sportive ou modifier sa position de travail pour diminuer les symptômes;
— faire un entraînement général de sa musculature du dos (voir page 415 et suivantes) qui doit par ailleurs faire partie de tout programme d'entraînement.

Le médecin peut:
— ordonner de la kinésithérapie avec un programme orienté sur les muscles du dos, donner des conseils au sujet de la manière de s'y prendre pour soulever un objet, etc.

Maladie de Scheuermann (cyphose)

La maladie de Scheuermann est une maladie héréditaire du dos qui entraîne une augmentation de la courbure du dos (cyphose) et qui peut donner des manifestations pathologiques en relation avec la pratique du sport. Ces manifestations atteignent surtout le garçon. Ce sont habituellement 3 à 5 vertèbres de la colonne lombaire qui sont atteintes et prennent un aspect cunéiforme.

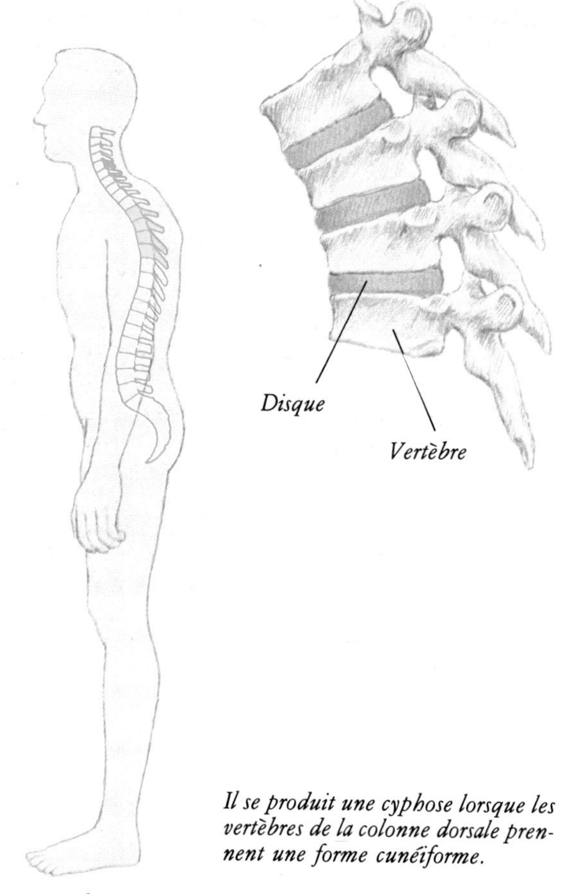

Il se produit une cyphose lorsque les vertèbres de la colonne dorsale prennent une forme cunéiforme.

Symptômes et diagnostic

— Légère fatigue de la colonne dorsale lors des efforts après que le sujet atteint ait été à l'école toute une journée.
— Faiblesse et douleur en relation avec des efforts du dos. L'état est dépisté souvent par les parents, les entraîneurs ou les dirigeants sportifs quand ils remarquent que la forme du dos du sujet atteint se modifie.
— L'exploration radiologique fournit le diagnostic.

Traitement

— Les adolescents qui présentent ce type de manifestations pathologiques peuvent être soumis à une exploration radiologique pour pouvoir éliminer comme cause de ces troubles les maladies infectieuses ou les tumeurs des vertèbres.
— En cas de faiblesse du dos, une kinésithérapie peut être ordonner.

Guérison et complications

La maladie évolue relativement lentement jusqu'à ce que la croissance du squelette soit terminée. Il semblerait que les jeunes sujets qui ont présenté ces atteintes dorsales ont paradoxalement à l'âge adulte une fréquence d'absence due aux affections dorsales plus faible que les autres sujets.

Courbure latérale de la colonne vertébrale (scoliose)

Les courbures latérales à gauche ou à droite d'une partie de la colonne vertébrale peuvent donner une colonne en forme de s. La cause de cette déformation qui atteint les enfants en cours de croissance est inconnue. Cette affection est souvent dépistée par les infirmières scolaires, les professeurs de gymnastique, les entraîneurs sportifs ou les parents, et doit conduire à une visite médicale de contrôle.

La scoliose survient chez environ 5 % de tous les enfants dans une population normale, mais un type atténué de scoliose est fréquent parmi certains sportifs qui pratiquent un entraînement unilatéral, par exemple les joueurs de tennis et les lanceurs de javelot. Les lanceurs de javelot qui se sont entraînés plus de 8 ans peuvent présenter un type de scoliose spécial. L'explication pourrait en être trouvée dans le mécanisme de ce lancer, où le corps lors du jet est fléchi du côté du bras de lancement et tourné en même temps de façon à ce que le lanceur ait alors une augmentation de la cambrure de son dos. Un entraînement répété avec des mouvements de jets fait que les muscles de la partie supérieure du dos de la moitié supérieure du corps droit chez un lancer droitier (et gauche chez un lanceur gaucher) sont plus fortement développés que les muscles du dos de l'autre moitié du corps.

Symptômes

Une scoliose donne presque toujours des douleurs lancinantes et des douleurs plus sourdes et n'exclut pas une activité physique convenable. Le symptôme le plus voyant, la courbure du dos est confirmé par l'exploration radiologique. Une scoliose grave peut donner des répercussions cardiaques et pulmonaires lorsque le sujet atteint est arrivé à un âge intermédiaire.

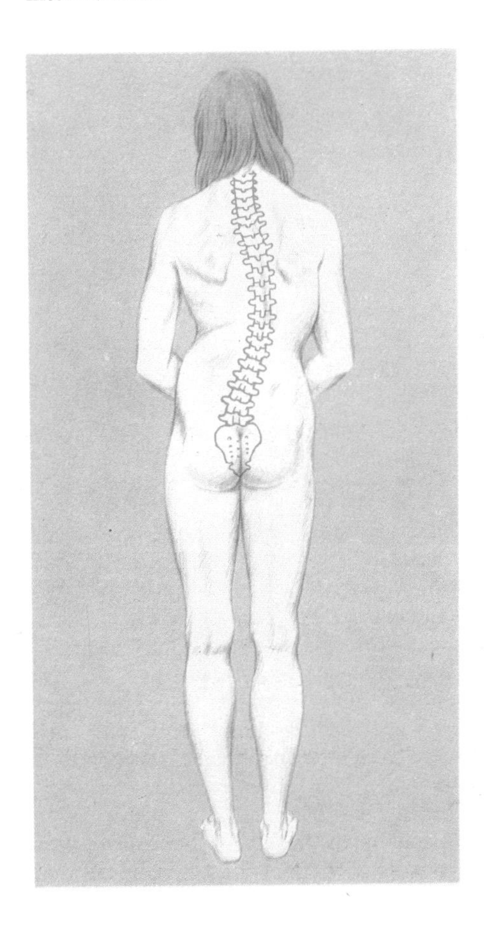

Scoliose. La colonne vertébrale avec sa courbure latérale a été dessinée.

Traitement — Tous les enfants et les adolescents avec scoliose doivent être examinés par un médecin d'une clinique chirurgicale d'orthopédie.
— Dans les cas mineurs, le sujet sera placé sous observation tandis que le corset et l'intervention chirurgicale seront réservés pour les cas graves.

Atteinte des arcs vertébraux (spondylolyse) et glissement des vertèbres (spondylolisthésis)

La non-soudure de l'arc vertébral est appelée «spondylolyse». Cette atteinte peut être congénitale ou être due à une blessure ou à une lésion par surcharge qui entraîne une fracture de fatigue. La sondylolyse réunit les conditions pour que le corps vertébral arrive à glisser en avant par rapport à la vertèbre sous-jacente. Si un glissement s'est produit, l'état pathologi-

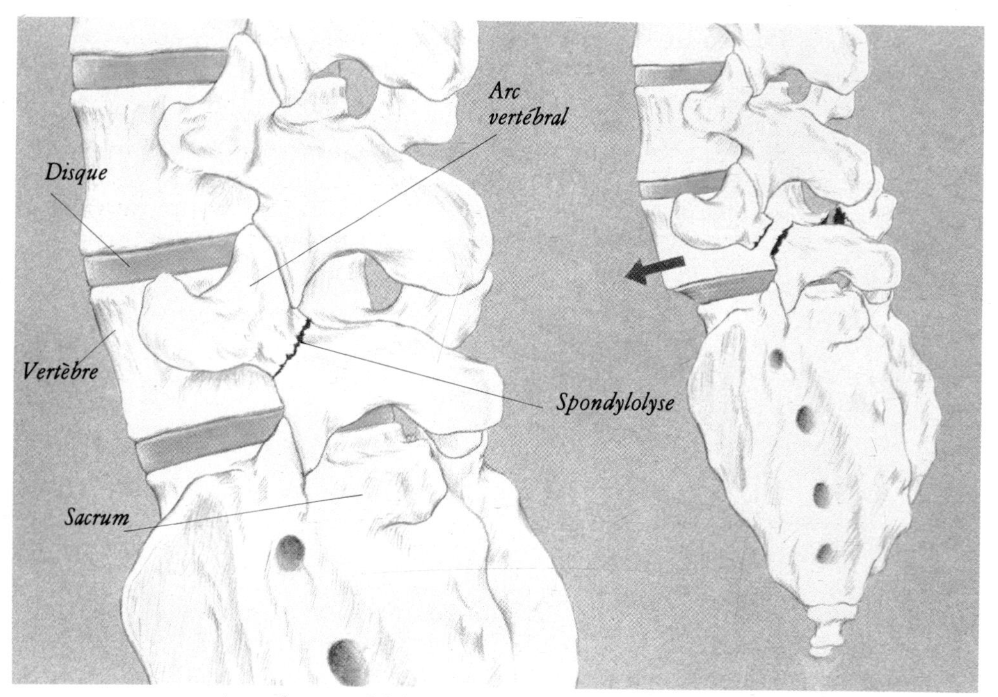

A gauche: spondylolyse (flèche à travers l'arc vertébral). A droite: spondylolyse avec spondylolisthèse (glissement de la vertèbre).

que est appelé «spondylolisthésis». Plus le sujet, chez lequel l'anomalie apparaît, est jeune, plus grand sera le risque de voir le corps vertébral glisser en avant. Le risque de glissement est très faible chez les sujets âgés de plus de 25 ans.

Les manifestations pathologiques dépendent en partie de la rapidité avec laquelle le glissement se fera et en partie de son étendue. La spondylolyse peut, elle, se manifester par des douleurs dans le dos et une sciatique par action locale sur les nerfs sans qu'aucun glissement n'ait eu lieu. Les symptômes de spondylolisthésis surviennent parce que le glissement accru en avant du corps vertébral donne une traction ou une compression des racines nerveuses. Chez les sujets en cours de croissance les symptômes peuvent souvent débuter après un effort physique.

En Suède, la spondylolyse survient chez environ 3 à 7 % de la population et c'est le plus fréquemment la cinquième vertèbre lombaire qui est atteinte. Dans les spécialités sportives où le dos est soumis à de dures charges: exemple la gymastique, le plongeon, le lancer du javelot, la lutte, l'haltérophilie et le golf, les symptômes surviennent chez une grande proportion des pratiquants. La lésion se produit avant tout dans les spécialités sportives où une hyperextension extrême du dos est souvent effectuée par des adolescents en cours de croissance, par exemple la gymnastique.

Symptômes et diagnostic

— Fatigue suivie de douleur lancinante de la colonne lombaire chez les adolescents, souvent après l'effort physique.
— Parfois des manifestations de sciatique se produisent dans les 2 membres inférieurs, et le signe de Laségue est présent souvent des 2 côtés. Parfois le déplacement peut être senti sous forme d'un décalage en marche d'escalier au niveau lombaire par le palper.

Traitement

Le sportif peut:
— observer le repos jusqu'à ce que l'absence de douleur soit survenue;
— consulter le médecin pour faire un bilan;
— en règle générale, poursuivre l'entraînement sous réserve de ménager le dos, qu'il n'existe pas de symptômes de sciatique et que les manifestations pathologiques ne se soient pas aggravées. Les mouvements du type sit-ups, soulèvement de poids et autres entraînements de la force doivent être évités. Les adolescents âgés de moins de 16 à 18 ans doivent éviter de faire des mouvements extrêmes de la colonne vertébrale.

Le médecin peut:
— ordonner le repos lorsque la lésion est à sa phase aiguë;
— ordonner la kinésithérapie avec un programme de musculation du dos;
— donner les conseils au sujet de la technique à employer pour soulever des objets;
— ordonner un corset de toile et une protection gardant la chaleur;
— recommander de changer de spécialité sportive;
— opérer dans les cas où le traitement n'a pas donné de résultat;
— placer les adolescents en cours de croissance présentant cette lésion sous contrôle par une exploration radiologique annuelle.

Pelvospondylithe ankylosante (Maladie de Bechterew)

La maladie de Bechterew atteint surtout l'articulation sacro-iliaque, les articulations situées entre les arcs vertébraux et le long ligament antérieur de la colonne vertébrale, qui s'ossifie peu à peu. La maladie atteint surtout les hommes jeunes ou d'âge intermédiaire et doit être suspectée lors d'états douloureux traînants, mais pas toujours importants, de la colonne vertébrale.

La maladie de Bechterew est toujours associée à une autre affection. Parmi les hommes qui présentent une maladie de Bechterew 75 % environ ont une inflammation chronique de la prostate, 20 % ont une inflammation de l'intestin et 50 % du psoriasis. Chez les femmes la maladie de Bechterew est associée dans 80 % des cas avec une maladie intestinale, dans 15 % des cas avec des infections urinaires récidivantes et dans 5 % des cas avec du psoriasis.

Symptômes et diagnostic

— Raideur et douleurs au matin.
— Les douleurs lancinantes de la colonne vertébrale pertubent le sommeil nocturne.

— Douleur irradiant vers l'aine et en bas vers le membre inférieur.
— Egalement d'autres articulations peuvent être atteintes par exemple la hanche, l'épaule et les orteils. Une cyphose progressive peut alors se produire.
— Inflammation oculaire récidivante (iritis).
— Une exploration radiologique de l'articulation sacro-iliaque peut montrer certaines anomalies dans l'articulation. Lors de l'exploration radiologique de la colonne thoracique et de la colonne lombaire une ossification du long ligament antérieur ainsi qu'une rectitude de la partie antérieure des vertèbres sont à remarquer.
— La vitesse de sédimentation est souvent élevée et un prélèvement sanguin spécial (HLA-B 27) confirme le diagnostic.

Traitement

Le sportif peut :
— décharger l'articulation atteinte ;
— éviter les mouvements de rotation brusques ainsi que le froid et les courants d'air ;
— utiliser une protection gardant la chaleur ;
— consulter un médecin régulièrement.

Le médecin doit :
— ordonner une gymnastique adaptée à cette maladie, qui est un type spécial de kinésithérapie, qui se propose de lutter contre les mauvaises positions et d'augmenter la mobilité du dos, des épaules et des hanches, associée à une rééducation respiratoire ;
— prescrire des médicaments d'action anti-inflammatoire ;
— traiter les autres affections.

Guérison et complications

Un entraînement de la mobilisation active doit être institué à un stade précoce mais la maladie dont souffre le sujet en plus de la maladie de Bechterew doit être traitée avant que soit repris l'entraînement et la compétition. Le sport peut être pratiqué sans limitation importante de mouvements mais les activités doivent être établies en accord avec le médecin.

LÉSIONS DE L'ARTICULATION DE LA HANCHE ET DE LA RÉGION DE L'AINE

Etats douloureux de la hanche et de l'aine

Les symptômes en cas de lésions de l'articulation de la hanche et de la région de l'aine peuvent être vagues et peu caractéristiques. C'est pourquoi le médecin doit avoir recours aux différentes possibilités modernes

Phase de jeu exposant aux blessures de la région de l'aine. Photographie : Pressens bild.

de diagnostic. La raison pour laquelle les manifestations pathologiques de la hanche et de l'aine ont été ici réunies provient de ce que les manifestations pathologiques de l'articulation de la hanche peuvent donner des douleurs qui irradient à l'aine.

Les manifestations pathologiques de l'articulation de la hanche sont dues surtout à des lésions du cartilage des surface articulaires tandis que les douleurs de l'aine peuvent provenir d'inflammation consécutive à un surmenage ou à une surcharge des muscles, des tendons et des insertions tendineuses. On pense que ce sont des ruptures microscopiques qui sont la cause de ces modifications inflammatoires. Elles entraînent une lésion minime des tissus et une réaction inflammatoire qui sont à l'origine des symptômes typiques de lésions par surcharge (voir page 39 et suivantes). Les douleurs de l'aine peuvent également être dues à des ruptures partielles ou totales au niveau des muscles et des tendons.

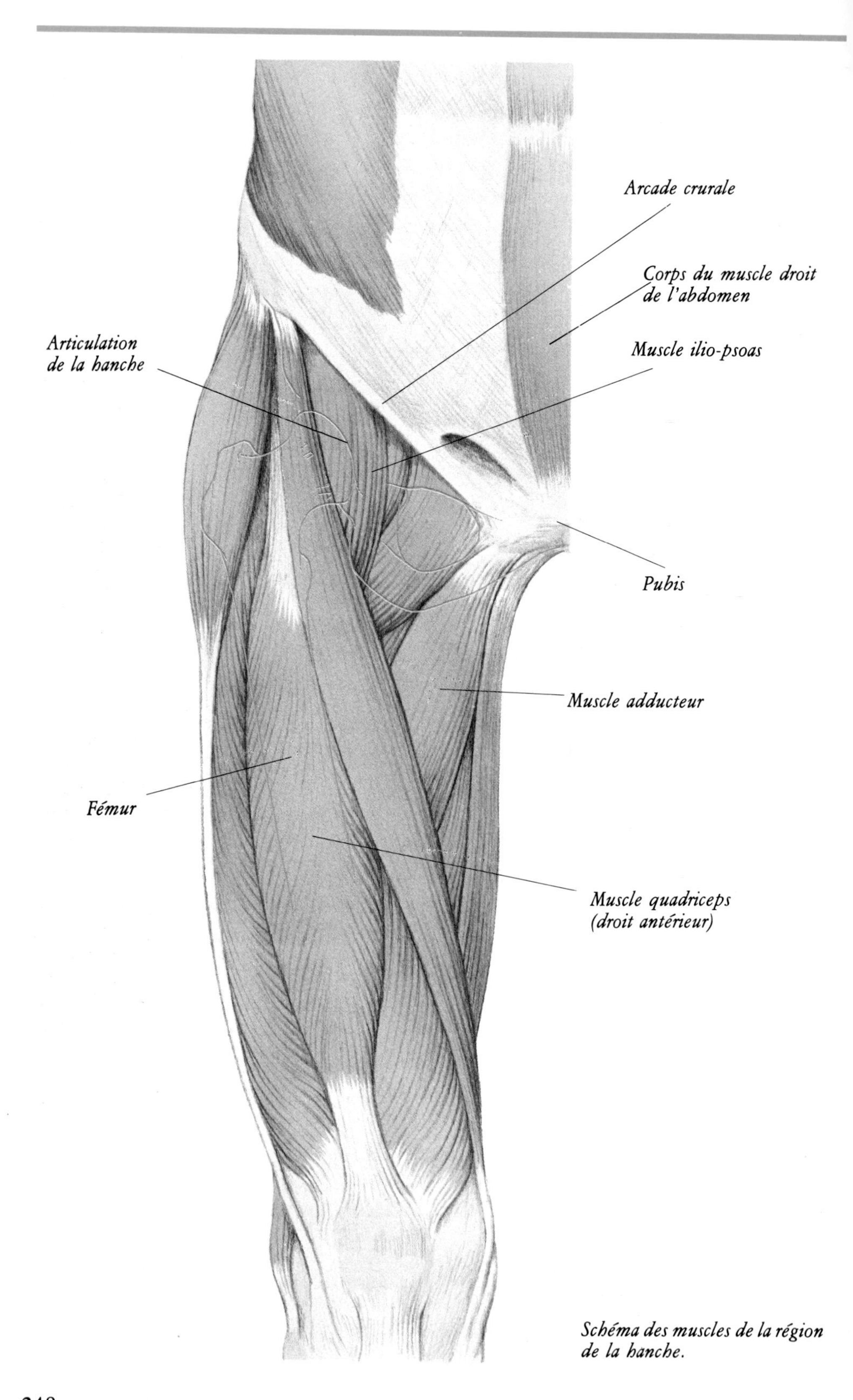

Schéma des muscles de la région de la hanche.

Les autres états pathologiques qui peuvent donner des manifestations provenant des régions de la hanche et de l'aine sont les fractures de différentes sortes, les inflammations des bourses séreuses, les hernies, les inflammations et les infections des organes abdominaux et génitaux, l'étranglement de différents nerfs y compris le nerf sciatique, les tumeurs, les altérations générales des articulations, etc.

Lors de la pratique du sport il est fréquent que plusieurs des 4 groupes de muscles soient concernés en cas de lésions des régions de la hanche et de l'aine, à savoir:
— muscles adducteurs qui portent le membre inférieur en dedans (par exemple le muscle moyen adducteur);
— muscles qui fléchissent l'articulation de la hanche (muscle psoas-iliaque);

— muscle droit antérieur de la cuisse, qui fléchit l'articulation de la hanche et étend l'articulation du genou;
— muscle droit de l'abdomen.

En cas de lésions de la hanche et de l'aine un diagnostic précoce est essentiel pour que le traitement puisse être institué le plus tôt possible. Si les lésions de ces régions sont négligées, elles peuvent donner des troubles de longue durée et devenir chroniques et il sera alors très difficile de les traiter.

Inflammation des muscles adducteurs

Les muscles qui portent en dedans le membre inférieur, c'est-à-dire qui sont des adducteurs de l'articulation de la hanche sont surtout les muscles moyen adducteur, grand adducteur et petit adducteur ainsi que le muscle pectiné. Le muscle droit interne et les fibres inférieures du muscle grand fessier peuvent également agir comme adducteurs. C'est cependant surtout le muscle moyen adducteur qui est atteint lors de la pratique du sport.

Le muscle moyen adducteur prend son origine de l'os pubis et s'attache à la petite moyenne de la face postérieure du fémur. C'est pourquoi une surcharge peut léser le muscle moyen adducteur en relation avec, par exemple, une frappe latérale de ballon en football, un dur entraînement à la course à pied et la mise en dedans du membre inférieur libre en patinage de vitesse. Cet état pathologique est cependant fréquent aussi parmi les joueurs de football, de hockey sur glace, les skieurs, les haltérophiles, les coureurs de haies, les sauteurs en hauteur, etc. Les manifestations pathologiques commencent insidieusement en cas de surcharge en relation avec, par exemple, un stage d'entraînement ou d'autres périodes d'entraînement intensif.

Symptômes et diagnostic

— Douleur pouvant souvent se localiser à l'origine du muscle et pouvant irradier à la face interne de l'aine. La douleur diminue souvent après un instant d'effort et peut disparaître complètement pour réapparaître avec une plus grande intensité après l'entraînement. Il existe un risque que le sportif puisse entrer dans un cercle vicieux (voir page 39), qui conduit à des douleurs permanentes avec ou sans élancements. L'état pathologique est alors difficile à traiter.
— Sensibilité douloureuse punctiforme au niveau de l'origine du muscle sur le pubis.

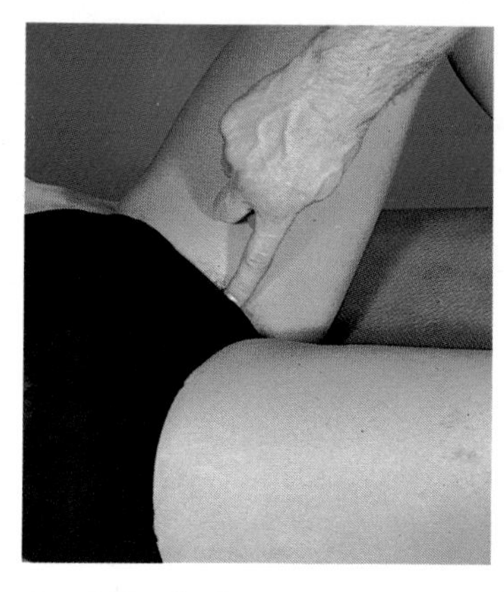

Sensibilité douloureuse punctiforme au-dessus de l'origine du muscle sur le pubis.

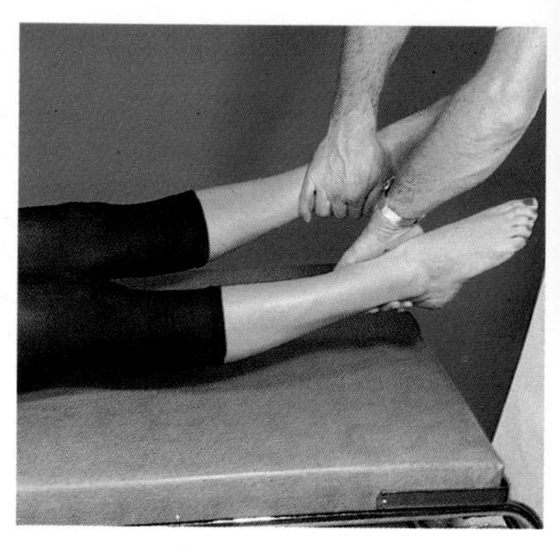

Des douleurs peuvent être provoquées au niveau de la région atteinte en rapprochant les membres inférieurs malgré une résistance.

— Douleurs qui peuvent être provoquées lorsque le membre inférieur contre résistance appuie contre l'autre membre inférieur (voir cliché, page 250).
— Lors de l'exploration radiologique, on peut parfois voir des calcifications autour de l'origine du muscle sur le pubis (voir schéma, page 252). L'écart entre l'origine des muscles adducteurs du membre inférieur et celle du muscle droit de l'abdomen est faible. Les altérations dues à l'inflammation peuvent certainement toucher les 2 muscles en même temps.

Mesures de prévention

Un entraînement préventif avec un entraînement de la force et de la mobilité spécialement conçu (voir page 420) est essentiel et doit faire partie de chaque séance d'entraînement comme un élément naturel des exercices d'échauffement. L'entraîneur doit être conscient du niveau d'entraînement des joueurs et doit si possible varier individuellement leur entraînement. Un sportif bien entraîné se blesse moins souvent que les autres et cette loi est spécialement valable pour les lésions musculaires.

Traitement

Le sportif doit :
— observer du repos aussitôt que des manifestations pathologiques apparaissent au niveau de l'aine. L'état pathologique disparaît généralement rapidement sans autre traitement. Il faut cependant que le blessé ne reprenne pas l'entraînement et ne recommence pas la compétition avant que la douleur ait disparu lors des mouvements avec charge du membre inférieur ;
— traiter par application de chaleur et utiliser une protection gardant la chaleur ;
— traiter par application générale de chaleur par des bains chauds ;
— maintenir un certain niveau de condition physique en faisant de la bicyclette (surtout sur cyclergomètre) ou en nageant le crawl.

Le médecin peut :
— prescrire des médicaments d'action anti-inflammatoire ;
— prescrire des médicaments d'action anticoagulante (héparine) pendant 3 à 5 jours ;
— faire une injection de corticostéroïdes dans les insertions musculaires et tendineuses concernées, et en relation avec cette injection, ordonner 2 semaines de repos (l'injection ne doit être pratiquée que lorsqu'une sensibilité douloureuse distincte existe au niveau de l'insertion sur l'os) ;

— ordonner un traitement local par application de chaleur;
— opérer en cas de manifestations pathologiques de longue durée;
— ordonner un entraînement spécial des muscles répondant à son objectif. L'entraînement doit être entièrement supervisé par un kinésithérapeute. Voici ci-dessous un projet de programme d'entraînement et de rééducation fonctionnelle pour une blessure du muscle moyen adducteur:

1. Echauffement: un léger programme d'entraînement dynamique, par exemple au cyclergomètre, est effectué pendant 5 à 10 minutes.
2. Au début un entraînement statique sans mise en charge du muscle moyen adducteur peut être effectué sous différents angles articulaires et jusqu'au seuil de la douleur.
3. Entraînement dynamique sans résistance.
4. Entraînement isométrique avec augmentation progressive de la charge extérieure.
5. Stretching selon la technique qui a été décrite page 94.
6. Entraînement dynamique avec augmentation progressive de la résistance.
7. Entraînement de la coordination adapté à la technique.
8. Entraînement adapté à la spécialité sportive pratiquée.

Guérison et complications

Les phases d'entraînement qui ont été à l'origine d'un état inflammatoire au niveau des muscles adducteurs ne doivent pas être reprises avant que la douleur et la sensibilité douloureuse n'aient disparu. Si le sportif atteint se repose immédiatement lorsque les manifestations pathologiques surviennent, l'état guérit très rapidement (en 1 à 2 semaines), mais si l'entraînement est repris trop précocement la lésion peut devenir difficile à traiter. Si l'atteinte n'est pas du tout traitée, il existe un risque pour elle de devenir durable et chronique.

Rupture des muscles adducteurs

Les ruptures totales des muscles adducteurs sont fréquemment situées au niveau de l'insertion sur le fémur mais peuvent également se produire à l'origine du muscle sur le pubis, tandis que des ruptures partielles se produisent habituellement dans le muscle lui-même ou à son origine sur le pubis. Une rupture du muscle moyen adducteur peut survenir lorsque le muscle qui porte le membre inférieur en dedans est mis en tension et surchargé, par exemple lorsqu'au cours du jeu de football on donne un coup de pied avec l'intérieur du pied dans le ballon ou lors d'un coup de pied contré par l'adversaire par un tâcle glissé ou d'un contre-pied.

Symptômes et diagnostic

— Coup de poignard survenant avec la rapidité de l'éclair dans la région de l'aine. La douleur fulgurante revient si on essaie de reprendre l'activité sportive.
— Hémorragie locale, qui peut être à l'origine d'une tuméfaction et d'une ecchymose de la peau. Ces derniers symptômes n'apparaissent que plusieurs jours après le moment de la blessure.
— Si le muscle a perdu sa capacité à se contracter, il existe une raison de soupçonner une rupture.
— Lorsque la rupture siège au milieu du corps charnu du muscle, on peut sentir une brèche en regard de la rupture, où le muscle est également le plus sensible.
— En cas de sensibilité douloureuse au niveau du squelette, on doit pratiquer une exploration radiologique.

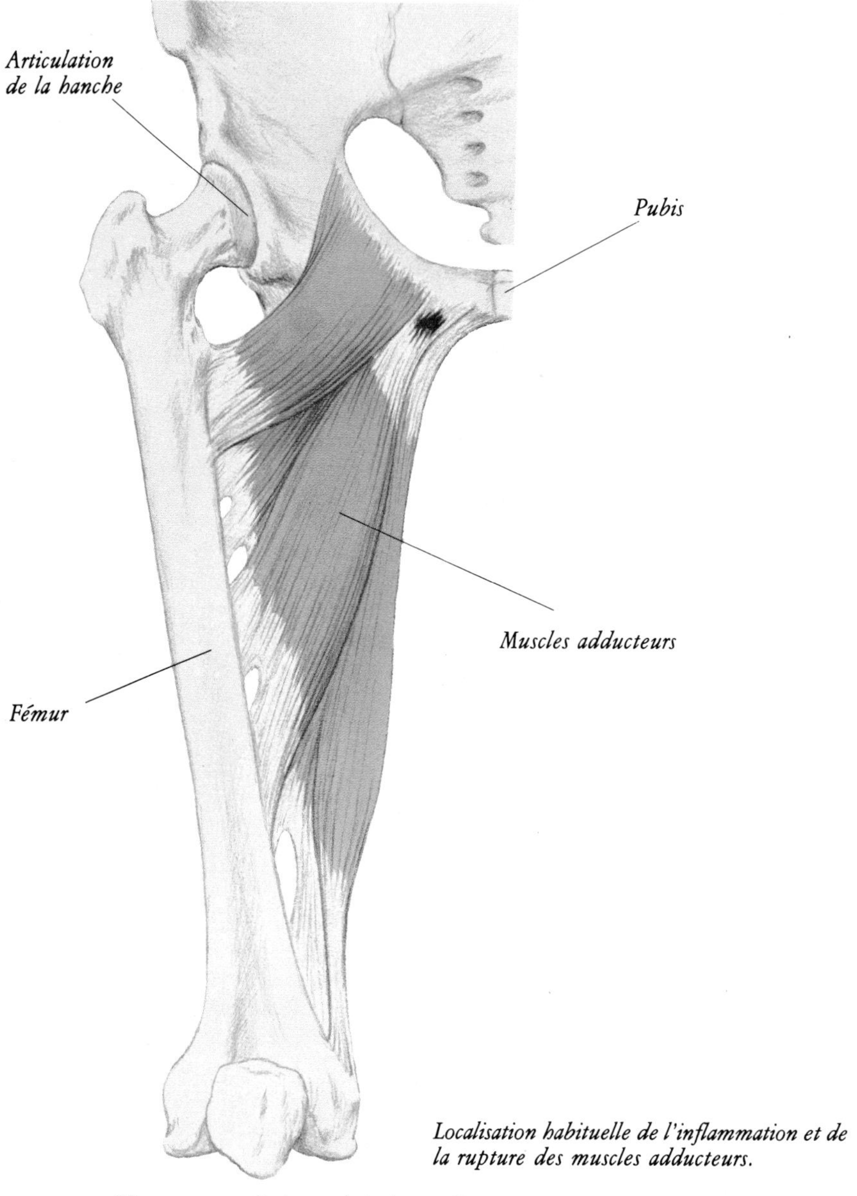

Localisation habituelle de l'inflammation et de la rupture des muscles adducteurs.

— Un examen clinique doit être effectué, concernant à la fois le muscle en position de relâchement et en position de contraction et une exploration des tissus mous doit être faite radiographiquement.

Traitement

Le sportif doit :
— traiter immédiatement la lésion par application de froid, pansement compressif et surélévation du membre (voir page 63 et suivantes);
— observer du repos.

Le médecin peut :
— opérer en cas de rupture totale;
— en cas de rupture partielle mettre en route les mesures thérapeutiques qui ont été décrites page 250.

Guérison et complications

Au cours de la période de rééducation fonctionnelle le sportif blessé doit s'adonner à un entraînement musculaire (voir page 420 et suivantes), au cyclisme, à un léger entraînement par la course à pied, à la natation et à un entraînement de la condition physique progressivement augmenté. C'est seulement lorsque le sportif est entièrement débarrassé de toute manifestation pathologique lors de la mise en charge qu'il peut reprendre son entraînement ordinaire, dont l'intensité doit être faible au début et ensuite augmentée progressivement. Le sportif ne doit pas participer à des matchs ou à des compétitions avant d'être complètement rétabli de sa blessure et bien entraîné ni sans avoir fait soi-même un essai dans une situation analogue à la compétition.

Des ruptures totales du muscle moyen adducteur peuvent survenir sans que le blessé n'ait ressenti de douleur très importante au moment de la blessure: — une rupture totale donne moins de troubles habituellement qu'une rupture partielle —. Une rupture totale du muscle moyen adducteur peut cependant amener celui qui en est atteint à suspecter d'avoir une tumeur puisque le corps du muscle peut alors augmenter de volume. Cette augmentation de volume provient vraisemblablement d'une croissance de compensation du muscle lésé (comparer avec la page 35 et suivantes).

Inflammation du muscle psoas-iliaque

Le muscle psoas-iliaque est sans conteste le muscle fléchisseur le plus puissant de l'articulation de la hanche. Le muscle part des vertèbres lombaires (psoas) et de la face interne de l'aile iliaque et s'attache sur la face interne du fémur. La mise en charge du muscle comporte surtout une mise en charge de l'insertion.

Une inflammation du muscle psoas-iliaque peut se produire lors de l'entraînement de la force avec barre à disques et en même temps qu'une flexion du genou, lors du relevé de la position assise, lors du foulage de la neige en relation avec l'entraînement de la condition physique, lors de la course à pied en montée, lors d'un entraînement intensif aux tirs au but au football, lors de la pratique du badminton, du saut en longueur et en hauteur, lors des courses avec obstacles (haies et steeple, etc.).

Derrière le muscle psoas-iliaque est située une bourse séreuse qui peut devenir le siège d'une inflammation: atteinte isolée ou associée à une inflammation du genou. Cet état pathologique peut être difficile à différencier et c'est pourquoi ils vont être traités ensemble ci-dessous:

Symptômes et diagnostic

— Lors de cette lésion le sportif peut entrer dans un cercle vicieux de douleur identique à celui qui a été décrit sous la rubrique «Inflammation des muscles adducteurs».
— Sensibilité douloureuse au niveau de l'insertion à la face interne de la cuisse mais il peut être difficile de la mettre en évidence chez un individu très musclé.
— Douleurs au niveau de l'aine lors de la flexion de l'articulation de la hanche contre une résistance.
— Lorsqu'à la fois la bourse séreuse et le tendon du muscle psoas-iliaque sont enflammés une sensation de mise en tension et une tuméfaction peuvent se produire au niveau de l'aine. Bien que la bourse séreuse soit alors tendue par le liquide il peut être difficile de la sentir au milieu d'une musculature puissante.

Traitement

Le sportif peut:
— se reposer jusqu'à ce que se produise l'absence de douleur;
— traiter localement par application de chaleur et utiliser une protection gardant la chaleur.

Le médecin peut:
— prescrire des médicaments d'action anti-inflammatoire;
— prescrire des médicaments d'action anticoagulante (héparine);
— faire une injection de corticostéroïdes dans l'insertion du muscle et en relation avec cette injection ordonner 2 semaines de repos;
— en cas de suspicion d'une inflammation de la bourse séreuse, la ponctionner, ce qui peut fournir le diagnostic. Ensuite la bourse séreuse est vidée et quelques millilitres de corticostéroïdes peuvent y être injectés.

Guérison et complications

En cas de signes d'inflammation de la musculature de l'aine le sportif doit immédiatement se reposer car dans le cas contraire l'état pathologique peut facilement devenir de longue durée.

Rupture du muscle fléchisseur de la hanche (psoas-iliaque)

Les ruptures du muscle psoas-iliaque sont rares, mais, quand elles surviennent, sont situées au niveau de l'insertion du tendon du muscle (voir schéma page 255).

Symptômes et diagnostic

— Douleur survenant de façon soudaine comme un coup de couteau au niveau de la hanche et réapparaissent dès que le blessé essaie de fléchir l'articulation de la hanche.
— Une rupture totale donne une nette diminution de la force lors de la flexion de l'articulation de la hanche. En cas de rupture partielle la douleur est déclenchée en profondeur au niveau de l'insertion sur la face interne de la cuisse, lorsque l'articulation de la hanche est fléchie contre une résistance.
— Tuméfaction et sensibilité douloureuse locale peuvent exister au niveau de l'insertion musculaire.
— Parfois l'insertion osseuse peut se détacher, c'est pourquoi une exploration radiologique doit être effectuée surtout lorsque la biessure atteint un sujet en cours de croissance.

Traitement

— En cas de rupture totale du muscle psoas-iliaque l'opération doit être pratiquée.
— Une rupture partielle du muscle doit être traitée de la façon qui a été décrite page 251 et suivantes sous la rubrique «Rupture des muscles adducteurs».

Inflammation de la partie supérieure du muscle droit antérieur

Le muscle droit antérieur part de la hanche et en avant du plan articulaire antérieur de l'articulation de la hanche. Le muscle fléchit l'articula-

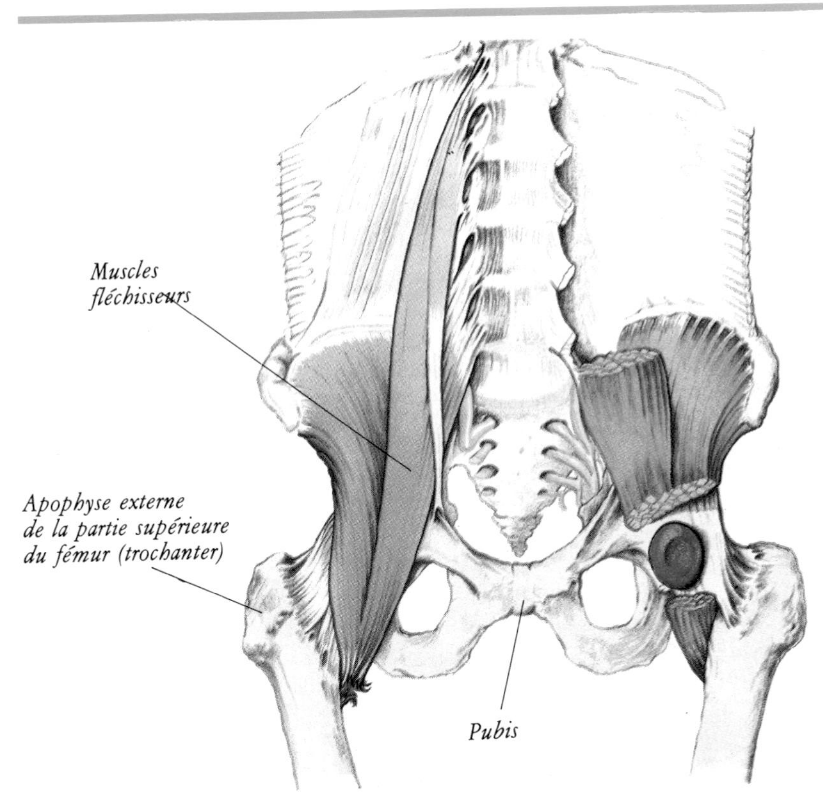

A gauche : sur le schéma, on voit un exemple de rupture partielle des muscles fléchisseurs de l'articulation de la hanche. A droite : on voit une inflammation d'une bourse séreuse qui est située derrière les muscles fléchisseurs de la hanche (ici en partie enlevés).

Lors des départs de course de sprint répétés, il se produit des lésions par usure au niveau de l'aine et de la cuisse.

tion de la hanche et étend l'articulation du genou. Au cours d'un entraînement intensif au tir au but en football, lors de départs rapides répétés, lors de l'entraînement de la force, etc. la douleur peut se manifester juste en avant de l'articulation de la hanche.

Symptômes et diagnostic

— Douleur qui est déclenchée lorsque le blessé fléchit l'articulation de la hanche et étend l'articulation du genou contre une résistance (voir clichés ci-dessous).
— Sensibilité locale au niveau de l'origine du muscle en regard de l'articulation de la hanche à sa face antérieure.

Traitement

Le traitement est en principe le même que celui qui a été décrit page 249 pour «L'inflammation des muscles adducteurs».

Rupture de la partie supérieure du muscle droit antérieur

Les douleurs de l'aine peuvent être causées par une rupture du muscle droit antérieur au niveau de son tiers supérieur et de son origine. Une rupture peut survenir en relation avec les phases de tirs au but et de tacles en football ainsi que lors des démarrages rapides en général (voir schéma page 257).

Symptômes et diagnostic

— En cas de flexion violente de l'articulation de la hanche il peut se produire une douleur soudaine au niveau de l'aine.
— En cas de rupture totale il existe une incapacité à mobiliser le muscle.
— Une brèche au niveau de laquelle existe une sensibilité douloureuse peut souvent être sentie au niveau du corps charnu du muscle.

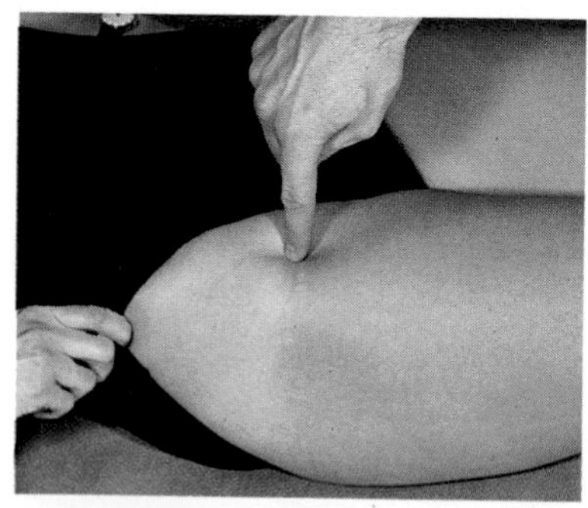

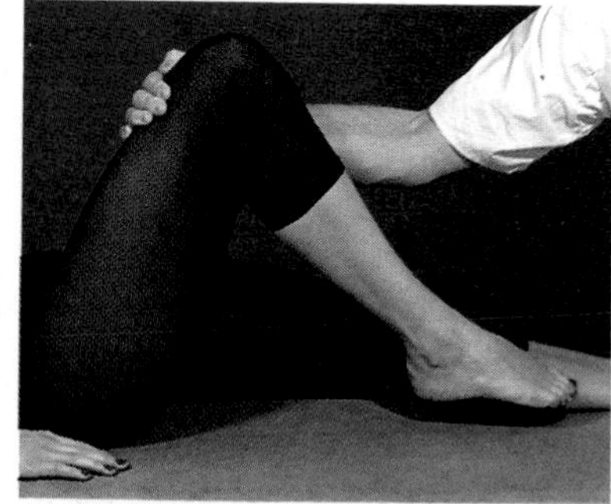

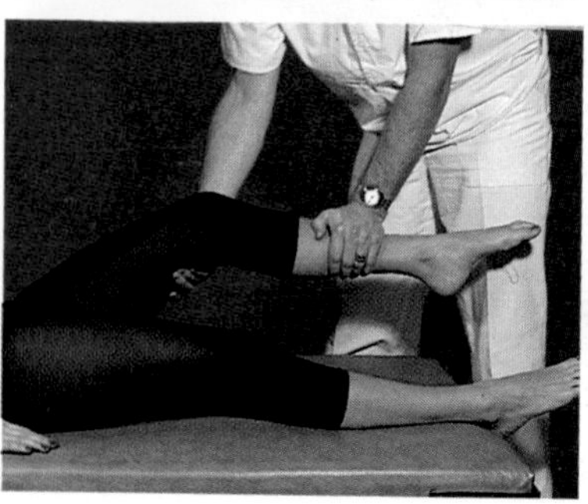

Ci-dessus à gauche: sensibilité douloureuse locale au niveau de l'origine du muscle.

Ci-dessus à droite: douleur lors de la flexion de l'articulation de la hanche contre résistance.

A gauche: douleur lors de l'extension de l'articulation du genou contre résistance.

— Une exploration radiologique doit être effectuée puisque un fragment peut s'être détachée de l'origine du muscle, spécialement chez des individus en cours de croissance. Dans une phase ultérieure, des calcifications peuvent constituer une séquelle après une hémorragie ou une ossification du périoste ou du fragment d'os détaché.

Traitement

— En cas de rupture totale, spécialement si l'origine du muscle s'est détachée du squelette près de l'articulation et que le fragment d'os n'est pas en contact avec l'os, une intervention chirurgicale doit être pratiquée.

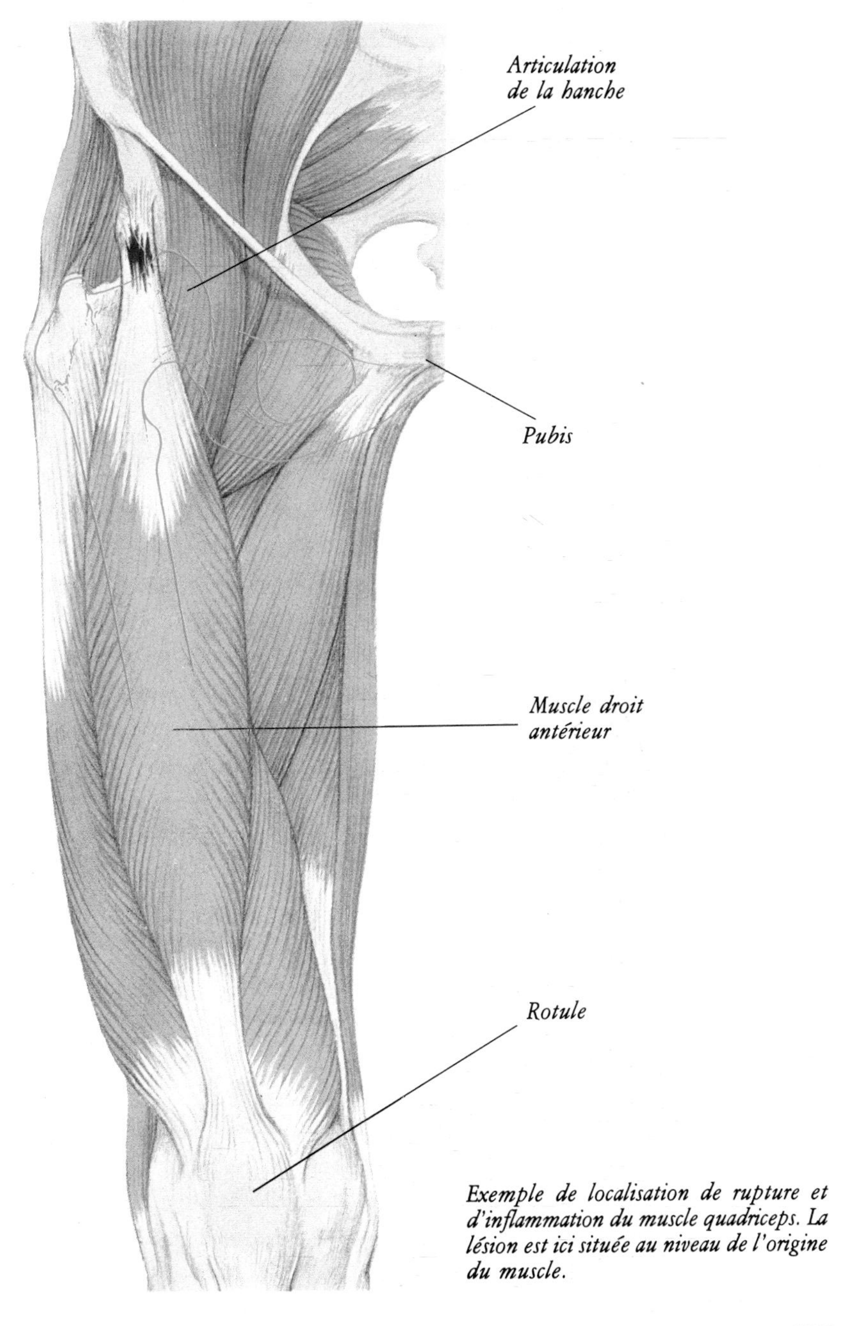

Exemple de localisation de rupture et d'inflammation du muscle quadriceps. La lésion est ici située au niveau de l'origine du muscle.

Inflammation et ruptures des muscles de l'abdomen

En cas de ruptures et d'inflammations des muscles de l'abdomen, le muscle droit de l'abdomen est fréquemment blessé mais également les muscles obliques et transverses de l'abdomen peuvent être atteints. Le muscle droit de l'abdomen part de la cage thoracique et de la pointe du sternum et s'attache à la partie supérieure du pubis. Les inflammations du muscle droit de l'abdomen sont en règle générale localisées à l'insertion sur le pubis (voir schéma ci-dessous). Les ruptures peuvent également survenir au niveau des muscles transverses sur les côtés de l'abdomen et peuvent, entre autres localisations, être situées vers l'appendice.

Les ruptures des muscles de l'abdomen surviennent chez les haltérophiles, les lanceurs, les gymnastes, les rameurs, les lutteurs, les sauteurs à la perche, etc. Les inflammations des muscles de l'abdomen sont souvent déclenchées par du surmenage, par exemple, en cas d'entraînement de la force, du relèvement de la position assise, de l'entraînement aux tirs en football ainsi que lors du service et du smash en tennis et en badminton.

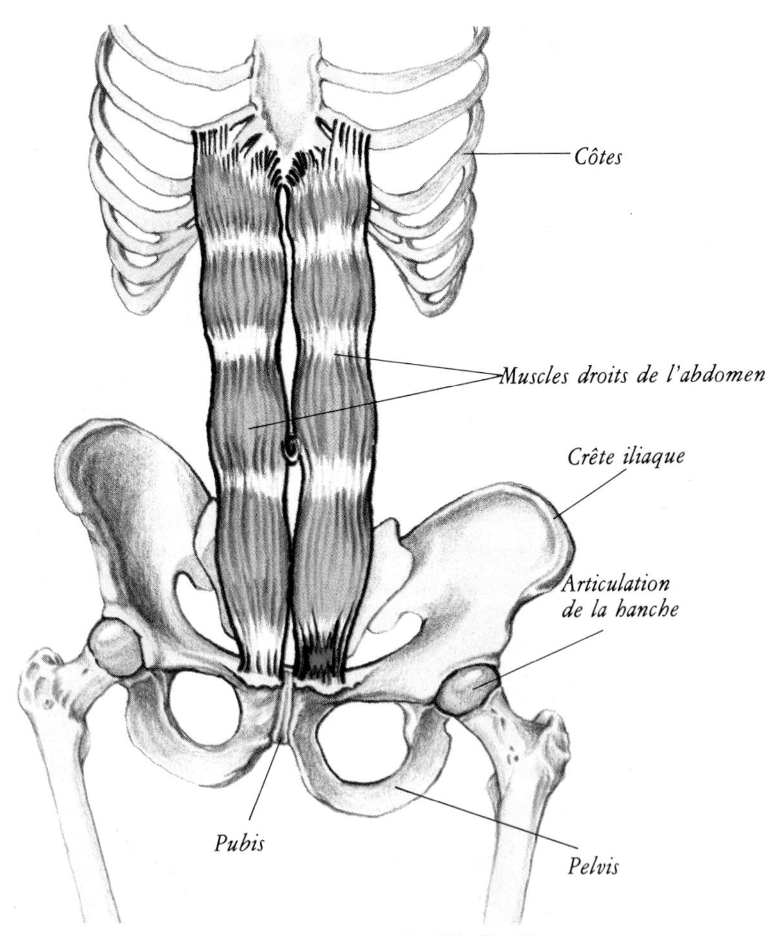

Rupture de l'insertion du muscle droit de l'abdomen sur le pubis.

Symptômes et diagnostic

— Lors d'un effort des muscles de l'abdomen, le sportif peut ressentir une douleur fulgurante, en faveur de la survenue d'une rupture.
— Une sensibilité douloureuse peut exister au lieu de la rupture.
— Une rupture des muscles de l'abdomen peut être difficile à différencier d'une inflammation des organes internes de l'abdomen, par exemple une inflammation de l'appendice. Le fait que la sensibilité douloureuse et la douleur soient plus fortes lorsque le blessé met en tension sa musculature de l'abdomen que lorsque l'abdomen est relâché, est caractéristique d'une rupture. Les muscles peuvent être mis en tension, le blessé en position couchée levant en même temps la tête et le membre inférieur.
— En cas d'inflammation de la musculature de l'abdomen, il existe souvent une sensibilité douloureuse et une douleur au-dessus de l'insertion du muscle droit de l'abdomen sur le pubis. Les symptômes sont déclenchés lorsque le blessé met en tension sa musculature de l'abdomen de la manière indiquée ci-dessus.

Traitement

Le sportif doit :
— observer du repos jusqu'à ce que les symptômes aient disparu ;
— traiter localement par application de chaleur et utiliser une protection gardant la chaleur.

Le médecin peut :
— prescrire des médicaments d'action anti-inflammatoire ;
— en cas de signes d'inflammation au niveau de l'insertion tendineuse, faire une injection locale de corticostéroïdes et en relation avec celle-ci ordonner 2 semaines de repos ;
— opérer en cas d'état douloureux de longue durée.

Guérison et complications

Si le sportif en présence de signes de surmenage de la musculature de l'abdomen se repose immédiatement, le temps de guérison est en règle générale de 1 à 2 semaines. Lors des ruptures musculaires, le temps de guérison variera avec l'importance de la lésion. Le blessé ne doit pas recommencer à s'entraîner et à participer à une compétition avant que la blessure ne soit guérie puisque, dans le cas contraire, de nouvelles ruptures pourraient survenir et l'évolution de la guérison être nettement prolongée. De grandes ruptures musculaires peuvent aboutir à la formation d'une hernie dans la paroi de l'abdomen.

La majorité des sportifs entraînent leur muscles de l'abdomen par des sit-ups. Pour empêcher au cours de la période de rééducation fonctionnelle que le muscle psoas-iliaque ne soit sollicité, l'articulation de la hanche doit être maintenue fléchie de façon à ce que ce muscle ne se contracte pas. La meilleure méthode pour entraîner le muscle droit de l'abdomen est de fléchir fortement la hanche sans prendre appui avec les pieds.

Autres causes de douleurs de l'articulation de la hanche et de l'aine

Inflammation et rupture des autres muscles de la région de l'aine

Il existe plusieurs muscles qui agissent au niveau de la région de l'aine, par exemple le muscle couturier, le muscle tenseur du fascia lata et le muscle moyen fessier. Ces muscles peuvent également être lésés au cours de la pratique du sport. Lors de l'examen de ces blessures, on doit essayer de déterminer où la douleur est située. Associé à un test fonctionnel cette information clinique peut fournir le diagnostic.

Symptômes et traitement sont en principe les mêmes que ceux décrits page 249 sous la rubrique «Inflammation des muscles adducteurs».

Altérations de l'articulation de la hanche

Des douleurs de l'aine peuvent avoir été déclenchées au niveau de l'articulation de la hanche et être le symptôme précoce d'altérations dues à l'usure (arthrose; voir page 47 et suivantes) ou d'une inflammation (arthrite ou ostéochondrite). Des corps étrangers libres peuvent se trouver dans l'articulation, entre autres comme séquelles après un arrachement de fragments d'os et de cartilage dans l'articulation du genou (ostéochondrite disséquante). Dans de rares cas le bourrelet (bord du cartilage qui entoure le cotyle) se détache et reste inclus dans l'articulation. Cet état pathologique donne des douleurs à l'effort et à la mise en charge ainsi que des blocages de l'articulation de la hanche. Des douleurs lancinantes continues et persistantes surviennent également souvent après effort. Les douleurs de l'aine doivent inciter à faire pratiquer une exploration radiologique, éventuellement avec liquide de contraste, si elles sont continues et exacerbées par des rotations de l'articulation de la hanche. Une arthroscopie peut être envisagée.

Luxation de l'articulation de la hanche

L'articulation de la hanche est singulièrement stable mais elle peut se luxer (habituellement en arrière) lors d'un traumatisme très violent. Cette lésion est grave puisque la tête articulaire peut être l'objet de lésions durables par suite de perturbations de la circulation sanguine. Les luxations de la hanche se produisent rarement sans lésion concomitante du squelette. Le blessé doit être transporté à l'hôpital pour traitement. Une longue évolution est nécessaire avant que le retour à la pratique sportive puisse avoir lieu.

Fracture du col du fémur ou de l'extrémité supérieure du fémur

Les fractures du col du fémur et les fractures de l'extrémité supérieure du fémur sont comparativement fréquentes chez les sujets âgés. Les fractures du col du fémur se produisent cependant aussi chez des individus plus jeunes qui ont fait une chute directe contre la hanche en relation avec par exemple le patinage ou le ski. Ces fractures sont presque toujours opérées et le temps de guérison et de rééducation fonctionnelle est long. L'atteinte du membre inférieur, raccourci et en rotation externe, est caractéristique d'une fracture du col du fémur.

Fracture de fatigue du col du fémur

Une fracture de fatigue (voir page 51 et suivantes) peut survenir au niveau du col du fémur par exemple chez les coureurs de fond à la suite de la répétition de charges de longue durée. Egalement au niveau du pubis, des fractures de fatigue peuvent survenir.

Symptômes et diagnostic

— Douleurs lors de la mise en charge de l'articulation de la hanche ainsi que des douleurs lancinantes dans l'articulation après effort.
— Douleurs de mobilisation au niveau de l'articulation de la hanche.
— En cas de douleurs continues provenant de la région de la hanche, le blessé doit passer une exploration radiologique. Si aucun signe de fracture de fatigue n'est alors mis en évidence mais si les manifestations pathologiques persistent pendant 3 semaines supplémentaires environ, une nouvelle exploration radiologique doit être pratiquée.
— Une exploration par des isotopes radioactifs peut être effectuée.

Traitement

— Repos et décharge du membre inférieur jusqu'à ce que la fracture soit guérie, ce qui en règle générale prend 5 à 8 semaines, selon l'âge du blessé.

Hernies

Hernie inguinale

Une hernie inguinale est une sortie d'une partie de l'intestin qui se produit avec le péritoine à la suite d'une faiblesse des muscles de la paroi abdominale et de la couche de tissu conjonctif. De tous les cas d'hernies 80 % sont constitués d'hernies inguinales. Cette hernie peut être à l'origine de douleurs qui sont déclenchées au niveau de l'aine en rapport avec des efforts ainsi que lors de la toux, d'un éternuement ou en allant à la selle. Lorsque l'origine de douleurs mal définies au niveau de l'aine est recherchée par le médecin celui-ci ne manque pas de vérifier également s'il existe une hernie inguinale.

Les hernies sont traitées par intervention chirurgicale. L'opéré peut souvent reprendre son entraînement de la condition physique plusieurs semaines après l'intervention mais ne doit pas reprendre son entraînement en force, au plus tôt, avant 8 à 10 semaines après l'intervention.

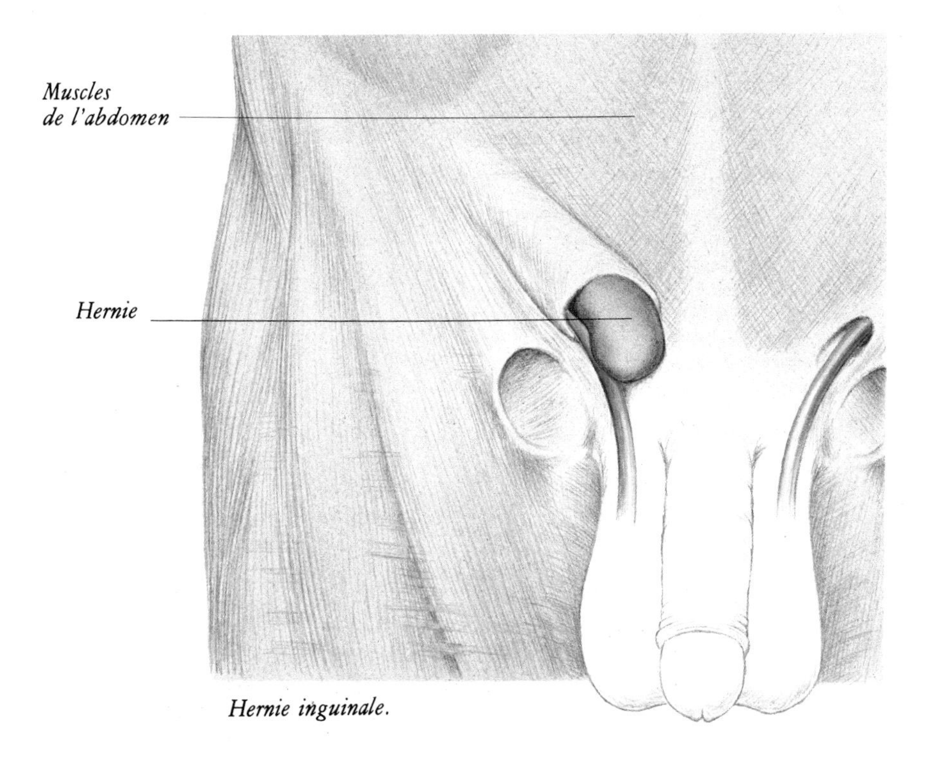

Hernie inguinale.

Hernie crurales

Presque 10 % de toutes les hernies sont des hernies crurales qui surviennent en dessous du pli de l'aine. Symptômes et traitement sont les mêmes que pour une hernie inguinale (voir ci-dessus).

Hernie intra-abdominale

Une hernie de même qu'une hernie pas encore complètement développée à l'intérieur de l'abdomen peuvent donner des douleurs qui irradient jusqu'à l'aine. Ces hernies peuvent être diagnostiquées par herniographie en injectant dans l'abdomen un liquide de contraste qui peut pénétrer dans la hernie et la dépister. Les joueurs de football présentent souvent des hernies incomplètement développées dans la moitié droite de l'abdomen si c'est surtout le membre inférieur droit qu'ils utilisent et dans la moitié gauche de l'abdomen s'ils sont gauchers.

Hydrocèle

L'hydrocèle est une collection de liquide à proximité d'un testicule. Le sujet qui présente une hydrocèle n'a en général aucune autre manifestation pathologique que la hernie, qui est traitée en évacuant le liquide. De grandes hydrocèles peuvent parfois nécessiter une intervention chirurgicale.

Les autres affections qui peuvent donner des manifestations de l'aine sont les tumeurs des testicules, une inflammation des tissus, des varices autour des testicules, etc.

Inflammation des organes internes

Inflammation de l'appendice (appendicite)

Une inflammation de l'appendice est caractérisée par des douleurs du côté droit du bas de l'abdomen et par de la fièvre. Des nausées et des vomissements surviennent souvent et des douleurs au niveau de l'abdomen sont fréquentes lorsqu'on lève le membre inférieur. Des douleurs lancinantes et des douleurs dans la partie inférieure droite de l'abdomen associées à de la fièvre et à des vomissements imposent une visite médicale d'urgence.

Inflammation de la prostate (prostatite)

Une inflammation de la prostate peut donner des douleurs qui irradient jusqu'à l'aine (voir page 247). Des difficultés pour uriner sont fréquentes et sont aggravées par le froid. L'état pathologique relève de la consultation médicale et est traité par des médicaments anti-infectieux.

Infection des voies urinaires

Les infections des voies urinaires se caractérisent par une douleur cuisante à la miction urinaire et un besoin fréquent d'uriner. L'urine peut avoir une odeur désagréable. L'infection peut donner des douleurs qui irradient jusqu'à la région de l'aine (voir page 247). Des symptômes analogues sont trouvés lors de calculs dans les voies urinaires.

Les infections des voies urinaires doivent être examinées par un médecin et traitées par divers médicaments selon le type de bactéries qui poussent dans l'urine.

Affections gynécologiques

Les affections gynécologiques peuvent donner lieu à des douleurs qui irradient jusqu'à la région de l'aine. Ces affections peuvent être inflammatoires, dues à des maladies d'origine sexuelle et à des tumeurs.

Tumeurs

Les tumeurs ne sont pas inhabituelles dans la région de l'aine et peuvent occasionner des douleurs qui au début surviennent en relation avec le football ou une autre activité physique. Les autres symptômes ressemblent à ceux qui sont dus à des inflammations et à des ruptures dans les muscles et les tendons. Peu à peu, lorsque les douleurs ne cèdent pas, une tumeur grave peut parfois se révéler être la cause de celles-ci. En cas de douleurs persistantes de la région de l'aine une exploration radiologique doit être effectuée pour pouvoir dépister une éventuelle tumeur. Il est important également que le rectum soit examiné minutieusement.

Sciatiques

En cas de douleurs qui irradient jusqu'à la région de l'aine et plus bas sur la cuisse, il peut s'agir d'une cruralgie par atteinte de la quatrième racine lombaire (voir page 237 et suivantes).

Compression nerveuse par enclavement

Les nerfs de la région de l'aine peuvent être exposés à une pression ou à une charge qui sont dues habituellement à des conditions anatomiques locales. Les nerfs qui peuvent être concernés sont surtout les nerfs génito-crural, abdomino-génital et fémoro-cutané qui tous desservent la zone cutanée autour du pli de l'aine mais également les nerfs cutanés du crural antérieur et l'obturateur peuvent être atteints.

Le muscle abdomino-génital dessert la peau juste en avant du pénis et des bourses ainsi que les lèvres, et la face interne de la cuisse. C'est pourquoi les douleurs dans cette région doivent inciter à suspecter une com-

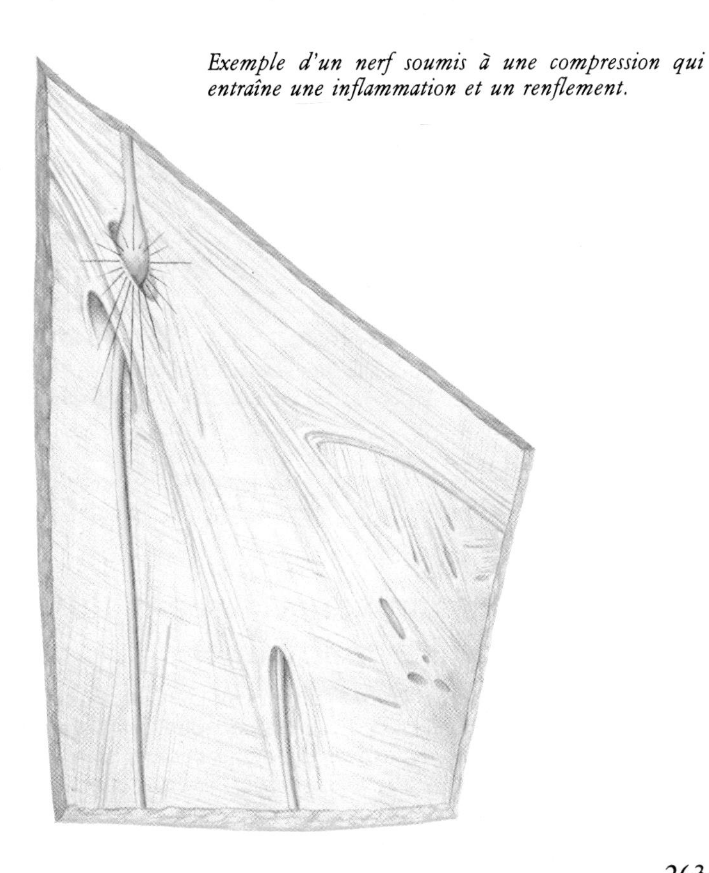

Exemple d'un nerf soumis à une compression qui entraîne une inflammation et un renflement.

pression du nerf abdomino-génital. L'intensité de la douleur et leurs caractères varient. Une augmentation de la sensibilité dans cette région peut être mise en évidence en frottant une aiguille contre la peau en allant d'une zone sans douleur vers une zone avec douleur. Le diagnostic peut être confirmé en injectant un médicament d'action anesthétique local au-dessus des nerfs. Lorsque le sujet présente des douleurs importantes de longue durée une opération est parfois pratiquée.

Le nerf génito-crural dessert la zone cutanée située juste en avant du pli de l'aine ainsi qu'en partie des organes sexuels tandis que le nerf fémoro-cutané dessert la face externe de la cuisse. Symptômes et traitement lors de la compression de ces nerfs sont en gros les mêmes que ceux qui ont été donnés plus haut pour la compression du nerf abdomino-génital.

Inflammation de l'articulation sacro-iliaque

L'inflammation de l'articulation entre la colonne lombaire et le bassin n'est pas inhabituelle comme état pathologique isolé parmi les sportifs qui pratiquent les sports d'hiver mais peut également être un symptôme faisant partie d'une maladie générale, comme par exemple une maladie articulaire rhumatismale ou la maladie de Bechterew (voir page 245).

Symptômes et diagnostic

— Symptomatologie imprécise à type de douleur lancinante et de raideur de la partie inférieure de la colonne lombaire. Ces symptômes sont plus accentués le matin et après une période d'inactivité. Les symptômes apparaissent et disparaissent et de longs intervalles sans douleur sont typiques.
— Une douleur avec élancements peut irradier jusqu'à la face postérieure de la cuisse, l'articulation de la hanche ou le pli de l'aine. Des modifications de l'articulation sacro-iliaque peuvent être présentes sans que le sujet ne ressente de douleur.
— L'inflammation de l'articulation sacro-iliaque peut parfois être associée avec l'inflammation d'autres articulations, par exemple des articulations du genou et de la cheville.
— Elévation de la vitesse de sédimentation sanguine ainsi que positivité d'autres examens de laboratoire qui sont classiquement pratiqués en pareil cas.

Traitement

Le médecin peut:
— prescrire des médicaments d'action anti-inflammatoire;
— ordonner de la kinésithérapie et d'utiliser une protection gardant la chaleur.

Guérison et complications

Les manifestations pathologiques sont de longue durée. Leur évolution est nettement plus favorable chez la femme que chez l'homme.

Inflammation osseuse du pubis (ostéite pubienne)

Certains sportifs souffrent de douleurs lancinantes qui sont localisées à la face antérieure du pubis. Ces douleurs peuvent être associées avec une sensibilité douloureuse au-dessus de la zone où les 2 parties du pubis se rejoignent à la face antérieure du corps. Lors de l'exploration radiologique on peut voir parfois à cet endroit des altérations qui témoignent d'une inflammation osseuse. Lorsque ces altérations n'arrivent pas à être mises en évidence lors de l'exploration radiologique du pubis, une exploration par des isotopes radioactifs peut parfois donner un résultat positif. Le traitement consiste à ordonner au sujet de se reposer et de prendre des médicaments d'action anti-inflammatoire.

A ce propos on doit cependant signaler que les altérations qui sont découvertes lors de l'exploration radiologique au niveau du pubis peuvent parfois n'être qu'une découverte d'intérêt secondaire qui n'entraîne aucune manifestation pathologique du tout chez le sportif.

Inflammation du trochanter du fémur (trochantérite)

A l'extrémité supéro-externe du fémur s'insère une partie du muscle grand fessier. Un état d'irritation inflammatoire peut survenir au niveau de cette insertion musculaire et cette lésion atteint par exemple les coureurs de cross-country et de course d'orientation.

Symptômes et diagnostic

— Douleurs survenant au-dessus de la partie supérieure de la face externe de la hanche.
— Sensibilité douloureuse lorsqu'on appuie contre une petite zone au-dessus de l'extrémité supérieure du fémur.
— Douleur survenant lorsque le membre inférieur est porté en dehors contre une résistance.
— Lors de l'exploration radiologique, on voit parfois une calcification de la région concernée.

Traitement

Le sportif doit:
— observer le repos jusqu'à l'absence de douleur;
— traiter localement par application de chaleur et utiliser une protection gardant la chaleur.

Le médecin peut:
— prescrire des médicaments d'action anti-inflammatoire;
— faire une injection de corticostéroïdes et en relation avec celle-ci, ordonner du repos.

Inflammation d'une bourse séreuse à la face externe de l'extrémité supéro-externe du fémur

A la face externe de la partie supéro-externe du fémur en regard du Fascia Lata se situe une bourse séreuse superficielle. Entre le tendon du muscle moyen fessier et la partie latérale postérieure de l'extrémité supéro-externe (grand trochanter) du fémur se trouve une bourse séreuse profondément située. Lorsqu'on tombe sur la hanche, lorsqu'on reçoit un coup contre elle ou dans des situations analogues, la bourse séreuse superficielle peut être le siège d'une hémorragie (hémobourse; voir page 46). Une petite hémorragie dans la bourse séreuse disparaît spontanément, mais une grande hémorragie peut parfois être le siège d'un caillot sanguin. Celui-ci se fractionne peu à peu en corps libres ou en accolements qui sont à l'origine d'inflammation et d'épanchement liquidien.

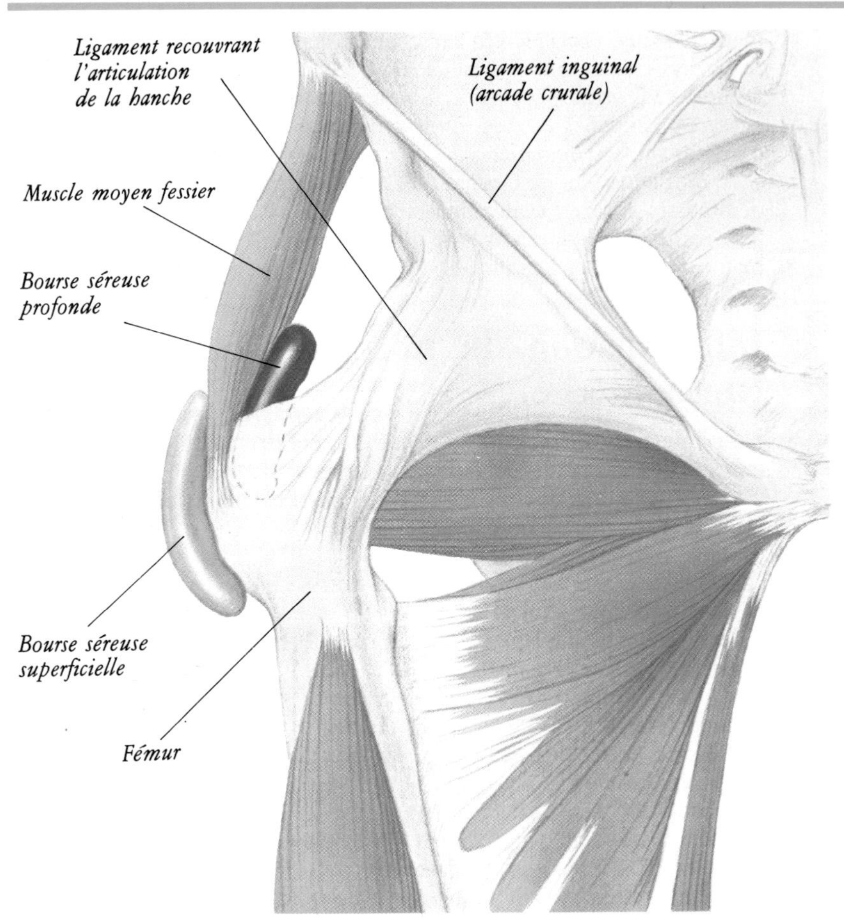

Inflammation des bourses séreuses superficielle et profonde au niveau de la région supero-externe de l'articulation du fémur.

A la fois la bourse séreuse superficielle et la bourse séreuse profonde peuvent être le siège d'une inflammation qui se produit par suite de frottement et de surcharge et qui est une cause plus fréquente que la bursite hémorragique. Une hyper-rotation en dehors du pied (pronation; voir page 343 et suivantes) peut contribuer à surcharger cette région.

Symptômes et diagnostic

— Douleur, qui est particulièrement accentuée lors de la course à pied. Lorsqu'on porte le membre inférieur en dedans avec extension du genou et en même temps qu'on fait une rotation en dedans de l'articulation de la hanche, la douleur est encore plus forte.
— Forte douleur, qui est due à la tuméfaction qui survient en relation avec le début de l'inflammation. Dès que la bourse séreuse a commencé à être enflammée, l'inflammation a une tendance à s'aggraver, ce qui est la cause de la rareté d'amélioration de ces inflammation des bourses séreuses sans traitement médical particulier.
— Sensibilité douloureuse locale au-dessus de la face externe de la partie supéro-externe du fémur.
— Boiterie en raison de la douleur et du déséquilibre.

— Douleur qui irradie jusqu'en bas de la cuisse.
— Corps libres et accollements dans la bourse séreuse pouvant être à l'origine de bruits de crépitements lors des mouvements de l'articulation de la hanche et pouvant parfois être perçus sous forme de petites billes mobiles lorsqu'on appuie contre la peau au-dessus de la bourse séreuse.
— Pour confirmer le diagnostic le médecin peut demander au sportif de se coucher sur le côté sain et de fléchir le membre inférieur du côté sensible. La bourse séreuse est alors comprimée ce qui déclenche de violentes douleurs. Si le mouvement est effectué contre une résistance, la douleur augmente.

Traitement

Le sportif doit:
— observer le repos et décharger la région blessée;
— traiter par application de froid l'articulation de la hanche pendant plusieurs jours.

Le médecin peut:
— ponctionner la bourse séreuse et la vider du sang ou de l'important épanchement liquidien qu'elle contenait;
— prescrire des médicaments d'action anti-inflammatoire;
— faire une injection locale de corticistéroïdes et en relation avec cette injection ordonner le repos;
— en cas de manifestations pathologiques de longue durée, opérer pour enlever les corps libres et éventuellement décoller les acollements dans la bourse séreuse. Fréquemment, la bourse séreuse elle-même est enlevée (voir schéma page 266).

Affections de la hanche chez l'enfant et l'adolescent

Maladie de Perthes (coxa plana)

La maladie de Perthes ou coxa plana, dont la cause est inconnue, atteint l'enfant aux âges de 3 à 11 ans. Le noyau osseux de la tête du fémur s'ameublit, se déforme et s'aplatit. Un enfant atteint de maladie de Perthes se plaint de fatigue et de douleur au niveau de l'articulation de la hanche et de l'aine et parfois aussi du genou. Lors de l'examen clinique, on constate une boiterie. Le diagnostic est posé grâce à l'exploration radiologique.

Selon le degré d'altérations de la tête de l'articulation de la hanche, le traitement variera de l'intervention chirurgicale jusqu'à l'abstention thérapeutique. L'évolution est longue jusqu'à la guérison.

Remarquer que l'enfant atteint de la maladie de Perthes se plaint souvent de douleurs du genou bien que la maladie atteigne l'articulation de la hanche et en pareil cas, l'articulation du genou doit également être radiographiée.

Glissement de la zone de croissance du col du fémur (épiphyséolyse)

Le glissement de la zone de croissance (voir page 393 et suivantes) de la tête du fémur atteint dans certains cas des garçons âgés de 11 à 16 ans. Les douleurs surviennent alors dans la région de l'aine, mais comme toujours en cas d'affections de la hanche les manifestations pathologiques peuvent être localisées au genou. Elles peuvent être déclanchées en relation avec la pratique du sport.

Il est important que les jeunes présentant ce type de manifestations pathologiques, soient radiographiés de façon à ce que le médecin puisse se former une opinion sur la raison pour laquelle un glissement de la zone de croissance de la tête du fémur a pu se produire. Le traitement consiste à fixer, par une intervention chirurgicale, la tête de l'articulation sur le col du fémur avec une broche. Dans 20 % des cas, la zone de croissance de l'autre col du fémur est atteinte de glissement.

Inflammation de l'articulation de la hanche (coxite aiguë)

Des douleurs aiguës au niveau de la hanche chez l'enfant sont fréquemment causées par une inflammation des tissus qui entourent l'articulation de la hanche. La symptomatologie consiste en douleurs progressivement croissantes provenants de l'articulation de la hanche et une incapacité à exécuter des mouvements de la hanche ainsi que parfois aussi des douleurs à la marche. L'inflammation de la hanche se voit en règle générale surtout chez l'enfant au-dessous de l'âge de 10 ans et elle est considérée comme une maladie à bon pronostic guérissant d'elle-même, qui doit cependant être examinée et traitée à l'hôpital.

Les manifestations pathologiques décrites ci-dessus chez l'enfant et l'adolescent doivent être distingués des états pathologiques graves que sont les infections des os (ostéomyélite, la tuberculose, les atteintes rhumatismales et les tumeurs.

> Les douleurs au niveau du genou et/ou de la hanche ainsi que la boiterie doivent inciter à consulter un médecin.

LÉSIONS DE LA CUISSE

Ruptures des muscles de la cuisse

Les ruptures des muscles de la face antérieure de la cuisse, par exemple du muscle quadriceps surviennent lors d'un traumatisme direct sur un muscle en contraction, au football lors du choc d'un genou contre la cuisse d'un adversaire ou lors d'une mise en tension soudaine et puissante des muscles de la cuisse par exemple lors d'un démarrage ou d'une accélération. Lors des atteintes par traumatismes externes ce sont les muscles situés

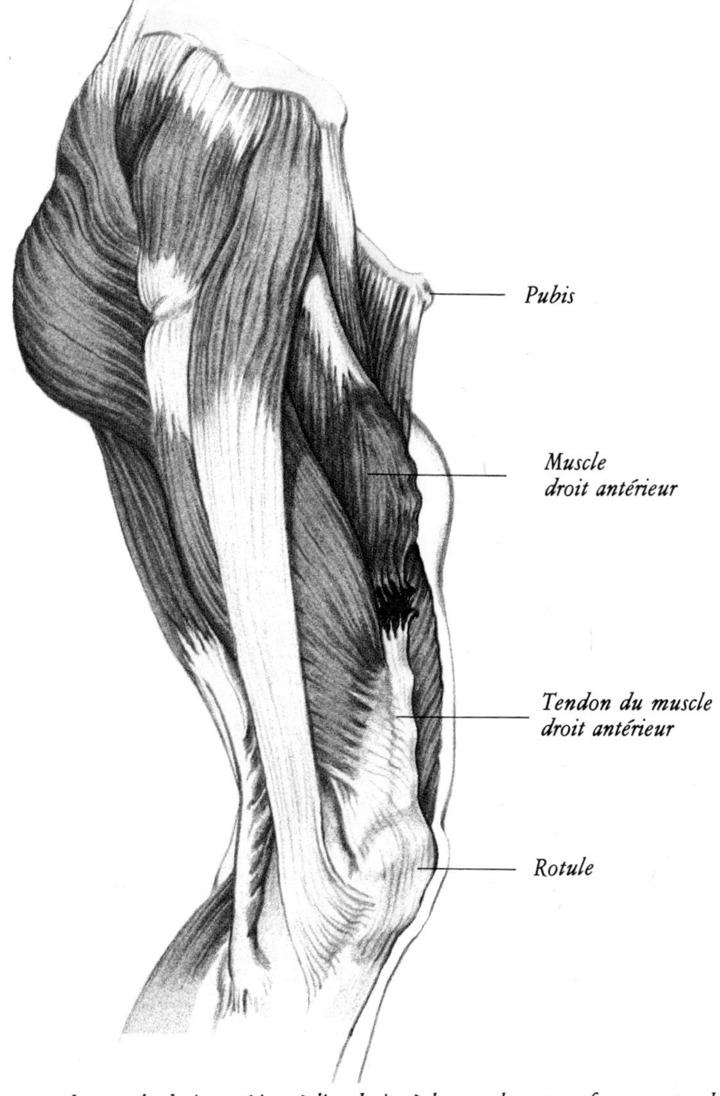

Rupture du muscle droit antérieur à l'endroit où le muscle se transforme en tendon.

à la proximité de l'os qui sont concernés tandis que les muscles situés plus superficiellement sont généralement atteints de ruptures dues à des surcharges.

Les ruptures des muscles de la face postérieure de la cuisse surviennent habituellement en cas de surcharge des muscles biceps, demi-membraneux et demi-tendideux, fléchisseurs du genou. Les sprinters et les coureurs de demi-fond sont spécialement exposés à ce type de lésion musculaire mais également les sauteurs en hauteur, les triples sauteurs, les joueurs de badminton et de tennis peuvent être atteints.

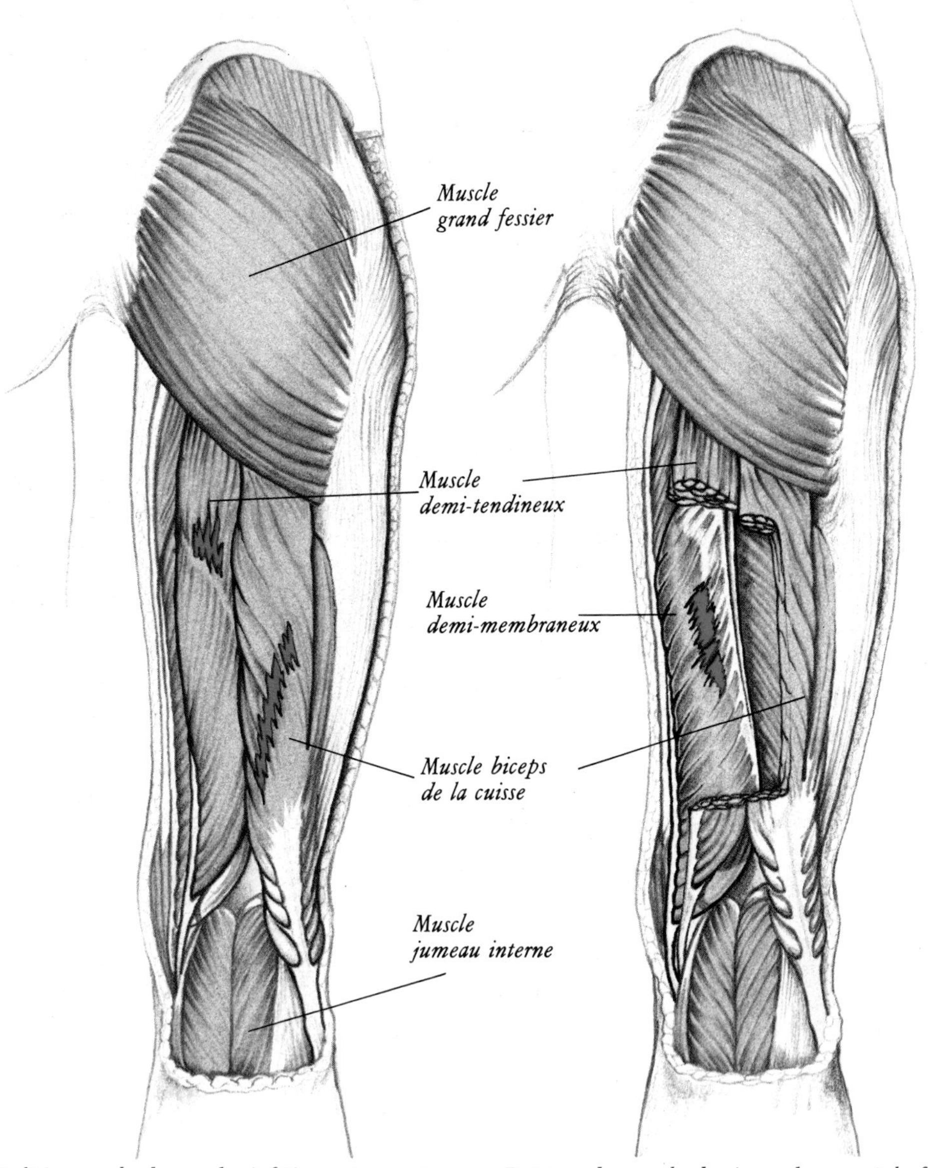

La lésion gauche du membre inférieur est une rupture du muscle demi-tendineux à la face postérieure de la cuisse. La lésion droite du membre inférieur est une rupture du muscle biceps de la cuisse.

Rupture du muscle demi-membraneux à la face postérieure de la cuisse. La lésion est ici mise en évidence, la majeure partie du muscle demi-tendineux et le muscle biceps de la cuisse n'ayant pas été dessinés.

Symptômes et diagnostic

— Le sportif ressent souvent un coup de fouet ou de poignard plus ou moins intense au moment où la blessure se produit.
— Crampes pouvant survenir au niveau du muscle atteint.
— Sensibilité douloureuse intense présente en regard de la région atteinte.
— En cas de rupture totale ou partielle importante on peut sentir une brèche au niveau du muscle et constater une incapacité de contracter le muscle lors d'une rupture totale, une tuméfaction de volume croissant et une ecchymose de la peau.

Traitement

Les ruptures au niveau de la cuisse sont traitées selon les principes directeurs qui figurent page 31 et suivantes.

Guérison et complications

— Le temps de guérison varie entre 2 et 12 semaines selon l'étendue de l'hémorragie et selon que la rupture est partielle ou totale.
— Le tissu musculaire insuffisamment cicatrisé peut entraîner le risque de survenue de nouvelles ruptures.
— Une grande hémorragie laissée sans traitement peut entraîner un hématome de la cuisse (voir ci-dessous).

« Béquille »

En cas de traumatisme direct contre la cuisse, des hémorragies peuvent se produire au niveau des tissus musculaires souvent en association avec une lésion tissulaire. Ce type de lésion est spécialement fréquent au sein des sports de contact, par exemple le football, le handball, le hockey sur glace. Une grande hémorragie restée sans traitement peut au cours de l'évolution former un hématome qui peut s'organiser. Le tissu cicatriciel peut se calcifier et une ossification peut se produire. La fonction musculaire est alors détériorée et le risque qu'une nouvelle lésion puisse survenir au même endroit augmente.

Traitement

— Lorsque la lésion se produit, le traitement doit en premier lieu se proposer de limiter l'hémorragie selon les principes donnés page 63 et suivantes.
— Si un hématome s'est produit, le traitement qui convient peut consister en mouvements actifs, en traitement par application de chaleur, en traitement par les ultrasons, en léger massage et en alternance de bains chauds et froids.
— Pour les prescriptions concernant les autres traitements (voir page 31 et suivantes).

Des douleurs restées sans diagnostic précis au niveau des faces antérieures, externe, et postérieure de la cuisse pourraient éventuellement être dues à une sciatique ou à une fracture de fatigue (voir page 51 et suivantes).

LÉSIONS DE L'ARTICULATION DU GENOU

Au niveau du genou les surfaces de contact entre fémur et tibia sont recouvertes de cartilage. Le fémur présente une surface articulaire antérieure en rapport avec la face postérieure de la rotule.

La stabilité passive au niveau de l'articulation du genou est assurée par des formations capsulo-ligamentaires latérales, par les ligaments croisés et par les ménisques. Le ligament latéral interne est constitué d'une partie longue et superficielle et d'une partie plus courte située plus profondément, qui est attachée au ménisque interne. Le ligament latéral externe stabilise l'articulation du genou du côté externe. La stabilité dans le sens antéro-postérieur est assurée par les ligaments croisés antérieur et postérieur et les formations ligamentaires latérales. Les ligaments croisés contribuent à maintenir la stabilité latérale et en même temps empêchent l'hyperflexion et l'hyperextension. L'hyperextension de l'articulation est également contrôlée par la capsule articulaire rigide en arrière de l'articulation du genou.

Phase de jeu risquant de provoquer une blessure du genou. Photographie: Pressens bild.

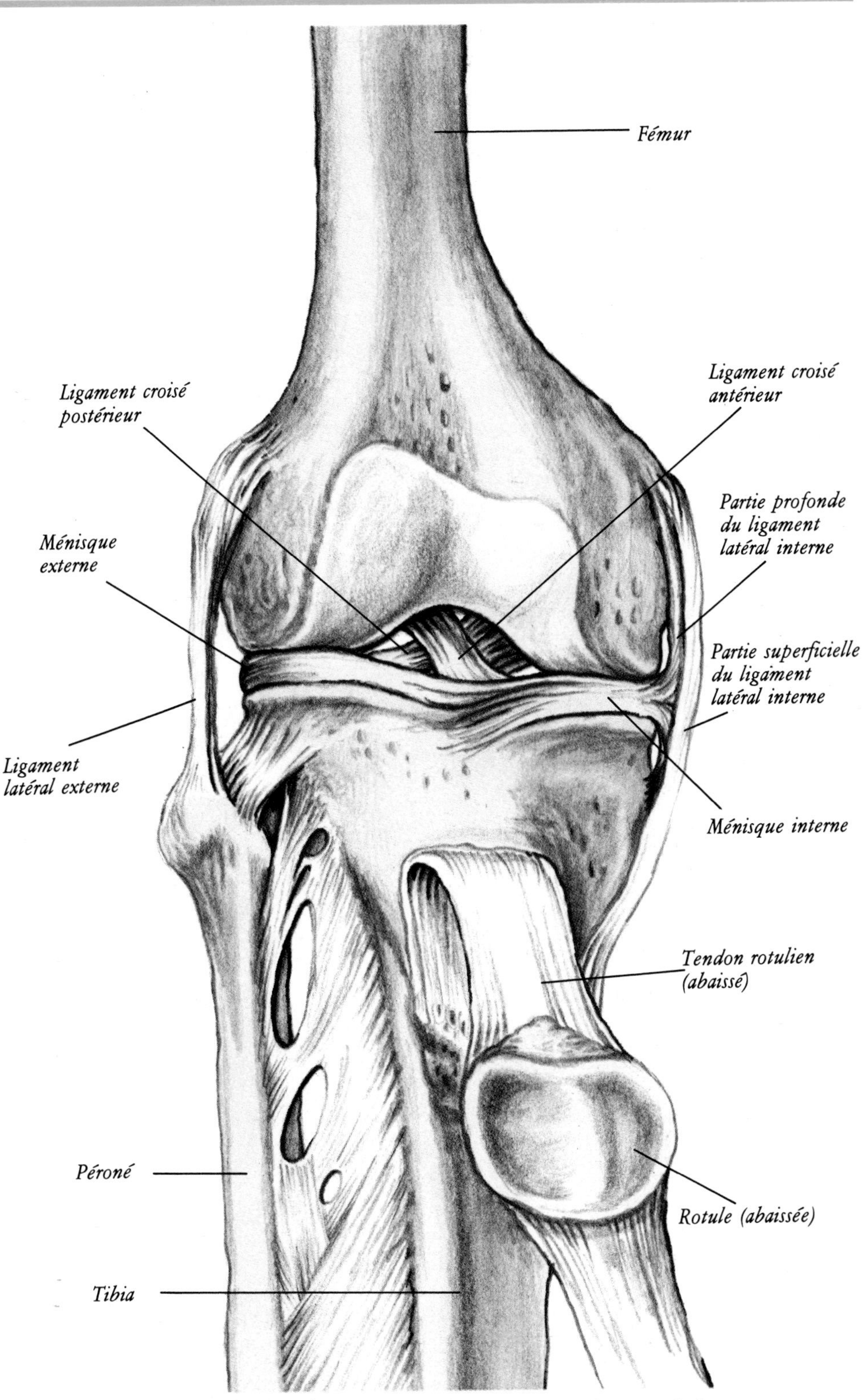

Schéma anatomique de l'articulation du genou droit, vu de face.

Le ménisque interne et le ménisque externe, qui sont des fibrocartilages en forme de demi-lune, stabilisent l'articulation du genou au cours des mouvements et de la mise en charge. Ils exercent en outre une fonction d'amortissement des chocs entre le tibia et le fémur.

La stabilité active de l'articulation du genou est assurée par les muscles lorsque ceux-ci se contractent. Les muscles qui contribuent surtout à cette stabilité sont les muscles extenseurs de la face antérieure de la cuisse (muscle quadriceps) et les muscles fléchisseurs de la face postérieure de la cuisse (muscles ischio-jambiers).

Lésions ligamentaires de l'articulation du genou

Les lésions des ligaments de l'articulation du genou sont à considérer comme graves puisque la stabilité passive de l'articulation est détériorée. Ces lésions sont aussi fréquentes que les lésions des ménisques et atteignent surtout les sportifs qui pratiquent les sports de contact (le football, le hockey sur glace, le handball et le basketball, ainsi que le ski de descente).

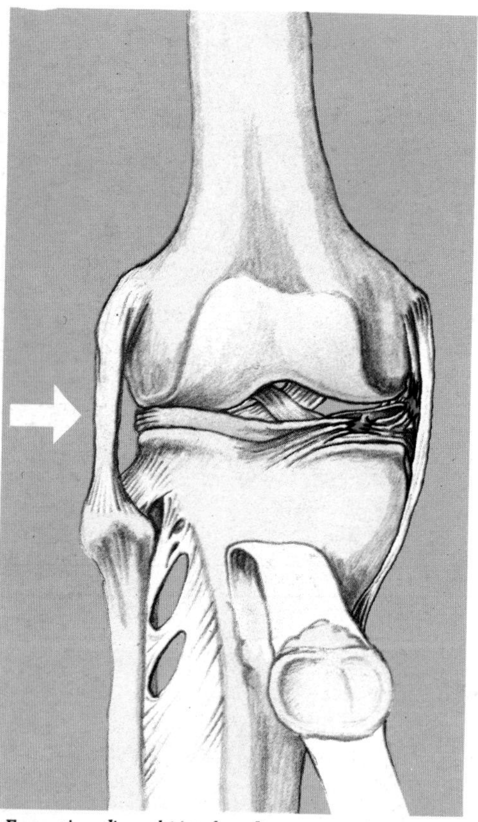

Formation d'une lésion lors d'un traumatisme contre la face externe de l'articulation du genou. Lors d'un traumatisme d'intensité moyenne, il va se produire une rupture de la partie située profondément du ligament latéral interne de l'articulation. Le ménisque interne peut également être atteint.

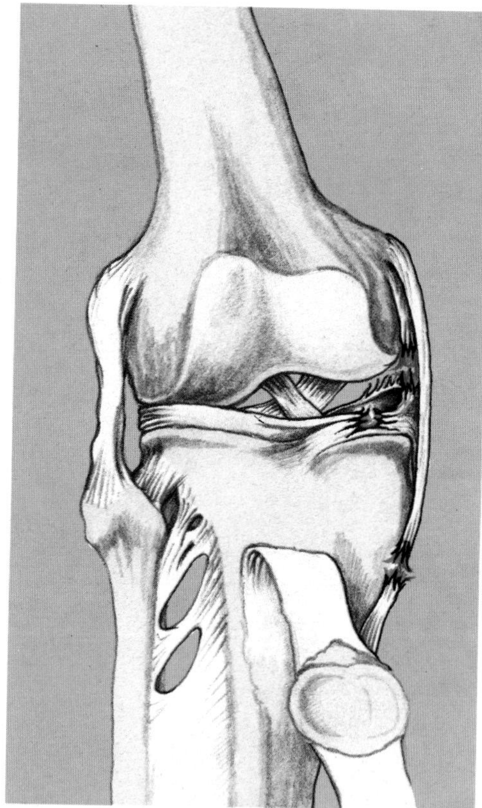

Lors d'un traumatisme plus violent, la partie superficielle du ligament latéral interne de l'articulation se rompt.

Mécanisme des lésions

Les lésions des ligaments au niveau du genou surviennent surtout lors de collisions avec des adversaires dans les sports de contact. Les différents ligaments de l'articulation du genou concourrent à maintenir la stabilité de l'articulation et plus l'articulation est soumise à de fortes contraintes, plus un grand nombre de ligaments est sollicité. Lors de traumatismes violents on doit, par conséquent, s'attendre à des lésions associées qui seront d'autant plus graves que le traumatisme sera plus accentué. Les lésions des ligaments au niveau de l'articulation du genou peuvent se produire lors de différents mécanismes. Voici la description des plus fréquentes:

— mécanisme avec impact sur l'extérieur du genou ou l'intérieur du pied;
— mécanisme avec impact interne du genou et sur la partie extérieure du pied;
— traumatismes entraînant une hyperextension ou une hyperflexion de l'articulation du genou;
— traumatisme par torsion sans contact corporel.

1. Traumatisme de la face externe de l'articulation du genou

Les traumatismes excercés contre la face externe de l'articulation du genou qui portent l'articulation en dedans sont nettement plus fréquents que les traumatismes qui s'exercent contre la face interne de l'articulation du genou

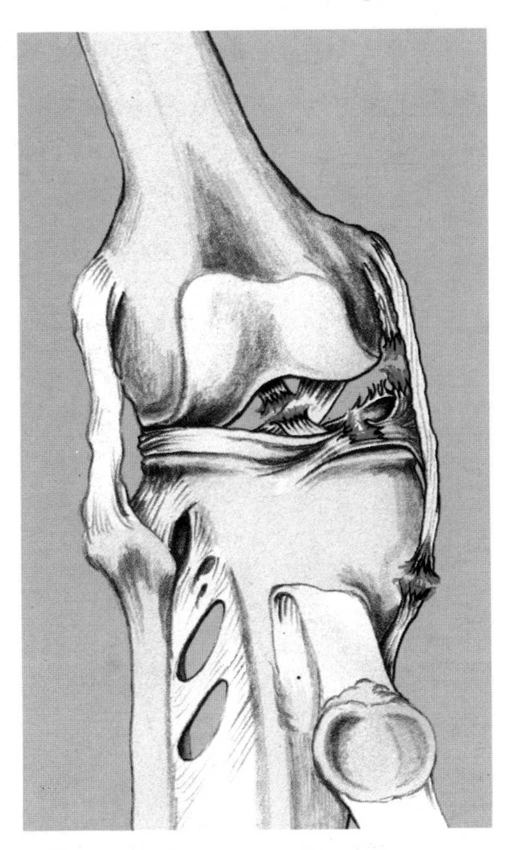

Lors d'un traumatisme encore plus violent, le ligament croisé antérieur se rompt également.

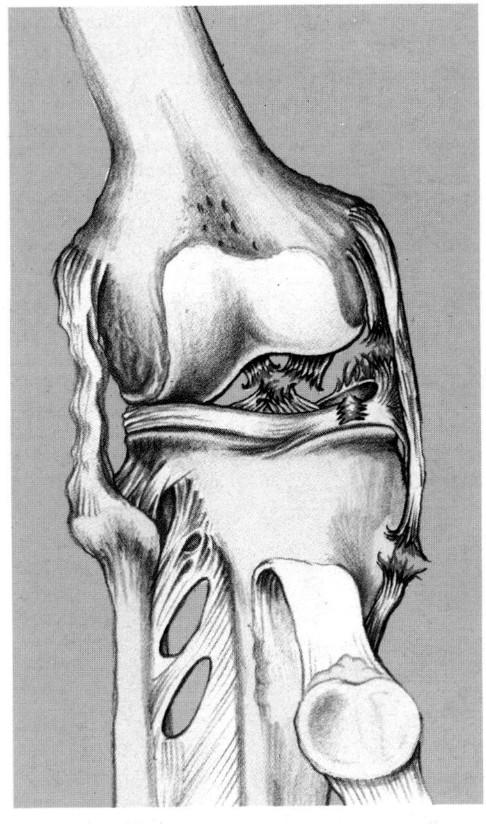

Lors d'un traumatisme extrêmement violent, le ligament croisé postérieur peut à son tour se rompre et à la fois le ménisque interne, le ligament latéral interne et les ligaments croisés antérieur et postérieur seront atteints.

et portent l'articulation en dehors. Le mécanisme de la lésion est identique lors des traumatismes contre la face externe de l'articulation du genou et les traumatismes contre la face interne du pied qui chassent le pied en dehors par rapport à l'articulation du genou (voir schéma pages 274-275). Ce dernier type de traumatismes peut survenir par exemple lors du shoot de volée réalisé avec la face interne du pied.

Lors de la pratique du sport, la face externe du genou est souvent touchée par un traumatisme lorsque le pied est mis en charge et lorsque l'articulation du genou est légèrement fléchie. L'articulation du genou est alors portée en dedans et la jambe fait une rotation en dehors par rapport au fémur. C'est pourquoi des lésions peuvent se produire au niveau du ménisque interne ou du ligament latéral interne. Parfois ces 2 lésions sont associées, spécialement parce que le ménisque interne est attaché au ligament latéral interne de l'articulation. La partie du ligament latéral interne située profondément est courte et rigide, c'est pourquoi elle est d'abord mise en torsion et se rompt. La partie superficielle se rompt ensuite. En cas de traumatisme plus violent c'est le ligament croisé antérieur mis en torsion qui alors se rompt. Parfois le ligament latéral interne (la partie postéro-externe du genou) ainsi que le ménisque interne peuvent être atteints ensemble.

En cas de traumatisme extrêmement violent sur la face externe, le ligament croisé postérieur finit par se rompre également et il en résultera alors une lésion du ligament latéral interne — avec ou sans lésion méniscale concomitante — ainsi que des lésions à la fois du ligament croisé anté-

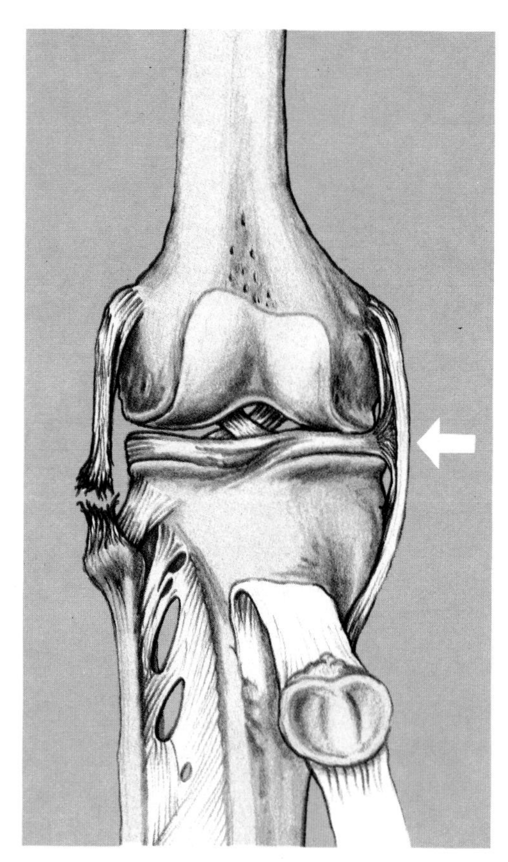

Formation d'une lésion lors d'un traumatisme contre la face interne de l'articulation du genou. A droite : lors d'un traumatisme de moyenne intensité, le ligament latéral externe se rompt.

Page 277 à gauche : en cas de traumatisme plus violent, le ligament croisé antérieur peut se rompre.

A droite : en cas de traumatisme extrêmement violent, le ligament croisé postérieur peut également se rompre. A la fois, le ligament latéral externe et les ligaments croisés antérieur et postérieur seront atteints.

rieur et du ligament croisé postérieur. Il s'en suivra une instabilité latérale et une instabilité dans le sens aussi bien antérieur que postérieur de la jambe par rapport au fémur (voir p. 276).

2. Traumatisme sur la face interne de l'articulation du genou

En sport la face interne du genou est souvent atteinte par un traumatisme lorsque l'articulation est légèrement fléchie et lorsque le pied est mis en charge. L'articulation du genou est poussée en dehors de ce fait et la jambe fait une rotation en dedans par rapport au fémur. Cela commence par la mise en tension du ligament latéral externe qui peut se rompre (voir schéma pages 276-277). La possibilité que survienne une lésion méniscale dans ce cas est plus faible puisque le ligament latéral externe n'est pas attaché au ménisque. En cas de traumatisme plus violent le ligament croisé antérieur est mis en tension et se rompt, ce qui entraîne l'association d'une lésion du ligament latéral externe et d'une lésion du ligament croisé antérieur. Cette lésion associée doit être suspectée s'il existe en même temps un épanchement dans l'articulation du genou.

En cas de traumatisme particulièrement violent contre la face interne du genou, le ligament croisé postérieur est également mis en tension et se rompt si bien que la lésion du ligament latéral externe est associée avec des lésions à la fois du ligament croisé antérieur et du ligament croisé postérieur. Il s'en suit une instabilité latérale et une instabilité dans le sens antéro-postérieur de l'articulation du genou.

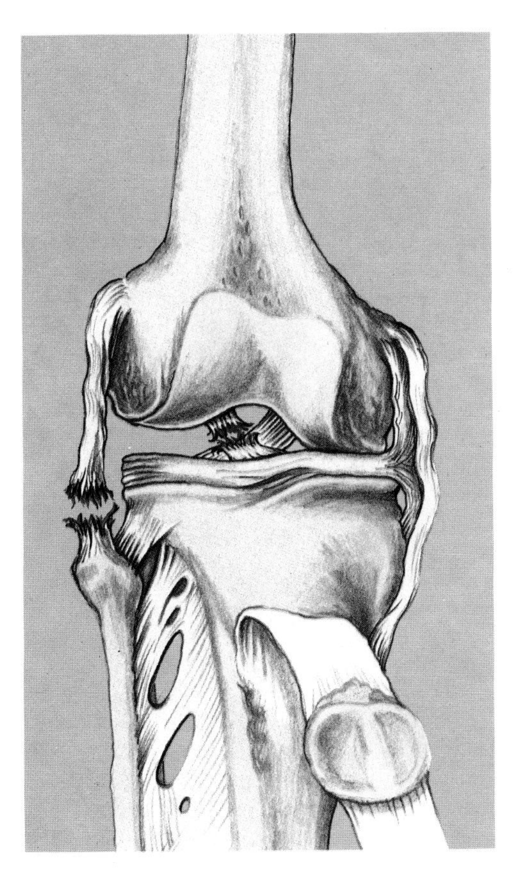

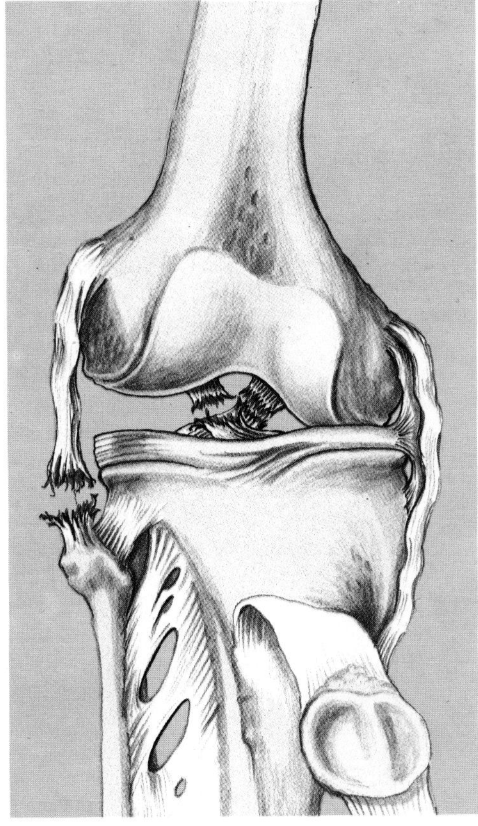

3. Traumatisme entraînant une hyperextension ou une hyperflexion

Un traumatisme qui frappe de face l'articulation du genou peut être à l'origine d'une hyperextension et une chute sur le genou peut entraîner une hyperflexion. Des lésions isolées du ligament croisé antérieur ou du ligament croisé postérieur par exemple lors d'une hyperextension ou d'une hyperflexion se produisent mais elles sont rares.
Des lésions des ligaments latéral et croisé du genou sont souvent associées avec une lésion de la capsule articulaire postérieure.

4. Traumatisme par torsion sans contact corporel

Le traumatisme par torsion sans contact corporel est fréquent lors d'un retournement avec rotation lorsque le pied est fixé, par exemple lorsque les crampons de la chaussure sont fixés sur le gazon. Ce type de traumatisme peut être à l'origine à la fois de lésions méniscales et de lésions ligamentaires de l'articulation du genou.

Symptômes et diagnostic

— Le symptôme le plus important lors d'une lésion du genou est la douleur qui est fortement accentuée au moment de la blessure mais qui diminue ensuite.
— Une sensibilité douloureuse locale existe souvent au-dessus d'un ligament latéral atteint.
— Lorsqu'il existe un épanchement dans le genou, l'articulation est gonflée, spécialement en cas de lésions intra-articulaires. Il est important à l'aide d'une ponction articulaire de déterminer si l'épanchement est hémorragique ou non.
— Une instabilité de l'articulation est un symptôme important, que le blessé remarque à peine tant que la lésion est à sa phase aiguë mais qui souvent apparaît plus tard, spécialement en cas de mise en charge et d'efforts de l'articulation du genou.

Examen général du genou

L'examen d'un genou blessé doit être effectué par un médecin. Les lésions de l'articulation du genou sont fréquentes en sport et il est important pour le sportif qui en est atteint qu'elles soient soignées correctement. Une information complète sur les lésions du genou doit par conséquent être d'un grand intérêt à la fois pour les dirigeants sportifs et les sportifs eux-même. Une notion sur les méthodes d'examen de ces blessures peut en outre favoriser la compréhension de la façon dont les lésions sont prises en main par le médecin.

1. *Analyse* de la façon dont la blessure est survenue. Une indication au sujet de la force du traumatisme au moment de la blessure (de même que la direction du traumatisme) est précieuse pour le médecin et lui sert de point de départ pour l'évaluation du degré de gravité et du type de blessure.

2. *Inspection* de la région atteinte. Une tuméfaction peut exister à la fois à la face externe de l'articulation et à l'intérieur de l'articulation. Une ecchymose de la peau au-dessus du ligament et autour du trajet du ligament est en faveur d'un épanchement sanguin ou d'une lésion ligamentaire. En cas d'épanchement dans l'articulation, il existe une tuméfaction au-dessus de la rotule. Le médecin peut constater la présence d'un tel épanchement par la manœuvre suivante: il appuie ses mains contre les régions situées au-dessus et en dessous de la rotule et en même temps avec le pouce de l'une de ses mains il repousse la rotule contre le fémur (voir clichés page 279). Lorsqu'il existe un épanchement, la rotule rencontre une

résistance élastique qui cesse lorsque la rotule touche le fémur. Lorsque la pression exercée contre la rotule cesse, celle-ci remonte en raison de l'épanchement (choc rotulien).

3. *Exploration avec les mains (Palpation)*. Le médecin examinateur qui appuie avec les doigts sur les interlignes articulaires et sur tout le trajet des ligaments note s'il existe une sensibilité douloureuse et recherche l'endroit où le point le plus sensible est situé. Egalement la tuméfaction causée par l'épanchement sanguin (voir ci-dessus), qui est localisée au trajet du ligament, peut être sentie lors de la palpation.

4. *Recherche de l'amplitude de mouvement*. Le médecin recherche s'il n'existe aucune limitation de la capacité d'extension et de flexion. Une douleur et une diminution de l'amplitude de mouvement lors de l'extension ou de la flexion de l'articulation du genou signalent une lésion méniscale concomitante.

5. *Recherche de la laxité* de l'articulation du genou. Cette recherche est essentielle pour permettre au médecin de déterminer si une éventuelle lésion articulaire est d'une gravité telle qu'elle entraîne une instabilité.
a. *Test du ligament latéral*. Ce test est effectué d'une part lorsque l'articulation du genou est en extension, d'autre part lorsqu'elle est fléchie à 20-30°. En cas de laxité il existe un bâillement, c'est-à-dire que la jambe fait un angle en dehors ou en dedans au niveau de l'articulation du genou par rapport au fémur. Le degré de laxité est déterminé par une comparaison avec l'articulation du genou non atteinte. Si le sportif présente de trop

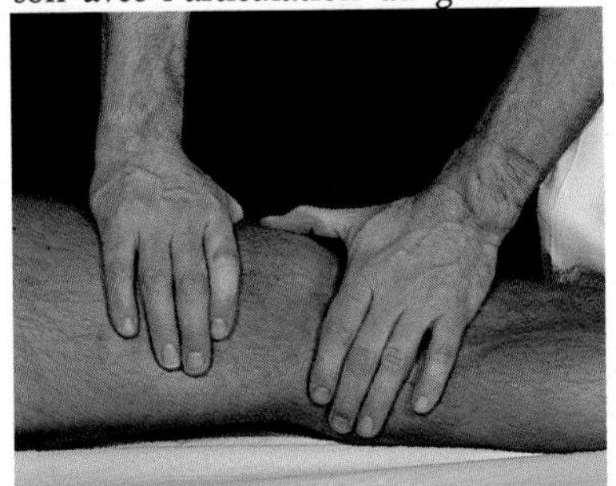

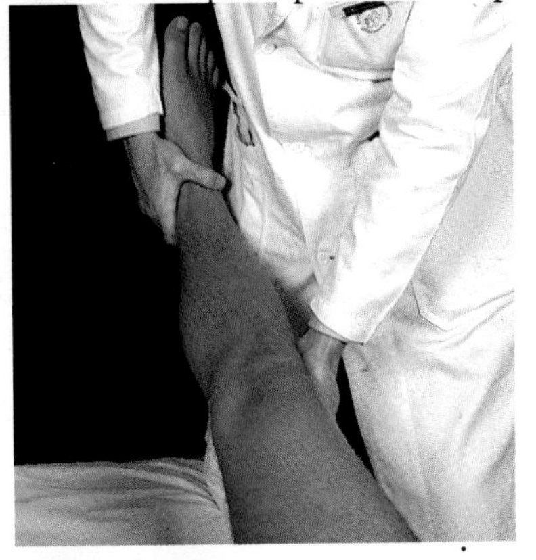

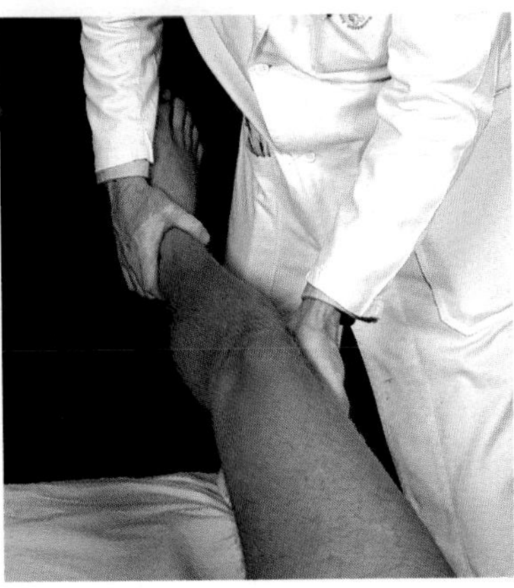

Ci-dessus à gauche : mode d'examen clinique d'un épanchement dans l'articulation du genou : le liquide du genou est refoulé par le médecin qui place ses mains de chaque côté du genou. Lorsqu'ensuite, il appuie avec le pouce sur la rotule, celle-ci se met à « danser » en rebondissant contre l'os sous-jacent, s'il existe un épanchement.
Ci-dessus à droite : recherche de la laxité des ligaments de l'articulation du genou lorsque l'articulation du genou est verrouillée (genou en extension). En cas de bâillement, il existe une lésion de parties interne et postérieure de la capsule articulaire et du ligament croisé postérieur.
A droite et en bas : recherche de la laxité du ligament latéral interne de l'articulation du genou. L'articulation du genou est maintenue fléchie avec un angle de 20 à 30°.

fortes douleurs pour que la recherche puisse être effectuée, elle devra être différée de un ou plusieurs jours ou bien être effectuée sous anesthésie.

En cas d'entorse moyenne qui est caractérisée par un bâillement interne lorsque l'articulation du genou est fléchie à 20°, il existe une lésion de la partie profonde du ligament latéral interne. Si le bâillement est accentué il est probable qu'à la fois la partie profonde et la partie superficielle du ligament latéral interne sont atteintes. Si le bâillement en dedans existe lorsque l'articulation du genou est en extension, en plus d'une lésion du ligament latéral interne, il existe aussi une lésion du ligament croisé antérieur ou du ligament postérieure.

b. *Epreuve du mouvement de tiroir.* Elle est pratiquée lorsqu'on suspecte une lésion des ligaments croisés ou des ligaments latéraux. Au cours de cette épreuve, le blessé est couché sur le dos avec l'articulation du genou fléchie à 90°. Lors de l'augmentation du glissement en avant de la jambe par rapport au fémur il existe un mouvement de tiroir antérieur qui est le signe d'une lésion au niveau du ligament latéral interne et/ou du ligament croisé antérieur. Le ligament croisé antérieur est testé par l'épreuve du mouvement de tiroir avec la jambe en rotation interne, le ligament latéral interne par l'épreuve du mouvement de tiroir avec la jambe en rotation externe.

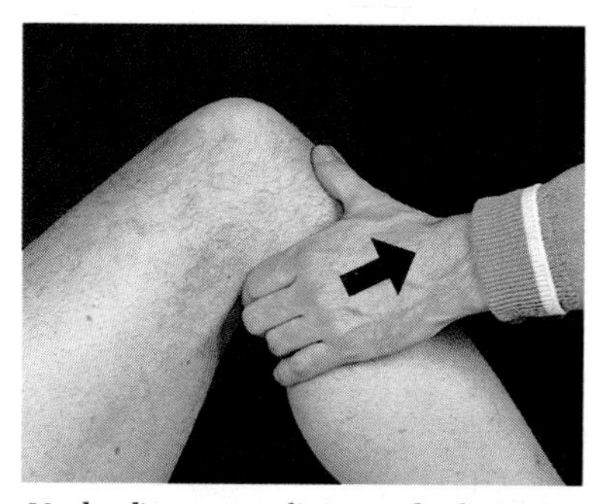

Mode d'examen clinique du ligament croisé antérieur avec le test du mouvement de tiroir antérieur sur un genou non blessé.

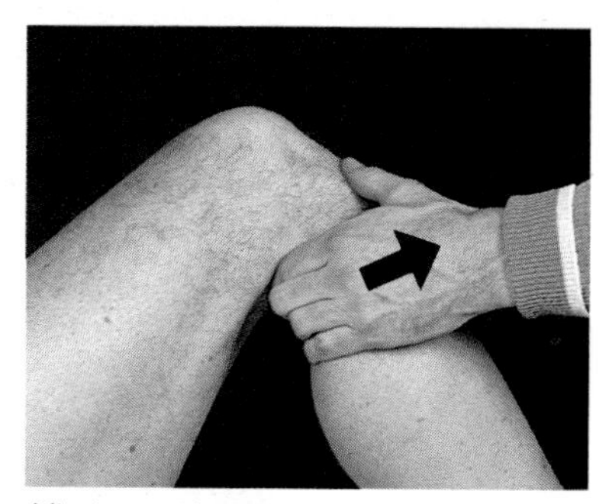

Tiroir antérieur sur un genou présentant une lésion du ligament croisé antérieur.

L'épreuve de mouvement de tiroir en avant avec l'articulation du genou fléchie à 10-20° (test de Lachman) est utilisée pour explorer la fonction du ligament croisé antérieur. Le médecin fixe la cuisse du sujet de l'extérieur avec une main et saisit la partie supérieure de la jambe de l'inté-

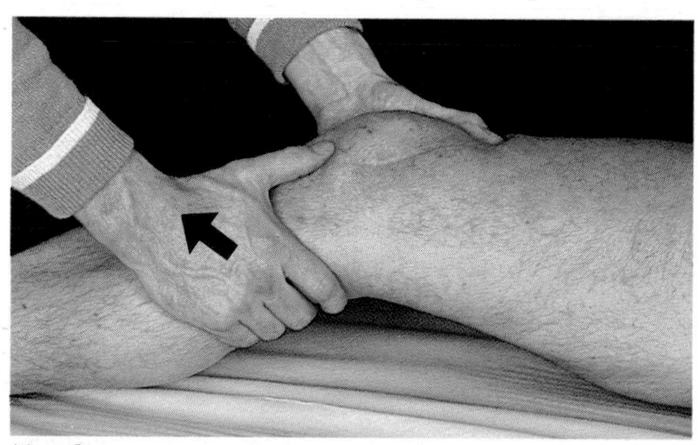

Test du mouvement de tiroir antérieur avec l'articulation du genou fléchie avec un angle de 10 à 20° (test de Lachman).

rieur avec l'autre main. La jambe est soulevée en avant et un mouvement de tiroir peut à la fois être vu et senti. Un test de Lachmann positif est fortement en faveur d'une rupture d'un ligament croisé antérieur.

Le «Pivot shift test» et le «jerk test» sont 2 autres moyens pour le médecin d'arriver à déterminer s'il existe une lésion du ligament croisé antérieur. Le médecin fait alors effectuer au pied du sportif blessé une rotation en dedans avec une main et appuie avec l'autre contre la partie supérieure de la face externe du péroné. L'articulation du genou est fléchie

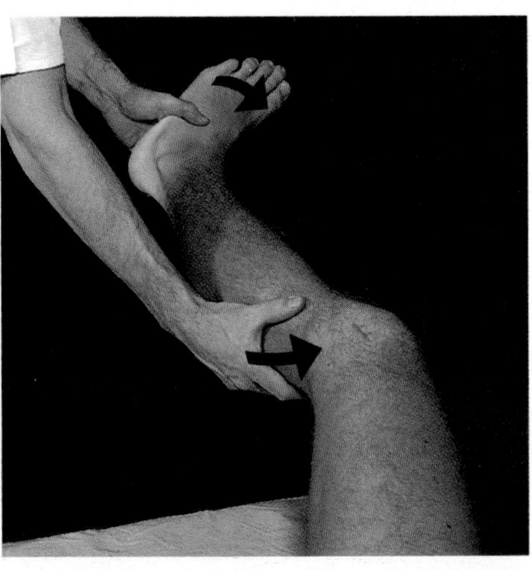

Recherche de l'atteinte d'un ligament croisé antérieur (pivot shift test).

ou étendue passivement. En cas de test positif la partie supérieure de la jambe est en conséquence repoussée en avant de l'articulation pour ensuite reprendre sa place normale, ce qui est à la fois vu et senti.

Le mouvement de tiroir postérieur, c'est-à-dire une augmentation du glissement en arrière de la jambe par rapport au fémur existe en cas de lésion du ligament croisé postérieur. Il est important que le médecin compare les contours latéraux des articulations du genou sain et atteint du sportif blessé l'un avec l'autre avant d'effectuer une épreuve de mouvement de tiroir. En cas de lésions du ligament croisé postérieur il n'est pas inhabituel que la jambe du côté atteint soit repoussée en arrière par rapport à la jambe du côté sain. Un mouvement en avant de la jambe jusqu'à la position normale lors de l'épreuve du mouvement de tiroir peut alors être

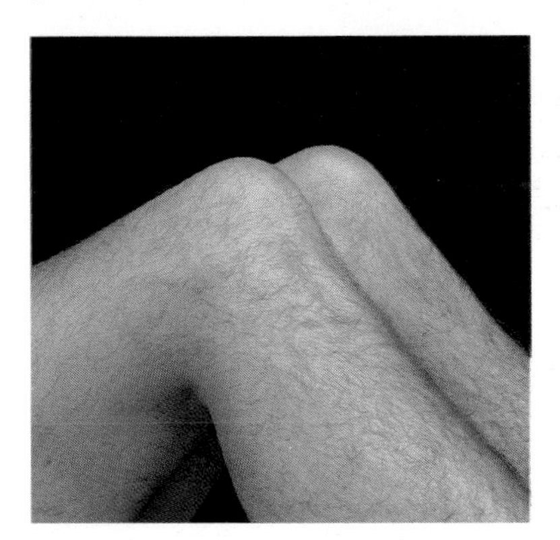

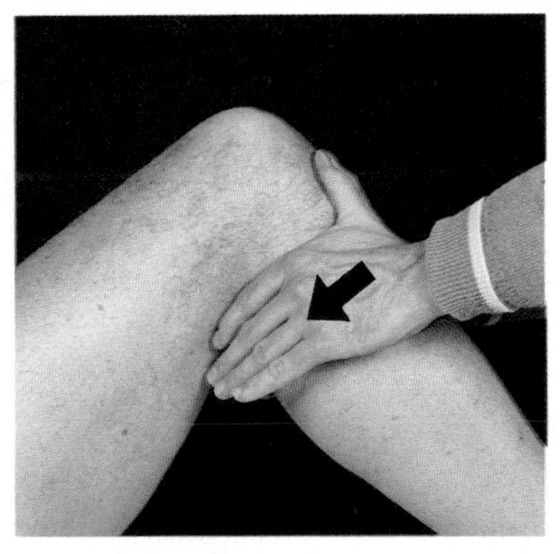

A gauche: lors d'une lésion du ligament croisé postérieur, la jambe du côté atteint se situe en arrière par rapport avec la jambe de l'autre côté. A droite: examen clinique du ligament croisé postérieur avec test du mouvement de tiroir postérieur.

pris par un examinateur inexpérimenté pour un tiroir antérieur et être interprété comme la conséquence d'une lésion du ligament croisé antérieur.

6. *L'exploration radiologique* de l'articulation du genou doit être effectuée pour que le médecin puisse mettre en évidence ou éliminer une lésion osseuse comme le détachement d'un fragment d'os à partir des insertions des ligaments latéraux ou des ligaments croisés. L'exploration radiologique avec liquide de contraste dans l'articulation du genou n'est pas demandée lorsque la lésion est à sa phase aiguë. En cas de suspicion de lésions méniscales, l'exploration radiologique de contraste n'est pas nécessaire pour que le médecin puisse arriver à déterminer s'il existe une indication opératoire.

7. *Une ponction de l'articulation du genou* peut être effectuée en cas de tuméfaction importante pour savoir s'il existe un épanchement sanguin. En cas d'épanchement sanguin dans l'articulation du genou, on doit suspecter une lésion grave à l'intérieur de l'articulation.

8. *Une inspection de l'articulation par arthroscopie* est réalisée avec une instrumentation spéciale qui permet au médecin d'explorer l'intérieur de

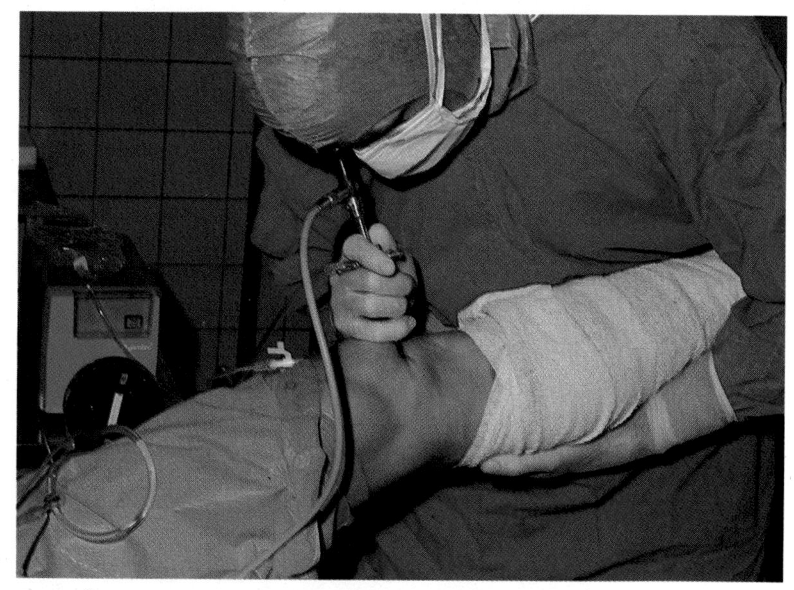

Inspection: arthroscopie d'une articulation du genou.

l'articulation du genou pour obtenir des informations sur les lésions méniscales, les lésions ligamentaires et les lésions du cartilage, etc.

9. *Une épreuve de mobilisation du genou lorsque le blessé est sous anesthésie* est une méthode importante qui permet au médecin de se faire une opinion aussi exacte que possible sur l'état des ligaments. L'épreuve doit être pratiquée quand le blessé est sous l'influence de la douleur au cours de la phase aiguë de la blessure.

Traitement d'une lésion ligamentaire aiguë

Le sportif doit:
— aussi rapidement que possible instituer un traitement selon les principes généraux qui ont été donnés page 63 et suivantes;
— contacter un médecin si des douleurs à la mobilisation, une limitation

de mouvement, une tuméfaction de l'articulation du genou ou une sensibilité douloureuse locale au-dessus des interlignes articulaires ou sur le trajet des ligaments sont présentes.

Le médecin peut:
— opérer les lésions ligamentaires où il existe une laxité de l'articulation du genou. Les ligaments sont suturés en position fonctionnelle exacte. Après l'intervention on pose un plâtre pendant 4 à 6 semaines, selon le degré de gravité de la lésion;
— en cas de lésion partielle du ligament, où il n'existe pas d'instabilité de l'articulation du genou, ordonner au sportif le repos qui devra être prolongé jusqu'à la disparition de la douleur, ainsi qu'un entraînement des muscles antérieurs et postérieurs de la cuisse. Un pansement de soutien est parfois posé et éventuellement le traitement par plâtre peut être proposé pendant 1 à 3 semaines;
— Insister sur l'importance pour le blessé du genou d'entretenir le muscle quadriceps et les muscles postérieurs de la cuisse pour maintenir une certaine tonicité à leur niveau. Cet entraînement peut être effectué également au cours du traitement par plâtre. Après que le plâtre ait été enlevé l'entraînement doit être institué pour que le sportif blessé recouvre la force à la fois de la musculature antérieure et de la musculature postérieure de la cuisse ainsi que l'amplitude de mouvement de l'articulation du genou. Une proposition de programme se trouve page 430 et suivantes.

Traitement des lésions ligamentaires anciennes

Il n'est pas inhabituel que de graves lésions ligamentaires soient négligées et ne déclenchent même pas une visite médicale lorsqu'une lésion est à sa phase aiguë. Après une courte période de repos le blessé recommence alors à s'entraîner et à participer à des compétitions. Il n'est pas rare alors qu'il soit victime d'un nouveau traumatisme du genou ou bien qu'il trouve que son articulation du genou ne fonctionne pas de façon satisfaisante. Les troubles pouvant se manifester sous la forme par exemple d'instabilité, de réapparition d'épanchements ou de douleur.

La conduite de l'examen médical est en gros la même pour les lésions anciennes que pour les lésions aiguës, avec l'analyse de la façon dont la blessure est survenue et un examen de la laxité. L'exploration radiologique avec liquide de contraste peut être intéressante à pratiquer lorsqu'il s'agit d'une lésion ligamentaire ancienne.

Reconstruire un ligament distendu ou un ligament croisé lésé est très souvent une tâche difficile. Un nouveau ligament croisé antérieur peut être construit avec une partie du tendon rotulien. Un ligament latéral distendu peut être stabilisé par raccourcissement. Le traitement après une intervention chirurgicale comporte 6 semaines de plâtre. La durée de la convalescence est plus longue qu'après une lésion ligamentaire aiguë. Il est important que le blessé ne reprenne pas le sport de compétion avant qu'il n'existe dans le membre inférieur une complète force musculaire. La fonction du ligament croisé antérieur peut également être stabilisé avec le fascia lata sur la face externe du genou.

Guérison et complications

Il est important que le blessé ne reprenne pas son activité d'entraînement ordinaire avant qu'il ait récupéré presque complètement sa mobilité articulaire et que la force des muscles de la cuisse soit revenue. La période d'amélioration par l'entraînement après une intervention chirurgicale pour ligament latéral ou ligament croisé de l'articulation du genou s'étend sur les 6 à 10 premières semaines après que le plâtre ait été enlevé. C'est seulement après que le sportif blessé ait récupéré avec calme et application la force et la fonction de l'articulation du genou et après avoir pris conseil du médecin qui a traité la blessure, qu'un retour au sport de compétition peut avoir lieu.

Après une opération de reconstruction de l'articulation du genou du ligament croisé ou d'un ligament latéral du genou la solidité de ces structures est diminuée pendant au moins 1 an. En règle générale le sport de compétition, principalement les sports de contact, ne doivent pas être repris auparavant. Ce point est absolument essentiel non seulement en pensant à la capacité fonctionnelle future de l'articulation du genou mais aussi pour qu'une récupération totale de la force et de la mobilité de l'articulation du genou puisse avoir lieu. L'articulation peut pendant ce temps être protégée par un bandage «ligamentaire».

Lésions des ménisques

Les lésions des ménisques surviennent dans la plupart des spécialités sportives et sont fréquentes dans les sports de contact. Elles se produisent souvent en association avec des lésions des ligaments, particulièrement lorsque c'est le ménisque interne qui est atteint. La cause en est, d'une part que le ménisque interne est attaché au ligament latéral interne, d'autre part que les tacles sont souvent dirigés contre la face externe du genou. Les lésions du ménisque interne sont environ cinq fois plus fréquentes que

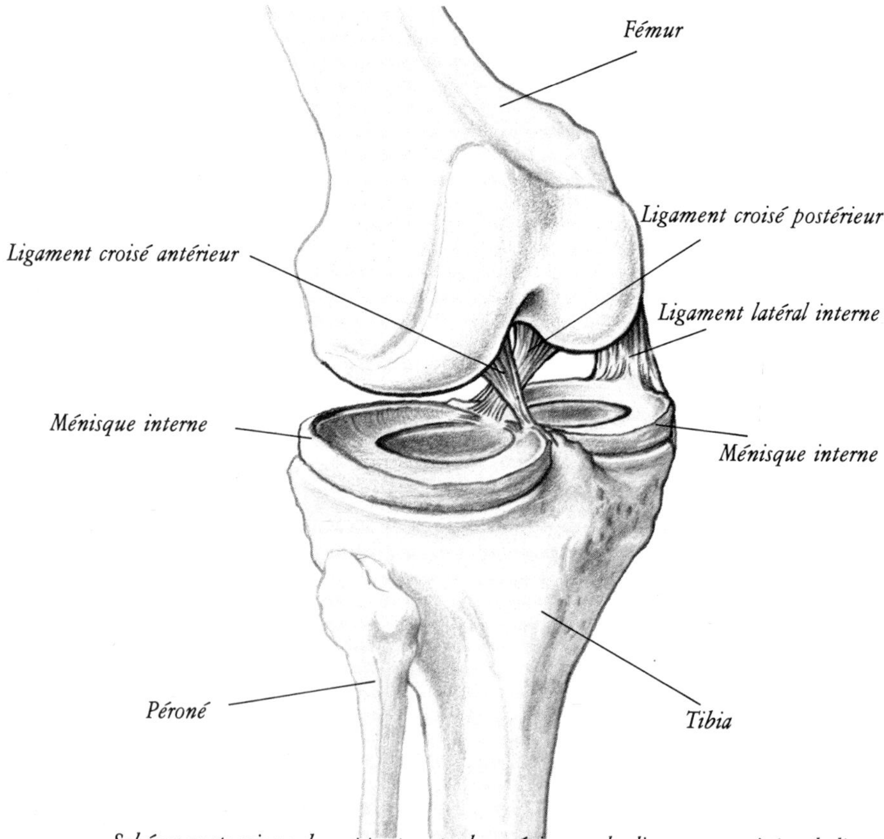

Schéma anatomique des rapports entre les ménisques, les ligaments croisés et le ligament latéral interne. L'articulation du genou est vue obliquement par devant et par sa face externe.

celles du ménisque externe. Les lésions isolées des ménisques sont souvent causées par un traumatisme en torsion de l'articulation du genou. Lors d'une rotation externe du pied et de la jambe par rapport au fémur, le ménisque interne est souvent lésé et lors d'une rotation correspondante en dedans du pied et de la jambe. C'est le ménisque externe qui est lésé. Des lésions des ménisques peuvent également survenir lors d'une hyperextension et d'une hyperflexion de l'articulation du genou. Chez les sujets âgés, une lésion méniscale peut survenir lors d'un mouvement habituel, par exemple une flexion forcée du genou, en raison d'une diminution de la solidité causée par des altérations des ménisques dues à l'âge.

Lorsque les lésions des ménisques sont causées par un traumatisme, les ruptures se dirigent souvent perpendiculairement au tissu méniscal (voir schéma ci-dessous). Chez les sujets âgés, les ruptures horizontales sont fréquentes.

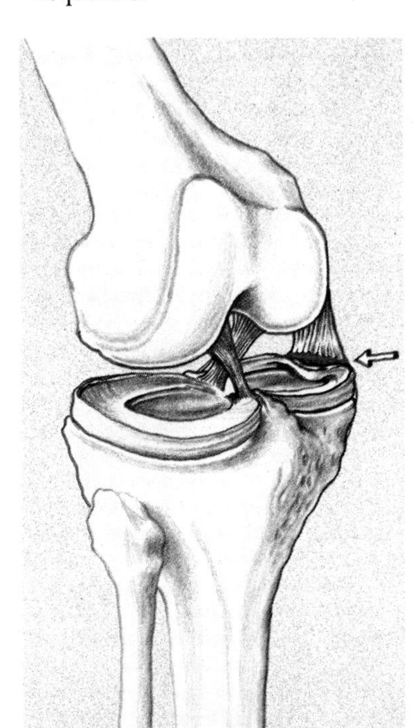

Exemple d'une lésion du ménisque. Libération du ménisque de son insertion sur le ligament latéral interne.

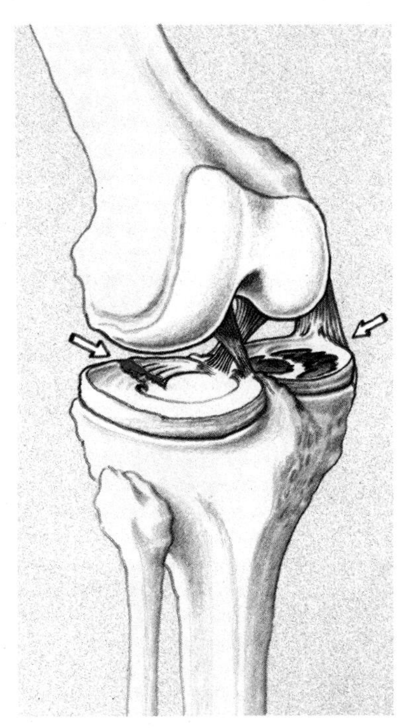

Exemples de lésions du ménisque: à droite une rupture longitudinale et à gauche une rupture transversale.

Toute suspicion d'une lésion des ménisques ou d'une lésion du genou doit en général être examinée par un médecin et un test de laxité doit être pratiqué.

Lésions du ménisque interne

Symptômes et diagnostic

— Douleur à la face interne de l'articulation du genou au cours et après des efforts.
— Phénomène de blocage, la partie rompue du ménisque pénétrant à l'intérieur de l'articulation perturbe la mobilité au point de rendre impossible une extension et une flexion complètes. Le blessé peut présenter un ressaut soudain lorsqu'il est dans une certaine position.

— Douleur située au niveau de l'interligne articulaire interne, survenant lors de l'hyperextension et de l'hyperflexion de l'articulation ainsi que lors de la rotation en dehors du pied lorsque l'articulation est fléchie.
— Parfois survient un épanchement liquidien, spécialement lorsque l'articulation du genou a été soumise à des efforts.

Le diagnostic d'une lésion du ménisque interne peut être posé avec toute certitude si trois ou plusieurs des symptômes suivants sont trouvés à l'examen :
— sensibilité douloureuse punctiforme en regard de l'interligne articulaire interne ;
— douleur située au niveau de l'interligne articulaire interne lors de l'hyperextension ;

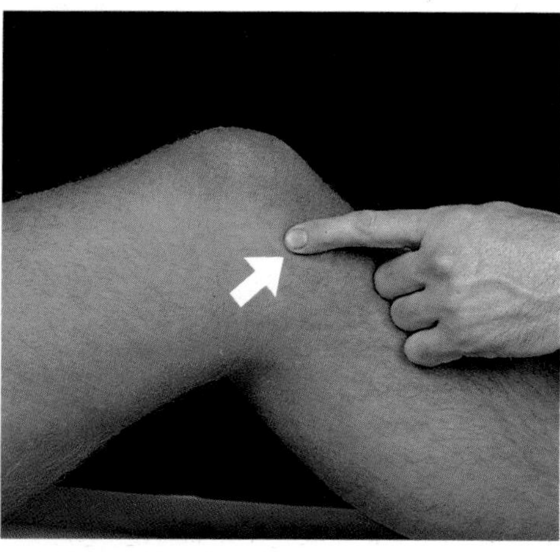

Lors d'une lésion d'un ménisque interne, la sensibilité douloureuse peut siéger au niveau de l'interligne articulaire interne par exemple dans la région indiquée par la flèche.

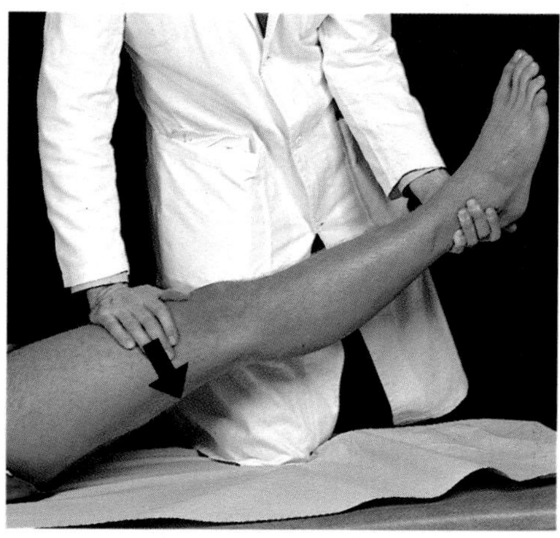

Lors d'une lésion d'un ménisque externe, les douleurs peuvent se produire lors d'une tentative d'hyperextension de l'articulation du genou.

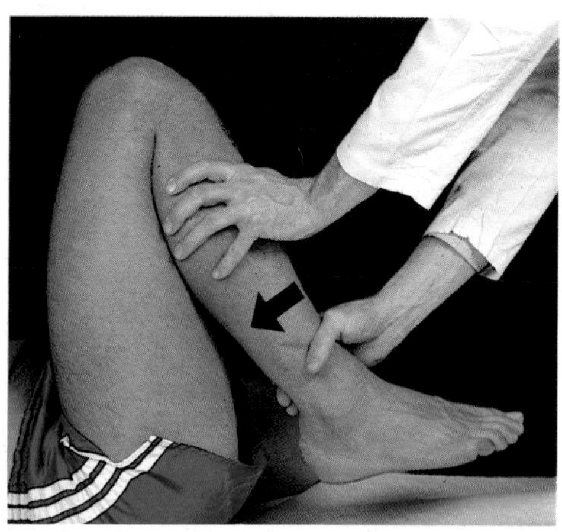

Lors d'une lésion d'un ménisque interne ou externe, des douleurs peuvent se produire au niveau de l'articulation du genou en cas de forte flexion de l'articulation.

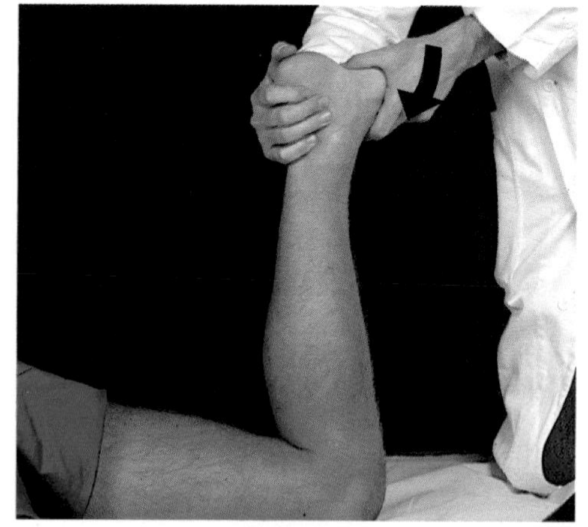

Lors d'une lésion d'un ménisque interne, les douleurs peuvent se produire lorsque la jambe et le pied sont en rotation externe avec le genou fléchi à 90° comme le montre le cliché. Lors d'une lésion d'un ménisque externe, les douleurs peuvent se produire lorsque la jambe et le pied sont en rotation interne avec le genou fléchi à 90°.

— douleur située au niveau de l'interligne articulaire lors de l'hyperflexion;
— douleur lors de la rotation externe du pied et de la jambe lorsque le genou est fléchi à 90° ;
— atrophie des muscles antérieurs de la cuisse.

En cas d'incertitude, une exploration radiologique avec liquide de contraste peut également affirmer le diagnostic. L'arthroscopie de l'articulation est la manière la plus sûre de diagnostiquer une lésion du ménisque.

Lésions du ménisque externe

Symptômes et diagnostic

— Douleur située au niveau de l'interligne articulaire externe survenant en relation avec des efforts de l'articulation du genou. Dans beaucoup de cas, la douleur revient régulièrement après une certaine quantité d'efforts.
— Phénomène de blocage (voir ci-dessus).
— Douleur située au niveau de l'interligne articulaire externe survenant en cas d'hyperextension et d'hyperflexion de l'articulation du genou ainsi que lors de la rotation en dedans du pied et de la jambe par rapport au fémur lorsque l'articulation du genou est fléchie.
— Parfois un épanchement liquidien se produit dans l'articulation.

Le diagnostic de lésion du ménisque externe peut être considéré comme relativement certain si trois ou plusieurs des symptômes suivants ont été trouvés lors de l'examen:
— souvent sensibilité douloureuse punctiforme en regard de l'interligne articulaire externe;
— douleur située au niveau de l'interligne articulaire externe lors de l'hyperextension;
— douleur située au niveau de l'interligne articulaire lors de l'hyperflexion;
— douleur lors de la rotation externe du pied et de la jambe lorsque le genou est fléchi à 90° ;
— atrophie des muscles antérieurs de la cuisse.

L'arthroscopie fournit le diagnostic. L'exploration radiologique avec liquide de contraste peut, dans une partie des cas, affirmer le diagnostic.

Traitement

Le sportif doit:
— en cas de suspicion de lésion du ménisque, faire une musculation statique du muscle quadriceps de la cuisse. Il est important également que le sportif en attente d'une intervention chirurgicale sur le genou fasse un entraînement régulier et quotidien des muscles de sa cuisse selon les directives données page 89. Car cet entraînement pourra éviter une atrophie indésirable de ces muscles et la phase de rééducation fonctionnelle après intervention pourra être notablement raccourcie.

Le médecin peut:
— opérer pour enlever ou suturer la partie lésée du ménisque. En cas de blocage aigu, la lésion doit être opérée immédiatement. Certains types de lésions du ménisque peuvent avantageusement être opérés en même temps qu'une arthroscopie et sous contrôle de la vue: le médecin fait alors une petite incision par où les divers instruments pourront être introduits. Le ménisque est traité à l'aide de pinces à l'emporte-pièce ou de pinces à ciseaux introduites par une autre incision. Dans ce type d'intervention, les incisions sont plus petites, la douleur et le gonflement moins importants comparativement avec une opération «ouverte» du ménisque. L'articula-

tion du genou retrouve ainsi plus rapidement sa capacité fonctionnelle mais le résultat final à long terme ne différera pas quelle que soit la méthode opératoire utilisée;
— prescrire un travail des muscles antérieurs et postérieurs de la cuisse (voir page 89). Cette musculation sera commencée aussi tôt que possible après l'intervention. Des béquilles peuvent être utilisées pendant 1 à 2 semaines afin de décharger le membre inférieur opéré. Une mise en charge de l'articulation du genou jusqu'à la limite de la douleur est tolérée.

Guérison et complications

Un sportif qui a été opéré pour une lésion du ménisque ne doit pas reprendre son entraînement ordinaire avant qu'il ait retrouvé pratiquement une totale mobilité et toute la force de son articulation du genou, ce qui fréquemment prend de 4 à 8 semaines après l'intervention. Même après que le blessé ait repris son activité sportive, il doit continuer à effectuer un entraînement des muscles antérieurs et postérieurs de la cuisse.

Plusieurs mois après une opération du ménisque, il se forme parfois dans l'articulation du genou un nouveau ménisque de tissu conjonctif. Ce ménisque peut à son tour se rompre et donner alors les symptômes rencontrés lors d'une lésion méniscale ordinaire.

Les sujets qui ont été opérés pour une lésion du ménisque peuvent après de nombreuses années de mise en charge souffrir d'usure de leur cartilage articulaire.

Lésion cartilagineuse de l'articulation du genou

Les lésions du cartilage articulaire peuvent atteindre les surfaces articulaires du fémur, du tibia et de la rotule. Ces lésions sont souvent négligées car elles peuvent être difficiles à mettre en évidence. Elles peuvent survenir en relation avec un traumatisme direct contre l'articulation du genou mais elles peuvent également survenir lors de lésions méniscales et ligamentaires associées. Les lésions cartilagineuses peuvent être à l'origine de la formation de grandes crevasses et de défectuosités des surfaces articulaires alors responsables d'une désagrégation progressive du cartilage articulaire. Il peut en résulter finalement une usure précoce du cartilage.

Symptômes et diagnostic

— Tuméfaction au niveau de l'articulation du genou en raison de l'épanchement récidivant.
— Douleurs qui surviennent en relation avec l'effort et qui peuvent permettre de soupçonner qu'il existe une lésion méniscale.
— La lésion peut être mise en évidence par l'inspection de l'articulation sous arthroscopie.

Traitement

Le sportif peut:
— pratiquer une musculation de sa cuisse;
— porter une protection gardant la chaleur.

Le médecin peut:
— opérer pour enlever la surface cartilagineuse atteinte, qui peu à peu est remplacée par un cartilage hyalin moins élastique;
— recommander au blessé de passer à une spécialité sportive qui ménage plus ses articulations du genou.

Détachement de fragments d'os et de cartilage de l'articulation du genou (ostéochondrite disséquante)

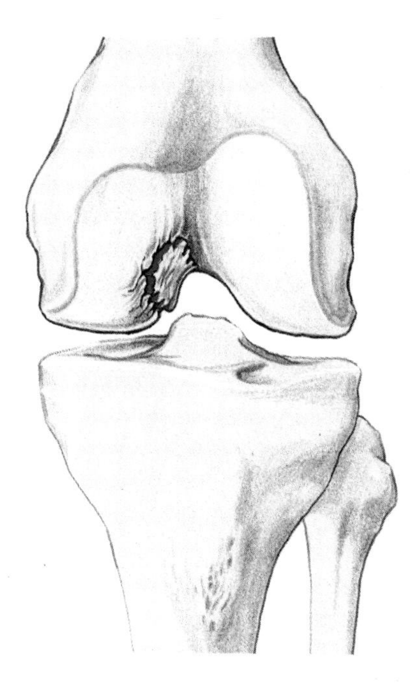

Détachement de fragments d'os et de cartilage au niveau de l'articulation du genou.

Le détachement de fragment d'os et de cartilage au niveau de l'articulation du genou est un état pathologique qui frappe souvent les sujets jeunes aux âges de 12 à 16 ans et qui consiste en une altération de la surface articulaire du fémur. La situation de la lésion est souvent prédéterminée (voir schéma ci-dessus). Les altérations consistent en un ramollissement du cartilage et de l'os dans une zone souvent de la taille d'une noisette. Peu à peu, toute la zone altérée ou des parties de celles-ci se détachent de l'os et donnent des corps étrangers dans l'articulation. Il s'ensuit un blocage et des épanchements récidivants.

Symptômes et diagnostic

— Douleur en relation avec la lésion et douleur récidivante après effort de l'articulation du genou. La douleur est souvent de localisation diffuse.
— Blocage de l'articulation du genou.
— Exploration radiologique fournissant le diagnostic.
— L'inspection de l'articulation sous arthroscopie peut être un élément d'orientation lorsqu'on doit décider d'un traitement. Des corps étrangers éventuels peuvent être enlevés par arthroscopie.

Traitement

Le médecin peut:
— ordonner du repos;
— opérer en cas d'altérations se manifestant par des symptômes. L'inter-

vention consiste à fixer solidement le fragment osseux ou cartilagineux, ce qui peut empêcher des altérations ultérieures du cartilage articulaire. Les corps étrangers dans l'articulation sont enlevés.

Guérison

Le sujet atteint d'ostéochondrite disséquante peut recommencer à pratiquer le sport après l'intervention, cependant seulement après avoir pris conseil de son médecin. Avant qu'une reprise ait lieu, le sportif doit s'être entraîné pour améliorer sa force musculaire et sa mobilité.

Lésion du cartilage de la face postérieure de la rotule (chondromalacie de la rotule)

Une lésion de la face postérieure de la rotule peut débuter chez un sujet âgé de 10 à 25 ans. L'état pathologique est fréquent. Lors d'altérations de ce cartilage articulaire, la douleur peut se produire lors de la marche en montée et en descente sur des pentes et des escaliers ainsi que lorsque le sujet qui en est atteint se met en position assise accroupie.

Les douleurs apparaissent fréquemment au niveau des articulations du genou lors de la marche en montée ou lors de la montée des escaliers. Lors de ces efforts physiques, la flexion du genou augmente comparativement plus que celle d'un genou sain lors de la marche en terrain plat, ce qui contribue à accroître la pression de la rotule contre le fémur. Mais la marche en montée (ou la montée des escaliers) déclenche moins de douleur que la marche en descente, car la flexion de l'articulation du genou lors de la marche en montée va jusqu'à environ 50° lors de la mise en charge. Lors de la marche en descente (et lors de la descente des escaliers), elle va jusqu'à 80°. Lorsqu'on monte, on se penche en avant. Lorsqu'on descend, le genou fléchi n'est retenu que par les seuls muscles antérieurs. Il en résulte une nouvelle augmentation de la pression de la rotule contre le fémur.

On ne connaît pas la cause de la survenue de lésions du cartilage de la face postérieure de la rotule, mais, dans une partie des cas, cet état pathologique résulte de petits traumatismes répétés ou de grands traumatismes isolés contre l'articulation du genou, par exemple d'une chute contre celle-ci, d'une charge statique de longue durée ou d'une charge dynamique de l'articulation du genou par exemple : rappel à la voile, descente à ski, mouvements d'haltérophilie et entraînement de la force. La preuve fait défaut pour expliquer les atteintes chondromalaciques de la rotule en dehors des traumatismes directs. Les autres facteurs qui peuvent vraisemblablement contribuer à la survenue de cet état pathologique sont, par exemple :

— une rotule haut située ou petite (sous-développée) ;
— des structures rigides à la face externe de la rotule ;
— une rotule qui partiellement ou en totalité glisse en dehors de l'articulation, entre autres, parce que la gorge de glissement sur le fémur est peu profonde et/ou parce que le muscle situé au bord interne de la rotule est faible ;
— un angle Q supérieur à 30° (angle entre une ligne passant à travers le muscle droit antérieur de la cuisse et une ligne passant à travers le tendon rotulien) ; l'angle Q normal chez l'homme est de 8 à 10° et chez la femme de 12 à 16° ;

— atrophie des muscles antérieurs de la cuisse;
— fonctionnement défectueux du mécanisme d'extension de l'articulation du genou;
— augmentation de la rotation externe du pied ce qui augmente la rotation interne de la jambe et entraîne une modification de la direction de traction des muscles de la cuisse;
— fracture de la rotule.

Le cartilage de la face postérieure de l'articulation du genou peut être ramolli, frangé et irrégulier avec formation de fissures et vésicules. Il n'existe pas de terminaisons conductrices de la douleur dans le cartilage mais les

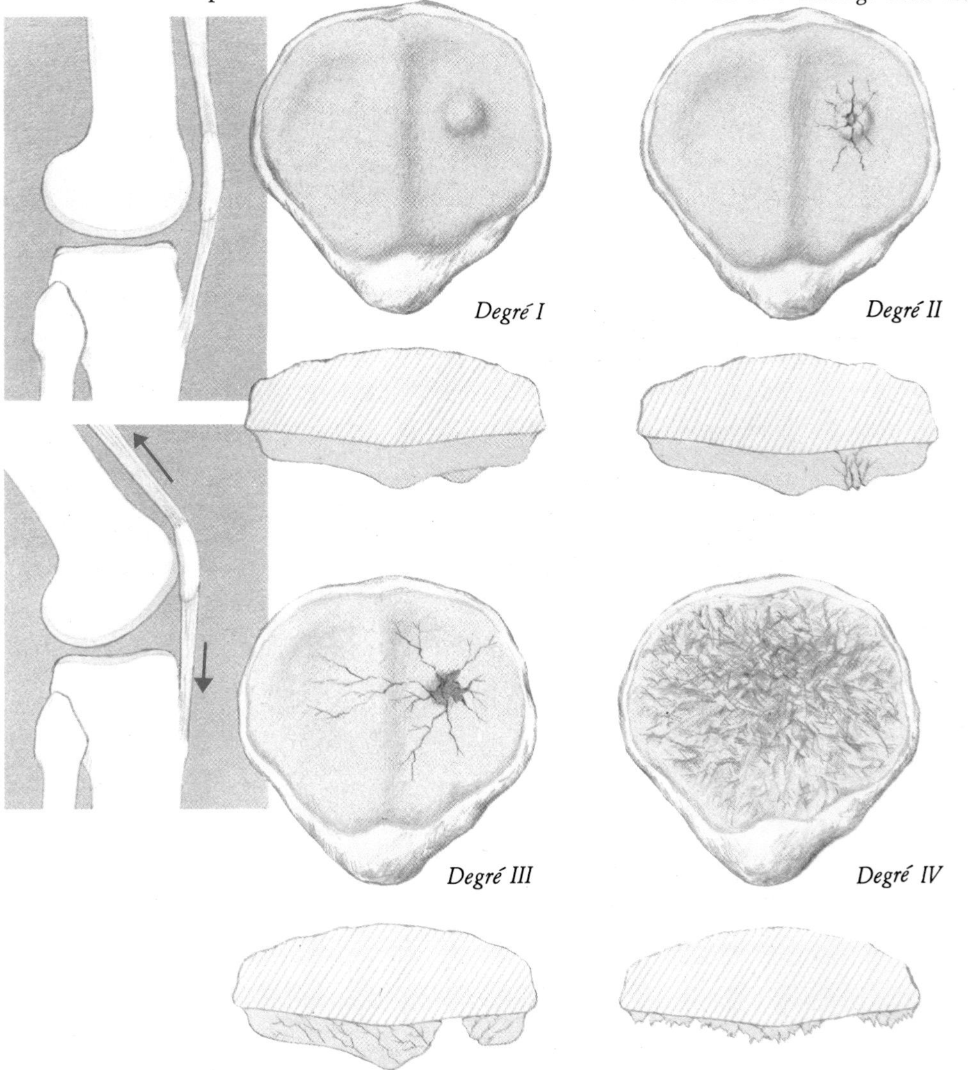

Les deux dessins ci-dessus à gauche montrent la localisation de la rotule par rapport au fémur lors de l'extension (dessin du haut) et de la flexion (dessin du bas). On voit que lors de la flexion, la rotule appuie fortement contre le fémur.
Les dessins ci-dessus à droite montrent l'état du cartilage à la face postérieure de la rotule. Degré I: ramollissement et formation de boursouflures. Degré II: poursuite du ramollissement et formation de fissures. Degré III: formation de fissures allant jusqu'à l'os sous-jacent et déminéralisation du tissu cartilagineux environnant. Degré IV: destruction totale du cartilage découvrant l'os dénudé.

douleurs peuvent être déclenchées lorsque la rotule glisse et appuie contre la surface du fémur après que la fonction protectrice du cartilage ait été altérée. Des douleurs peuvent également survenir en raison de l'inflammation de l'enveloppe articulaire.

Symptômes et diagnostic

— Douleurs diffuses au niveau de l'articulation du genou et en arrière de la rotule en relation avec l'effort et une mise en charge.
— Les manifestations s'accentuent lors de la marche (ou de la course) sur des pentes et dans des escaliers, spécialement en descente.
— Douleur et raideur pouvant être ressenties lorsque le sujet atteint passe de la position assise à la position debout après être resté un moment assis. Les manifestations s'aggravent lors de la position accroupie.
— Douleurs lorsque la rotule appuie contre le fémur.
— Sensibilité douloureuse autour de la rotule.
— Lors de la flexion et de l'extension de l'articulation du genou, craquements derrière la rotule. Des ressauts peuvent être observés.
— Il existe parfois un léger épanchement dans l'articulation du genou.
— La rotule peut être mal placée.
— Il peut exister une malposition du pied et de l'atrophie de la musculature de la cuisse.
— L'exploration radiologique osseuse de la rotule sous différents angles de l'articulation du genou doit être effectuée.
— L'inspection à l'aide de l'arthroscope fournit le diagnostic.

Traitement

Le sportif peut:
— observer le repos;

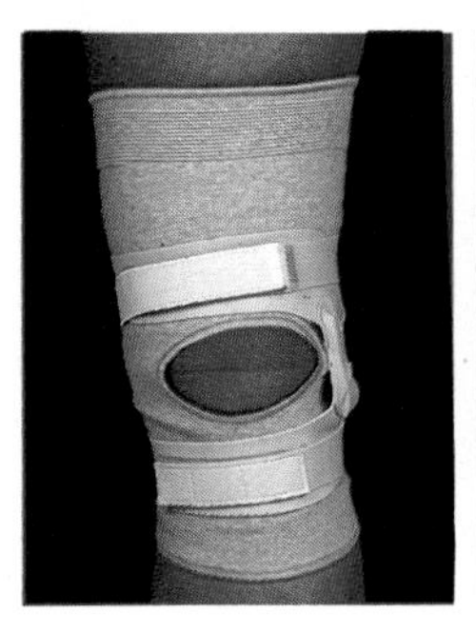
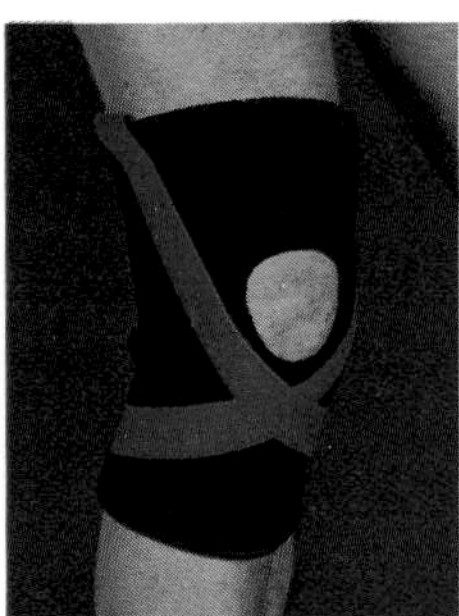

Protections qui empêchent la luxation de la rotule ainsi que les lésions de l'articulation entre la rotule et le fémur.

— traiter localement par la chaleur;
— utiliser une protection qui, outre le fait qu'elle apporte de la chaleur, peut maintenir la rotule dans le bon axe (voir cliché ci-dessous);
— faire une musculation statique de la cuisse et un entraînement d'allongement des muscles antérieurs et postérieurs de la cuisse (voir page 94).
Le médecin peut:
— prescrire des médicaments d'action anti-inflammatoire lorsque la lésion est à sa phase aiguë;
— faire une arthroscopie pour poser le diagnostic;
— opérer en cas d'état pathologique de longue durée difficile à soigner. Parfois, les altérations situées derrière la rotule peuvent être enlevées par un instrument sous contrôle de l'arthroscope.

Guérison

Les troubles dus à cette lésion peuvent disparaître spontanément mais cela peut durer jusqu'à deux ans. Le sportif doit souvent modifier ses habitudes d'entraînement, afin d'éviter les mouvements déclenchant la douleur.

Luxation de la rotule

Une luxation de la rotule peut se produire lors d'un traumatisme violent, la rotule étant normale (par exemple au cours d'un match de football), ainsi que lors de traumatismes nettement moins importants ou indirects (rotule avec un versant rotulien insuffisamment développé). Ceci se réalise lorsqu'un sportif change de direction et de ce fait étend le membre inférieur. La luxation de la rotule se fait du côté externe (latéralement). Des fragments de cartilage et d'os peuvent se détacher et rester dans l'articu-

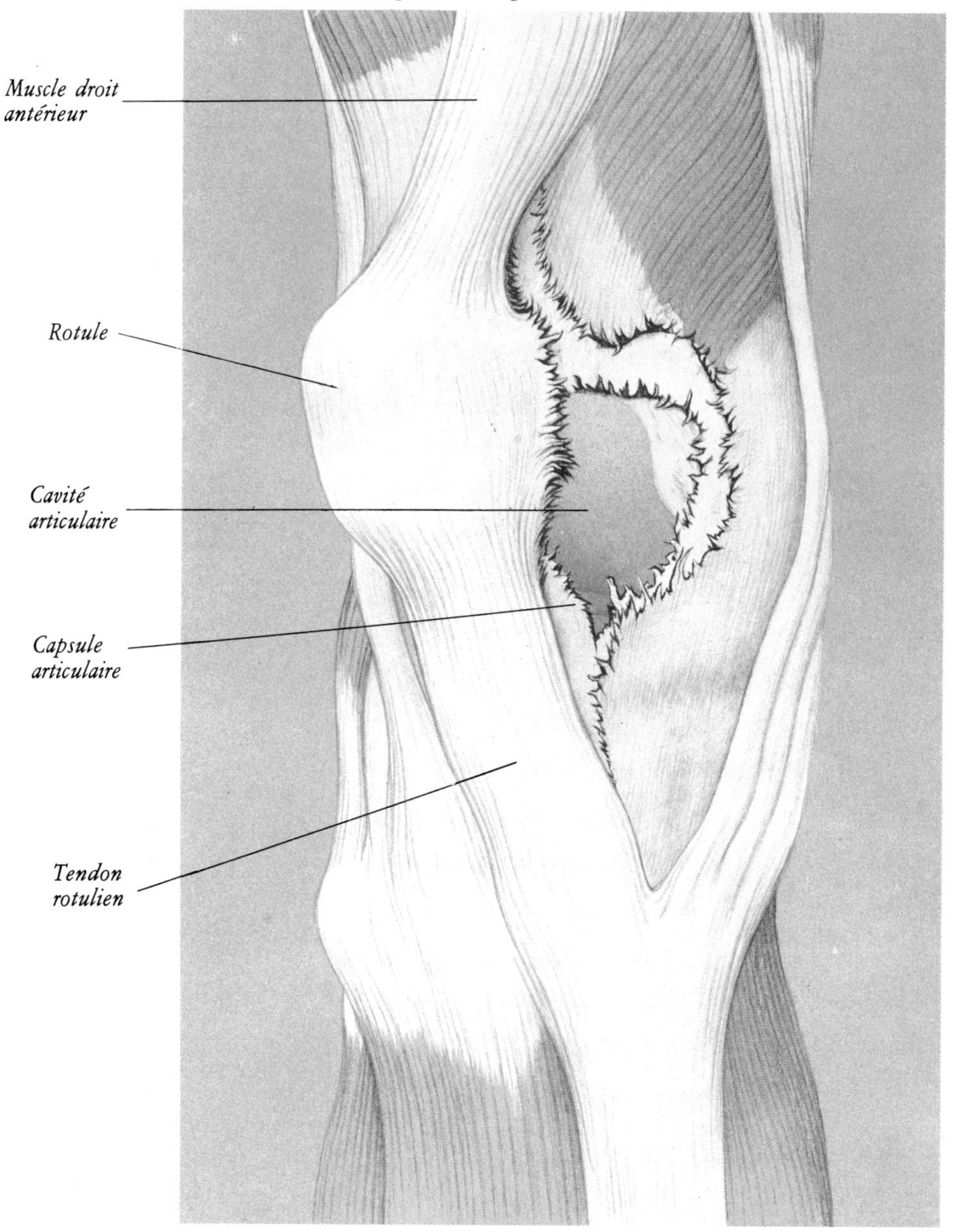

Luxation de la rotule vue de la face externe. Remarquer l'étendue des tissus mous avec des ruptures, entre autres, de la capsule articulaire du genou.

lation. Une rupture du bord interne de la capsule articulaire de la rotule peut survenir. La lésion atteint souvent les jeunes âgés de 14 à 18 ans et elle n'est pas inhabituelle chez les sportifs âgés de plus de 25 ans. Elle est parfois associée avec une lésion du ménisque ou du ligament et peut aussi être confondue avec celle-ci. En cas de luxation de la rotule, le blessé doit être conduit à l'hôpital.

Symptômes

— Hémorragie qui donne une tuméfaction de l'articulation du genou.
— Sensibilité douloureuse au-dessus du bord interne de la rotule.
— Diminution de mobilité de l'articulation du genou.

Traitement

Le médecin peut:
— remettre en place la rotule (un procédé d'anesthésie doit alors être employé) si elle n'est pas revenue d'elle-même par glissement et ordonner une exploration radiologique;
— faire une arthroscopie pour juger de l'étendue de la lésion; enlever à cette occasion les fragments d'os et de cartilage;
— lorsque la rotule est normalement développée, opérer si des fragments osseux libres se trouvent dans l'articulation ou si des fragments osseux ont été arrachés de la surface articulaire. En même temps, la capsule articulaire est suturée. Dans le cas contraire, un traitement par un plâtre seul peut être envisagé. Lorsque la rotule est petite et mal développée, la luxation a tendance à devenir récidivante, c'est pourquoi une opération sur les parties molles (section de l'aileron externe, suture de l'aileron interne) doit être pratiquée en pareil cas. Une récidive de luxation est cependant inhabituelle au-delà de 25 ans.

Inflammation locale des insertions tendineuses et musculaires autour de la rotule

Les inflammations locales des insertions tendineuses et musculaires autour de la rotule sont dues à une surcharge des insertions et atteignent souvent l'insertion des muscles antérieurs de la cuisse sur la rotule ainsi que les muscles fléchisseurs de la cuisse aux faces postérieure, externe et interne de l'articulation du genou.

Symptômes et diagnostic

— Douleurs de l'articulation du genou en relation avec et après l'effort.
— Douleurs déclenchées lors de la contraction des muscles atteints.
— Raideur douloureuse le lendemain du jour où ont a effectuée une séance d'entraînement ou une compétition.
— Sensibilité locale douloureuse de l'insertion tendineuse ou musculaire.

Traitement

Le sportif peut:
— observer le repos, qui peut amener la disparition des troubles en une à plusieurs semaines;
— traiter par application de chaleur localement et utiliser une protection gardant la chaleur.

Le médecin peut:
— faire une injection locale de corticostéroïdes et ordonner le repos;
— prescrire des médicaments d'action anti-inflammatoire;
— poser un plâtre.

Les haltérophiles soumettent leurs articulations du genou à des flexions marquées du genou. Photographie : Pressens bild.

Rupture de la partie inférieure du muscle quadriceps

Le muscle de la région de l'articulation du genou qui est le plus souvent atteint de ruptures est le muscle quadriceps. Une partie de celui-ci, habituellement le muscle droit antérieur de la cuisse, peut se rompre à la zone de transition entre le muscle et le tendon au-dessus de la rotule où le muscle tire sur la cuisse. Le tendon du muscle quadriceps peut également se détacher de la rotule.

Symptômes et diagnostic

— Sensibilité douloureuse et tuméfaction au niveau de la zone de transition entre le muscle et le tendon au-dessus de la rotule ou au niveau de la zone de transition entre le tendon et la rotule.
— Une brèche peut être sentie lorsque la rupture se produit.
— Le blessé ne peut ni mettre en tension le muscle quadriceps ni mettre en extension l'articulation du genou.

Traitement

Le médecin :
— peut en cas de rupture située entre le muscle et le tendon traiter par bandage et successivement augmenter l'entraînement de la force et de la mobilité ;

— ne doit pas opérer lorsqu'il n'existe qu'une rupture partielle, puisqu'habituellement cette lésion n'entraîne pas de limitation fonctionnelle à long terme;
— peut éventuellement opérer en cas de grandes ruptures chez des sportifs jeunes ainsi que de lésions anciennes de ce type;
— doit opérer si la rupture est totale et située au niveau de l'insertion du tendon sur la rotule.

Lésion du tendon rotulien («genou de sauteur»)

Le tendon rotulien va de la rotule à la partie supérieure et antérieure de la jambe au niveau de la tuberosité tibiale. La lésion de ce tendon est un accident typique dû au sport qui atteint les pratiquants de l'athlétisme, spécialistes de saut et de lancer, les joueurs de badminton, de volley-ball et de basketball, les haltérophiles, etc. La lésion consiste en une rupture partielle du tendon souvent au niveau de son insertion près de la rotule. A la phase aiguë cette lésion se remarque à peine mais si le blessé a repris son activité sportive avant que la lésion soit guérie, il se produit une inflammation de la région de la lésion, ce qui donne des troubles de longue durée et récidivants.

Symptômes et diagnostic

— Douleur centrée sur le tendon, souvent au niveau de l'insertion à la pointe inférieure de la rotule, en relation avec l'effort (flexion du genou avec charge).
— Douleur, raideur après l'effort. Le blessé peut entrer dans un cercle vicieux de douleur (voir page 38).

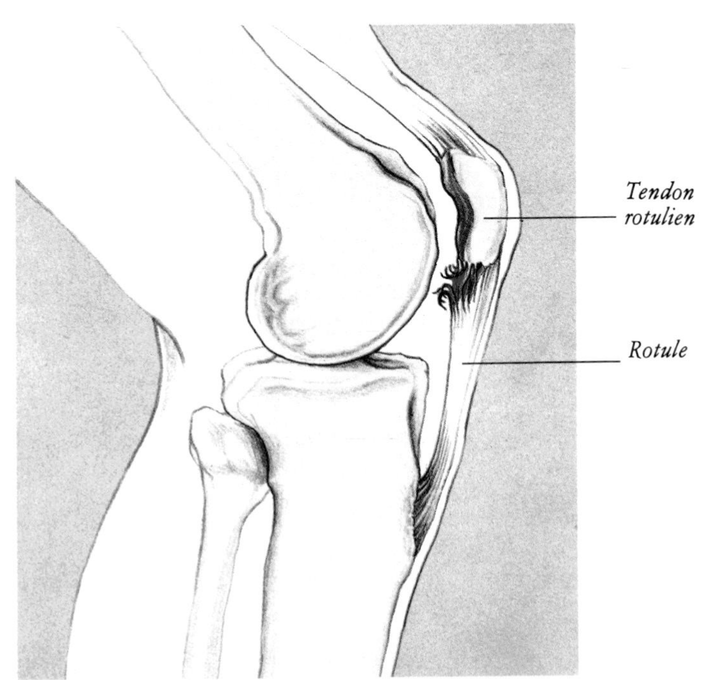

«Genou de sauteur» avec rupture partielle de la partie supérieure et postérieure du tendon rotulien.

Lors de l'appel en saut en hauteur, la mise en charge du tendon rotulien est importante. Photographie : Adidas.

— Douleur déclenchée si le muscle quadriceps est mis en tension, mettant en charge la rotule et le tendon.
— Localement sensibilité douloureuse punctiforme en regard de l'endroit de la blessure.
— Exploration radiologique des tissus mous qui montre un gonflement des tissus mous. De même, l'exploration par ultrasons du tendon peut affirmer le diagnostic.
Le sportif doit :

Traitement

Le médecin peut :
— à la phase aiguë traiter par plâtre ;
— prescrire des médicaments d'action anti-inflammatoire ;
— opérer si la guérison ne s'est pas produite après une période de repos de 4 à 6 semaines. Lors de l'intervention chirurgicale la partie altérée du tendon est enlevée de façon à ce que la guérison puisse s'effectuer. Après l'intervention, l'articulation du genou doit être plâtrée pendant 4 à 6 semaines.

Guérison

Après que le plâtre ait été enlevé le blessé doit effectuer pendant 2 à 4 mois un entraînement de récupération, au début sous forme d'un entraînement de la mobilité et d'un entraînement de la force planifié de façon précise, avec seulement le propre poids du corps comme charge. Après la période de récupération le sportif pourra reprendre son entraînement spécialisé.

Maladie d'Osgood-Schlatter

Lors de la maladie de Schlatter le noyau d'ossification de la tuberosité tibiale sur laquelle s'insère le tendon rotulien subit des transformations. Les causes de ces transformations pathologiques sont inconnues mais cet état est vraisemblablement dû à une surcharge locale. Ce sont surtout les garçons âgés de 10 à 16 ans qui sont atteints de cette maladie.

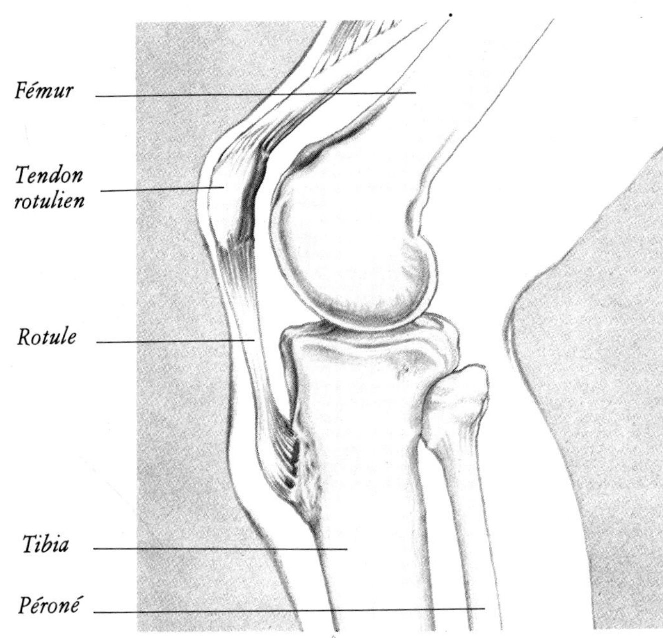

Maladie d'Osgood Schlatter. Inflammation et remaniement au niveau de l'insertion du tendon rotulien sur le tibia.

Symptômes et diagnostic

— Douleur au niveau de l'insertion du tendon sur le tibia en relation avec ou après l'effort exagéré.
— La douleur peut être déclenchée par la mise en tension du muscle quadriceps qui se transforme en tendon entre la rotule et le tibia (tendon rotulien).
— Tuméfaction et sensibilité douloureuse au-dessus de l'insertion du tendon rotulien sur le tibia.
— L'exploration radiologique montre le remaniement de l'os au niveau de l'insertion du tendon.

Traitement

Le sportif doit:
— observer le repos;
— traiter localement par application de chaleur et l'emploi de protection gardant la chaleur;
— s'abstenir de faire tout mouvement qui déclenche la douleur.

Le médecin peut:
— en cas d'état douloureux important traiter par plâtre pendant 3 semaines, ce qui peut amener la disparition de la douleur.

Guérison et complications

La maladie d'Osgood-Schlatter guérit d'elle-même. Les troubles peuvent cependant revenir lors du renouvellement d'efforts du tendon rotulien mais cette reprise survient rarement après que l'os ait terminé sa croissance lorsque le sujet a atteint l'âge de 17 à 18 ans. Les troubles qui surviennent chez les sportifs qui seraient plus âgés pourraient être dus à des corps libres qui se sont formés dans la bourse séreuse située au-dessous du tendon rotulien. Celle-ci peut être enlevée chirurgicalement avec un bon résultat.

Inflammation de la bourse séreuse au niveau de l'articulation du genou

Autour de l'articulation du genou il existe plusieurs bourses séreuses qui chacune peut être lésée et/ou devenir le siège d'une inflammation. Lorsque la bourse séreuse située en avant de la rotule est atteinte, cet état pathologique est appelé: «genou de la vieille ménagère» et lorsque c'est la bourse séreuse qui est située en dessous de la rotule l'état pathologique est appelé: «genou du poseur de plancher».

Dans la région de l'articulation du genou, c'est la bourse séreuse susrotulienne (hygroma), située en avant de la rotule qui est le plus souvent

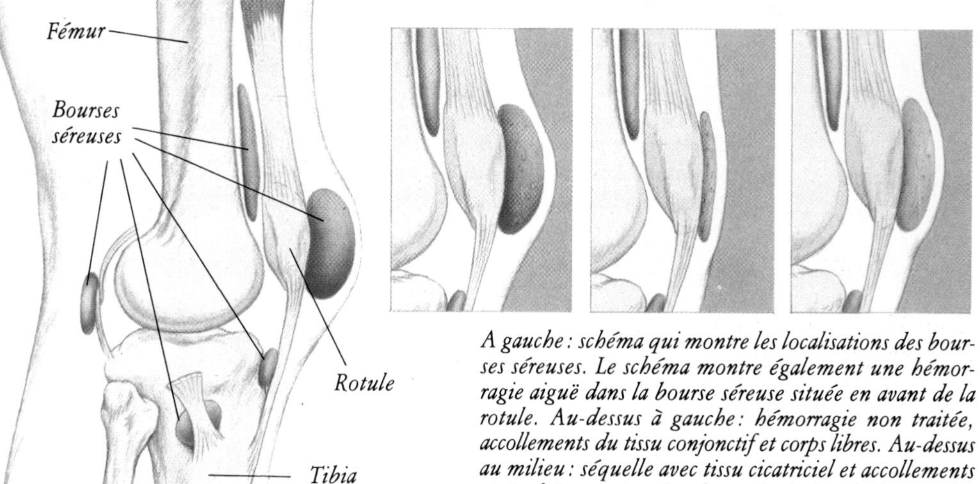

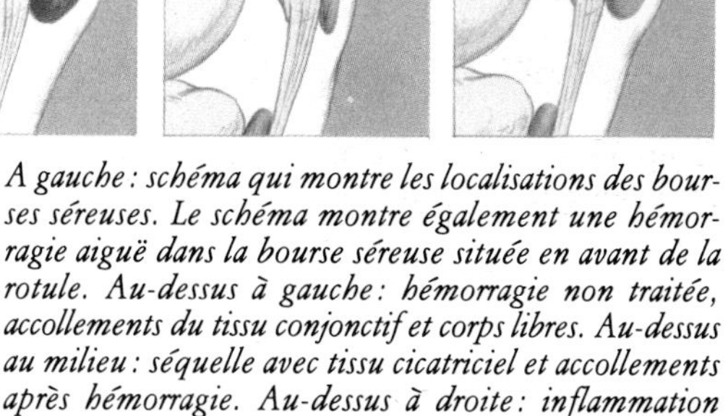

A gauche: schéma qui montre les localisations des bourses séreuses. Le schéma montre également une hémorragie aiguë dans la bourse séreuse située en avant de la rotule. Au-dessus à gauche: hémorragie non traitée, accollements du tissu conjonctif et corps libres. Au-dessus au milieu: séquelle avec tissu cicatriciel et accollements après hémorragie. Au-dessus à droite: inflammation chronique causée par des accollements et des corps libres.

atteinte de lésions. Des hémorragies peuvent survenir dans cette bourse séreuse après traumatisme contre la rotule. Egalement les autres bourses séreuses autour de l'articulation du genou peuvent présenter des hémorragies, si elles ont subi un traumatisme.

Les manifestations aiguës lors des lésions et des inflammations d'une bourse séreuse sont la tuméfaction qui est causée par l'hémorragie, ainsi que la sensibilité douloureuse au niveau de la bourse séreuse atteinte. La douleur se produit lorsque l'articulation du genou est fléchie ou mise en extension. Ultérieurement de petits corps libres peuvent se former dans la bourse séreuse à la suite de caillots sanguins qui se forment en cas de grandes hémorragies. Ils peuvent entraîner une inflammation et un épanchement dans la bourse séreuse. Des états d'irritation chronique de la bourse séreuse peuvent donner des troubles, par exemple chez les lutteurs, qui en position couchée mettent en charge leur articulation du genou.

Symptômes et diagnostic

— Douleur continue de la zone où la bourse séreuse est située, surtout lors d'efforts de l'articulation du genou.
— Sensibilité douloureuse au niveau de la bourse séreuse.
— Parfois apparition d'une rougeur et d'une augmentation de température sur la peau recouvrant la bourse séreuse.
— Résistance élastique lors de la pression contre la bourse séreuse en faveur d'un épanchement à l'intérieur de celle-ci.

Traitement

— traiter les manifestations aiguës des bourses séreuses (Voir page 45).

Le médecin peut:
— ponctionner et vider la bourse séreuse;
— faire une injection de corticostéroïdes dans la bourse séreuse après l'avoir vidée;
— en cas de manifestations de longue durée opérer pour enlever les corps libres de la bourse séreuse ou enlever la bourse séreuse elle-même.

Agrandissement de la bourse séreuse au niveau du creux poplité (kyste de Baker)

L'agrandissement de la bourse séreuse au niveau du creux poplité est une affection relativement rare, qui se manifeste par une hernie de la capsule postérieure de l'articulation du genou. La bourse séreuse est en relation

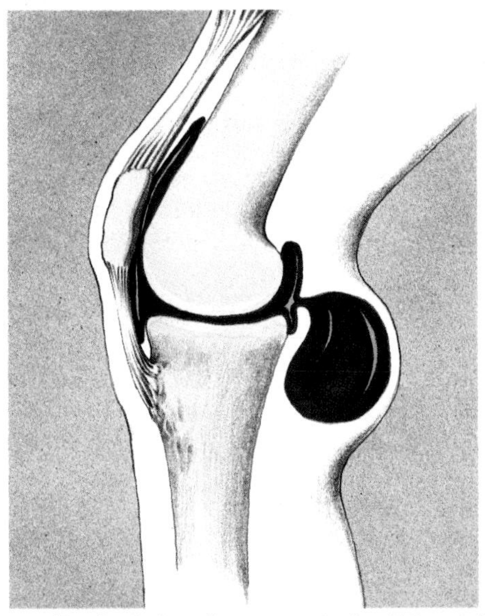

Bourse séreuse dans le creux poplité (kyste de Baker).

avec l'articulation du genou (voir cliché ci-dessous) et lors d'un état irritatif avec épanchement dans l'articulation, elle peut être chassée par la pression dans la bourse séreuse si bien qu'elle augmente de taille.

Symptômes et diagnostic

— Sensation de tension qui survient surtout au niveau du creux poplité mais qui peut être reportée en bas au niveau du muscle du mollet.

— Difficultés à fléchir et à étendre complètement l'articulation du genou.
— Douleur et sensibilité douloureuse après effort de l'articulation du genou.
— La bourse séreuse agrandie apparaît comme une hernie ronde élastique, de la taille d'une balle de golf mais parfois atteignant celle d'une balle de tennis, lorsque l'articulation du genou est en extension.
— Exploration avec liquide de contraste de l'articulation du genou (athrographie) montrant aussi le remplissage de la bourse séreuse.
— L'arthroscopie peut dépister la cause de l'épanchement dans l'articulation du genou.

Traitement

Le sportif peut:
— observer le repos. Les symptômes peuvent disparaître spontanément.

Le médecin peut:
— traiter la cause de l'épanchement dans l'articulation du genou;
— enlever chirurgicalement la bourse séreuse si elle donne des troubles.

Syndrome de friction du fascia lata («runner's knee»)

Les «genoux de coureur», comme on appelle vulgairement cet état douloureux, sont localisés à la face externe de l'articulation du genou et atteignent les sportifs qui s'entraînent à la course à pied souvent et longtemps. Les coureurs à pied présentant une augmentation de la pronation de leur pied sont fortement exposés au risque d'être atteints de cette lésion (voir page 344). Lors des mouvements de flexion et d'extension de l'articulation du genou, la puissante lame aponévrotique du fascia lata ilio-tibial glisse sur la face externe du genou et entraîne une inflammation locale.

Symptômes et diagnostic

— Douleur qui, en règle générale, se manifeste après que le sportif ait atteint une certaine distance et qui ensuite augmente au point de rendre impossible de continuer à courir. La douleur disparaît après un moment de repos mais revient si le sportif décide de poursuivre son entraînement. Les troubles augmentent souvent lors de la course à pied en montée.
— Sensibilité douloureuse locale à la face externe de l'articulation du genou au-dessus du fémur et en avant de l'origine du ligament latéral.
— Malposition du pied.

Traitement

Le sportif peut:
— éviter de courir en montée;
— observer un repos actif;
— traiter localement par application de chaleur et utiliser une protection gardant la chaleur;
— pratiquer un entraînement par allongement (voir page 94);

Le médecin peut:
— prescrire des médicaments d'action anti-inflammatoire;
— faire une injection locale des corticostéroïdes et en relation avec celle-ci ordonner du repos;
— ordonner de modifier la chaussure ou de mettre une semelle corrective;
— intervenir chirurgicalement.

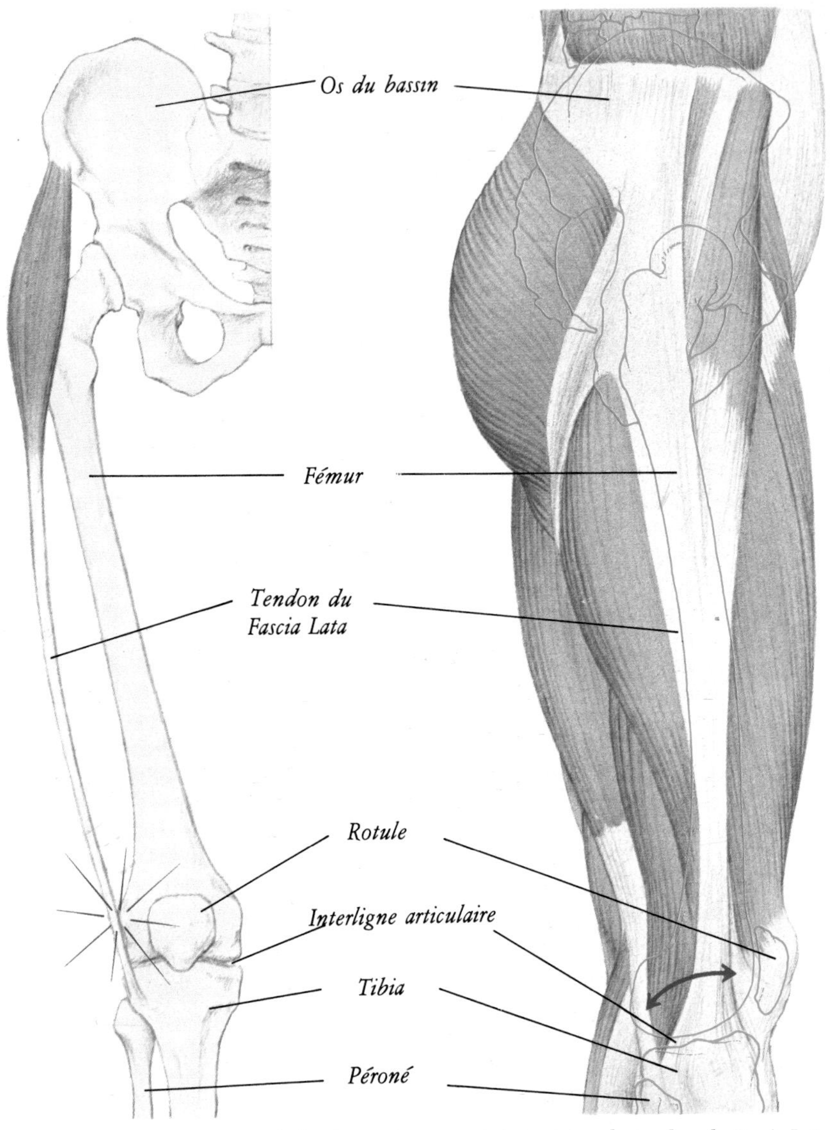

«Genou de coureur à pied». A gauche: on voit la position du tendon du Fascia Lata contre la face externe du fémur. A droite: on voit la position du tendon du Fascia Lata qui glisse en avant et en arrière sur la partie inféro-externe du fémur lors de la flexion et de l'extension de l'articulation du genou.

Inflammation du tendon poplité

L'inflammation du tendon poplité est une affection relativement rare qui entraîne des douleurs à la face externe de l'articulation du genou. Le tendon poplité s'insère sur le condyle latéral externe du fémur, donne naissance au muscle qui s'insère à la face postérieure du tibia. Le muscle et le tendon poplité participent à la phase initiale de la flexion du genou et de la rotation du tibia.

Symptômes et diagnostic

— Le symptôme caractéristique de l'inflammation du tendon poplité est une douleur qui survient à la face externe de l'articulation du genou lorsque celle-ci est fléchie à environ 15 à 30° et mise en charge. La douleur survient surtout lorsque le sujet atteint de cette affection marche ou court en descendant des pentes ou des escaliers.
— Sensibilité douloureuse locale au-dessus de l'insertion tendineuse sur le fémur juste en avant du ligament latéral externe. Cette sensibilité se remarque le mieux si le blessé lors de l'examen s'asseoit et a l'articulation du genou de son membre atteint fléchie à 90° et son pied placé sur le genou du membre inférieur sain.
— Douleur pouvant survenir lors de la rotation en dedans de la jambe.
— Avant de poser le diagnostic, le médecin doit contrôler qu'il ne s'agit pas d'une lésion du ménisque externe.

Traitement

Le sportif peut:
— observer un repos actif;
— traiter localement par application de chaleur et utiliser une protection gardant la chaleur;
— s'entraîner à la course à pied sur un sol égal et plat;
— porter des souliers avec une semelle souple.

Le médecin peut:
— prescrire des médicaments d'action anti-inflammatoire;
— faire une injection locale de corticostéroïdes et en relation avec celle-ci, ordonner du repos;
— opérer lors de troubles graves et de longue durée.

Lésion du muscle biceps du fémur

Le muscle biceps du fémur est un muscle fléchisseur du genou qui peut être atteint de rupture partielle ou totale ainsi que de lésion par surcharge. Lorsqu'il est blessé dans la région de l'articulation du genou, la lésion est souvent située au niveau de l'insertion du muscle sur le péroné (voir schéma page 304) et un fragment osseux peut parfois s'en détacher. La lésion survient souvent en association avec une rupture du ligament latéral externe et se produit au sein des sports de contact ainsi que parmi les lutteurs, les pratiquants de l'athlétisme, etc.

Symptômes et diagnostic

— Sensibilité douloureuse locale et tuméfaction au-dessus de l'insertion du muscle biceps sur le tibia.
— Douleur survenant lorsque l'articulation du genou est fléchie contre résistance.
— En cas de rupture totale, suppression de la fonction du muscle.
— En cas de lésion par surcharge, il se produit un cercle vicieux de douleur (voir page 39).
— L'exploration radiologique peut parfois mettre en évidence un fragment osseux qui s'est détaché au niveau de la tête du péroné.

Traitement

Le sportif peut:
— observer le repos, traiter localement par application de chaleur et utiliser une protection gardant la chaleur jusqu'à ce que se produise une disparition de la douleur lors d'une mise en charge.

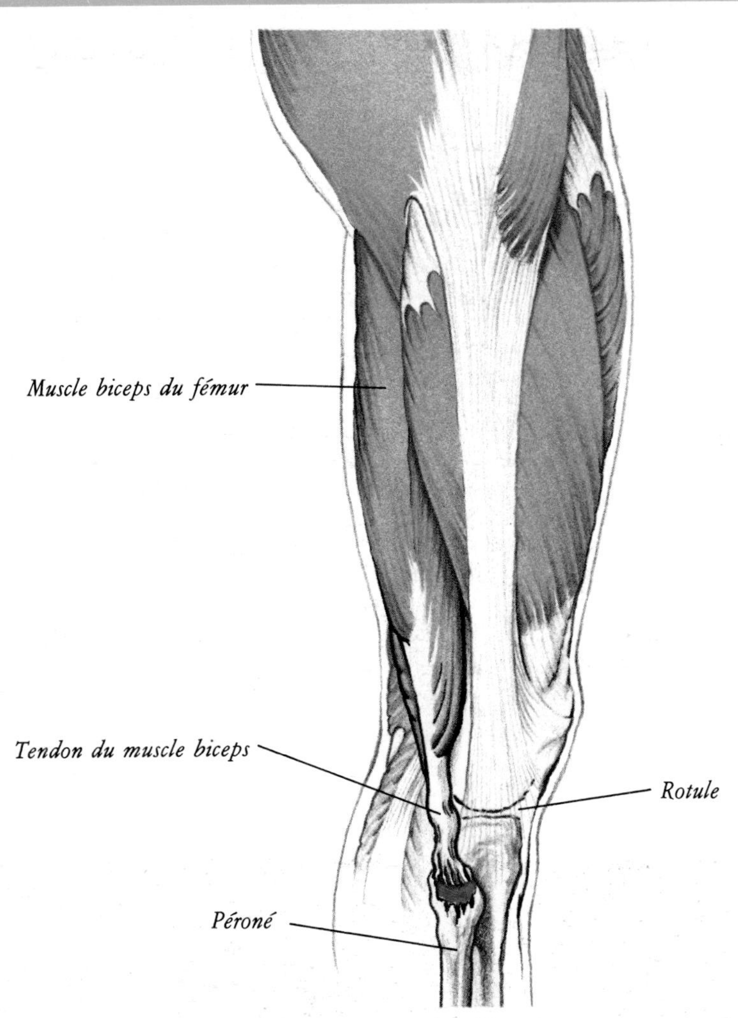

Lésion du muscle biceps du fémur au niveau de son insertion sur le péroné.

Le médecin peut:
— prescrire des médicaments d'action anti-inflammatoire;
— traiter avec un plâtre en cas de rupture;
— opérer lorsqu'il existe une rupture totale.

Fractures de la rotule

La rotule peut se fendre avec des fractures transversales ou longitudinales ou éclater en étoile. La lésion survient souvent lorsqu'on fait une chute contre le genou. En cas de déplacement de la fracture, une intervention chirurgicale est nécessaire suivie de 4 semaines environ de plâtre. Lorsqu'il n'existe pas de déplacement de la fracture, le plâtre suffit seul en général. Lors de fissures longitudinales de la rotule, l'articulation du genou a seulement besoin d'être bandée. Le sujet doit alors suivre un entraînement isométrique des muscles de la cuisse.

LÉSIONS DE LA JAMBE

Fractures

Une fracture de la jambe survient entre autres chez les cavaliers, les skieurs de descente ainsi que dans des sports de contact comme le football, le hockey sur glace. Il survient d'une part? des fractures concomitantes du tibia et du péroné d'autre part, des fractures isolées respectivement du tibia ou du péroné. La lésion est en règle générale des plus graves, si les deux os ont été atteints, surtout si les extrémités de la fracture ont fait irruption à travers la peau donnant une fracture «ouverte».

Mécanisme de la blessure

Les souliers de ski modernes utilisés pour la descente à ski ont de hautes tiges qui dessinent directement le trait d'une fracture éventuelle sur la jambe. Le tibia se rompt en effet souvent à la hauteur du bord supérieur du soulier de ski et une cause favorisante de cette blessure provient de ce que la fixation de sécurité ne s'est pas détachée du soulier de ski.

Lors du jeu de football, une fracture peut survenir lorsque la jambe est frappée par un coup de pied tandis que le pied est mis en charge, lors d'une collision ou lorsqu'un adversaire tombe sur le membre inférieur au moment où le pied du joueur est fixé au sol.

Parmi les skieurs de descente, les fractures ne sont pas rares. Photographie: Dan Ljungsvik.

Fracture du tibia ou du péroné et du tibia

Symptômes et diagnostic

— Douleurs intenses apparaissant immédiatement provenant de la région blessée.
— Sensibilité douloureuse et tuméfaction en regard de la fracture.
— Le contour normal et la direction de la jambe peuvent être modifiés par suite du déplacement de la fracture.

Traitement

Lors du traitement d'un blessé, il est important d'être conscient qu'également les tissus mous qui entourent la fracture sont lésés. Les principes directeurs du traitement aigu de ces dernières sont donnés page 63 et suivantes.

Le dirigeant sportif doit:
— s'il existe une fracture ouverte, recouvrir celle-ci le plus rapidement possible par une compresse stérile ou un pansement analogue. Si l'arrivée d'un personnel formé au secourisme peut être escomptée dans un court délai, on doit attendre pour effectuer d'autres soins;
— aussi rapidement que possible, transporter le blessé à l'hôpital. Si un moyen de transport adapté ne peut être disponible avant une longue période d'attente, on peut avec la plus grande prudence chercher à placer le membre inférieur en position correcte et le mettre dans une gouttière, si on en dispose;
— ne pas donner au blessé quelque chose à boire ou à manger, car cela pourrait retarder le traitement à l'arrivée à l'hôpital: en effet, si une anesthésie est nécessaire, le traitement peut être retardé de plusieurs heures parce que le blessé aura pris une boisson ou des aliments.

Le médecin peut:
— faire une exploration radiologique de la blessure;
— rectifier une mauvaise position de la fracture osseuse et immobiliser le membre inférieur par un plâtre, qui au cours des 4 à 6 semaines doit comprendre le pied, la jambe et la cuisse jusqu'à l'aine. Un plâtre spécial est placé ensuite allant jusqu'au genou. Le traitement plâtré dure habituellement pendant 8 à 20 semaines;
— si nécessaire opérer, ce qui permet de fixer les extrémités de la fracture avec un cerclage métallique, des vis ou avec un clou placé dans le canal médullaire. après l'intervention, le membre inférieur doit être plâtré pendant 4 à 12 semaines.

Guérison et complications

Après la période de traitement plâtré suivra une période à peu près d'égale durée au cours de laquelle la mobilité et la force pourront être améliorées par la rééducation. Un retour au sport de compétition n'est, en règle générale, pas possible avant au plus tôt 6 mois après la survenue de l'accident. Lors d'une fracture du tibia, des complications peuvent apparaître sous la forme d'absence de consolidation (pseud'arthrose). Cet état pathologique est difficile à traiter et nécessite souvent une intervention chirurgicale suivie de plusieurs mois de traitement plâtré pour qu'une guérison osseuse puisse se produire.

Fracture isolée du péronée

Lors d'une fracture du péroné, il survient souvent, en particulier en même temps, une lésion de l'articulation péronéo-tibiale inférieure du ligament qui relie ensemble le tibia au péroné au niveau de la cheville, et qui constitue la fourchette de la cheville (voir cliché page 335). C'est pourquoi il est important que la cheville fasse l'objet d'une exploration radiologique et d'une épreuve de laxité par un médecin lorsqu'il existe une fracture du péroné.

Symptômes et diagnostic

— Douleur et sensibilité douloureuse au niveau de la fracture osseuse.
— Douleur lors de la mise en charge du membre inférieur.
Si l'articulation péronéo-tibiale inférieure est lésée, il existe une tuméfaction, une sensibilité douloureuse et une instabilité à son niveau.

Traitement

Le médecin effectue une exploration radiologique de la fracture du péroné et de la cheville ainsi qu'une épreuve de laxité de la cheville. Une fracture isolée sans mauvaise position du tibia ne nécessite souvent que du repos et pas de traitement plâtré, mais lorsque l'articulation péronéo-tibiale inférieure est atteinte, il faut l'opérer.

Guérison

Le temps de guérison varie entre 4 à 6 semaines selon le degré de gravité de la fracture. S'il existe une lésion de l'articulation péronéo-tibiale inférieure, voir page 335

Douleurs de la jambe

Les muscles de la jambe sont enfermés dans quatre loges de tissu conjonctif rigide et non extensible, qui sont ancrées sur le tibia et le péroné. Une coupe transversale faite à travers la jambe à 10 centimètres environ au-dessous de l'articulation du genou montre quatre loges musculaires bien délimitées (voir schéma page 308). En avant, entre le tibia et le péroné est situé la loge antérieure qui renferme entre autres le muscle jambier antérieur, les muscles extenseurs propres du gros orteil et extenseur commun des orteils ainsi que les vaisseaux et les nerfs qui se rendent à la face antérieure de la jambe et au pied. En arrière, la jambe est divisée en loge profonde et une loge superficielle. La loge postérieure profonde qui est située entre le tibia et le péroné ainsi que derrière le ligament interosseux rigide qui relie le tibia et le péroné, renferme le muscle fléchisseur propre du gros orteil, le muscle commun fléchisseur des orteils ainsi que le muscle jambier postérieur. Les nerfs et les vaisseaux passent à la face postérieure de la jambe et de la plante du pied à travers la loge musculaire postérieure profonde. La loge musculaire postérieure superficielle renferme un court muscle profond: le soléaire et les muscles superficiels du mollet: les muscles jumeaux. A la face externe de la jambe entourant le tibia, se situe une loge externe qui enserre les muscles courts et longspéroniers.

Généralités sur les syndromes de loge

Par «syndrome de loge», on entend un état pathologique douloureux qui est dû à une augmentation de pression à l'intérieur des différentes loges musculaires.

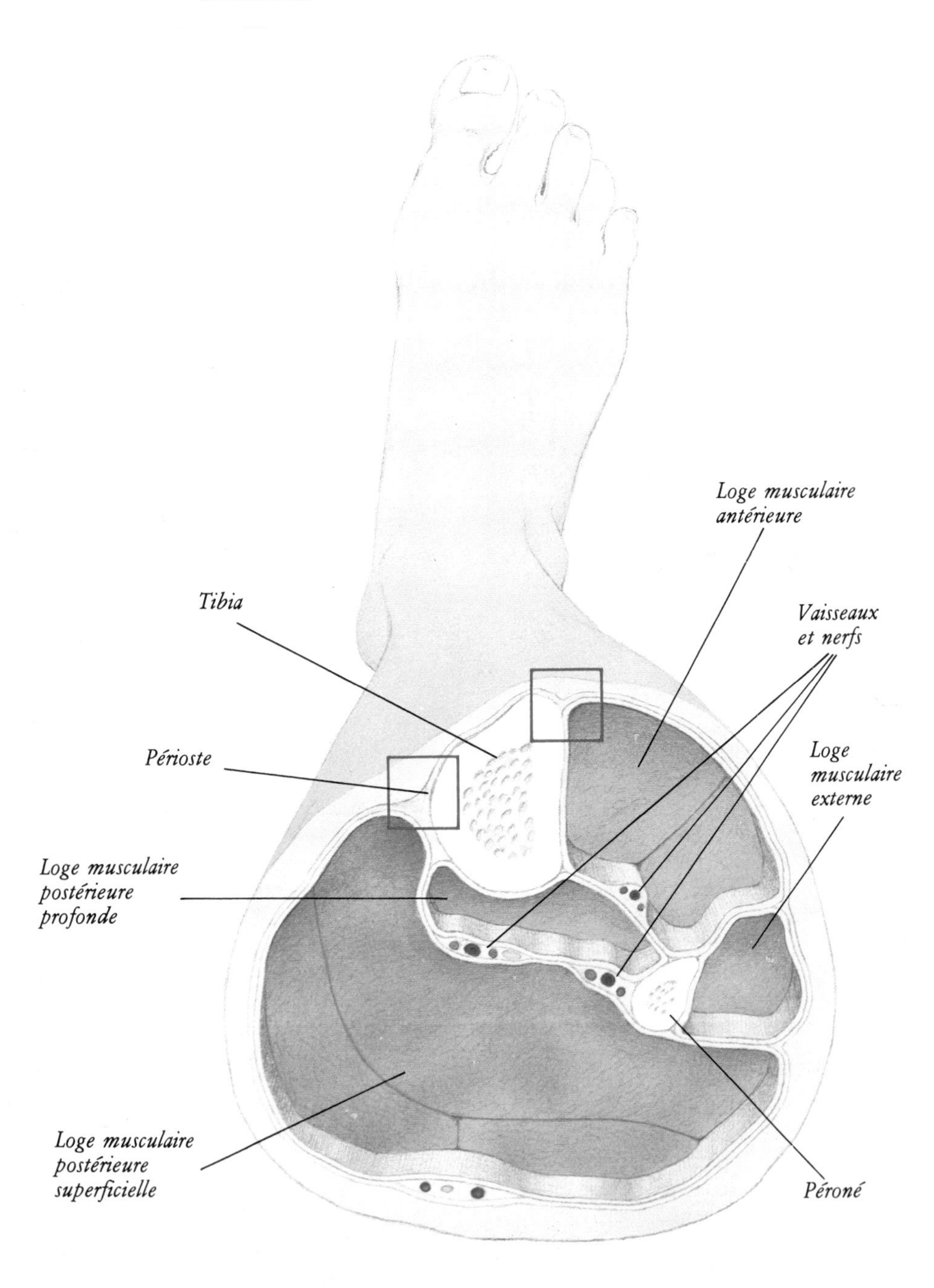

Coupe transversale de la jambe. Les muscles sont enfermés dans quatre loges musculaires bien délimitées. Les carrés indiquent l'emplacement habituel de la sensibilité douloureuse au niveau de l'insertion des loges musculaires sur le périoste du tibia.

Syndrome de loge aigu

Un syndrome de loge aigu peut apparaître à la suite de :
— traumatisme externe qui crée une lésion des tissus mous avec une hémorragie à l'intérieur d'une des loges de la jambe ;
— rupture musculaire avec hémorragie à l'intérieur d'une des loges de la jambe ;
— surcharge, par exemple lors de la course à pied sur un sol dur sans que le sportif se soit préparé ou se soit adapté au sol.

Syndrome chronique de loge

Un syndrome de loge peut apparaître à la suite d'une augmentation de volume musculaire survenant à la suite d'un entraînement de longue durée. L'augmentation de volume fait que les muscles deviennent plus gros alors que les fascia musculaires environnants qui sont un tissu rigide n'ont pas une capacité d'allongement suffisante. Lorsque les muscles sont au repos, il existe un certain équilibre entre leur volume et la taille de la loge musculaire, mais lors du travail musculaire, des milliers de petits vaisseaux (les capillaires) s'efforcent d'augmenter la circulation sanguine dans les muscles en travail et de cette façon accroissent le volume des muscles. Si un muscle de la jambe est alors obligé de travailler pendant une période prolongée, la circulation sanguine est perturbée ce qui est à l'origine d'un déficit relatif en oxygène. Il se produit alors un milieu acide en raison de la formation d'acide lactique sous l'effet duquel un passage de liquide provenant des capillaires a lieu. Un œdème se produit dans le muscle lui-même. L'œdème augmente la pression dans la loge musculaire ce qui entrave encore plus la circulation sanguine. L'état pathologique entre alors dans un cercle vicieux de douleur où le travail musculaire va encore plus détériorer la circulation sanguine et augmenter la pression. Une contraction des muscles dans la loge musculaire peut entraîner des tiraillements du périoste et ceux-ci peuvent être à l'origine d'une périostite (inflammation du périoste).

Un syndrome de loge peut apparaître sur les faces antérieure et postérieure externe et interne de la jambe.

Etat douloureux de la face antérieure de la jambe

Syndrome de loge antérieure

Un syndrome aigu de loge antérieure peut apparaître par suite d'un traumatisme direct, par exemple lors d'un coup de pied ou d'un coup contre le muscle jambier antérieur. Ceci est cependant inhabituel lorsque le muscle est bien protégé sur le côté du tibia. En cas d'hémorragie aiguë dans la loge antérieure de la jambe, il peut se produire une forte augmentation de pression, ce qu'on peut vérifier par une mesure de la pression. Le flux sanguin peut, de ce fait, être perturbé dans les vaisseaux sanguins, principalement dans les artères de la face antérieure du dos du pied. Le flux sanguin dans ces vaisseaux peut être totalement stoppé et devant cet état pathologique aigu, une intervention chirurgicale doit être pratiquée. Le médecin y fend la loge musculaire et évacue l'hémorragie. Voir par ailleurs le paragraphe sur les hémorragies musculaires page 29 et suivantes.

Le syndrome de loge antérieure par suite de surcharge peut être déclenché par des entraînements ou des compétitions trop intenses que le sportif fait sur un sol dur et sans une préparation suffisante.

Symptômes et diagnostic

— Le symptôme caractéristique est une douleur aiguë qui augmente peu à peu jusqu'à rendre la poursuite de la course impossible.
— Une faiblesse peut survenir en flexion dorsale du pied.
— Une sensation d'engourdissement pouvant se reporter en bas jusqu'au pied.
— Tuméfaction locale et sensibilité douloureuse pouvant exister au-dessus du muscle jambier antérieur.
— Douleur pouvant être déclenchée lors de la flexion dorsale active du pied et lors de l'extension passive du pied en bas.

Traitement

Le sportif peut:
— observer un repos actif;
— traiter par application de froid.

Le médecin peut:
— prescrire des médicaments d'action anti-œdémateuse;
— prescrire des médicaments d'action anti-inflammatoire;
— suivre les effets du traitement en enregistrant la pression dans la loge musculaire;
— opérer en fendant l'aponévrose musculaire lorsque la pression ne chute pas dans la loge musculaire. Ce traitement doit être institué à un stade précoce puisque cette augmentation de pression autrement pourrait entraîner des lésions durables des tissus musculaires et d'autres tissus mous de la loge musculaire.

Le syndrome chronique de loge antérieure atteint surtout les sportifs s'entraînant durement, qui pratiquent sur une grande échelle la course à pied ou des spécialités sportives particulières, comme par exemple la marche de compétition. Ces sportifs, par suite d'un entraînement de longue durée, ont augmenté le volume de leurs muscles de la jambe et ces muscles sont devenus plus grands que les aponévroses qui les entourent ne le tolèrent. En relation avec les efforts effectués par les muscles, des milliers de petits vaisseaux sanguins s'ouvrent et l'augmentation de volume qui en résulte donne une augmentation de pression à l'intérieur de la loge musculaire. L'augmentation de pression entraîne à son tour un état douloureux dû à ce que les muscles souffrent d'un manque d'oxygène. Les douleurs augmentent progressivement jusqu'à ce que le sportif ne puisse plus poursuivre plus loin son entraînement à la course à pied, soit en raison de la douleur, soit du fait qu'il présente une faiblesse musculaire croissante; finalement, il ne pourra plus arriver à effectuer du tout de foulées.

Symptômes et diagnostic

— Douleur qui augmente lors de la mise en charge et qui finit par rendre impossible la poursuite d'un travail musculaire.
— Douleur disparaissant après un moment de repos mais revenant lors de la poursuite de l'activité physique.
— Sensation d'engourdissement et de faiblesse dans le pied ainsi que difficultés à relever l'avant-pied.
— Tuméfaction locale et sensibilité douloureuse lors de la flexion dorsale du pied qui peuvent être entraînées par le travail musculaire.
— Pression dans la loge musculaire pouvant être mesurée d'une part au repos, d'autre part au cours du travail musculaire jusqu'à ce que la douleur soit déclenchée. Augmentation de la pression lors du syndrome chronique de loge antérieure.

Traitement

Le sportif peut:
— observer du repos jusqu'à la disparition de la douleur;
— traiter localement par application de chaleur et utiliser une protection gardant la chaleur;
— analyser le sol de course, la technique de course, l'entraînement et le type de souliers, etc.

Le médecin peut:
— essayer de traiter le blessé par des médicaments d'action anti-œdémateuse et anti-inflammatoire;
— opérer pour fendre l'aponévrose et par ce moyen de donner au muscle à volume augmenté un espace accru.

Inflammation de la gaine du tendon du muscle jambier antérieur

Une inflammation aiguë de la gaine du tendon du muscle jambier antérieur survient souvent lors d'une surcharge aiguë de l'articulation de la cheville, par exemple lors des sauts et des courses (spécialement sur sol dur) dans les sports avec raquette, etc. La surcharge se produit lorsque le pied effectue une flexion dorsale au niveau de la cheville.

Symptômes et diagnostic

— Douleur locale lors de la flexion en haut de la cheville.
— Augmentation de température, rougeur de la peau et tuméfaction pouvant exister à la face antérieure de la jambe au-dessus de la partie inférieure du tibia.
— Sensibilité douloureuse au-dessus du tendon et de sa gaine directement à la face externe du tibia ainsi que lorsque le pied est fléchi en haut et en bas. Si on place la main sur le tendon, on sent des crépitements tendineux.

Traitement

Le sportif peut:
— observer un repos actif;
— traiter par application de froid la lésion aussi bien à la phase aiguë qu'ultérieurement, où le traitement par application de froid peut éventuellement être alterné avec des applications de chaleur.

Le médecin peut:
— prescrire des médicaments d'action anti-inflammatoire;
— prescrire un médicament d'action anticoagulante, en cas d'inflammation aiguë (Héparine pendant 3 à 5 jours).

Il n'est pas nécessaire, en règle générale, de plâtrer lorsque la lésion est aiguë, mais en cas de manifestations pathologiques de longue durée, un tel traitement peut parfois être d'une grande utilité.

Etats douloureux de la face interne de la jambe

Des douleurs de la face interne de la jambe peuvent être délenchées au niveau du tibia (fractures de fatigue), du périoste (inflammation du périoste) et du compartiment postérieur profond de la jambe.

Fractures de fatigue

Le tibia de même que le péroné peuvent être le siège de fractures de fatigue. Celles-ci surviennent à la suite de la répétition d'une charge pendant longtemps, par exemple lors des courses à pied de grand fond et lors du cross-country. La fracture est souvent localisée sur le tibia aux deux tiers supérieurs de l'os tandis que sur le péroné, elle se situe habituellement 5 à 6 centimètres au-dessus de la pointe de la malléole externe.

En haut : la course de fond sur un sol dur peut donner des lésions d'usure. Photographie : Bert Mattsson/Pressens bild.

A droite : exemple de fracture de fatigue avec une évolution de guérison de longue durée. Observer que le trait de la fracture de fatigue se situe perpendiculairement à l'axe longitudinal de l'os.

Symptômes et diagnostic

— Les symptômes surviennent sans que l'os n'ait été exposé à un traumatisme sous forme de douleurs qui sont en relation avec l'application de la charge.
— Sensibilité douloureuse locale et gonflement au niveau de la fracture.

— Lorsque la lésion est d'apparition récente, le trait de fracture osseuse peut être trop fin pour être vu lors de l'exploration radiologique. Dans le cas d'une persistance des symptômes sous forme de douleur à l'effort et de sensibilité douloureuse, une seconde exploration radiologique doit être effectuée 2 à 4 semaines après la première : on constate alors souvent que la fracture osseuse est déjà en cours de guérison.
— La présence d'une néoformation osseuse le long du tibia ou du péroné découverte lors de l'exploration radiologique doit être interprétée comme un signe de fracture de fatigue.
— Une exploration à l'aide d'isotopes radioactifs fournit à un stade précoce un élément de certitude en faveur d'une fracture de fatigue, la région concernée étant le siège d'une fixation accrue d'isotopes.

Traitement

Le traitement consiste en général seulement en repos. En cas de fortes douleurs, de même lorsque la fracture siège à la partie médiane du tibia, on peut avoir recours à un traitement par plâtre pendant 1 mois.

Puisqu'une fracture de fatigue peut récidiver, le sportif qui en est atteint doit éviter de s'exposer à nouveau à la charge qui a été à l'origine de la lésion. Il doit également reconsidérer son programme d'entraînement avec son entraîneur et éventuellement son médecin. La guérison de la fracture doit aussi être contrôlée radiologiquement avant que l'activité sportive ne soit reprise.

Syndrome de loge postérieure profonde

Un syndrome de loge postérieure profonde peut apparaître sous forme aiguë aussi bien à la suite d'un traumatisme externe que d'une surcharge aiguë des muscles, par exemple, lors de la course à pied et lors du saut, lorsque l'avant-pied et les fléchisseurs des orteils sont mis en charge, spécialement lors de l'appel à partir du sol. Les lésions de surcharge aiguës peuvent atteindre l'ensemble des muscles en même temps ou seulement un muscle isolé, par exemple, le muscle jambier postérieur, le fléchisseur commun des orteils ou le fléchisseur propre du gros orteil. Il peut parfois être difficile de savoir quels sont le ou les muscles qui sont atteints (et même parfois tout à fait impossible), mais on peut avoir une certaine idée en testant chaque groupe musculaire isolément. Si la flexion du gros orteil contre une résistance déclenche une douleur, cette manœuvre est en faveur d'une atteinte du muscle fléchisseur propre du gros orteil. Si la flexion en supination de tout le pied contre une résistance déclenche une douleur, cette manœuvre est en faveur d'une atteinte du muscle jambier postérieur. Si la flexion des orteils contre une résistance, déclenche une douleur, cette manœuvre est en faveur de la responsabilité des muscles fléchisseurs des orteils.

Dans le cas d'un syndrome de loge postérieure profonde chronique, il peut exister une augmentation de pression dans la loge musculaire. Lorsque les muscles travaillent, cette pression, de même que l'augmentation de la contraction musculaire, peut provoquer une traction sur l'insertion de la loge musculaire sur le périoste du bord interne du tibia. L'inflammation de ce périoste peut en résulter (périostite).

La cause d'un syndrome de loge postérieure profonde réside dans une augmentation de volume consécutive à un entraînement intensif de longue durée.

Symptômes et diagnostic

— Douleur lors de l'élan et de l'appel au sol ainsi que lors de l'élévation sur les orteils. La douleur débute de façon insidieuse et augmente progressivement jusqu'à ce que la poursuite de l'activité physique devienne impossible.
— Sensation d'engourdissement du pied et faiblesse lors de la poussée contre le sol.
— Les symptômes disparaissent au bout d'un moment de repos mais reviennent lors du renouvellement des efforts.

Traitement

Le traitement est le même que celui du syndrome de loge antérieure chronique (voir page 310).

Inflammation du périoste de la face interne du tibia/«shin split» (périostite tibiale postérieure)

L'inflammation du périoste est une affection fréquente chez les sportifs qui changent souvent de sol et de type de souliers, modifient leur technique, etc. ou s'adonnent à un dur entraînement intensif sur des pistes dures, des rues ou des planchers. Une inflammation de la face interne du tibia peut être déclenchée par la course à pied et d'autres sports avec des phases de saut. Les douleurs peuvent surtout survenir lors de la répétition de prise d'appel contre le sol. Le coureur qui court sur les orteils, avec les pieds en rotation externe, avec des souliers à pointe, etc. peut présenter ces troubles pathologiques. Une pronation augmentée (voir page 343) ou une voûte plantaire trop haute peuvent être des causes favorisantes.

Symptômes et diagnostic

— Sensibilité douloureuse sur le bord interne du tibia. La sensibilité est spécialement marquée au-dessus de la moitié inférieure du tibia. Une certaine irrégularité du bord du tibia peut parfois être sentie.
— Une certaine tuméfaction peut être sentie et observée.
— La douleur cesse au repos mais revient lors du renouvellement de la mise en charge. Le blessé peut entrer dans un cercle vicieux de douleur (voir page 39).
— La douleur est déclenchée par la flexion des orteils ou de la cheville.
— Une sensation d'engourdissement du pied et une faiblesse lors de la poussée peuvent se produire car l'inflammation du périoste est souvent un des symptômes du syndrome de loge postérieur chronique.
— Exploration radiologique devant être effectuée en cas de manifestations de longue durée pour pouvoir éliminer une fracture de fatigue.

Mesures de prévention

— Chaque changement de sol doit avoir lieu progressivement en même temps que l'intensité d'entraînement doit être adaptée en conséquence.
— Un équipement correct doit être utilisé. Les souliers doivent être bien adaptés au sol.
— La technique doit être adaptée au sol.
— Echauffement soigneux.

Traitement

Le sportif doit:
— interrompre entraînement et compétition et se reposer. Plus on s'abstiendra de poursuivre l'entraînement, plus la lésion guérira rapidement. On pourra alors éviter que l'état ne devienne chronique. La douleur est un signal d'alarme qui doit imposer le repos;
— on ne doit pas recommencer à s'entraîner avant que la douleur et la sensibilité douloureuse au-dessus du tibia ait disparu;
— on peut souvent maintenir une certaine condition physique en faisant de la bicyclette. La pédale doit alors être placée sous le talon;

Il peut être utile de porter une protection gardant la chaleur dans un but de prévention et de traitement lors d'activités physiques qui comportent des mises en charge importantes et répétées des articulations.

— traiter localement par application de chaleur et utiliser une protection gardant la chaleur. Parfois, un traitement alternant le froid et le chaud peut être intéressant;
— consulter un médecin si les troubles persistent.

Le médecin peut:
— prescrire des médicaments anti-inflammatoires et antiœdémateux;
— prescrire des médicaments d'action anticoagulante (héparine);
— faire des injections de corticostéroïdes au-dessous du périoste;
— prescrire des crèmes d'action locale;
— enregistrer la pression dans la loge musculaire postérieure profonde avec en même temps provocation en cas de troubles persistants;
— analyser le moment déclenchant du point de vue de l'anatomie de la jambe et du pied, surtout en considérant la pronation et la hauteur de la voûte plantaire;
— opérer pour fendre l'aponévrose de la loge musculaire en cas de pression augmentée.

Divers

L'inflammation du périoste peut se présenter comme un état pathologique isolé mais elle peut également être un symptôme partiel d'un syndrome de loge postérieure profonde chronique et dans ces cas la lésion doit être traitée par des médicaments d'action antiœdémateuse.

Le sportif qui souffre de douleurs, lors de la mise en charge, qui ne disparaissent pas en l'espace de 2 semaines sous l'effet du traitement mentionné ci-dessus, peut avoir une fracture de fatigue.

Etat douloureux de la partie postérieure de la jambe

Syndrome de loge postérieure superficielle

Le syndrome de loge postérieure superficielle englobe surtout la loge musculaire qui renferme le muscle soléaire et les muscles jumeaux. Symptômes, diagnostic et traitement sont les mêmes que pour le syndrome de loge antérieure (voir page 309 et suivantes).

Ruptures du jumeau interne: «tennis leg»

Ces ruptures se produisent fréquemment à la jonction entre le tendon d'Achille et le muscle jumeau interne. La lésion atteint essentiellement des joueurs de tennis, de badminton, de squash, de volleyball, de basketball et de handball ainsi que certains athlètes pratiquant le saut.

Symptômes et diagnostic

— Douleur subite du mollet. Le sportif se figure parfois qu'il a reçu un coup sur la jambe.
— Difficulté de mise en tension du muscle du mollet et de marcher sur le pied à plat.
— Sensibilité douloureuse locale sur la région atteinte.
— Epanchement sanguin en regard de la zone de rupture.
— Une brèche peut être perçue dans le tissu musculaire au-dessus de la région atteinte.
— Chez les sujets d'âge moyen ou chez les sujets âgés, une rupture musculaire au niveau du mollet peut être prise à tort pour une embolie.

Traitement

Le sportif peut:
— traiter la lésion immédiatement par application de froid, poser un pansement compressif et placer le membre inférieur en surélévation selon les principes généraux donnés page 63 et suivantes;
— observer le repos.

Le médecin peut:
— en cas de petites ruptures et lorsque la lésion atteint des sujets âgés, ordonner un bandage de soutien et une rééducation visant à assouplir la face postérieure de la jambe et à la muscler;
— opérer lorsque la lésion est étendue et chez un sportif jeune et actif. L'hémorragie est évacuée et les extrémités du muscle sont suturées au tendon (voir page 317).

Guérison et complications

Le blessé peut en règle générale recommencer à s'entraîner après 4 à 8 semaines. Une rupture musculaire non traitée peut entraîner la formation d'une cicatrice, ce qui crée le risque qu'une nouvelle rupture puisse se produire si le muscle est trop fortement sollicité.

A droite : les ruptures musculaires et tendineuses sont fréquentes dans les activités sportives intenses avec des mouvements rapides.

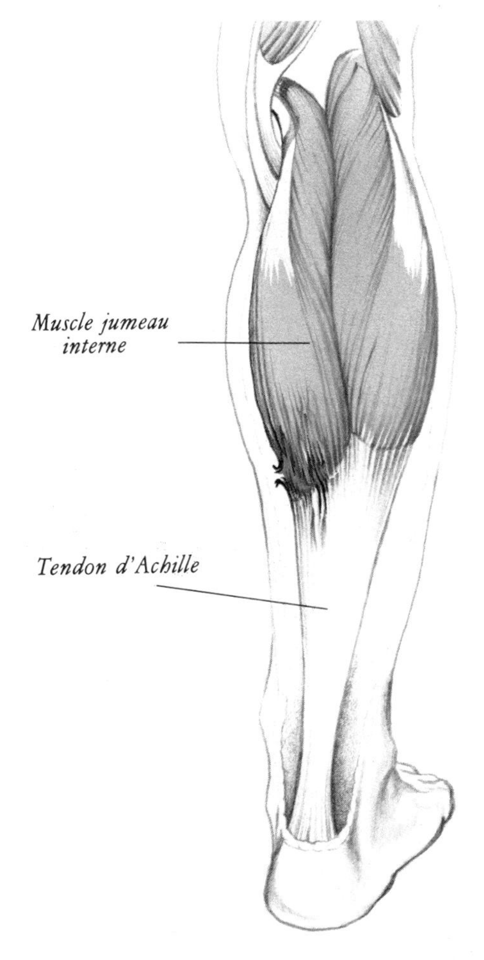

A gauche : rupture de la partie interne du muscle jumeau au niveau de la zone de transition entre le muscle et le tendon, dite « jambe du joueur de tennis » (Tennis Leg).

Rupture du muscle soléaire

En cas de forte poussée ou d'appel, on peut surcharger le muscle soléaire et, de ce fait, présenter une rupture de ce muscle. Ces ruptures musculaires sont en règle générale partielles.

Symptômes et diagnostic

— Douleur qui siège en profondeur dans le mollet et qui réapparaît lors de la répétition de la mise en charge.
— Douleur déclenchée lorsque le pied est fléchi contre une résistance ainsi que lors d'un essai de marcher sur les orteils.
— Hémorragie, qui souvent ne se manifeste que plusieurs jours après la survenue de la blessure. La peau peut alors se colorer à la face interne des parties supérieure et moyenne du tibia.
— Sensibilité douloureuse locale en profondeur, en regard de la rupture.

Traitement

Le sportif peut:
— traiter la lésion immédiatement par application de froid, poser un pansement compressif et placer le membre inférieur en surélévation selon les principes généraux donnés page 63 et suivantes.
— conserver le bandage au cours de la première semaine après la survenue de la blessure et s'entraîner activement avec des mouvements sans charge;
— puis, entraîner le muscle jusqu'au seuil de la douleur avec une charge croissante.

Le médecin peut:
— ordonner la poursuite de l'entraînement de la force et de la mobilité;
— prescrire des médicaments d'action anti-inflammatoire.

Si l'hémorragie causée par la rupture musculaire est importante, une augmentation aiguë de pression survient dans la loge postérieure superficielle (voir le paragraphe «syndrome de loge postérieure superficielle, page 316).

Guérison

Le blessé peut reprendre son entraînement normal seulement lorsque l'absence de douleur lors des mouvements de mise en charge est arrivée.

Etat douloureux à la face externe de la jambe

A la face externe de la jambe, un état douloureux peut survenir au niveau du péroné en raison d'une fracture de fatigue (voir page 312) ainsi qu'au niveau de la loge musculaire superficielle en raison d'un syndrome de loge superficielle aigu ou chronique.

Syndrome de loge externe

Un syndrome de loge externe aigu peut survenir par suite d'un traumatisme externe ou d'une surcharge aigüe des muscles. Symptômes, diagnostic et traitement sont les mêmes que lors du syndrome de loge antérieure aigu (voir page 309).
L'augmentation chronique de pression dans la loge musculaire externe survient surtout chez les coureurs à pied et est souvent suivie d'un allongement du ligament situé à la face externe du pied. Le groupe des muscles qui sont enfermés dans la loge musculaire externe stabilise de façon active la face externe de la cheville et peut être surchargé lors d'une insuffisance ligamentaire externe et par l'instabilité créé par celle-ci. Symptômes, diagnostic et traitement sont les mêmes que pour le syndrome de loge antérieure chronique (voir page 310).

Lésion du nerf sciatique poplite externe

Les lésions du nerf sciatique poplite externe à son trajet à la face externe de la partie supérieure du péroné peuvent survenir à la suite d'un traumatisme — un coup, un coup de pied ou une chute — contre la région ou à la suite d'une pression externe sous forme d'un bandage de Strapping ou d'un plâtre.

Symptôme et diagnostic

— La pression exercée contre le nerf entraîne une paralysie qui donne de la faiblesse à l'articulation de la cheville et la rend incapable de flexion dorsale du pied.
— La peau de la région peut avoir une sensibilité diminuée.

Traitement

— Décharge de la région atteinte.
— Un bandage permet de maintenir le pied en position normale en cas de besoin.
— Stimulation électrique pour diminuer l'atrophie musculaire en cas de paralysie.
— Des médicaments d'action anti-inflammatoire peuvent éventuellement être prescrits.

Guérison

La fonction de la cheville peut revenir après une période qui varie en durée de quelques jours à plusieurs mois. La fonction reprend en règle générale si le nerf est seul lésé par la compression.

Ruptures du tendon d'Achille

La rupture du tendon d'Achille est une des lésions tendineuses survenant le plus fréquemment en relation avec le sport. La rupture tendineuse peut être totale ou partielle et la lésion atteindre surtout les joueurs de football, de handball, de volleyball, de basket-ball, de tennis, de squash et de badminton ainsi que les athlètes pratiquant la course à pied et les sauts.

Rupture totale du tendon d'Achille

Les tendons du corps commencent à être l'objet de dégénérescence due à l'âge dès qu'on a atteint 25 à 30 ans. Cette dégénérescence entraîne une faiblesse du tendon, mais elle peut, dans une certaine mesure, être empêchée ou tout au moins retardée en s'adonnant régulièrement à l'activité physique. Les ruptures totales du tendon d'Achille surviennent fréquemment dans les tendons atteints de dégénérescence à l'âge qui sont soumis à une charge accrue. La blessure atteint souvent le sportif qui après un arrêt d'entraînement de plus ou moins longue durée a repris son entraînement ou s'est mis à pratiquer le sport de loisir.

Symptômes et diagnostic

— Douleur intense au niveau de la région de la rupture du tendon d'Achille. Le blessé peut déclarer qu'il a entendu comme un coup de pistolet ou qu'il a reçu un coup ou un coup de pied venant de l'arrière au même instant où la douleur est apparue.
— Le blessé ne peut pas marcher normalement sur le pied ou sur les orteils.
— Une tuméfaction croissante en raison d'une hémorragie qui, peu à peu, peut faire apparaître une ecchymose de la partie inférieure de la jambe et du pied.
— Sensibilité douloureuse distincte en regard de l'endroit de la rupture, qui souvent est située 2 à 5 centimètres au-dessus du calcanéum.
— Une brèche dans le tendon peut être perçue.
— Diminution de la capacité de fléchir le pied.
— L'épreuve de Thompsens donne un verdict positif. Lors de cette épreuve le blessé est couché sur l'abdomen avec l'articulation du membre inférieur à examiner légèrement fléchie. Le médecin examinateur appuie alors avec une seule main contre le muscle du mollet du membre inférieur atteint, le pied se porte alors en extension si le tendon d'Achille est intact, mais il garde la position de départ si le tendon d'Achille est déchiré (voir schéma page 320).

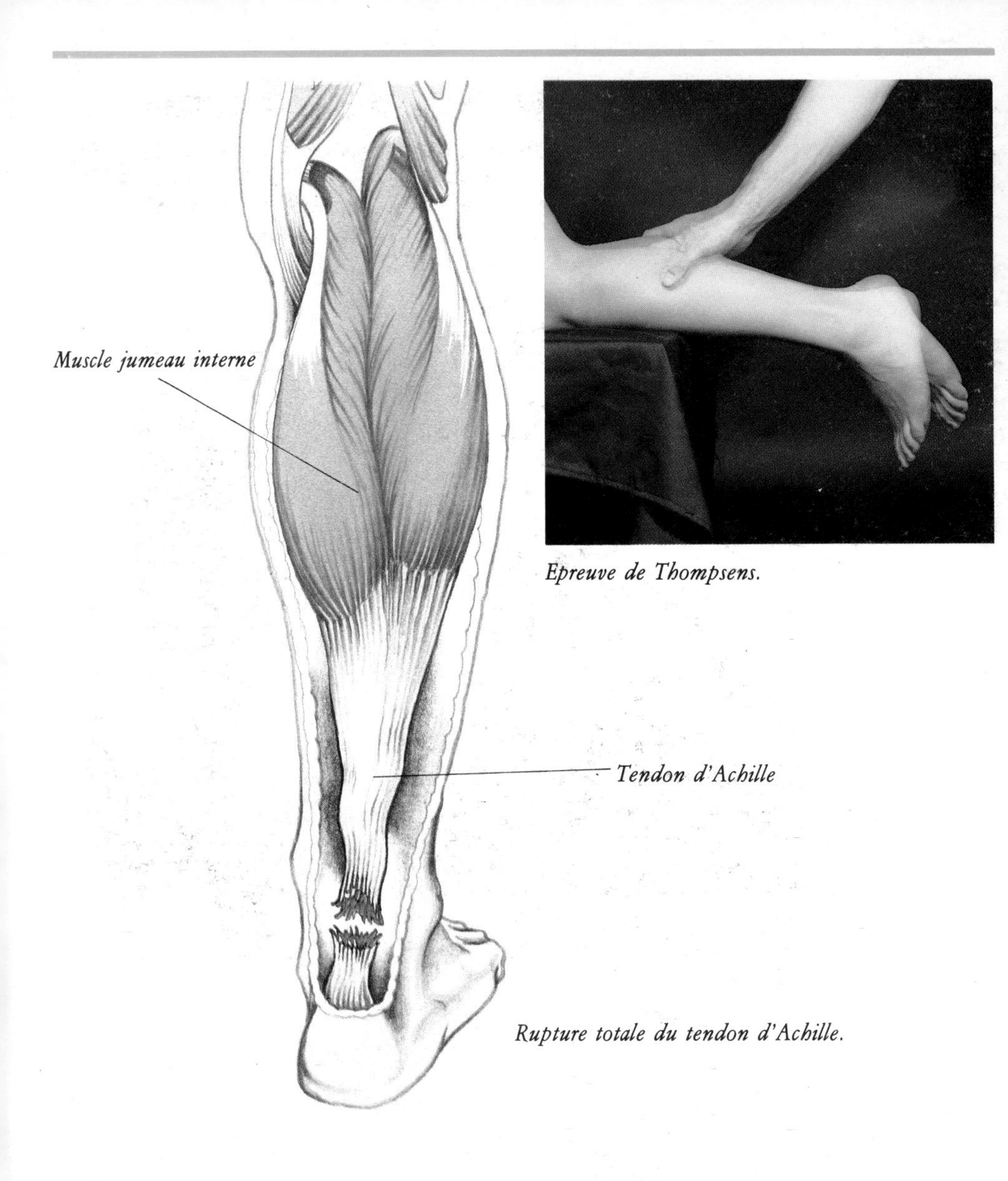

Epreuve de Thompsens.

Rupture totale du tendon d'Achille.

Traitement

Le médecin:
— doit opérer, ce qui permet de suturer les extrémités du tendon. L'intervention chirurgicale est suivie d'environ 6 semaines de plâtre. Parfois un traitement plâtré seul peut être suffisant mais nécessite alors une surveillance minutieuse de la rééducation fonctionnelle.

Guérison et complications

La durée de la convalescence est habituellement au moins aussi longue que celle du traitement plâtré, c'est-à-dire 6 à 8 semaines. Après que le plâtre ait été enlevé le médecin peut instruire le blessé de l'entraînement de la mobilité de la cheville qu'il devra suivre. Lorsque le sportif aura récupéré une mobilité totale du membre inférieur l'entraînement de la force pourra être institué (voir page 441).

En cas de rupture totale du tendon d'Achille, le sujet atteint doit habituellement compter avec 6 à 8 mois d'arrêt de l'entraînement après l'intervention et 9 à 12 mois d'arrêt après seulement le traitement plâtré.

Rupture partielle du tendon d'Achille

Une rupture partielle du tendon d'Achille survient chez les coureurs à pied, les sauteurs, les lanceurs, etc. ainsi que chez les pratiquants des sports avec raquette et peut entraîner un remaniement cicatriciel qui entretient une inflammation. Celle-ci devient souvent chronique et peut donner des manifestations pathologiques de longue durée.

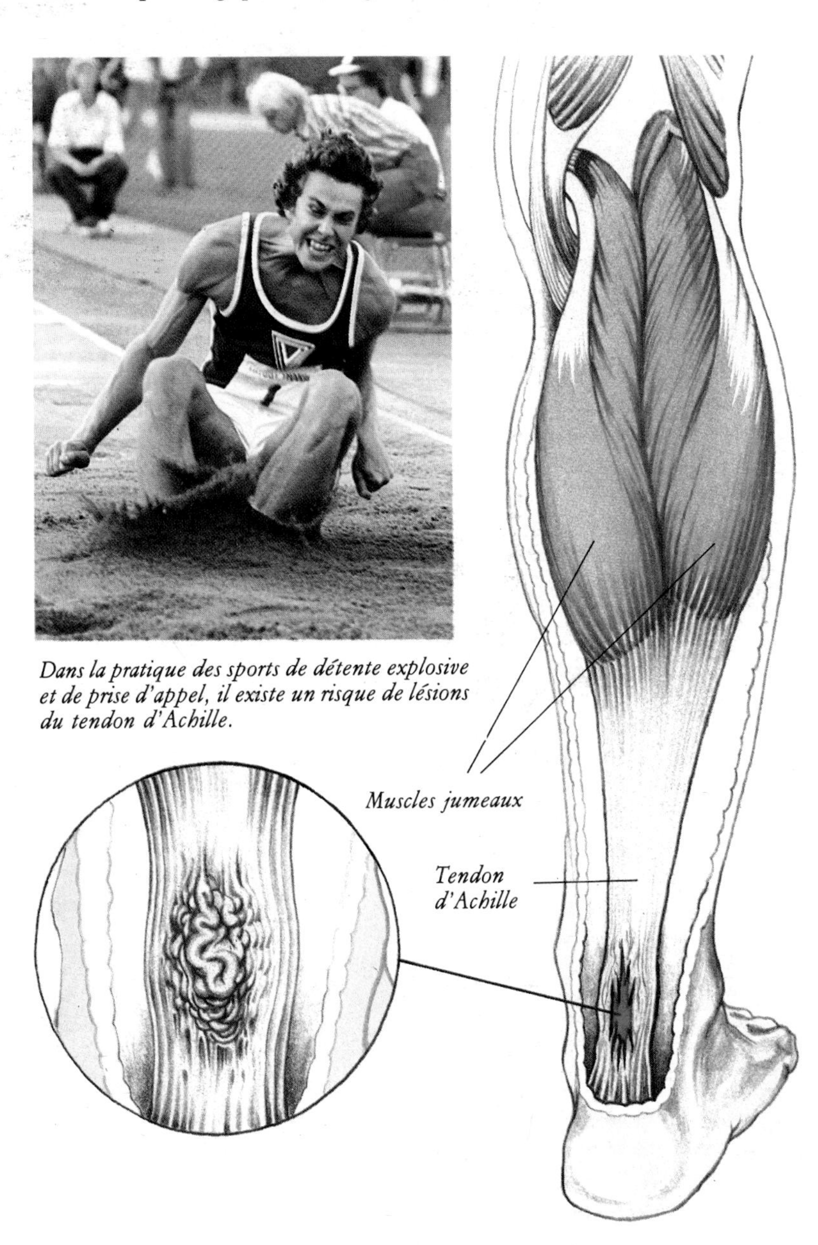

Dans la pratique des sports de détente explosive et de prise d'appel, il existe un risque de lésions du tendon d'Achille.

Rupture partielle du tendon d'Achille. L'image agrandie montre comment après une rupture peut se former un tissu inflammatoire au niveau de la région atteinte.

Symptômes et diagnostic

— Douleurs qui ne sont pas toujours remarquées à l'instant même de la rupture mais qui ne se manifestent qu'après un effort en cours.
— Lorsque l'activité est reprise, le blessé ressent une douleur intense à type d'élancement, de coupure et de tenaillement.
— Lors de la séance d'entraînement consécutive, les manifestations peuvent disparaître après que le blessé se soit livré quelque temps à des exercices d'échauffement, mais elles reviennent avec une intensité plus grande après la séance d'entraînement. Il peut en résulter que le blessé va entrer dans un cercle vicieux de douleur où l'état pathologique va constamment s'aggraver et devenir de plus en plus difficile à traiter.
— Raideur le matin et avant et après les efforts.
— Lorsque la blessure est à sa phase aiguë, on peut sentir au niveau du tendon une brèche (parfois pas plus grande que l'extrémité du petit doigt) sur laquelle existe une sensibilité douloureuse intense.
— Lorsque l'évolution de la guérison est commencée on trouve souvent une faible tuméfaction locale au niveau de laquelle existe une sensibilité douloureuse lorsqu'on appuie contre la région par les côtés. La tuméfaction est habituellement très discrète mais peut parfois être observée au niveau du contour externe du tendon.
— Lorsque le blessé présente des manifestations graves, il existe aussi souvent une sensibilité douloureuse lorsqu'on palpe la zone tuméfiée directement de l'arrière.
— En cas de manifestations de longue durée, il se produit souvent une diminution de la force et de l'amplitude du muscle du mollet.
— Une exploration électrique du muscle peut confirmer le diagnostic.
— Une exploration radiologique des tissus mous peut être intéressante lorsque la tuméfaction locale se manifeste à l'endroit d'un soulèvement.
— Si la rupture se situe au niveau de l'insertion du tendon sur le calcanéum une exploration d'une bourse séreuse située en profondeur par radiologie avec liquide de contraste peut être intéressante (bursographie).

Traitement

Le sportif doit:
— Observer le repos.
— Utiliser des souliers avec une surélévation du talon de 10 mm.
— Utiliser une protection gardant la chaleur.

Le médecin peut:
— Lorsque la rupture est petite, traiter de façon aiguë par plâtre pendant 4 à 6 semaines le pied étant fléchi en bas (pied équin).
— En cas de manifestations de longue durée, opérer pour enlever le tissu cicatriciel. Le traitement postopératoire consiste en un plâtre qui sera porté pendant 5 à 6 semaines.
— Un traitement précoce doit être institué puisque dans le cas contraire la blessure sera difficile à guérir.

Guérison et complications

La durée de la convalescence est, en règle générale, de 10 à 12 semaines, c'est-à-dire le double de la durée de la période du plâtre. Le sportif blessé doit compter avec un arrêt de l'entraînement pendant au moins 4 à 6 mois.

Inflammation du tendon d'Achille (tendinite d'Achille)

Une inflammation peut survenir au niveau du tendon d'Achille et des tissus environnants à la suite de la répétition de dures mises en charge. Cette lésion occasionne, entre autres, aux coureurs de longue distance des troubles importants en particulier l'hiver et lors d'entraînement sur sol dur. L'inflammation peut se produire de façon aiguë et peut, si elle reste sans traitement, s'aggraver progressivement et passer à un stade chronique.

Inflammation aiguë du tendon d'Achille

L'inflammation aiguë du tendon d'Achille survient souvent chez les sportifs non entraînés, s'entraînant de façon trop intensive ainsi que chez les sportifs entraînés qui changent de sol, de type de souliers ou qui s'entraînent par temps froids. La course à pied sur un sol trop mou, sable par exemple, et la course en montée peuvent déclencher des manifestations pathologiques. Les coureurs avec un pied creux (voir page 354) sont plus exposés à des manifestations pathologiques du tendon d'Achille.

Symptômes et diagnostic

— Douleurs lors des efforts imposés au tendon d'Achille.
— Tuméfaction diffuse au-dessus du tendon d'Achille.
— En cas d'inflammation plus grave, il apparaît une rougeur de la peau au-dessus du tendon.
— Lorsqu'on place les doigts au-dessus du tendon et qu'en même temps, on bouge la cheville, on peut percevoir des crépitements tendineux.

Mesures de prévention

L'échauffement et les exercices d'allongement sont importants. Des souliers d'entraînement et de compétition bien conformés et de bonne qualité doivent être utilisés. Une surélévation du talon de 10 mm exerce un effet préventif en déchargeant le tendon d'Achille.

Traitement

Le sportif doit :
— observer du repos ;
— traiter localement par application de chaleur et utiliser une protection gardant la chaleur ;
— consulter un médecin si les manifestations pathologiques persistent.

Le médecin peut :
— faire une injection d'un médicament d'action anticoagulante pendant 3 à 5 jours (héparine) ;
— prescrire des médicaments d'action anti-inflammatoires ;
— traiter la blessure par plâtre.

Guérison

Dans le cas d'un traitement d'une inflammation aiguë du tendon d'Achille institué précocement, le pronostic est bon et la lésion guérit en 1 à 2 semaines. Le risque de rechute est faible si le blessé ne reprend pas son activité sportive trop tôt.

Une inflammation aiguë du tendon d'Achille peut passer à la chronicité. Peu de lésions dues au sport sont aussi difficiles à traiter qu'une inflammation chronique du tendon d'Achille. C'est pourquoi il est très important que le sportif se repose immédiatement au moindre signe d'inflammation du tendon d'Achille.

Inflammation chronique du tendon

L'inflammation chronique du tendon d'Achille survient chez un sportif souvent âgé, s'entraînant de façon intensive au cours d'une longue période sur un sol dur et voulant ignorer les douleurs provenant du tendon d'Achille. Ces douleurs peuvent certes disparaître au début après des exercices d'échauffement avant une séance d'entraînement si bien que le sujet atteint peut poursuivre son entraînement. Les manifestations pathologiques reviendront après la fin de l'entraînement et deviendront de plus en plus graves. Le blessé est entré dans un cercle vicieux de douleur (voir page 39).

Symptômes et diagnostic

— Douleurs au niveau du tendon d'Achille, douleurs avec élancements et raideur avant, au cours et après l'effort.
— Tendon d'Achille épaissi de façon diffuse et largeur augmentée.
— Le sportif peut ressentir des douleurs au niveau du tendon d'Achille lorsqu'il marche sur les orteils.
— En cas de manifestations pathologiques de longue durée, on doit soupçonner l'existence d'une rupture partielle et un examen doit alors être effectué par un médecin.
— Une exploration radiologique des tissus mous comparative avec le tendon d'Achille du côté opposé doit être effectuée.

Traitement

Le sportif peut :
— observer du repos ;
— traiter localement par application de chaleur et utiliser une protection gardant la chaleur ;
— suivre un entraînement par allongement ;
— employer des souliers avec une surélévation du talon de 10 mm. Le sportif présentant un pied creux (voûte plantaire élevée) peut avoir besoin d'une orthèse dans ses souliers.

Le médecin peut :
— analyser l'entraînement du blessé, spécialement en portant attention à la conformation des souliers et au sol sur lequel le blessé s'entraîne ;
— prescrire des anti-inflammatoires pendant une courte période ;
— ordonner un pansement avec une crème d'application locale ;
— faire des injections de médicament d'action anticoagulante pendant 3 à 5 jours (héparine) ;
— traiter par plâtre pendant 3 à 6 semaines ;
— en présence d'un cas d'évolution de longue durée, opérer, ce qui permet de débarrasser le tendon du tissu cicatriciel environnant.

Guérison

L'inflammation chronique du tendon d'Achille est un état pathologique très difficile à traiter et de longue durée. C'est pourquoi il est essentiel que les douleurs du tendon d'Achille ne soient jamais prises à la légère. L'inflammation du tendon d'Achille doit être traitée à une phase précoce.

Inflammation d'une bourse séreuse au niveau du tendon d'Achille (bursite achiléenne)

Entre la peau et la surface postérieure du tendon d'Achille se trouve une bourse séreuse qui est sensible à la pression de la chaussure et qui est souvent enflammée. Entre le tendon d'Achille et la calcanéum se trouve une bourse séreuse profondément située qui peut être l'objet d'une inflammation si elle est exposée à une irritation due soit à une pression extérieure contre le tendon, par exemple parce qu'on porte des souliers trop étroits soit par suite de ruptures partielles du tendon. Si une pression de longue durée exercée contre l'insertion tendineuse est à l'origine d'une inflammation des bourses séreuses, il survient souvent une excroissance osseuse à cet endroit, ce qui accroît encore le risque que la région soit soumise à une pression.

Symptômes et diagnostic

— La peau deviendra épaissie et une rougeur de la peau se manifestera au-dessus du calcanéum à la face externe de l'insertion tendineuse, si la bourse séreuse superficielle est concernée.
— Il existe souvent une sensibilité douloureuse et une tuméfaction qui rendent difficile au sportif le port des souliers normaux.
— On trouve une résistance élastique lorsqu'on appuie contre la bourse séreuse profonde des deux côtés du tendon d'Achille.
— Une exploration radiologique avec liquide de contraste (bursographie) et une exploration des tissus mous apportent la confirmation du diagnostic.

A droite: cliché radiologique avec liquide de contraste (bursographie) de la bourse séreuse au niveau de calcanéum. Le cliché montre une bourse séreuse normale vue d'arrière et de côté.

En bas: inflammation d'une bourse séreuse au niveau de l'insertion du tendon d'Achille sur la calcanéum.

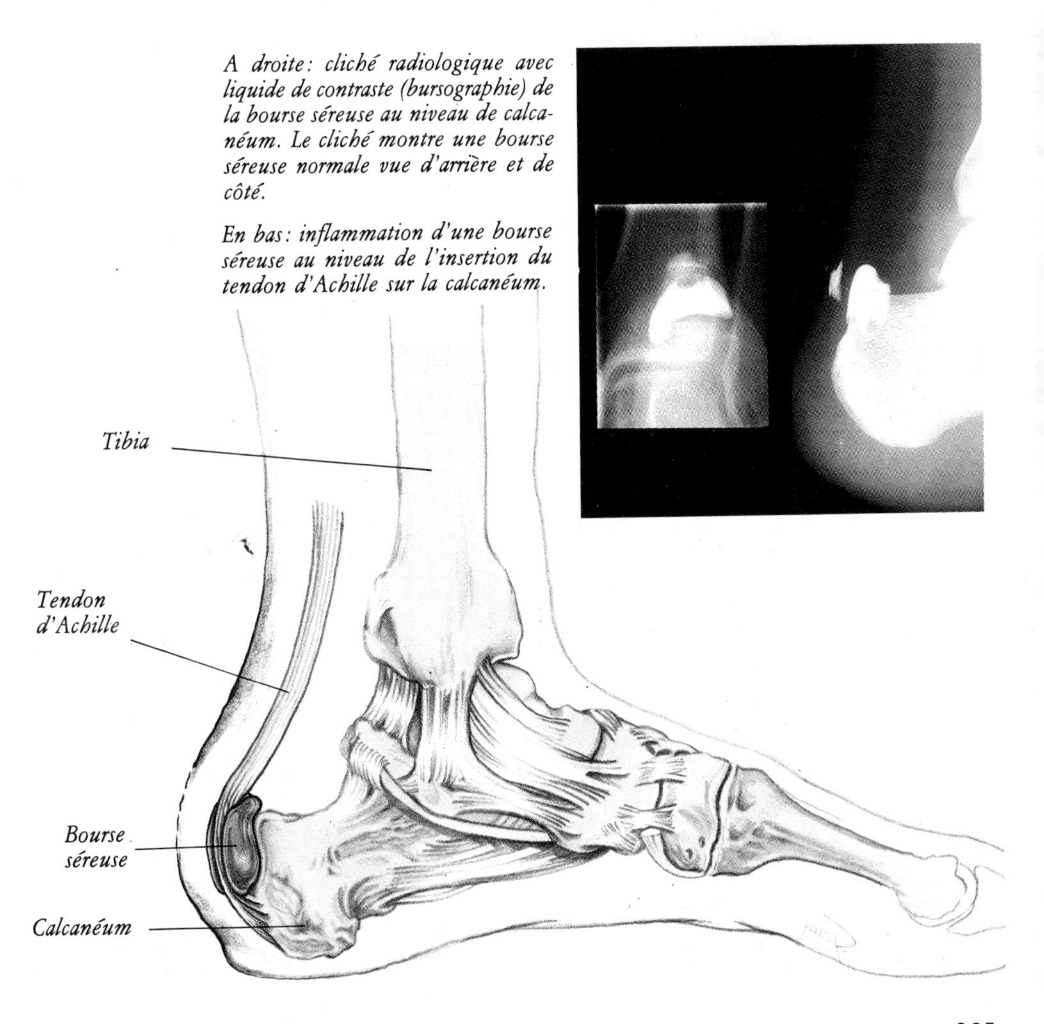

Traitement

Le sportif doit :
— juste au moment où les manifestations pathologiques sont apparues, décharger immédiatement la calcanéum de toute pression, par exemple en portant des sabots ;
— décharger la région par un anneau de caoutchouc mousse qui sera placé autour de l'excroissance osseuse, si celle-ci est apparue ;
— adapter les souliers par exemple en rehaussant les talons et en tapant sur le contrefort du talon pour éviter la pression contre la région sensible ;
— traiter localement par application de chaud et utiliser une protection gardant la chaleur.

Le médecin peut :
— prescrire des médicaments d'action anti-inflammatoire ;
— prescrire un traitement par ultrasons ;
— faire une injection locale de corticostéroïdes et ordonner le repos ;
— opérer lorsque l'inflammation de la bourse séreuse est devenue chronique et lorsqu'une excroissance osseuse est apparue. Lors de l'intervention chirurgicale, la bourse séreuse et l'excroissance osseuse sont enlevées.

Transformation pathologique de l'insertion du tendon d'Achille sur le calcanéum (apophysite calcanéenne)

Chez les sujets actifs âgés de 8 à 15 ans, l'insertion du tendon d'Achille sur le calcanéum devient le siège d'une transformation avec fragmentation.

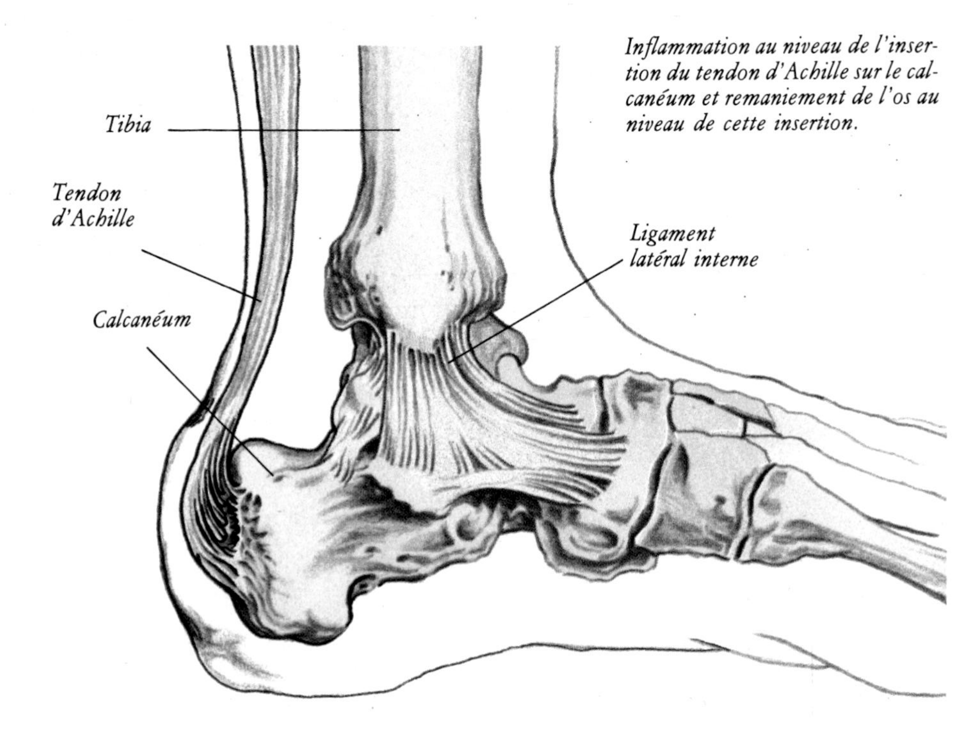

Inflammation au niveau de l'insertion du tendon d'Achille sur le calcanéum et remaniement de l'os au niveau de cette insertion.

Cet état qui est certainement dû à une surcharge peut être mis en évidence lors de l'exploration radiologique (comparer avec la maladie de Schlatter page 298).

Symptômes et diagnostic

— Douleur au niveau du calcanéum lors de la course à pied et de la marche. Les manifestations pathologiques persistent souvent après l'effort lorsqu'également une raideur s'installe, ce qui entraîne une boiterie.
— Une certaine tuméfaction et une sensibilité douloureuse au niveau de l'insertion du tendon d'Achille sur le calcanéum.
— Une exploration radiologique confirme le diagnostic.

Traitement

Le sportif peut:
— observer le repos jusqu'à la survenue de l'absence de douleur (les manifestations pathologiques reviennent cependant souvent);
— utiliser des souliers avec une surélévation du talon de 10 mm, ce qui peut atténuer les manifestations car le tendon d'Achille est déchargé.

Le médecin peut:
— traiter par plâtre pendant environ 3 semaines, ce qui peut amener une disparition durable de la douleur.

Guérison

L'état guérit de lui-même lorsque le sujet atteint l'âge de 16 à 18 ans et que l'ossification de son squelette est terminée.

Etat douloureux de la face antérieure de la cheville

Le tendon du muscle jambier antérieur passe à la face antérieure de la jambe et en bas au-dessus de la cheville et il fléchit dorsalement la cheville. Ce tendon peut devenir le siège d'une inflammation dans la région où il passe au-dessus de la cheville. L'inflammation peut survenir en relation avec une surcharge et une pression extérieure pas seulement en raison de chaussures de ski ou de souliers lacés trop fortement. La lésion se produit chez les joueurs d'hockey sur glace, de handball et de basketball ainsi que chez les coureurs à pied.

Symptômes et diagnostic

— Douleurs qui se déclenchent lorsque le pied exécute une flexion dorsale au niveau de la cheville.
— Sensibilité douloureuse, tuméfaction et rougeur au-dessus du tendon.
— Crépitements tendineux pouvant être sentis lorsque le pied exécute des flexions dorsales et plantaires quand la blessure est à sa phase aiguë.

Traitement

Le sportif peut:
— observer le repos;
— faire un massage avec de la glace (de préférence en alternant avec le traitement par application de chaleur et utiliser une protection gardant la chaleur);
— décharger le tendon en répartissant la pression du soulier sur les parties environnantes du pied (caoutchouc mousse entre le laçage et le tendon).

Le médecin peut:
— faire une injection de médicaments d'action anticoagulante (héparine);
— traiter par plâtre lorsque la lésion est à sa phase aiguë;
— prescrire des anti-inflammatoires et des préparations locales.

LÉSIONS DE LA CHEVILLE

L'articulation de la cheville est constitutée du tibia, du péroné et de l'astragale. Le tibia et le péroné sont réunis par un puissant ligament péronéo-tibial et forment ensemble ce qu'on appelle «la mortaise de la cheville» dans laquelle l'astragale repose. L'articulation de la cheville est réunie par la capsule articulaire et par de forts ligaments. Les lésions de la cheville sont fréquemment en relation avec la pratique du sport.

Fracture de la cheville

L'articulation de la cheville est une des parties du corps qui est souvent l'objet de fractures dues au sport. Une cheville fonctionnant bien est une nécessité de base pour presque tous les types de sport, c'est pourquoi beaucoup de soin doivent être déployés pour le traitement des fractures de la cheville.

Mécanismes de blessures

Le mécanisme le plus fréquent de blessure est en varus de l'arrière-pied et la supination du pied. Entièrement selon le degré de gravité différentes lésions peuvent se produire:
— arrachement du ligament entre l'astragale et le péroné;
— fracture du péroné à la hauteur de l'interligne articulaire;
— fracture de la malléole latérale externe;
— luxation de l'astragale.

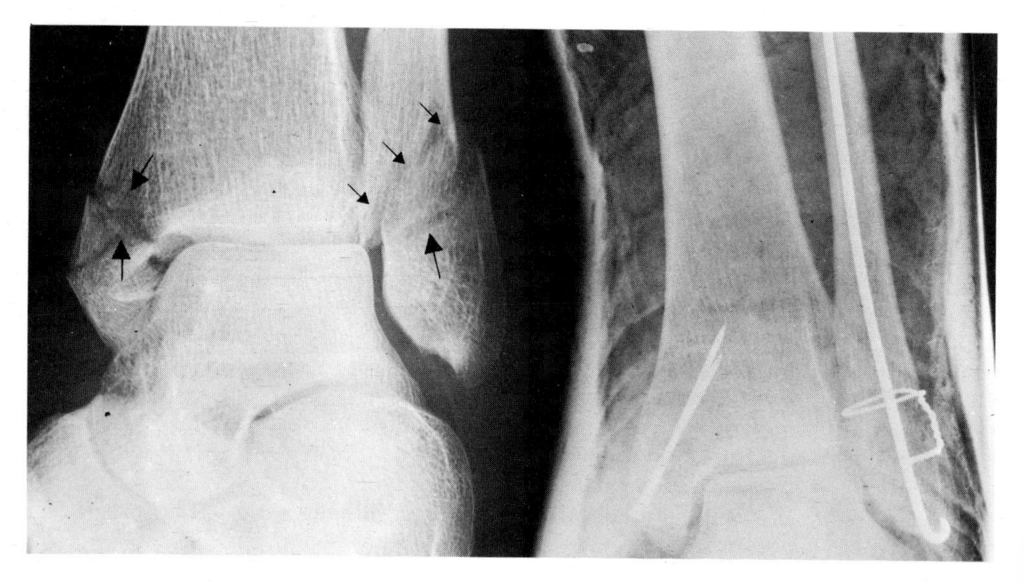

A gauche: on voit un cliché radiographique d'une fracture des maléoles interne et externe. A droite: on voit un cliché radiographique de la même lésion après intervention chirurgicale. Le fragment inférieur de la malléole externe est maintenu en place par un cerclage et une longue broche. Le fragment détaché de la malléole interne est maintenu en place par une courte broche. Un plâtre entoure le membre inférieur.

Un autre mécanisme fréquent de lésion est en valgus de l'arrière-pied et pronation du pied. Egalement dans ce cas il se produit différentes lésions entièrement selon le degré de gravité du traumatisme :
— arrachement du ligament latéral interne ou fracture de la malléole interne ;
— atteinte de l'articulation péronéo-tibiale inférieure ;
— fracture du péroné au niveau de la cheville ;
— luxation de l'astragale.

Egalement d'autres mécanismes de blessures sont possibles.

Symptômes et diagnostic

— Douleur avec élancements et douleur lors de la mise en charge du pied.
— Sensibilité douloureuse et forte tuméfaction.
— Parfois mauvaise position apparente.
— L'exploration radiologique met en évidence la lésion osseuse.

Traitement

Le sportif doit :
— immédiatement traiter par application de froid la lésion, poser un pansement compressif et placer le pied en surélévation selon les directives générales données page 63 et suivantes ;
— consulter un médecin.
Le médecin peut :
— traiter par plâtre pendant 4 à 8 semaines s'il n'existe aucun déplacement et si l'articulation de la cheville a été jugée stable ;
— opérer en cas de fracture avec mauvaise position ou avec instabilité de la cheville.

Guérison et complications

La convalescence doit durer presqu'aussi longtemps que la période de traitement par le plâtre, c'est-à-dire pendant 4 à 9 semaines. Après que le plâtre ait été enlevé, le blessé doit commencer à rééduquer l'articulation de la cheville et les muscles de la jambe (voir page 441 et suivantes pour les exercices d'entraînement).

Une fracture de la cheville nécessite au moins 2 à 3 mois pour guérir jusqu'à stabilité. Le sportif atteint doit compter avec au moins 4 mois d'arrêt de l'entraînement. Lorsque l'entraînement est repris un bandage de soutien doit être employé.

Après une intervention chirurgicale au cours de laquelle le membre inférieur blessé a été remis exactement en place les perspectives de guérison sont bonnes. Si une mauvaise position même minime, au niveau de la fracture persiste au cours de la guérison, il peut cependant s'en suivre une usure du cartilage et à l'avenir une diminution fonctionnelle.

Lésions des ligaments de la cheville

Les lésions des ligaments de la cheville sont un des types de lésions dues à la pratique du sport le plus fréquent et surviennent parmi la majorité des sports de ballon, les spécialistes de saut, etc. Les lésions peuvent en principe être totales ou partielles (pour une notion de base sur ce type de lésion voir page 22 et suivantes).

Chaque entorse qui occasionne une hémorragie, une tuméfaction et une sensibilité douloureuse provient de ce que l'amplitude de mouvement de l'articulation de la cheville a été dépassée et doit en conséquence être considérée comme une lésion ligamentaire. Lors des entorses, ce sont surtout les ligaments externe et interne de l'articulation de la cheville qui se rompent. Parfois, un petit fragment osseux se détache de l'os sur lequel le ligament est attaché, tandis que le ligament lui-même demeure intact. Ce type de lésion par arrachement se voit chez de jeunes sportifs avec de très forts ligaments ainsi que chez des personnes âgées avec un squelette fragile.

Les lésions des ligaments de la cheville ne doivent pas être négligées. Un traitement correct de ces lésions doit exiger que le sujet atteint soit entièrement rétabli. Un retour à l'activité sportive ne doit pas avoir lieu avant la disparition de la douleur, le retour d'une mobilité et d'une force normales de l'articulation de la cheville. Le blessé doit en conséquence compter avec une suspension de l'entraînement de 4 à 12 semaines, selon le degré de gravité de la lésion. Au cours de la période de réentraînement la cheville doit être protégée par un bandage de soutien (voir page 152 et suivantes et 440 et suivantes).

Lorsqu'il existe une instabilité de l'articulation de la cheville après que le traitement de la lésion ait été terminé ou après un nouveau traumatisme contre l'articulation, une intervention chirurgicale doit être pratiquée.

Retomber de travers constitue une cause fréquente de lésions des ligaments de la cheville. Photographie : Pressens bild.

Rupture du ligament latéral externe (faisceau péronéo-astragalien antérieur)

Le ligament de l'articulation de la cheville qui est le plus souvent blessé s'étend entre le péroné et l'astragale et a surtout pour tâche d'empêcher que le pied glisse en avant par rapport au tibia. Dans environ 70 % de tous les cas de lésions des ligaments de l'articulation de la cheville, c'est seulement ce ligament qui est atteint. Dans environ 20 % des cas, il existe une lésion associée avec rupture aussi bien du ligament entre le péroné et l'astragale que le ligament entre le péroné et le calcanéum. Le mécanisme de la lésion est habituellement en varus de l'arrière-pied et supination du pied.

Symptômes et diagnostic

— Douleur lors de la mise en charge et des mouvements de l'articulation de la cheville.
— Tuméfaction et sensibilité douloureuse en avant de la malléole externe.
— Epanchement sanguin, qui crée une ecchymose de la peau au niveau et en-dessous de la lésion.
— En cas de lésion totale du ligament la laxité peut être testée en tirant le pied en avant par rapport au tibia, c'est-à-dire un mouvement de tiroir antérieur (voir schéma page 332).
— L'exploration radiologique avec épreuve du mouvement de tiroir peut donner une confirmation du diagnostic.

Traitement

Le traitement dépend de la nature partielle ou totale de la rupture du ligament, ce que le médecin détermine en pratiquant une épreuve de laxité de l'articulation de la cheville.

Le sportif doit :
— lors de la suspicion d'une lésion ligamentaire cesser toute pratique du sport ;
— traiter la lésion aiguë avec application de froid, pansement compressif et surélévation selon les principes généraux qui ont été donnés page 63 et suivantes.

Le médecin peut :
— pratiquer une exploration radiologique de l'articulation de la cheville pour déterminer s'il existe une fracture osseuse ou une lésion par arrachement. En cas de lésion par arrachement, un fragment s'est détaché de l'os sur lesquel le ligament est attaché ;
— ordonner la mise en route précoce de l'entraînement de la mobilité avec flexion dorsale et plantaire de l'articulation de la cheville en cas de lésion partielle avec une hémorragie et une tuméfaction relativement limitée ;
— immobiliser l'articulation de la cheville avec de l'Elastoplaste® ou un plâtre pendant 1 à 3 semaines si la lésion est une rupture partielle avec hémorragie importante et tuméfaction, pendant 6 semaines si la rupture est totale ;
— opérer s'il existe une rupture totale du ligament chez un sportif jeune et actif. L'intervention chirurgicale est suivie de 5 à 6 semaines de plâtre ;
— en cas de lésion par arrachement opérer pour fixer le fragment osseux à sa place initiale. Par cette intervention, la fonction du ligament est rétablie.

Mécanisme de blessure, lésion et épreuve de laxité : ligament péronéo-astragalien. A droite : mécanisme de blessure : une forte rotation interne de la plante du pied et une supination peuvent entraîner une rupture du ligament péronéo-astragalien. En bas : examen de la laxité du pied en cas de suspicion de lésion du ligament externe antérieur. La main doit saisir le talon et l'astragale, puisqu'on se propose d'explorer la laxité de l'articulation tibio-astragalienne. L'examinateur cherche à amener le pied en avant par rapport à la jambe.

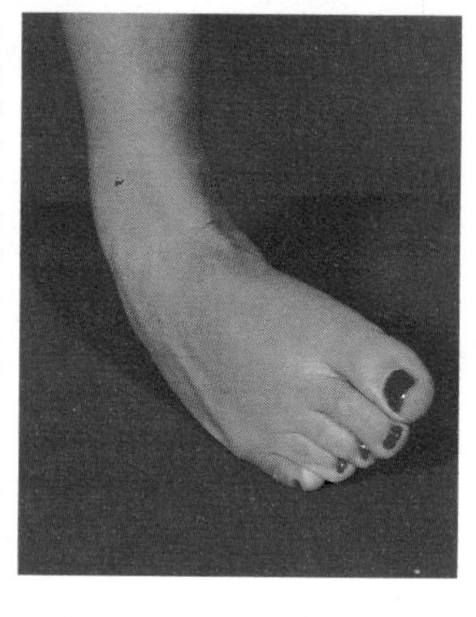

En bas : une rupture du ligament péronéo-astragalien.

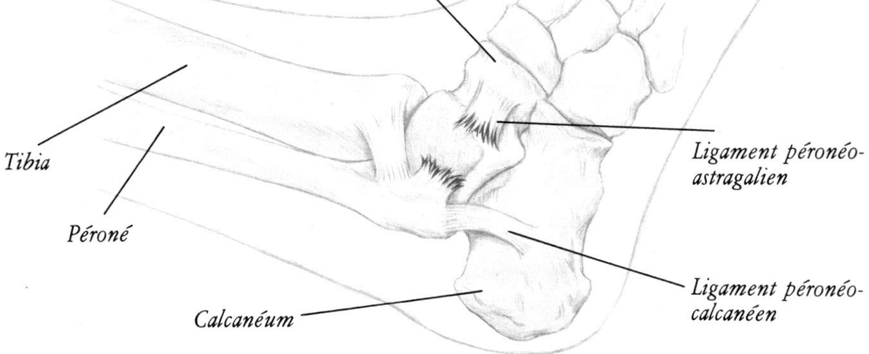

Guérison et complications

La guérison d'une lésion des ligaments de l'articulation de la cheville peut prendre 2 à 6 semaines selon l'intensité du traumatisme et l'étendue de la lésion. Les manifestations pathologiques peuvent cependant rester pendant 8 à 10 mois après le moment de la blessure. Lorsque le blessé ne ressent plus de douleur lors des mouvements de la cheville et a une bonne mobilité de cette articulation l'entraînement de récupération sera commencé (voir page 440 et suivantes). Au cours de cette période d'amélioration par l'entraînement qui prend 6 à 8 semaines, la cheville doit être protégée contre de nouvelles récidives par des contentions avec Elastoplaste®, bande élastique ou Strappal®, bande non-élastique.

Une lésion articulaire non traitée peut entraîner un étirement du ligament dont il peut résulter une instabilité durable avec des entorses à répétition de la cheville.

Si une lésion des ligaments continue à donner des manifestations pathologiques avec instabilité 4 à 6 mois après le moment de la blessure, le médecin peut lors d'une intervention chirurgicale suturer et raccourcir le ligament.

Rupture du ligament latéral externe (faisceau péronéo-calcanéen)

Lors de l'adduction du pied, une lésion isolée se produit entre le péroné et la calcanéum mais il est plus fréquent qu'également le ligament entre le péroné et l'astragale soit en même temps lésé (voir schéma ci-dessous).

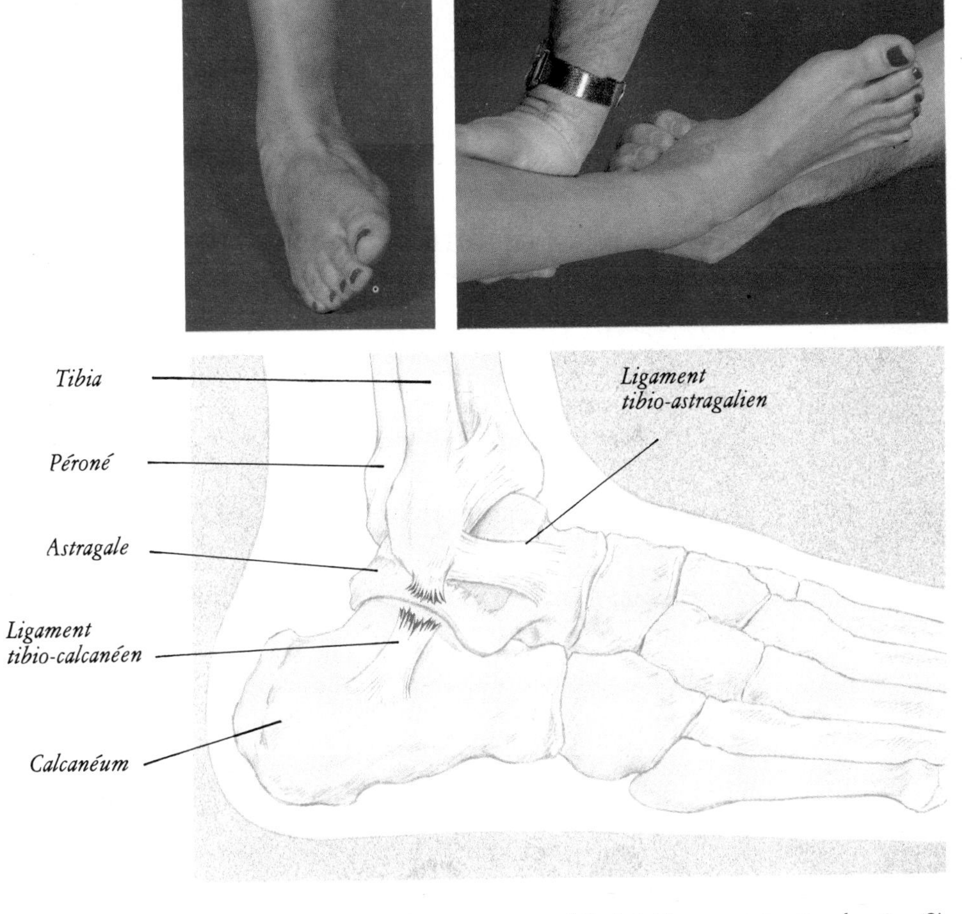

Mécanisme de blessure, lésion et épreuve de laxité: Ligament péronéo-calcanéen. Ci-dessus à gauche: mécanisme de la blessure. Une forte rotation interne de la plante du pied peut amener une rupture du ligament péronéo-calcanéen. Ci-dessus à droite: examen de la laxité de la cheville en cas de suspicion de lésion du ligament péronéo-calcanéen. En bas: une rupture du ligament péronéo-calcanéen.

Symptômes et diagnostic

— Tuméfaction et sensibilité douloureuse en regard du ligament atteint.
— Douleur lors des mouvements et de la mise en charge de la cheville.
— Epanchement sanguin qui donne ultérieurement une ecchymose de la peau derrière et en dessous de la malléole externe.
— Augmentation de la possibilité de varus plus grande comparativement avec l'amplitude de mouvement de l'articulation saine.
— Une exploration radiologique avec varus forcé peut confirmer le diagnostic.

Traitement

Le sportif doit:
— traiter de façon aiguë la lésion par application de froid, poser un pansement compressif et placer le pied en position surélevée selon les principes généraux qui sont donnés page 63 et suivantes;
— consulter un médecin.

Le médecin peut:
— immobiliser l'articulation de la cheville par un bandage avec une bande élastique Elastoplaste® ou un plâtre pendant environ 3 semaines lorsque la stabilité est conservée;
— opérer en cas d'instabilité de l'articulation de la cheville.

En ce qui concerne le programme de rééducation fonctionnelle, voir page 440 et suivantes.

Rupture du ligament latéral interne de la cheville (ligament deltoïdien)

Dans environ 10 % de tous les cas de lésions des ligaments de la cheville, c'est le ligament latéral interne qui est lésé. Il existe fréquemment alors une rupture partielle. La lésion se produit lorsque la plante du pied est en pronation.

Symptômes et diagnostic

— Douleurs lors des mouvements et de la mise en charge de la cheville.
— Tuméfaction et sensibilité douloureuse au niveau du trajet du ligament en bas de la malléole interne.
— Epanchement sanguin et ultérieurement ecchymose de la peau en dessous de la malléole interne.
— Lorsque la rupture est étendue il existe une plus grande possibilité de valgus du pied comparativement avec l'articulation saine.

Traitement

Le sportif doit:
— traiter de façon aiguë la lésion par application de froid, poser un pansement compressif et placer le pied en surélévation selon les principes généraux qui ont été donnés page 63 et suivantes;
— consulter un médecin.

Le médecin peut:
— en cas de rupture partielle et de conservation de la stabilité immobiliser l'articulation de la cheville avec un bandage avec une bande élastique Elastoplaste® ou un plâtre pendant 3 à 4 semaines;
— en cas de difficultés à déterminer s'il existe une instabilité, pratiquer une exploration radiologique avec amplification de brillance. Lorsqu'une articulation est instable, la lésion doit être opérée, puis l'articulation de la cheville doit être plâtrée pendant 6 semaines.

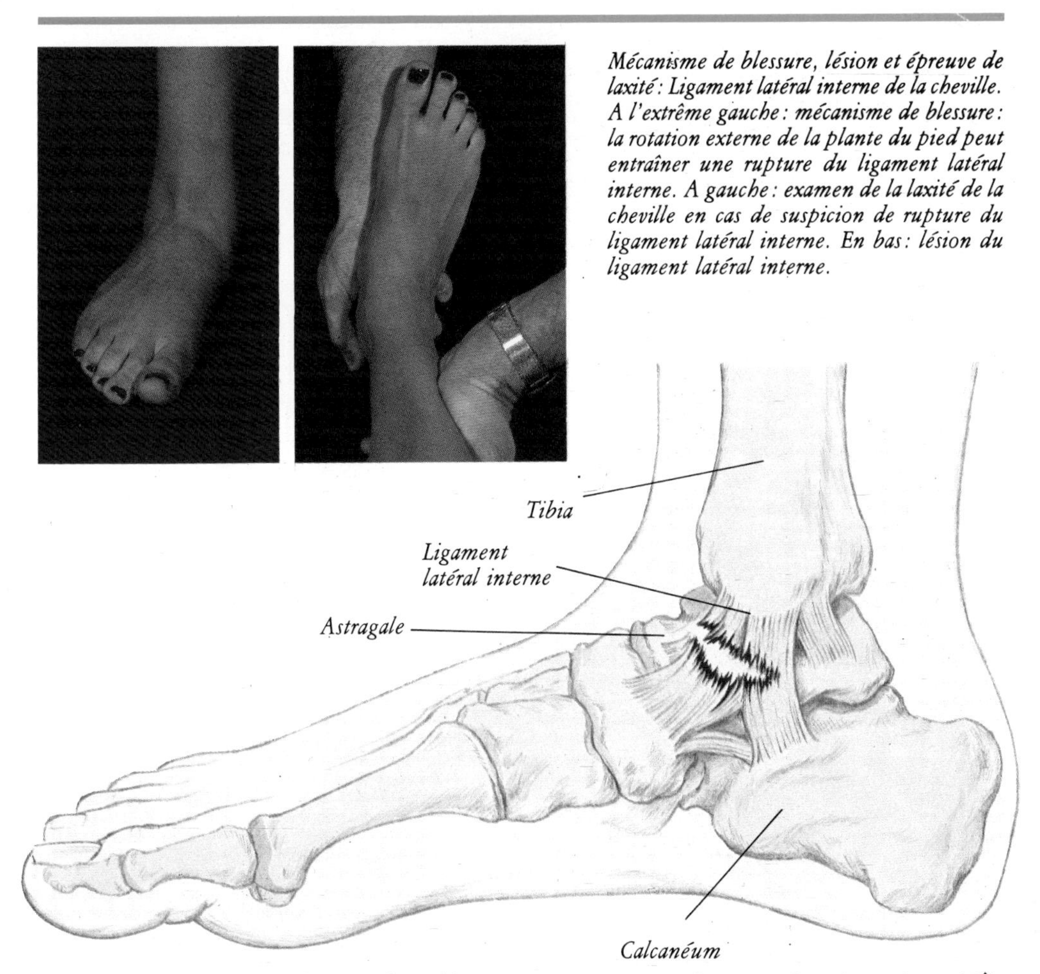

Mécanisme de blessure, lésion et épreuve de laxité: Ligament latéral interne de la cheville. A l'extrême gauche: mécanisme de blessure: la rotation externe de la plante du pied peut entraîner une rupture du ligament latéral interne. A gauche: examen de la laxité de la cheville en cas de suspicion de rupture du ligament latéral interne. En bas: lésion du ligament latéral interne.

Lésion du ligament antérieur de la cheville (ligament péronéo-tibial inférieur)

Une rupture péronéo-tibiale inférieure peut survenir en association avec d'autres lésions des ligaments lorsque la plante du pied et l'avant-pied sont en rotation externe et pronation ainsi que lors des fractures des faces interne et externe de l'articulation de la cheville. L'articulation péronéo-tibiale inférieure peut également être lésée en relation avec une fracture du tibia de l'articulation de la cheville ou une fracture de la malléole. Une lésion de cette articulation entraîne pour l'avenir des difficultés à marcher si elle n'est pas traitée.

Symptômes et diagnostic

— Sensibilité douloureuse et tuméfaction lorsqu'on appuie sur la région située entre le tibia et le péroné à la face antérieure du pied.
— Douleurs lors des mouvements et de la mise en charge de l'articulation de la cheville.
— Instabilité de la mortaise de l'articulation (voir schéma page 336) ce qui a pour conséquence que le pied peut se déplacer latéralement en dehors par rapport au tibia.
— Un élargissement de la fourchette articulaire peut être mis en évidence lors d'une exploration radiologique au cours d'une épreuve de mouvement forcé.

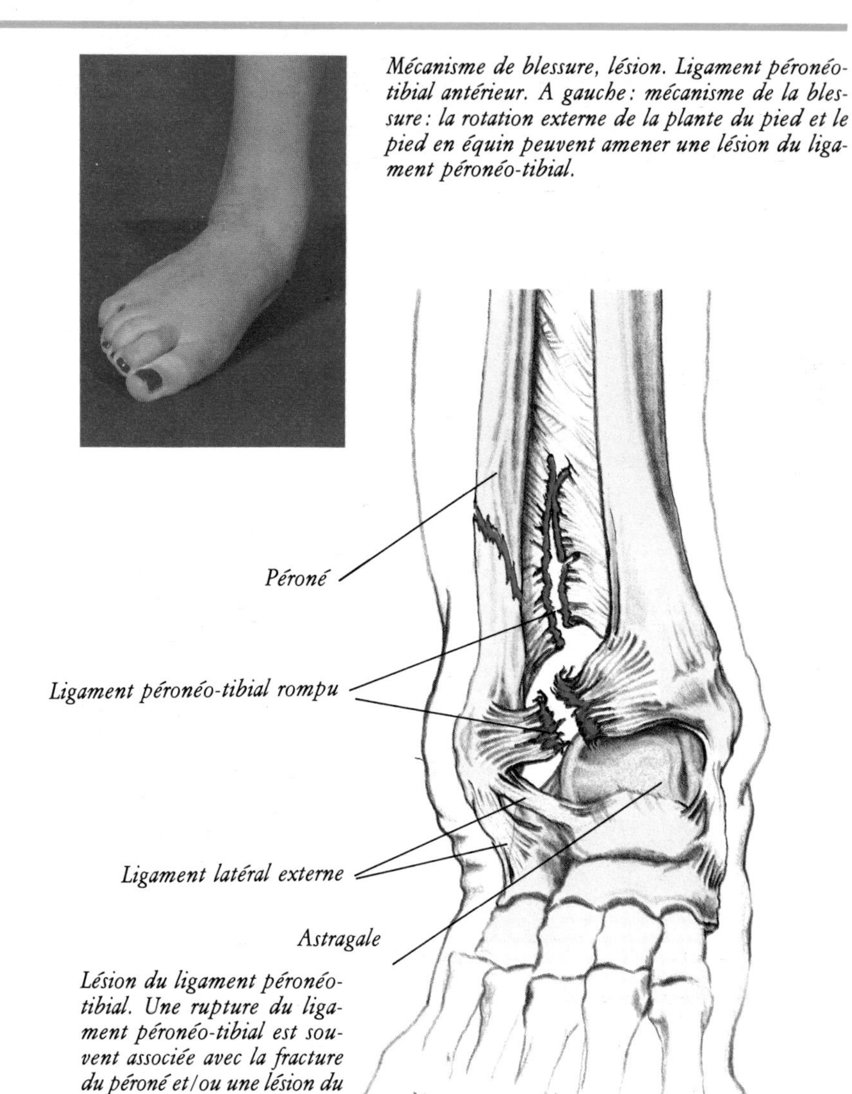

Mécanisme de blessure, lésion. Ligament péronéo-tibial antérieur. A gauche: mécanisme de la blessure: la rotation externe de la plante du pied et le pied en équin peuvent amener une lésion du ligament péronéo-tibial.

Lésion du ligament péronéo-tibial. Une rupture du ligament péronéo-tibial est souvent associée avec la fracture du péroné et/ou une lésion du ligament latéral interne. L'épreuve de laxité est exécutée de la même façon que lors de la rupture du ligament latéral externe mais le pied dans ce cas est poussé directement de côté.

Traitement

Le sportif doit:
— traiter de façon aiguë la lésion par application de froid, poser un pansement compressif et placer le pied en surélévation selon les principes généraux qui ont été donnés page 63 et suivantes;
— consulter un médecin.

Le médecin peut:
— lors des petites lésions et de conservation de la stabilité, immobiliser l'articulation de la cheville avec de l'Elastoplaste® ou par un plâtre pendant 3 semaines;
— opérer en cas d'instabilité.

«Cheville du joueur de football»

Lors des suites d'hyperextensions violentes et répétées de la cheville, des modifications de celle-ci peuvent se produire sous forme de formations osseuses en avant du lieu d'insertion de la capsule articulaire. Cet état pathologique n'est pas inhabituel. Il atteint surtout les sportifs qui se sont adonnés de nombreuses années au football ou à la course d'orientation, etc. La cause peut en être l'hyperextension mais aussi l'hyperflexion de l'articulation de la cheville entraînant des détériorations de l'insertion de la capsule articulaire ou de petites fractures osseuses lors de la rencontre entre les surfaces osseuses (voir schéma page 338). Les ossifications osseuses peuvent être à l'origine d'inflammation de la capsule articulaire et des gaines tendineuses.

Des hyperextensions répétées des ligaments et de la capsule articulaire peuvent donner des «chevilles de footballeur».

Symptômes et diagnostic

— Sensibilité douloureuse lorsqu'on appuie avec les doigts sur la face antérieure de la cheville.
— Douleurs dans un ligament au-dessus de la cheville lorsque, par exemple, on exécute un shoot du cou-de-pied au cours d'un match de football.
— Douleurs lorsque le pied est mobilisé activement en flexion et en extension.
— Souvent légère diminution de la mobilité de l'articulation de la cheville.
— Les productions osseuses peuvent être mises en évidence par une exploration radiologique.

Traitement

Le sportif peut :
— entraîner la force et la mobilité et pratiquer un entraînement par allongement ;
— utiliser une protection gardant la chaleur ;
— porter un strapping de la cheville.

Le médecin peut :
— faire une injection de corticostéroïdes au niveau de l'endroit sensible et en relation avec celle-ci ordonner le repos.
— en cas de manifestations pathologiques accentuées, opérer. Les productions osseuses sont enlevées par ruginage.

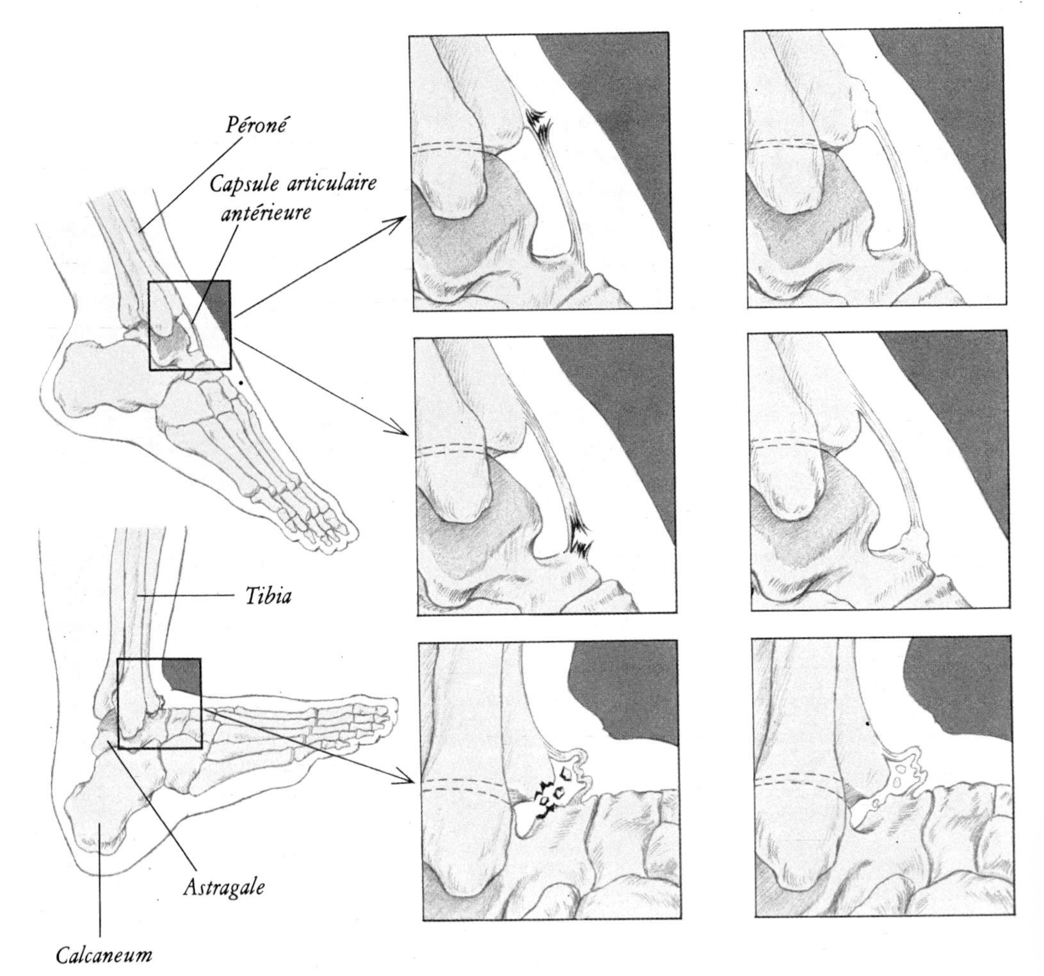

« Cheville du footballeur ». Mécanisme supposé du développement de modifications osseuses à la partie antérieure de l'articulation de la cheville. Sur les schémas situés à l'extrême gauche on voit l'hyperextension et l'hyperflexion. Le schéma du milieu montrent les différentes lésions à la phase aiguë et les schémas à droite les séquelles (états résiduels).

Luxation des tendons des muscles péroniers

Derrière la malléole externe passent les tendons péroniers qui contribuent à la flexion plantaire et à l'éversion de l'articulation de la cheville. Lors d'une entorse de la cheville le ligament annulaire externe qui maintient les tendons dans leur loge derrière la malléole externe est arraché ce qui permet aux tendons de pouvoir glisser en avant par-dessus la malléole. Des luxations récidivantes des tendons entraînent une inflammation qui peut donner de graves manifestations pathologiques. Cette lésion survient chez les sportifs qui présentent des articulations instables ainsi que chez les descendeurs à ski, les pratiquants des disciplines de saut en athlétisme, etc.

Symptômes et diagnostic

— Douleur lors de l'éversion du pied.
— Douleur lorsque les tendons glissent en avant en dehors de leur loge et par-dessus la malléole. Ce glissement peut survenir lors d'un mouvement d'éversion, le pied relevé ou lorsqu'on essaye de luxer le tendon en arrière de la malléole externe avec le pouce.
— Sensibilité douloureuse derrière la malléole externe.
— Tuméfaction et ecchymose de la peau lors d'une lésion aiguë.

Traitement

Le médecin peut :
— traiter par plâtre pendant 3 à 4 semaines en cas de lésion aiguë ;
— opérer pour suturer solidement le ligament annulaire externe puis plâtrer pendant 4 semaines ;
— en cas de manifestations pathologiques chroniques, opérer pour renforcer le ligament annulaire externe ou d'une autre manière empêcher les tendons de glisser en avant.

Atteinte du jambier postérieur

Le muscle jambier postérieur part de la face postérieure du tibia continue en un tendon entouré d'une gaine tendineuse qui passe derrière le tibia et la mallélole interne et s'attache sur le scaphoïde à la face interne du pied. Une augmentation de la pronation entraîne une augmentation de mise en charge et de mise en tension du tendon du muscle tibial postérieur, ce qui a pour conséquence une inflammation du tendon ou de la gaine tendineuse. Celle-ci est soumise à une pression mécanique à l'endroit situé derrière la malléole interne où il passe dans un canal étroit. La lésion donne surtout des manifestations pathologiques en relation avec la course à pied mais également avec le ski et le patinage.

Symptômes et diagnostic

— Douleur lorsque le tendon lors des mouvements se déplace dans la gaine tendineuse.
— Douleur lorsque le tendon est soumis à une extension passive et à des mouvements actifs.
— Une sensibilité douloureuse peut survenir en règle générale au-dessus de l'insertion du tendon sur le scaphoïde mais également sur le trajet du tendon derrière la malléole interne.
— Une tuméfaction peut parfois se produire.
— Des crépitements tendineux peuvent être sentis lorsque la lésion est à sa phase aiguë.
— Il peut exister une augmentation de la pronation.

Traitement

Le sportif peut :
— s'abstenir de mettre en charge le pied pendant 2 semaines ;

— traiter la lésion par application de froid lorsqu'elle est à sa phase aiguë et ensuite traiter par application de chaleur, par exemple en utilisant une protection gardant la chaleur;
— employer une semelle semi-rigide pour soutenir la voûte plantaire longitudinale et diminuer la pronation du pied.

Le médecin peut:
— prescrire des médicaments d'action anti-inflamamtoire;
— pratiquer une injection de corticostéroïdes le long du tendon de la gaine -- mais jamais dans le tendon lui-même — et en relation avec cette injection, ordonner le repos;
— prescrire un médicament d'action anticoagulante (Héparine) s'il existe des crépitements tendineux;
— traiter par plâtre du pied pendant 3 semaines;
— espérer si la gaine tendineuse s'est rétrécie au point que le tendon ne puisse plus y glisser normalement.

La proximité anatomique entre le bord interne de l'astragale et le tendon du jambier postérieur fait que le syndrome jambier postérieur peut être difficile à différencier d'une inflammation du périoste (voir page 42).

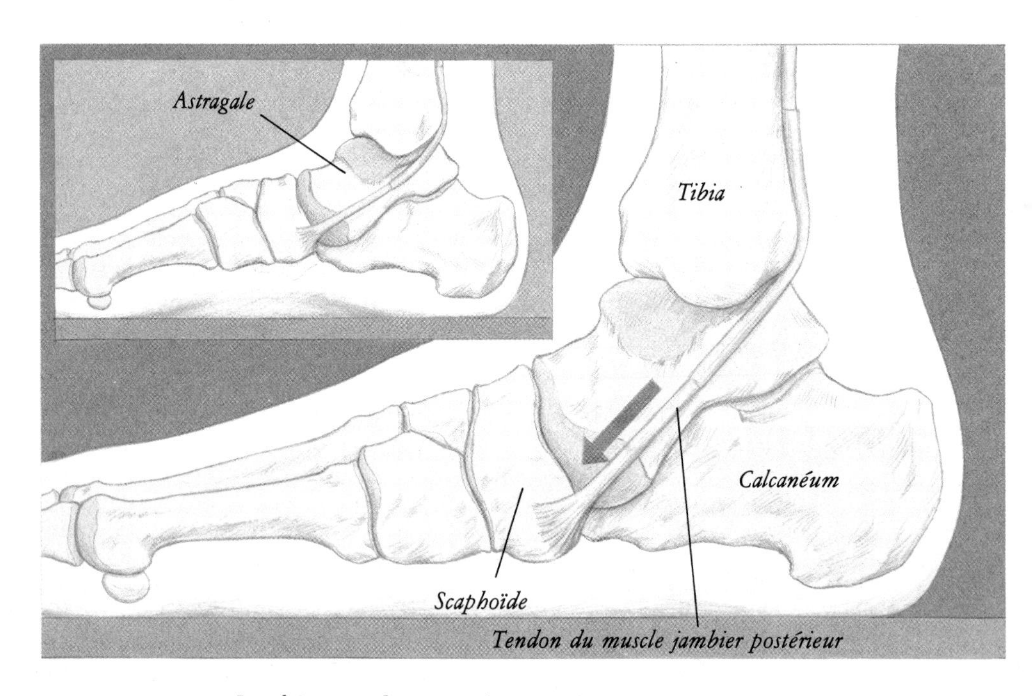

Le schéma encadré montre la voûte plantaire longitudinale et l'insertion du tendon du muscle jambier postérieur sans charge. Le grand schéma montre le pied en charge avec une accentuation de la pronation. Le tendon du muscle jambier postérieur est mis en tension.

LÉSIONS DU PIED

Le pied est l'élément de soutien du corps qui encaisse et répartit la charge du corps lors de la marche, du saut et de la course à pied. Dans la plupart des spécialités sportives figurent des temps de course et/ou de saut au cours desquels les contraintes imposées aux extrémités inférieures augmentent. Les forces qui sont engendrées lors de la pose du pied en relation avec, par exemple, la course à pied atteignent 2 à 3 fois le poids du corps et doivent être réparties sur les tissus du corps, les souliers et le sol. Un coureur à pied peut faire plus de 5 000 foulées avec chaque membre inférieur par heure, ce qui a pour conséquence que même un léger défaut par rapport à la construction normale du corps ou par rapport à une technique correcte peut être à l'origine de problèmes de surcharge.

Anatomie et fonction

Les extrémités inférieures doivent être considérées comme des unités fonctionnelles au sein desquelles les différentes parties coopèrent. Les mauvaises positions au niveau, par exemple, d'un pied peuvent entraîner des troubles au niveau des articulations du genou et de la hanche et l'inverse.

Un pied est constitué de 26 os différents, reliés entre eux par une trentaine d'articulations et maintenus par les ligaments et les capsules articulaires. Une trentaine de tendons provenant d'une part des muscles de la jambe, d'autre part des muscles appartenant au pied lui-même contribuent à assurer la fonction du pied lors de ses mouvements.

Le pied peut être divisé en trois parties. La partie postérieure ou partie talonnière est constituée de l'astragale et du calcanéum. Le pied intermédiaire est constitué par le scaphoïde et par quatre autres os: l'os cuboïde et les trois os cunéiformes ainsi que les os métatarsiens. L'avant-pied est constitué de cinq orteils. Le gros orteil, de même que le pouce est constitué à sa partie la plus extrême de seulement deux parties osseuses tandis que les autres orteils sont constitués de trois os. La longueur et la conformation des orteils peuvent varier considérablement, ce qui peut causer des problèmes aux sportifs. Lors de la mise en charge des orteils, le gros orteil est comprimé contre le sol tandis que les autres orteils effectuent un mouvement de préhension.

Dans le pied, il existe deux systèmes de voûte: une voûte transversale antérieure et une voûte longitudinale qui suit la face interne du pied depuis le calcanéum jusqu'à l'articulation de la base de l'articulation du gros orteil. La voûte antérieure est maintenue par un ligament qui, en l'absence de mise en charge, conserve sa forme et qui s'étend en cas de mise en charge, ce qui lui permet d'être appuyée contre le sol. Lors de la mise en charge du pied, l'aponévrose plantaire est également allongée (voir schéma 350). Elle s'étale le long de la voûte plantaire depuis le calcanéum jusqu'aux orteils. Plus l'aponévrose plantaire est chargée, plus elle sera tendue.

Beaucoup de mouvements du pied et des orteils sont contrôlés par des muscles qui ont leur origine au niveau de la jambe et dont les tendons s'attachent au pied. Plusieurs mouvements qui réclament une grande précision sont contrôlés par des muscles qui ont à la fois leur origine et leur insertion au niveau du pied lui-même.

Mouvements du pied

Le pied a deux axes autour desquels les mouvements peuvent avoir lieu. L'un passe horizontalement à travers l'astragale et constitue l'axe des mou-

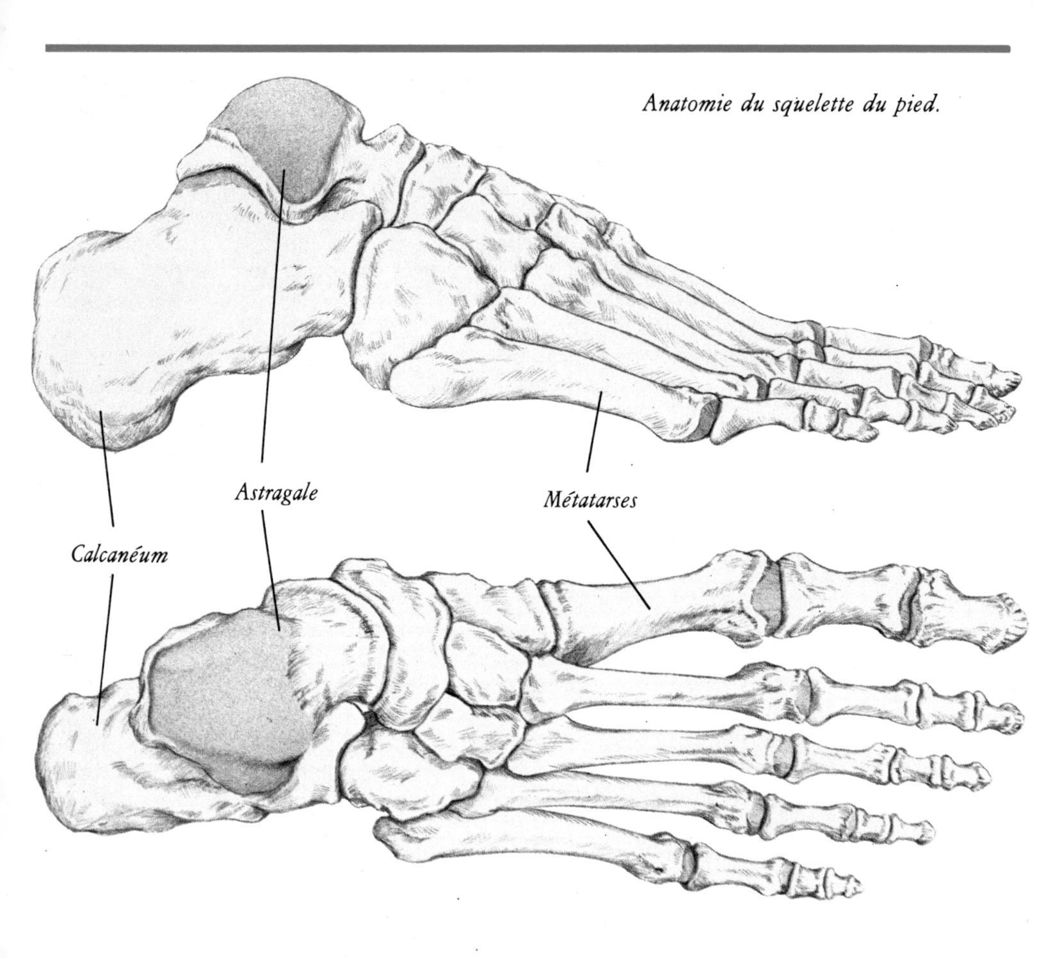

Anatomie du squelette du pied.

vements de l'articulation du pied vers le haut et vers le bas. L'autre axe passe obliquement en arrière à travers la partie inférieure du calcanéum et se dirige en avant et en haut à travers l'astragale. Les mouvements que le pied effectue autour de ces axes sont appelés «pronation et supination» (voir schéma page 345). Lors de la pronation, la plante du pied regarde en dehors et la plus grande partie de la face interne du pied est en contact avec le sol, c'est-à-dire qu'il existe une position semblable à celle du pied plat. Lors de la supination, la plante du pied regarde en dedans si bien que le bord latéral interne du pied va monter plus haut que l'externe.

Course à pied et marche

Au cours de la course à pied, le pied du coureur est en légère supination juste avant que ne s'effectue la pose du pied. Le pied est posé habituellement contre le sol en commençant par le côté externe du talon, puis la voûte plantaire est mise en charge et aplatie et une pronation se produit, ce qui permet aux forces qui entrent en jeu d'être transmises par l'intermédiaire de la totalité du pied et du membre inférieur. Le degré de contraction principalement de la musculature du mollet contribue en association avec la pronation du pied à faciliter la répartition des forces qui se produisent lors de la pose du pied. Le poids du corps passe alors au-dessus du pied et les conditions pour la poussée commencent à être réunies. Le pied est en pronation pendant environ 40 à 70 % de la phase d'appui et passe ensuite en supination. Ce qui permet à la partie antérieure du pied de se stabiliser et qu'un bras de levier plus ferme soit disponible pour la poussée.

Position du pied

La position du pied par rapport à la jambe est importante. Le relâchement peut être contrôlé par des marques posées sur la peau le long de la jambe et qui doivent être parallèles avec un axe vertical à travers l'astragale et le calcanéum. Cet axe vertical doit à son tour être perpendiculaire à une ligne passant à travers la voûte antérieure du pied.

Les causes des lésions

Les causes des lésions du pied lors, par exemple, de la course à pied sont représentées par les facteurs qui influencent la répartition de la charge, entre autres, les facteurs anatomiques, le poids du corps, les souliers, le sol, le programme d'entraînement et la technique (voir schéma ci-dessous).

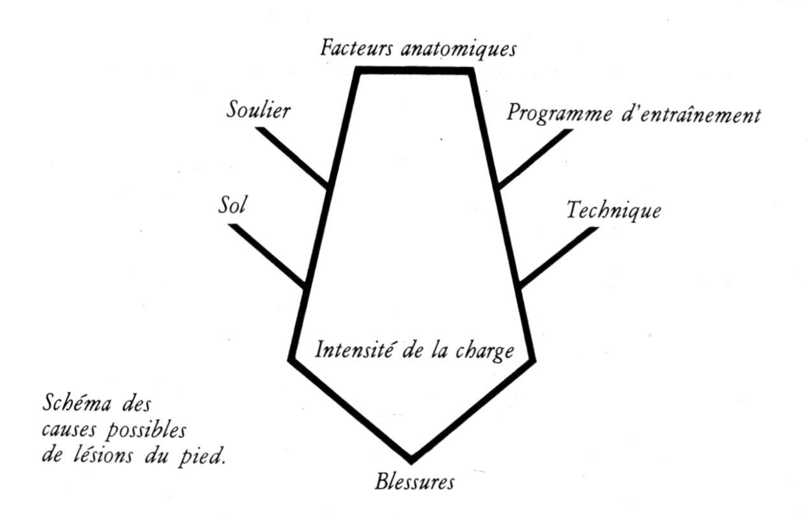

Schéma des causes possibles de lésions du pied.

Facteurs anatomiques

De grandes modifications d'appui par rapport à la position neutre du pied comme la pronation c'est-à-dire pied plat ou pied creux qui est caractérisé par une voûte plantaire très élevée peuvent entraîner des lésions mais également des petits changements lors de charges répétées, de longue durée.

Pied en pronation (pied plat)

Un certain degré de pronation est normal chez un pied qui est mis en charge, mais une pronation exagérée représente un mouvement de compensation, qui est causé par de mauvais rapports réciproques entre le talon et le pied, ou entre la jambe et le pied. Il est habituel que les rapports entre la jambe et le pied ne soient pas harmonieux et un manque d'équilibre peut facilement s'ensuivre. Au cours de la mise en charge, les plantes des pieds peuvent être appliquées avec force contre le sol du fait d'une pronation exagérée.

Lorsqu'on court avec une pronation exagérée — de même qu'une participation trop importante à la phase d'appui — associée à une augmentation des contraintes sur les structures d'appui du pied entraînent une augmentation du travail de la musculature, ce qui permet à des lésions de surcharge de se constituer. Une pronation exagérée peut également être une manière pour le corps de compenser d'autres écarts anatomiques moins importants.

Position de pronation accentuée du pied. Observer l'abaissement de la voûte du pied et le contour du bord interne du pied.

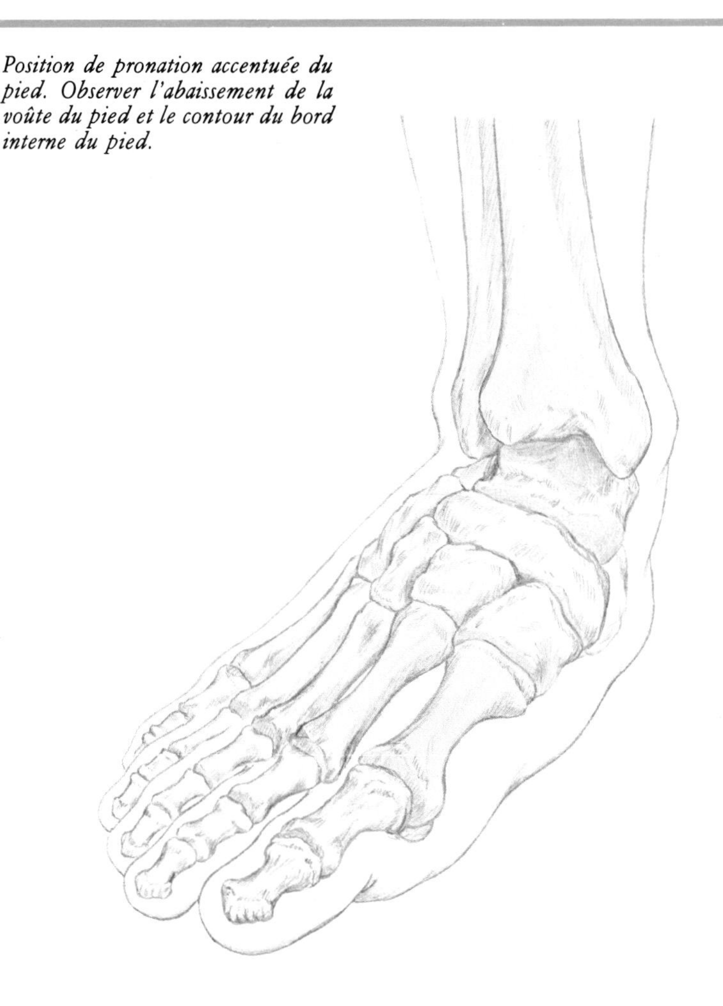

Le pied plat où la pronation est exagérée peut être mis en évidence par le test du «pied humide». Le pied est trempé dans l'eau et on fait marcher ensuite le sujet sur une surface plate et sèche, par exemple un plancher. L'empreinte du pied montre alors la répartition de la charge sur le pied (voir schéma page 345). Lorsque le pied est normal, la voûte longitudinale du pied ne laisse presque pas d'empreinte, mais s'il existe une exagération de la pronation, l'empreinte dessine la totalité du pied.

Une pronation exagérée peut également entraîner une augmentation de la charge de tout le membre inférieur puisqu'une augmentation de la rotation en dedans en sera la conséquence. Ce phénomène peut entraîner une modification du schéma de travail biomécanique de la musculature du fémur (voir schéma page 345) si bien que la jambe, l'articulation du genou et l'articulation de la hanche sont soumises à une augmentation de charge. Il peut en résulter des lésions par surcharge et d'autres états douloureux au niveau de ces régions.

Les lésions à mettre sur le compte d'une pronation exagérée sont représentées par une lésion du cartilage de la face postérieure de la rotule ; un syndrome jambier postérieur, une inflammation et la rupture de l'aponévrose plantaire et de nombreuses autres lésions. Il est cependant important de signaler que les altérations anatomiques ne sont pas directement corrélées avec un diagnostic spécifique donné.

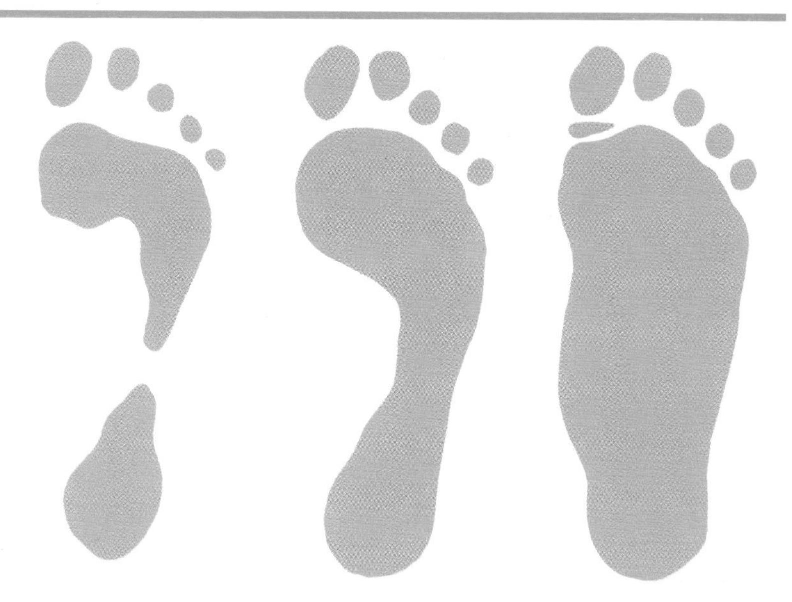

Empreinte du pied en charge. A gauche: pied avec voûte du pied élevée (pied creux). Au milieu: pied normal. A droite: pied avec pronation accentuée.

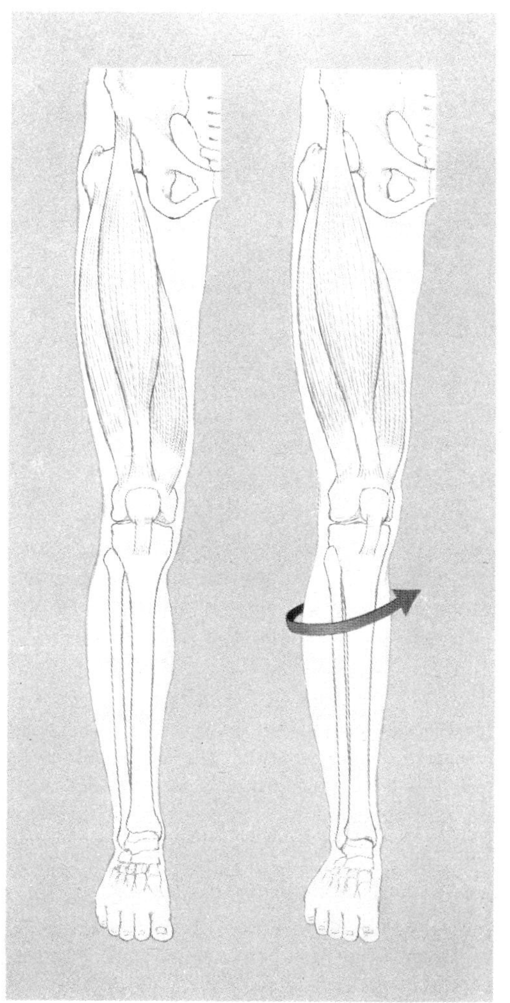

Sur le dessin de gauche, on voit un membre inférieur normal et sur le dessin de droite un membre inférieur où le pied se tient en hyperpronation avec pour conséquence une augmentation de la rotation interne de la jambe.

Pied creux

Un pied creux a une voûte longitudinale du pied élevée et se présente comme un pied raide qui est associé à une musculature du mollet dure avec des ligaments rigides au niveau de la plante des pieds. En raison de la surface portante du poids qui est limitée, il existe un risque accru de concentration de pression, de mauvaises conditions de mise en charge, de douleurs du talon et d'inflammation du tendon d'Achille. Il est traité de façon plus détaillée des pieds creux page 354.

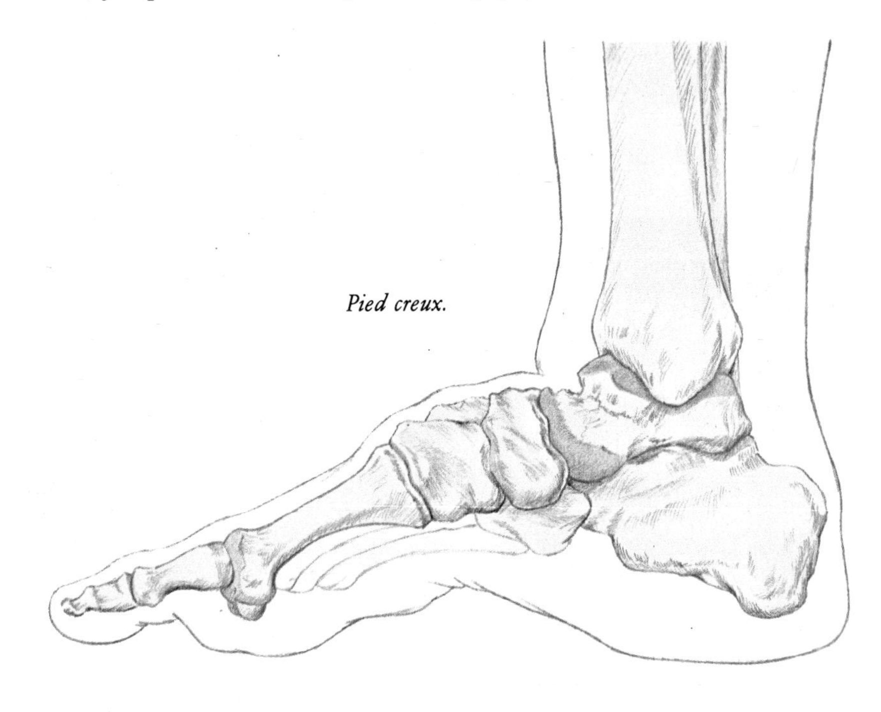

Pied creux.

Programme d'entraînement

Les erreurs dans la conduite de l'entraînement, sont une des causes essentielles de lésions. Les erreurs les plus fréquentes de toutes chez le coureur à pied sont : le parcours trop long, l'intensité trop forte avec de trop courts temps de récupération, les modifications dans la routine d'entraînement, la course à pied en terrain varié, le changement de nature de sol, etc.

Nature du sol

La période au cours de laquelle le sportif prend appui sur le sol avec le pied est très courte : pour sprinter, elle est par exemple de 0,11 secondes, pour un coureur de demi-fond de 0,14 secondes et pour un sauteur en hauteur lors de l'appel de 0,21 secondes. Au cours de ce temps, il se produit d'une part une onde de choc, d'autre part des ondes de compression qui font suite à l'onde de choc. La force qui se crée dans l'onde de choc au moment de la pose du pied doit être répartie entre le sol, le soulier et les tissus du corps. Si le sol est trop dur, les exigences imposées aux souliers sont autrement plus grandes, puisque les tissus du corps doivent être ménagés. Un sol trop mou amortit la force de l'onde de choc mais peut à son tour créer un problème. Le sable mou peut, par exemple, entraîner des troubles au niveau du tendon d'Achille, puisque le talon s'enfonce dans le sol et que le pied glisse lors de la poussée. Un sol humide, verglacé ou lisse peut être une cause déclenchante de lésions musculaires au niveau principalement de la musculature de l'aine et de la cuisse ainsi que des lésions des ligaments des articulations du genou et de la cheville.

Un chemin vicinal normal a une inclinaison de drainage de 7 à 9° et celui qui s'entraîne souvent à la course à pied sur ce type de chemin et y court toujours sur le même côté du chemin peut souffrir d'un état artificiel d'«une longue jambe/une courte jambe» qui peut entraîner des troubles par surcharge, par exemple, à la face externe des articulations de la hanche et du genou.

La course à pied en montées est spécialement éprouvante pour les sportifs qui présentent des muscles du mollet courts et des tendons d'Achille tendus, qui de ce fait peuvent être menacés de troubles fonctionnels. La course à pied en descente est éprouvante pour les articulations du genou et entraîne parfois des problèmes de surcharge autour de la rotule et à la face externe de l'articulation du genou.

La course à pied, que ce soit en montée ou en descente, peut parfois être à l'origine de manifestations pathologiques. Les articulations du genou sont particulièrement exposées lorsque le terrain descend.

Souliers

Le rapport entre le soulier, le pied et le sol est de la plus grande importance pour la fréquence des blessures chez le coureur à pied. Pour la majorité des spécialités sportives, les souliers constituent le détail d'équipement le plus important. Les souliers doivent répartir la charge de façon à ce qu'une aussi faible partie possible de l'onde de choc au moment de la pose du pied soit transmise au corps. Si le sol est dur, on doit en conséquence utiliser des souliers dont la semelle possède une grande capacité d'absorption des chocs. Si le sol est mou, on peut au contraire essayer de s'équiper avec des souliers qui soient stables et possèdent une moins bonne capacité d'absorption des chocs. Pour les sports où il existe un risque de lésions par surcharge, les propriétés stabilisatrices des souliers sont d'un grand intérêt. Il est décrit page 108 et suivantes la façon dont les souliers doivent être conformés.

Technique

La technique de course à pied varie selon les différentes spécialités sportives. Lors de la course à pied de longue distance, il est employé le plus souvent une pose du pied talon-orteils, tandis que les coureurs de demi-fond ont une pose du pied de la totalité du pied ou de seulement les orteils plus marquée. Les défauts techniques les plus fréquents sont représentés par une pose du pied en avant du corps avec pose marquée du talon ainsi que par une pose du pied avec tout le pied. Ces défauts peuvent entraîner des troubles par surcharge. De mauvaises techniques de course et de saut amènent toujours des lésions par surcharge.

Poids du corps

L'excédent de poids entraîne une augmentation de la charge des tissus qui en conséquence se fatiguent plus facilement. Il peut en résulter un état de surcharge.

Lésions du pied par surcharge

Des lésions par surcharge peuvent survenir lorsqu'un tissu est soumis à une répétition normale ou à une charge élevée, qui crée des ruptures microscopiques et des lésions tissulaires. Le corps se défend contre les lésions tissulaires par une réaction inflammatoire. La douleur qui constitue le symptôme le plus important de lésion tissulaire est souvent de nature passagère et peut entièrement disparaître au cours de la phase d'échauffement avant une séance d'entraînement ou une compétition que le sportif blessé peut effectuer pratiquement sans trouble. Cependant la douleur réapparaît ensuite avec une intensité accrue. La douleur cesse habituellement ensuite dès que le sportif se repose mais réapparaît lors des séances suivantes d'entraînement ou de compétition pour encore une fois cesser au cours de l'exécution des exercices d'échauffement. Le risque est alors grand pour le blessé d'entrer dans un cercle vicieux (voir page 39) qui est difficile à rompre. La douleur peut devenir permanente au cours de l'activité physique et même du repos.

Tatalgies

Le pannicule talonnier est divisé en petites loges qui renferment de la graisse et sont entourées de solides ligaments conjonctifs qui les attachent à la peau. A la différence de la peau du dessus du pied, la peau de la plante du pied ne peut pas se déplacer en avant et en arrière par rapport aux tissus sus-jacents. Des sauts répétés avec atterrissage sur les talons, ce qui se produit par exemple chez les coureurs de haies, les sauteurs en longueur et les triples sauteurs, peuvent entraîner une rupture de ces ligaments conjonctifs. Les loges graisseuses sont alors comprimées et chassées de la surface de contact du talon avec le sol. La peau se rapproche alors de l'os qui l'expose plus à ressentir la charge.

Aussi longtemps que les ruptures des ligaments conjonctifs ne sont pas trop étendues ou viennent seulement de se produire, il n'existe qu'une sensibilité douloureuse locale au niveau du pannicule graisseux du talon, mais dans les cas de longue durée, on peut aussi sentir l'os sous-jacent pointer sous la peau. Lorsque cet état a été atteint, la lésion est très difficile à traiter. C'est pourquoi il faut la prévenir, d'une part avec une tech-

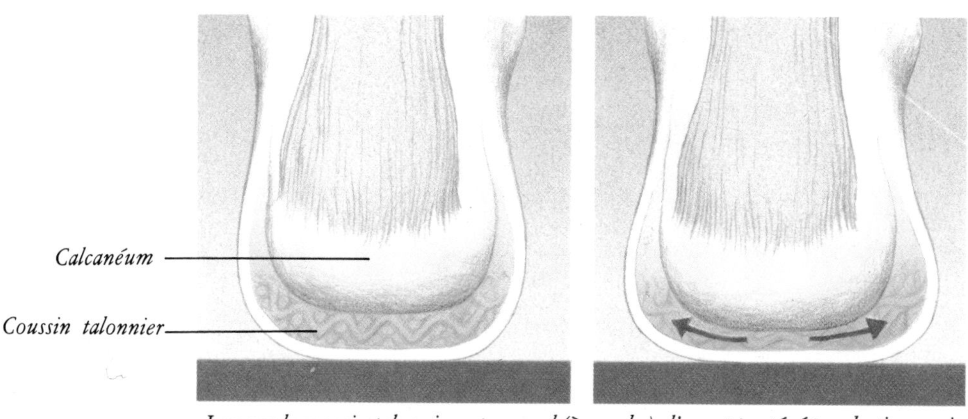

Lorsque le coussin talonnier est normal (à gauche), l'os est protégé par du tissu graisseux. Dans un coussin talonnier douloureux, le tissu graisseux est repoussé sur les côtés et la protection du calcanéum pour cette raison est devenue déficiente.

nique correcte, d'autre part et surtout par l'emploi par le sportif de souliers qui soient bien adaptés au sol et qui comportent une partie talonnière qui amortit la plus grande partie de la force de l'onde de choc et répartit convenablement ce qu'il en reste. Lorsque des signes de cette lésion ont commencé à apparaître, le sportif doit employer des souliers spécialement conçus dans lesquels il existe un vide au niveau de la région douloureuse.

Inflammation de la bourse séreuse sous-talonnière

Entre le calcacéum et le pannicule talonnier, se situe une petite bourse séreuse qui en relation avec un traumatisme, par exemple, lors d'un match de basket-ball, peut devenir le siège de douleurs. La course à pied, et parfois même la marche, peut alors devenir impossible pour le sportif qui en souffre, c'est pourquoi le repos est recommandé. Une semelle avec un vide correspondant à la région sensible sous le talon peut être efficace. Lors de troubles de longue durée le médecin peut pratiquer une injection de corticostéroïdes et en association avec celle-ci, ordonner du repos.

Inflammation et rupture de l'aponévrose plantaire

L'aponévrose plantaire est un tissu fibreux qui va de la partie antéro-interne du calcanéum vers l'avant-pied, où il s'enchevêtre avec le ligament qui s'attache sur les orteils (voir schéma page 350). Quand un sportif au cours de la poussée lève le talon, l'angle entre les différentes parties des orteils augmente, ce qui permet à l'aponévrose plantaire d'être attirée du côté distal autour des orteils. Lorsque les orteils s'étendent, par exemple lors de la poussée, l'aponévrose plantaire est mise en tension et la voûte longitudinale du pied se stabilise.

Quand on fait une forte poussée, une rupture peut survenir au niveau de l'origine qui est commune à l'aponévrose plantaire et aux muscles courts fléchisseurs des orteils. Des lésions peuvent aussi survenir lors d'un virage rapide qui impose une forte pression aux tissus de la plante du pied.

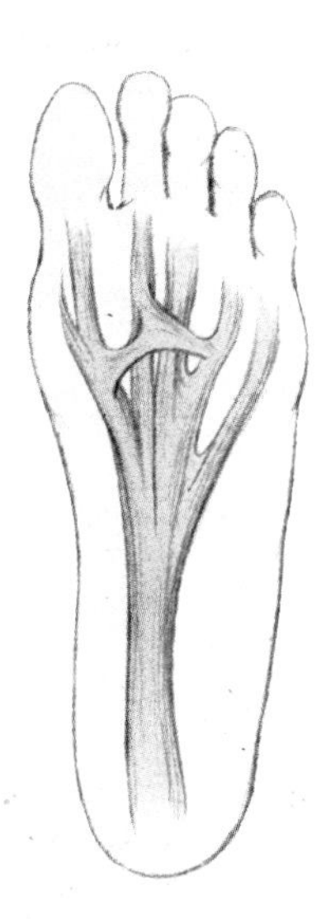

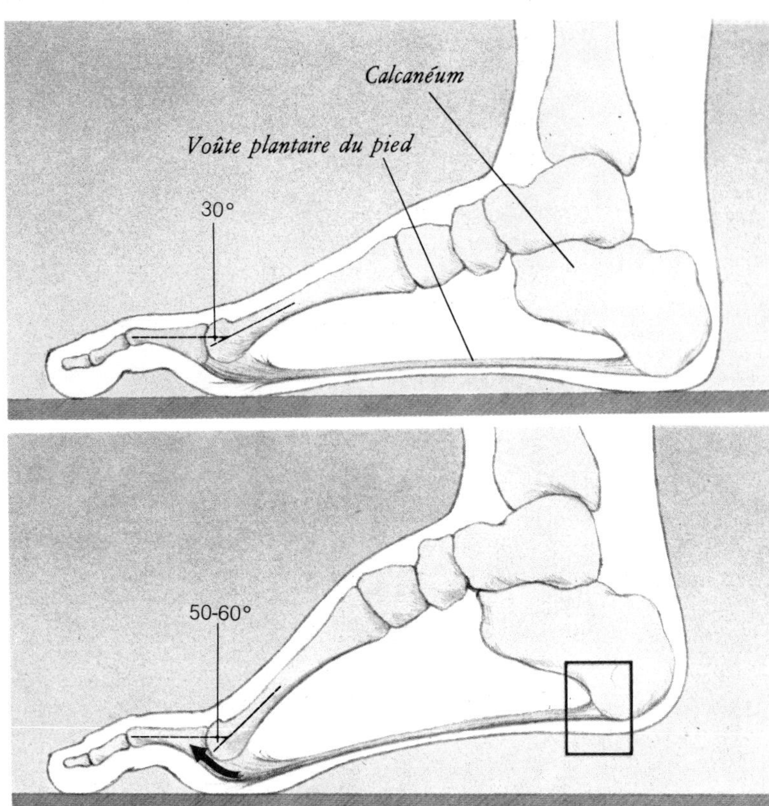

Sur le schéma du haut, on voit un pied avec une voûte plantaire où la totalité du pied est mise en charge contre le sol. Sur le schéma du bas, on voit comment la voûte plantaire du pied est mise en tension lors de la propulsion. La zone encadrée par un carré est l'objet d'une inflammation au niveau de l'origine de la voûte plantaire du pied sur le calcanéum. Le schéma à l'extrême gauche montre la voûte plantaire du pied vue de dessous.

Le sportif qui présente une pronation exagérée de la cheville développe plus souvent que les autres une inflammation de son aponévrose plantaire. Par suite de la mise en tension de la voûte du pied et de l'écartement des orteils du fait de la pronation, l'aponévrose plantaire est soumise à une traction accrue. La pratique de longue durée d'une activité sportive avec des souliers qui ne fournissent pas un soutien suffisant pour la voûte du pied peut également donner des douleurs au niveau du talon.

Symptômes et diagnostic

— Douleur au niveau de l'insertion de l'aponévrose plantaire sur le calcanéum lors d'une activité. Les troubles cessent au repos.
— Raideur matinale et boiterie.
— Sensibilité à la pression marquée et parfois tuméfaction au dessous du calcanéum.
— Douleurs lorsque le blessé se tient sur les orteils et marche sur les talons.
— Paresthésie le long du bord externe de la plante du pied.
— L'exploration radiologique montre parfois une exostose qui est une réaction d'irritation consécutive à une traction sur l'insertion de l'aponévrose. La découverte est fortuite car, d'une part il peut exister des éperons du talon sur des pieds qui ne donnent aucun symptôme, d'autre part ceux-ci sont souvent absents chez les sujets qui ont des troubles de leur pied.

Traitement

Le sportif peut:
— observer un repos actif;
— traiter par application de froid la lésion lorsqu'elle est à sa phase aiguë;
— décharger le pied atteint avec par exemple des béquilles;
— poser un strapping de décharge;
— examiner si ce sont les souliers qui augmentent la charge sur l'aponévrose plantaire; les souliers peuvent par exemple être trop raides ou trop mous;
— utiliser des bas conservant la chaleur ou une semelle;
— faire effectuer un entraînement par allongement dans un but de prévention et de rééducation fonctionnelle.

Le médecin peut:
— prescrire une semelle de soulier avec un creux correspondant au lieu de la douleur;
— prescrire des médicaments d'action anti-inflammatoire;
— opérer s'il existe une rupture ou des troubles de longue durée.

Guérison et complications

La lésion doit être traitée à un stade précoce puisqu'autrement les troubles pourraient persister très longtemps. Il existe plusieurs cas décrits de large rupture de l'aponévrose plantaire. La majorité de ces ruptures sont survenues après que les sujets aient été traités avec des injections de corticostéroïdes dans l'aponévrose plantaire. Une large rupture de l'aponévrose plantaire occasionne des troubles de très longue durée.

Compression des nerfs

Syndrome du canal tarsien

Les nerfs plantaires interne et externe passent juste en dessous de la malléole interne. En cas de pronation exagérée du pied, la charge augmente sur les tissus qui entourent les tendons fléchisseurs et il peut survenir une inflammation avec tuméfaction, ce qui peut amener une compression de ces nerfs et réaliser le syndrome du canal tarsien. Le sportif qui en est atteint ressent des douleurs dans le territoire de compression. Les douleurs irradient de façon distale le long de la face interne du pied et le long de la plante du pied jusqu'aux orteils, c'est-à-dire dans le territoire d'innervation de ces nerfs.

Le traitement de ces lésions avec une semelle dans le soulier et de la chaleur donne de bons résultats mais parfois un traitement chirurgical doit être pratiqué.

Compression du nerf calcanéen interne

Le nerf calcanéen interne passe d'une couche de tissu conjonctif profonde à une couche superficielle au bord interne du calcanéum, endroit où la peau épaisse du talon rencontre la peau fine de la face interne du pied. En cas de pronation prononcée ou lors d'une pression accrue des souliers sur cette région, le nerf calcanéen interne peut être comprimé. La douleur, qui est alors ressentie à la face interne du talon, irradie vers la plante du pied sous le talon. Le traitement consiste en repos, décharge locale et application de chaleur. Si ce traitement reste sans effet, une intervention chirurgicale est pratiquée.

Fractures de fatigue du calcanéum, de l'os scaphoïde et des os métatarsiens

Des fractures de fatigue ont été décrites chez des sujets en bonne santé depuis l'âge de 7 ans et jusqu'aux âges les plus avancés de la vie dans un os normal et au cours d'activités physiques normales sans que l'os n'ait été exposé à un traumatisme.

Une fracture de fatigue peut apparaître à la suite de la répétition pendant longtemps d'une charge. Les coureurs à pied de grand fond, les sportifs qui s'entraînent beaucoup ou qui sont mal préparés sont particulièrement exposés à ce type de lésions. Chez les sportifs une fracture de fatigue survient principalement aux extrémités inférieures par exemple au niveau du calcanéum, du scaphoïde et des os métatarsiens.

Symptômes et diagnostic

— Douleurs du membre inférieur à l'effort;
— Sensibilité bien délimitée et gonflement local;
— L'exploration radiologique de la lésion ne révèle aucune fracture dans la moitié des cas; en cas de suspicion persistante d'une fracture de fatigue, une nouvelle exploration radiologique peut être faite 2 à 3 semaines après la première. On peut alors voir un cal de guérison au niveau de la fracture. Si l'exploration radiologique ne montre pas la présence d'une fracture, une exploration par isotopes radioactifs fournit le diagnostic.

Traitement

Le traitement consiste à décharger le pied blessé en marchant avec des béquilles. Pour les autres mesures thérapeutiques, se reporter à la page 51.

Guérison

Le blessé peut reprendre une pleine activité sportive dès qu'il ne présente plus de symptômes, en règle, 6 à 8 semaines après qu'ils aient commencé à se manifester.

Fractures osseuses

Fractures de l'astragale

L'astragale peut être fracturé lors de la pratique du football, du ski de descente, du saut à ski, du saut en hauteur et des sports de salle. La lésion est rare et difficile à traiter. En relation avec elle surviennent des lésions vasculaires qui peuvent compromettre la guérison.

Fractures du calcanéum

Une fracture de calcanéum peut se produire lors d'un accident chez des sportifs pratiquant un sport avec chute d'une grande hauteur par exemple le parachutisme. Le blessé a alors des difficultés à s'appuyer sur le pied en raison de douleurs et de tuméfactions importantes. Le traitement consiste en repos avec des degrés variables de mise en charge; très souvent l'intervention chirurgicale est envisagée. La fracture du calcanéum peut donner des manifestations de longue durée, parfois définitive, avec des douleurs lors de la mise en charge du talon.

Affections médiotarsiennes et tarso-métatarsiennes

Affaissement de la voûte plantaire

Pronation exagérée et voûte basse

Les pieds présentent des particularités individuelles. On peut avoir une voûte longitudinale du pied basse mais cependant avoir un pied parfaitement fonctionnel. La voûte peut s'aplatir donnant un «pied plat». Le pied sous l'effet d'une charge, par exemple lorsqu'on pratique le sport sur un sol dur, peut s'abaisser également lors d'une mauvaise mise en charge d'un poids corporel trop élevé ou d'une station debout prolongée. En cas de pronation exagérée ou lorsqu'on a une voûte du pied basse, le bord interne du pied est situé plus bas que l'externe en même temps que le pied intermédiaire et les orteils sont tournés en dehors.

Symptôme et diagnostic

— Souvent il n'existe aucun trouble.
— Des douleurs de mise en charge et une douleur au niveau du pied et de la jambe peuvent apparaître.
— En cas de charge répétée, par exemple lors de la course à pied, des douleurs peuvent apparaître au niveau des pieds, des jambes, des articulations du genou et au niveau de l'aine.
— Sensation de fatigue au niveau des pieds.
— Des durillons peuvent survenir au niveau de la plante du pied dans les zones où la charge est plus forte.

Mesures de prévention

— Entraînement de la mobilité de l'articulation du pied et entraînement par allongement de la musculature du mollet.
— Gymnastique du pied avec mouvement des orteils.
— Le sportif doit utiliser des souliers avec une confection correcte des cambrures et du contrefort talonnier.

Traitement

— Semelle (voir ci-dessous).
— Strapping.
— Activité en décharge. Dans certains cas, celui qui est atteint doit cesser de s'entraîner à la course à pied, mais il peut maintenir sa condition physique en pratiquant la natation, le cyclisme ou le ski de fond.

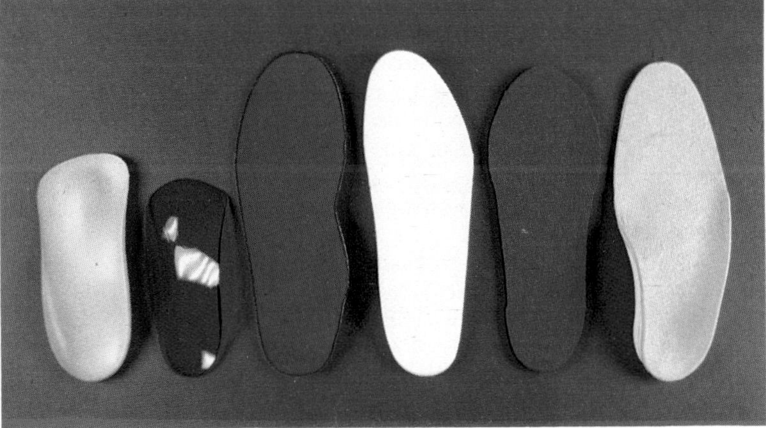

Exemple de différents types d'orthèse sous forme de semelles à mettre à l'intérieur de la chaussure. La semelle de gauche comporte vers l'avant une pelote qui sert de soutien pour la voûte antérieure du pied.

Affaiblissement de la voûte antérieure du pied

On peut considérer la fonction normale de la voûte antérieure du pied comme celle d'un ressort. La plupart des os du pied intermédiaire et des orteils font ressort contre la surface des installations sportives lorsque la voûte antérieure du pied est mise en charge lors de la phase d'appui et lors de la poussée. Un relâchement des ligaments entre les os du pied intermédiaire a tendance à se produire faisant perdre à la voûte du pied sa forme de voûte et sa capacité d'amortir les charges. Le pied s'élargit et aussi bien les os du pied intermédiaire que les orteils sont l'objet d'une dispersion en éventail.

Symptômes et diagnostic

— Douleurs lorsque la voûte antérieure du pied est mise en charge.
— Des durillons se produisent au-dessous du coussinet antérieur d'appui parce que la peau est soumise à une pression accrue.
— Peu à peu, le gros orteil peut être fléchi et venir se placer sur les autres orteils (hallux valgus, voir page 356).
— La pression peut entraîner la formation d'une bourse séreuse et d'une exostose à la face interne du gros orteil. La poursuite de la pression peut être à l'origine de la survenue d'une inflammation dans la bourse séreuse.
— L'état peut donner naissance à un orteil en marteau, c'est-à-dire que les orteils à l'exception du gros orteil seront en permanence en position fortement fléchie, ce qui accroît la pression sur l'articulation des orteils et un durillon sensible peut survenir sur sa face supérieure (cors).

Traitement

— Semelle de soulier avec pelote pour la voûte antérieure du pied (voir cliché page 353).
— Mouvement d'attraper avec les orteils.
— En cas d'hallux valgus avec inflammation de la bourse séreuse et orteil en marteau, l'intervention chirurgicale peut devenir nécessaire.

Pied creux

On appelle «pied creux» un pied avec une voûte longitudinale du pied élevée, modification qui est congénitale. Un pied creux est relativement raide et possède une amplitude articulaire limitée. Il est souvent associé à une tension excessive du mollet et à une aponévrose plantaire rétractée. La surface porteuse du poids est relativement petite et c'est pourquoi il existe un risque de focalisation de pression et de modification des conditions de charge.

Symptômes et diagnostic

— Le pied est rigide et sa voûte longitudinale du pied s'abaisse à peine sous l'effet de la mise en charge.
— Orteils en marteau c'est-à-dire les orteils demeurent en position fortement fléchie.
— Gros orteil fléchi en bas, ce qui est souvent la cause de durillons sensibles.
— Inflammation pouvant survenir au niveau du tendon d'Achille et de l'aponévrose plantaire.
— Douleurs lors d'efforts de longue durée. Normalement, les pieds creux invétérés ne tolèrent pas particulièrement bien la course à pied de longue distance.

Traitement

— Une semelle de soulier spécialement établie avec une bonne capacité d'absorption des chocs doit être utilisée.
— L'entraînement par allongement est une forme importante d'entraînement pour tous les types de pied creux. Les exercices peuvent par exemple être effectués sur une planche qui est inclinée d'environ 35°. Les orteils et le talon doivent alors alternativement être inclinés vers le bas.

Exostoses du pied

Parfois, des exostoses surviennent sur la face supérieure ou sur les faces interne et externe. Les excroissances peuvent augmenter de taille et devenir gênantes. La cause est en général une pression contre le soulier, qui est lacé trop fortement. Les excroissances surviennent souvent sur le dos du pied au-dessous ou en avant de la bosse antérieure du pied. Parfois cette excroissance peut constituer un os surnuméraire. La mobilité du pied est souvent normale, mais celui qui en est atteint ne peut pas se promener en portant des souliers. Une sensibilité douloureuse peut être due à une inflammation d'une bourse séreuse, qui s'est formée en avant de l'excroissance osseuse. L'exploration radiologique montre une petite excroissance osseuse, parfois un os surnuméraire. Le traitement, en cas de trouble dû à une excroissance osseuse, consiste souvent en une décharge obtenue en modifiant les souliers. Parfois, un ruginage de l'excroissance osseuse est effectué.

Inflammation des tendons extenseurs des orteils

Les tendons qui relèvent les orteils passent sur la face supérieure du pied et ils dépendent des muscles qui sont attachés à la face antérieure de la jambe. Lorsque les tendons sont alors exposés à une augmentation de pression par des souliers de sport qui vont mal ou qui sont lacés trop fortement, ils peuvent s'enflammer. Les symptômes se résument à des douleurs sur la face supérieure du pied et ces douleurs s'aggravent lors de la course à pied. Une sensibilité douloureuse peut être ressentie à la face supérieure du pied le long des tendons. En cas d'inflammation tendineuse aiguë, des crépitements tendineux peuvent parfois être entendus.

Traitement

— Repos actif.
— Médicaments d'action anti-inflammatoire.
— Changement de souliers. Parfois, un morceau de caoutchouc mousse ou de feutre avec un trou pour la zone engendrant les douleurs empêche la pression de la languette du soulier.
— Médicaments d'action anticoagulante. En cas de troubles de longue durée, une injection de corticostéroïdes peut devenir nécessaire. En relation avec l'injection, le repos doit être ordonné.
— Dans certains cas, une intervention chirurgicale est indiquée.

Fracture des os du pied intermédiaire

La fracture la plus fréquente parmi les fractures du pied est la fracture d'un ou plusieurs os métatarsiens. La lésion peut survenir lorsqu'on marche sur le pied du sportif. En raison des douleurs qui apparaissent, la lésion est traitée par un plâtre pendant plusieurs semaines. En cas de fracture avec déplacement de deux ou plusieurs métatarses, l'opération doit être envisagée. La lésion guérit en règle sans donner d'ennuis ultérieurs.

Spécialement lors des entorses et des lésions par surcharge, cette fracture atteint la partie proximale du 5e métatarse qui constitue l'insertion du tendon du muscle court péronnier. Ce tendon peut déplacer un fragment osseux d'insertion, c'est pourquoi le traitement par plâtre est recommandé. En cas de déplacement de la fracture, une intervention chirurgicale est nécessaire.

Inflammation ou rupture du tendon du muscle court péronier latéral

L'inflammation et la rupture partielle de l'insertion sur le 5e métatarse du tendon du muscle court péronier latéral n'est pas inhabituelle, par exemple, chez les joueurs de football. Parfois également, la gaine du tendon est enflammée avec des crépitements tendineux comme conséquence. Le sujet atteint ressent des douleurs au-dessus de la partie supérieure de 5e métatarse. Lorsque la lésion est à sa phase aiguë, on administre des médicaments d'action anti-inflammatoire. On a recours éventuellement à un traitement par plâtre. Par ailleurs, la lésion est traitée selon la description donnée page 41.

Affections des orteils

Hallux valgus

Le gros orteil peut normalement faire un angle en dehors de 10°. Si l'angle est plus grand, il s'agit d'un «hallux valgus», ce qui signifie angulation externe du gros orteil. Lors de cette malposition, il se forme une excrois-

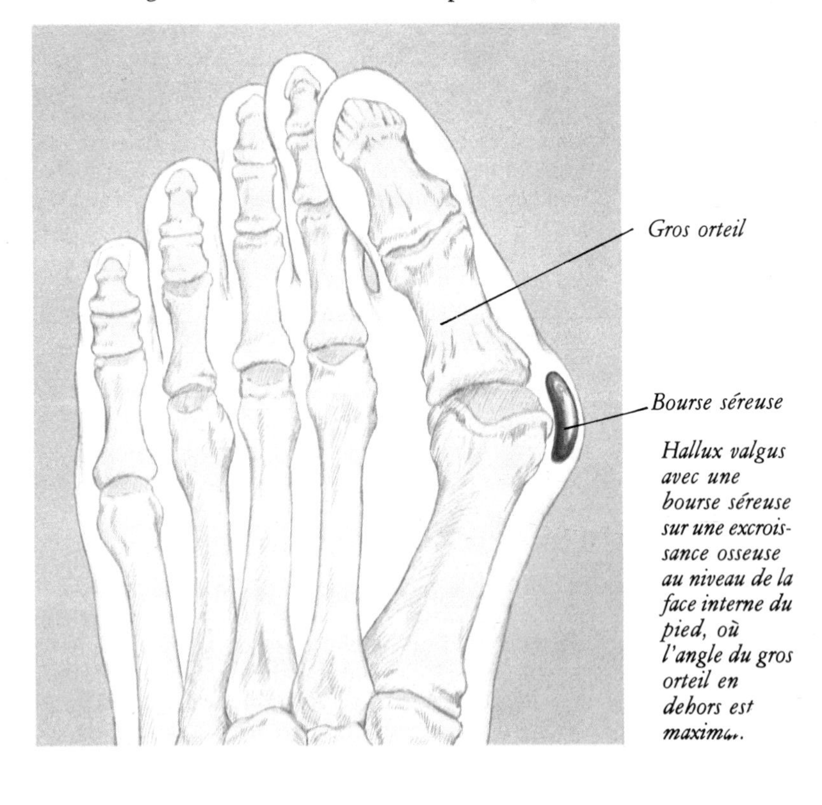

Hallux valgus avec une bourse séreuse sur une excroissance osseuse au niveau de la face interne du pied, où l'angle du gros orteil en dehors est maximum.

sance osseuse à la face interne du pied où l'angle est le plus grand. L'excroissance est recouverte d'une bourse séreuse qui du fait qu'elle est soumise à une pression par moment peut s'enflammer et devenir très sensible.

Une cause d'hallux valgus est l'abaissement de la voûte antérieure du pied. Une pronation exagérée peut de même qu'un déséquilibre et une rétraction des muscles du gros orteil avoir de l'importance pour la survenue d'un hallux valgus. Des souliers trop étroits et une mauvaise position du premier métatarse ont également été évoqués comme causes favorisantes.

Symptômes et diagnostic

— Le gros orteil fait un angle de plus de 10° en dehors et peut de ce fait être comprimé contre les autres orteils, qui à leur tour peuvent appuyer contre le troisième, si bien qu'il s'installe progressivement une mauvaise position.
— Un endurcissement ou un épaississement de la peau survient souvent au niveau de la plante du pied sous le second métatarse.
— Une rougeur de la peau et une sensibilité douloureuse peuvent apparaître au niveau du bord interne du pied lorsque l'angle est maximal.

Traitement

Le sportif peut:
— employer des souliers larges et des talons pas trop hauts;
— placer un morceau de feutre mou ou un morceau de caoutchouc entre le gros orteil et les autres orteils.

Le médecin peut:
— prescrire une semelle avec une pelote (qui peut avoir un effet dans certains cas);
— prescrire des souliers avec un renflement correspondant à l'excroissance osseuse;
— intervenir chirurgicalement. L'intervention ne doit cependant être pratiquée qu'en cas de troubles graves.

Hallux rigidus

Un hallux rigidus peut survenir après de petites lésions répétées des surfaces cartilagineuses de l'articulation de la base du gros orteil. La mobilité de cette articulation diminue alors et celui qui est atteint éprouve des difficultés à courir et à marcher normalement. Les coureurs de fond peuvent se plaindre de douleurs du gros orteil qui les rend incapables de courir sur de longues distances. L'exploration radiologique de l'articulation de la base du gros orteil peut parfois montrer certaines altérations par usure.

La symptomatologie de l'hallux valgus est représentée par une sensibilité douloureuse sur l'articulation de la base du gros orteil ainsi qu'une diminution de la capacité de mouvement des orteils, surtout lors de l'extension. Le pied du sportif atteint doit être examiné à la recherche d'éventuelles malpositions, qui peuvent être corrigées avec une semelle. La confection d'une orthèse à l'avant peut être parfois pleine d'intérêt. Parfois, le sportif doit passer à une spécialité sportive du type cyclisme ou natation, afin de décharger l'articulation des orteils. Quelquefois, un traitement chirurgical de l'hallux valgus peut devenir d'actualité.

«Turf toe syndrom»

Lors du football sur sol artificiel («turf») le pied du joueur, lors d'un freinage puissant, est fixé au sol, ce qui fait glisser le pied en avant dans

Le syndrome de «turf toe» peut apparaître lorsqu'on pratique le sport sur un sol artificiel.

le soulier avec un redressement violent du gros orteil comme conséquence. Ainsi, les ligaments sont tendus et la surface articulaire est lésée. La capsule articulaire est elle aussi distendue et se rompt. Cette lésion est devenue de plus en plus fréquente du fait de l'emploi de plus en plus répandu des sols artificiels. La symptomatologie consiste en tuméfaction et douleur dans l'articulation de la base du gros orteil ainsi qu'en sensibilité douloureuse de l'extension et de la flexion des orteils.

Un sportif qui est atteint de «turf toe syndrom» doit être examiné radiologiquement pour contrôler s'il existe une fracture. Le «turf toe syndrom» est traité à la phase aiguë par application de froid, pansement compressif, placement du pied en surélévation, décharge et repos. Après 24 à 48 heures le blessé peut, dans une certaine mesure, mettre à nouveau en charge son pied. Au cours de la période de rééducation fonctionnelle le gros orteil peut être protégé par une semelle de soulier rigide qui sera suffisamment longue et large pour empêcher le gros orteil d'amplifier le mouvement. L'articulation blessée peut également être stabilisée par un strapping. En cas de «turf toe syndrom» le sujet atteint doit compter avec au moins 2 à 4 semaines d'absence de pratique sportive active.

Fracture des os sésamoïdes

Des fractures peuvent atteindre les os sésamoïdes du pied et les 2 os sésamoïdes situés sous l'articulation de la base du gros orteil sont en général les plus exposés. Ces os sésamoïdes sont inclus dans le tendon fléchisseur du gros orteil. Une fracture peut survenir sur eux, habituellement sur l'os sésamoïde interne, lorsque le gros orteil est forcé d'effectuer un violent redressement, par exemple lors de la poussée en même temps qu'un traumatisme est exercé contre le pied. Parfois l'inflammation peut survenir dans le tendon fléchisseur du gros orteil, qui entoure l'os sésamoïde. Une inégale répartition de pression exercée contre l'os sésamoïde en est la cause.

Symptômes et diagnostic

— Le sportif ne peut pas courir sur les orteils et ressent des douleurs lors de la poussée.
— Sensibilité douloureuse locale et tuméfaction.
— Douleurs survenant lorsque les orteils sont relevés.
— L'exploration radiologique fournit le diagnostic de fracture, lorsqu'elle existe.

Traitement

— Plâtre à porter pendant plusieurs semaines.
— Si la lésion ne reçoit un traitement par un médecin qu'à un stade tardif et si la fracture osseuse est alors mal guérie, une intervention chirurgicale peut être d'actualité pour enlever l'os sésamoïde.
— La lésion atteint souvent des sportifs présentant une voûte du pied élevée et des ligaments de voûte serrés. Lors de l'opération, il faut parfois intervenir pour diminuer l'enraidissement des ligaments de la voûte du pied.

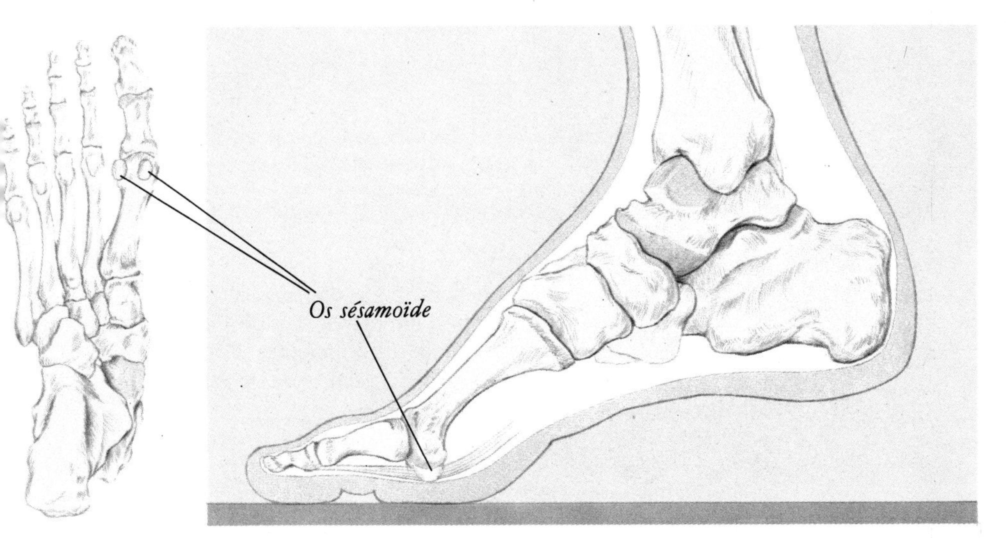

Dans le coussinet situé à la face inférieure du gros orteil se trouve l'os sésamoïde qui peut être blessé principalement lors de la propulsion.

Maladie de Morton

Le sens tactile des orteils est transmis au cerveau par les nerfs. Chaque nerf transmet le sens tactile de la face externe d'un orteil et de la face interne de l'orteil le plus voisin. Les métatarses peuvent parfois être comprimés parce qu'on emploie des souliers trop étroits ou qu'on présente une voûte antérieure du pied affaissée. Un nerf va de ce fait être coincé entre les métatarses et être à l'origine de la formation d'un névrome, ce qui crée un état douloureux qui est appelé «maladie de Morton».

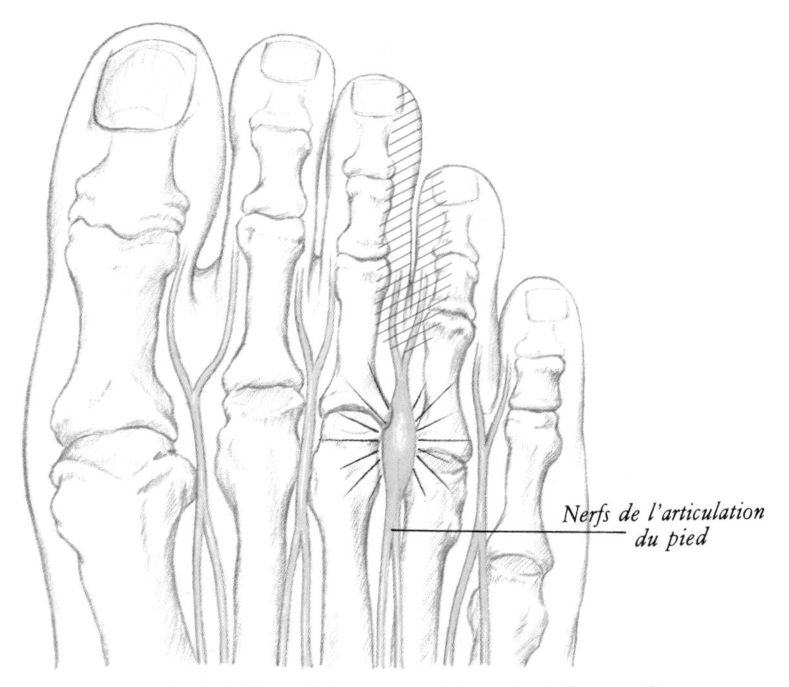

En cas, par exemple, de faiblesse de la voûte antérieure du pied, un nerf peut se trouver coincé entre les os du squelette, ce qui entraîne un renflement du nerf à ce niveau. Il se produira alors une forte compression du nerf qui à son tour va engendrer des douleurs irradiantes et une insensibilisation des orteils dans la zone hachurée.

Symptômes et diagnostic

— Le blessé se plaint habituellement de douleurs récidivantes de la face externe d'un orteil et de la face interne de l'autre. Il est fréquent que le troisième et le quatrième orteil soient atteints.
— Les manifestations pathologiques ressemblent souvent à celles d'une décharge électrique.
— Le sens tactile peut être diminué sur les 2 faces voisines des orteils atteints.
— Les manifestations peuvent apparaître spontanément lorsqu'on s'attend le moins à les voir apparaître.
— Le blessé peut n'avoir plus aucun symptôme lorsqu'il marche pieds nus.
— En comprimant l'un contre l'autre les métatarses, on peut déclencher des douleurs au niveau des orteils atteints.
— Sensibilité douloureuse locale entre les orteils marquée lorsqu'on appuie contre la peau avec un objet effilé, par exemple la partie postérieure d'un crayon.

Traitement

Le sportif peut:
— se reposer et décharger ses orteils;
— utiliser des souliers à large forme.

Le médecin peut:
— prescrire des médicaments d'action anti-inflammatoire pendant 2 semaines;
— ordonner une orthèse de soulier avec pelote, qui peut écarter les métatarses et de cette façon, soulager de la pression contre le nerf;
— opérer, ce qui constitue un traitement très efficace.

Fracture des orteils

Une fracture des orteils peut survenir lors de la pratique de la plupart des sports, par exemple lors du shoot de volée ou lors d'un faux pas. La fracture la plus grave est celle du gros orteil spécialement si une articulation est atteinte. S'il existe un déplacement dans une fracture de cette sorte, les extrémités osseuses doivent être remises en place puis la blessure doit être plâtrée pendant environ 4 semaines. Les fractures des autres os des orteils guérissent sans autre traitement que le repos s'il n'y a pas de déplacement. Le blessé doit observer un arrêt de l'entraînement d'environ 3 à 5 semaines.

Affections des ongles des orteils

Ongle incarné

L'ongle incarné est une affection fréquente parmi les sportifs chez lesquels il survient souvent par suite du port de souliers trop étroits qui compriment la peau contre le bord de l'ongle. Le gros orteil qui a un ongle large s'incarne souvent.

Des mesures préventives sont essentielles pour arriver à éviter la constitution d'un ongle incarné. Des souliers de bonne pointure où on est bien à l'aise, des chaussettes bien aérées et ne serrant pas doivent être utilisés. Une hygiène du pied rigoureuse est nécessaire. Les ongles des orteils doivent être coupés régulièrement, au moins une fois par semaine; ils doivent alors être coupés transversalement puisque si les bords de l'ongle sont errodés, ils pourraient pénétrer dans la peau sur les côtés du lit de l'ongle. Les ongles qui sont trop épais doivent être amincis.

En cas d'ongle incarné, une plaie peut survenir et s'infecter par des bactéries, qui se répandent au bord de l'ongle. Ces plaies infectées doivent être drainées de façon à ce que la région puisse rester sèche et traitées par un médicament anti-infectieux. Parfois un traitement par un antibiotique peut être utile. Si, cependant, les manifestations demeurent, l'intervention chirurgicale peut être pratiquée. Elle ne doit pas enlever la totalité de l'ongle même si parfois cela peut devenir nécessaire. Lorsque l'ongle repousse, il est épaissi et le problème peut alors être devenu pire. Lors du traitement opératoire, ce n'est pas seulement la partie de l'ongle qui a occasionné les troubles qui doit être enlevée, mais le lit de l'ongle doit aussi être traité.

Hématome sous-unguéal

Un ongle bleu peut survenir du fait qu'on a reçu un coup ou qu'on a marché sur l'ongle d'un orteil, qu'on porte des souliers trop étroits ou qu'on a des ongles trop longs par rapport à la longueur des orteils. Une hémorragie se produit alors dans le lit de l'ongle et occasionne peu à peu une flaque bleue sous l'ongle. Les ongles bleus se produisent dans la plupart des spécialités sportives. Chez les coureurs à pied la lésion se produit lorsque l'ongle de l'orteil est comprimé contre la partie antérieure du soulier, ce qui peut arriver lorsque les souliers sont trop petits ainsi que lors de la course en descente.

Une hémorragie du lit de l'ongle est douloureuse du fait que le sang qui est accumulé sous l'ongle crée une augmentation de pression contre les tissus. L'hémorragie peut être évacuée en faisant dans l'ongle un orifice avec un bistouri propre et bien aiguisé ou une aiguille pointue (l'aiguille doit avoir été porté au rouge avant l'emploi) après qu'on ait désinfecté l'ongle. Le sang se vide par l'orifice qui ensuite doit être protégé par un pansement pour que le lit de l'ongle ne puisse s'infecter. De cette façon, on peut espérer conserver l'ongle. Si ce traitement aigu n'est pas administré, l'approvisionnement sanguin de l'ongle est entravé et il tombe en l'espace de 2 à 3 semaines. Si l'ongle quitte son insertion au bord de l'ongle, on doit consulter un médecin, puisqu'il y a risque d'infection. Le sportif qui a présenté un ongle bleu doit chercher à élucider pourquoi la lésion est apparue. Si ce sont les souliers qui en sont la cause, ils doivent être changés.

Exostose sous-unguéale

Lors des traumatismes répétés contre un orteil, par exemple lorsqu'un joueur de basket-ball se fait marcher sur un orteil, une exostose peut se développer peu à peu à la partie externe des orteils atteints et pénétrer sous le lit de l'ongle. L'exostose est située habituellement sur le gros orteil. Elle est très douloureuse et sensible à la pression et aux traumatismes ultérieurs. Dans de nombreux cas, l'ongle doit être découpé en raison de la pression accrue qui s'exerce contre lui. Le traitement par ailleurs consiste en un ruginage de l'excroissance osseuse.

Affections dermatologiques du pied

Durillons

Lors d'une pression contre la peau celle-ci s'épaissit et des durillons se forment. Cette pression au niveau du pied peut provenir de souliers trop fortement lacés ou trop étroits, de mauvaises positions, etc. Les durillons peuvent survenir à de nombreux endroits et les plus fréquents sont situés:
— au talon;
— au coussinet antérieur d'appui;
— à la face supérieure des orteils fléchis ainsi que des orteils en marteau;
— à la face interne du gros orteil en cas d'excroissance osseuse.

Les durillons au niveau du pied sont traités par décharge. Si besoin on les résèque avec un bistouri effilé ou on les lime avec une lime. Parfois les durillons récidivent et il y a lieu alors d'éliminer la cause déclenchante, par exemple, une excroissance osseuse ou de modifier (ou de remplacer) les souliers qui appuyent contre le pied. De nouveaux durillons ne reviennent en général pas.

Excroissances cutanées (œil de perdrix)

Une excroissance cutanée est une forme d'induration qui se forme entre les orteils, habituellement entre le quatrième et le cinquième orteil. Les indurations surviennent parce qu'on porte des souliers avec une forme étroite permettant le développement de points de pression. Le traitement consiste en l'emploi de souliers avec une forme plus large en même temps qu'on protège la région exposée de la pression, par exemple en plaçant des anneaux de feutre ou de caoutchouc mousse autour de l'induration.

Mycoses du pied

En l'absence de propreté en ce qui concerne les pieds et les bas, de même lorsqu'on néglige de sécher ses pieds après une douche ou un bain, il se crée un milieu favorable au développement de champignons. Les champignons ont pour conséquence que la peau située entre les orteils se ramollit et qu'il s'y forme parfois des crevasses. Une couche blanchâtre est aperçue au niveau de la zone de transition avec la peau normale. Les affections par champignons sont contagieuses et les champignons peuvent se diffuser d'individu à individu par le plancher sur lequel on marcherait pieds nus.

Mesures préventives

— Lavage régulier des pieds avec du savon et de l'eau, puis séchage minutieux.
— Changements fréquents et réguliers de bas.
— Souliers aérés qui laissent passer l'air.
— Eviter de marcher pieds nus dans les vestiaires et les installations sportives.

Traitement

Le médecin peut:
— prescrire une crème médicamenteuse contre les mycoses. Cette crème doit continuer à être appliquée localement pendant 2 semaines après que les altérations de la peau aient disparu.

Verrues plantaires

Les verrues plantaires sont causées par un virus et peuvent être transmises d'individu à individu par l'intermédiaire du plancher dans la salle de douche ou le vestiaire, lorsqu'on y marche pieds nus. Le temps qui s'écoule entre le moment où on a été contaminé et celui où une verrue apparaît est de 1 à 6 mois. Les verrues siègent le plus souvent à la plante du pied. Elles sont rondes à ovales et ont en leur milieu une dépression. Il faut les distinguer des durillons, qui sont causés par une pression trop forte contre le pied. Il peut être difficile de différencier les durillons d'une verrue lorsque celle-ci est survenue dans une région supportant le poids du corps et entourée de durillons.

Les verrues peuvent déclencher des douleurs lorsqu'on appuie sur les tissus sous-jacents. En outre, les verrues peuvent être sensibles lorsqu'on appuie sur elle de côté. En cas de dépression centrale, les verrues plantaires peuvent être infectées par des bactéries et être à l'origine de septicémies.

Les verrues plantaires peuvent disparaître spontanément après 2 à 4 ans. Le traitement doit cependant être institué dès qu'une verrue plantaire est apparue.

Traitement

Le sportif peut:
— limer et polir une verrue aussi loin que possible, éventuellement après 10 à 15 minutes d'un bain de pied chaud puis traiter la verrue avec un médicament spécifique du traitement des verrues qui sont à base d'acide salicylique. La pointe d'un cure-dent est trempée dans le médicament et appliquée ensuite sur toute la région de la verrue. Le traitement peut durer plusieurs mois.

Le médecin peut:
— dans certains cas enlever ou brûler les verrues plantaires.

LÉSIONS CRÂNIENNES ET PERTES DE CONNAISSANCE

Des blessures de la tête surviennent pratiquement dans toutes les spécialités sportives mais surtout dans les sports de contact comme l'équitation, la descente à ski et la boxe. Il existe également un risque d'ébranlement du cerveau lorsqu'on exécute par exemple une tête en football, spécialement si on n'emploie pas une technique correcte. Un ballon de football qui est expédié par un shoot peut atteindre une vitesse allant jusqu'à 100 km/heure et pèse 400 g (et encore plus s'il est humide). De grandes forces sont ainsi mises en jeu lorsque la tête rencontre le ballon.

Pertes de connaissance

On distingue entre les pertes de connaissance dues aux lésions craniennes qui sont survenues en relation avec un traumatisme contre la tête (lors d'une chute contre le sol ou en relation avec une collision) et les pertes de connaissance qui sont dues à, par exemple, une défaillance de la circulation sanguine en relation avec une course de longue distance. En cas de perte de connaissance la personne qui apporte ses soins doit faire une estimation des causes de la perte de connaissance et prendre ensuite les mesures nécessaires.

Pertes de connaissance dues à un traumatisme

Les lésions crâniennes suivies de symptômes doivent — que le blessé ait ou non perdu connaissance — toujours être considérées comme graves puisque des complications mettant la vie en danger peuvent se produire.

La durée de la perte de connaissance est directement en relation avec le degré de gravité de la blessure. C'est pourquoi, on doit aussi rapidement que possible essayer de déterminer si la perte de connaissance est apparue après un traumatisme au niveau de la tête. En cas de perte de connaissance, il se produit un trou de mémoire chez le blessé et la manière la plus simple de savoir s'il y a eu une perte de connaissance est d'interroger le blessé sur le déroulement de l'action, avant, pendant et après le moment de la blessure.

Après une lésion crânienne différents états peuvent se présenter:

1. *Lésion crânienne sans perte de connaissance.* Le blessé n'a pas de trou de mémoire mais se plaint de maux de tête, de nausées et/ou de vertiges; de même, il peut être pâle avec un état général atteint. Les nausées peuvent entraîner des vomissements.

Les sportifs qui se trouvent dans cet état doivent immédiatement interrompre leur activité sportive. Ils doivent être placés sous surveillance, ne pas être laissés seuls et consulter un médecin pour évaluation de leur lésion.

2. *Lésion crânienne avec une perte de connaissance de courte durée* (moins de 5 minutes). Si une courte perte de connaissance est survenue et si le blessé conserve des symptômes comme des maux de tête, des nausées, des vomissements et/ou des vertiges, ainsi qu'une atteinte de l'état général, il peut exister une grave lésion cérébrale. Le blessé doit être transporté chez un médecin pour évaluation et mise en observation. L'évolution de l'état

sera en général bénigne et le séjour hospitalier éventuel sera de quelques jours seulement.

3. Lésion crânienne avec perte de connaissance de longue durée (plus de 5 minutes). Ce type de lésion doit être considéré comme très grave. Le blessé doit immédiatement être conduit à l'hôpital pour évaluation et mise en observation.

Mesures à prendre sur les lieux de la blessure en cas de perte de connaissance

Il s'agit de vérifier si les voies respiratoires du blessé sont libres, car cette liberté est une des conditions indispensables de la respiration. Une issue fatale, en cas d'accident avec perte de connaissance et d'autres états médicaux aigues, provient souvent d'obstacles au niveau des voies respiratoires ou de défaillance de la circulation sanguine. Si la respiration ou l'activité cardiaque cesse pendant environ 3 à 5 minutes des lésions cérébrales durables surviennent.

Si le blessé respire de lui-même, il doit être placé en position latérale à plat ventre. En plaçant son bras du dessous derrière son dos et son membre inférieur du dessous fléchi à angle droit aussi bien au niveau de la hanche qu'au niveau du genou, on empêche le sujet sans connaissance de tomber en avant sur le ventre.

Position couchée sur le côté avec la tête la première.

Si le blessé ne respire pas de lui-même, la respiration artificielle selon la méthode du bouche-à-bouche doit être instituée. Le blessé est alors placé sur le dos avec la tête fléchie en arrière et les mesures suivantes sont mises en route avant l'installation d'une assistance respiratoire:

— la cavité buccale doit être débarrassée de tous objets comme les prothèses dentaires, les dents arrachées ou de la terre, etc.;

— La tête doit être fléchie en arrière et le maxillaire inférieur luxé en avant. La langue chez un sujet ayant perdu connaissance peut tomber contre la paroi postérieure du pharynx et constituter un obstacle à la respiration. La flexion maximale en arrière de la tête du blessé est souvent une mesure suffisante pour rétablir la liberté des voies respiratoires. Une main est placée à cette fin sur le front du blessé tandis que l'autre le soulève sous la nuque de façon à ce que sa tête soit placée en flexion maximale en arrière et que sa bouche soit ouverte.

Méthode du bouche-à-bouche

Lors de la respiration bouche-à-bouche, le secouriste prend une respiration profonde, ouvre sa bouche au maximum et l'applique aussi étroitement que possible sur la bouche du blessé. Si le sujet qui a perdu connaissance est un adulte, on bouche son nez en même temps que le secouriste expire fortement. La cage thoracique du blessé doit se soulever si l'insufflation est correctement effectuée. On soulève ensuite la tête, la tourne sur le côté et on fait une inspiration tandis que le blessé expire, après quoi ont fait une nouvelle insufflation. Environ 12 insufflations à la minute, c'est-à-dire une insufflation toutes les 5 secondes doivent être effectuées chez l'adulte. Si le blessé est un enfant, les insufflations doivent être effectuées à plus haute fréquence, avec plus de prudence et de préférence être effectuées en même temps par le nez et la bouche de l'enfant inconscient.

— Le sujet ayant perdu connaissance doit le plus vite possible être transporté à l'hôpital.

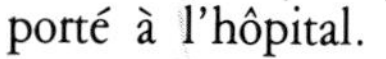

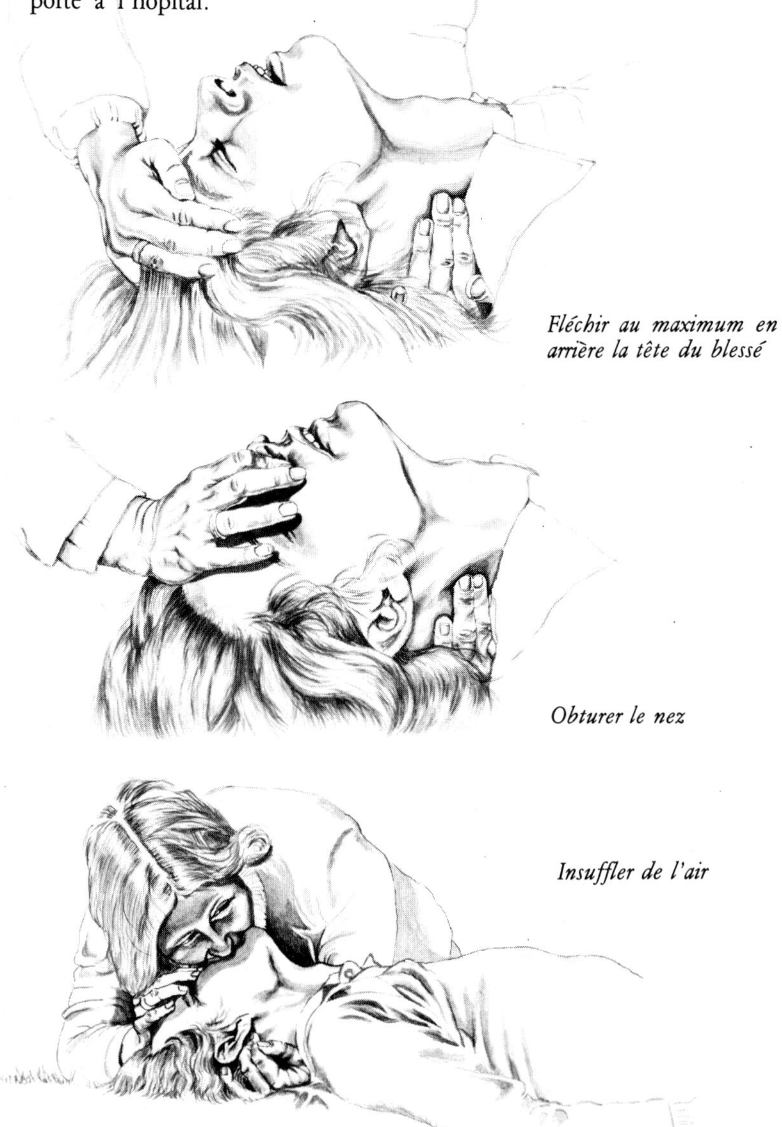

Fléchir au maximum en arrière la tête du blessé

Obturer le nez

Insuffler de l'air

— Dans l'attente du transport, le sujet ayant perdu connaissance doit être maintenu au chaud et être placé sur une surface chaude.
— Aucune boisson ne doit être donnée à une personne qui est ou qui a été sans connaissance.
— Ne jamais laisser seul quelqu'un qui a perdu connaissance!

En cas de suspicion de lésion de la colonne vertébrale cervicale, la tête du blessé ne doit pas être fléchie en arrière au maximum pour obtenir la liberté des voies respiratoires. A la place, son maxillaire inférieur doit être luxé en avant. Même si le blessé ne peut être bougé avant l'arrivée sur place du personnel compétent, ses voies respiratoires doivent être dégagées le plus rapidement possible.

Les lésions crâniennes avec perte de connaissance, de même que les lésions crâniennes sans perte de connaissance mais avec persistance de maux de tête, de nausées, de vomissements et de vertiges, doivent être considérées comme graves, car des complications mettant la vie en danger peuvent survenir.

La méthode bouche-à-bouche est la seule méthode efficace de respiration artificielle, si on n'a pas accès à un appareil d'assistance respiratoire. La méthode doit être maîtrisée par tout le monde.

Complications

Lors de lésions crâniennes, des hémorragies internes peuvent survenir. Elles proviennent de la rupture de vaisseaux sanguins qui peuvent se produire lors de la fracture du crâne, habituellement dans la région de la tempe. Une telle hémorragie peut augmenter progressivement et limiter l'espace pour le cerveau. L'augmentation de pression sur les tissus du cerveau peut agir sur le centre respiratoire au point que le blessé cesse de respirer. Seule une intervention chirurgicale immédiate par laquelle l'hémorragie sera évacuée peut rétablir la circulation.

Lorsqu'il existe une suspicion de graves lésions crâniennes, il est pratiqué une exploration radiologique spécialisée, une scannographie, avec

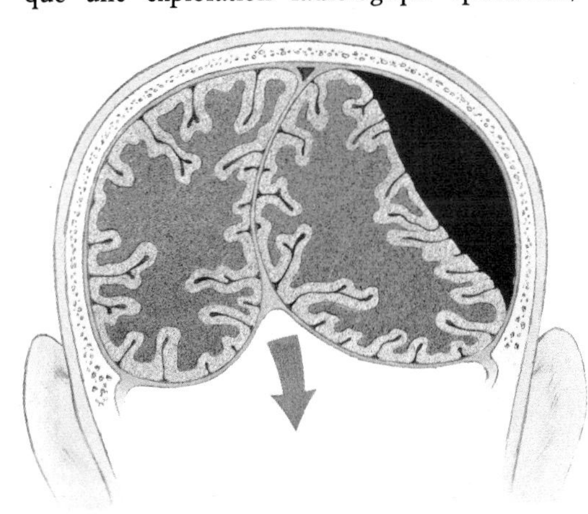

Exemple d'hémorragie entre le crâne et le cerveau. L'augmentation de pression est transmise en bas contre la base du crâne.

laquelle la lésion sera localisée avec précision. Une exploration à l'aide des ultrasons peut également être intéressante.

Lors d'hémorragies provenant du conduit auditif, ou d'hémorragies avec écoulement concomitant de liquide provenant du nez du blessé, on doit suspecter l'existence d'une fracture du crâne.

En cas de lésions crâniennes, il peut se passer plusieurs heures ou plusieurs jours après le moment de la blessure, avant que des signes de complications mettant la vie en danger ne se manifestent.

Pertes de connaissance par suite de collapsus

Des pertes de connaissances au cours de courses de longue durée surviennent également chez des sportifs relativement bien entraînés, souvent en relation avec un temps chaud. La cause peut en être que les pertes de liquide ont créé une diminution du volume sanguin mais cet état peut également être dû à une atteinte cardiaque, à des perturbations temporaires du taux de sucre sanguin, etc.

Traitement

— Assurer la liberté des voies respiratoires chez le sujet ayant perdu connaissance.
— Maintenir le blessé chaud et le placer sur une surface chaude.
— Soulever les membres inférieurs du blessé, de façon à ce que l'approvisionnement en sang du cœur soit augmenté.
— Aucune boisson ne doit être donnée à un sujet ayant perdu connaissance.
— Appeler un médecin et organiser un transport rapide à l'hôpital.

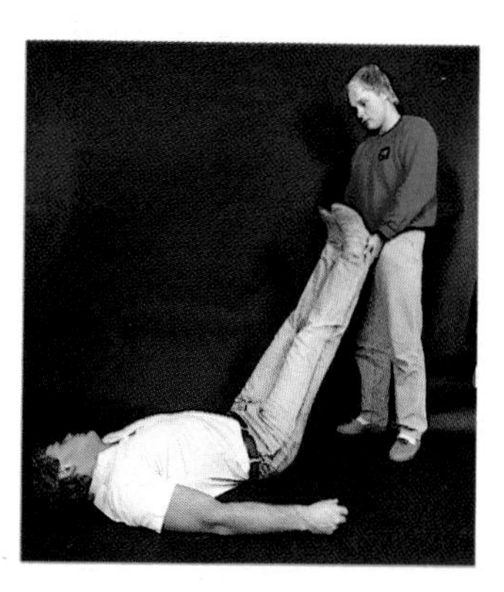

Lors d'une perte de connaissance par suite de collapsus, les membres inférieurs du blessé doivent être soulevés de façon à augmenter l'apport de sang au cerveau.

BLESSURES DE LA FACE

Plaies

Des plaies du front et du cuir chevelu peuvent être associées avec des lésions des tissus sous-jacents. De telles lésions surviennent souvent au sein des sports de contact comme le hockey sur glace et le football mais également parmi les cavaliers, les descendeurs à ski, etc.

Lorsqu'il existe un risque de lésions du squelette et d'hémorragies abondantes, le blessé doit consulter un médecin.

Les plaies doivent être nettoyées soigneusement (pour le traitement, voir page 54).

Fractures du maxillaire supérieur

Les fractures du maxillaire supérieur surviennent au sein des sports de contact comme le football, le hockey sur glace et la boxe. On peut suspecter l'existence de cette sorte de lésion si :
— le maxillaire supérieur a été exposé à un traumatisme ;
— l'articulé dentaire ne concorde pas exactement et qu'une douleur se produit lorsque le blessé serre les dents ;
— la moitié de la joue est devenue insensible ;
— une irrégularité douloureuse peut être perçue sur le bord de l'os le long de la limite inférieure de la cavité oculaire ;
— présence d'une diplopie (vision double).

Les fractures du maxillaire supérieur sont souvent traitées par intervention chirurgicale et guérissent en 6 à 8 semaines.

Fractures de l'apophyse zygomatique

L'apophyse zygomatique est située entre la joue et l'oreille et la fracture de l'apophyse zygomatique peut être suspectée lorsque :
— l'apophyse zygomatique a été soumis à un traumatisme ;
— une sensibilité douloureuse avec tuméfaction est présente ;
— une douleur se manifeste lors de la mastication.

Si l'exploration radiologique montre un enfoncement de l'apophyse zygomatique, la lésion sera opérée ; la guérison se faisant en 4 semaines environ.

Fractures du maxillaire inférieur

On peut suspecter l'existence d'une fracture du maxillaire inférieur si :
— le menton a été exposé à un traumatisme, par exemple un coup direct au cours de la boxe ;
— des douleurs surviennent lorsque le blessé bâille ou serre les dents ;
— l'articulé dentaire ne concorde pas exactement ;
— une sensibilité locale est ressentie en avant de l'oreille.

En cas de fracture déplacée, cette lésion doit être opérée et le maxillaire inférieur être fixé au maxillaire supérieur par l'intermédiaire des dents pendant 6 à 8 semaines.

BLESSURES DU NEZ

Saignements de nez

Les saignements de nez sont dus à ce que plusieurs vaisseaux sanguins dans le nez ont été rompus. Il s'agit d'un incident courant au sein des sports de contact comme le handball, le hockey sur glace et le football ainsi que parmi les boxeurs et les cavaliers. Une fracture des os du nez peut être suspectée après un coup contre le nez.

Traitement

Le sportif:
— doit s'asseoir le corps vertical;
— doit placer le pouce et l'index sur le nez et comprimer les narines l'une sur l'autre pendant environ 10 minutes; après quoi, 9 sur 10 saignements de nez cessent;
— peut placer un tampon de coton ou une compresse hémostatique dans les narines pendant environ 1 heure;
— doit consulter un médecin si le saignement continue malgré la mise en jeu des mesures énumérées ci-dessus.

Le médecin peut:
— traiter le vaisseau sanguin rompu par une substance thermostatique;
— poser un pansement compressif interne en cas de graves hémorragies.

Fractures des os du nez

Les fractures des os du nez surviennent au sein des sports de contact ainsi que parmi les cavaliers et les boxeurs. La lésion n'est pas particulièrement grave mais nécessite en règle générale un traitement par un chirurgien lorsque la fracture doit être remise en place en prévision de l'aspect ultérieur du nez et de sa fonction.

LÉSIONS DES OREILLES

Lésions de l'oreille externe

Les blessures de l'oreille externe ne sont pas habituelles en sport; des coups répétés ou une pression répétée contre l'oreille par exemple en boxe ou en lutte peuvent cependant occasionner une hémorragie qui, si on ne la traite pas, peut aboutir à une oreille dite «en chou-fleur».

Un traitement aigu par application de froid et pansement compressif doit être institué pour diminuer la tuméfaction lorsque l'oreille externe est blessée. Une hémorragie de l'oreille externe doit être traitée par un médecin, ce qui peut empêcher l'installation d'une oreille «en chou-fleur».

Lésions des oreilles internes et moyennes

Si un coup porté au niveau du côté de la tête est suivi de douleurs, d'une petite hémorragie ou d'une diminution de l'audition, on doit suspecter une rupture du tympan. Les symptômes énumérés ci-dessus doivent toujours inciter à une visite médicale car les lésions du tympan peuvent entraîner une diminution durable de l'audition. Les tireurs doivent employer des protections d'oreille pour éviter les lésions auditives.

LÉSIONS DES YEUX

La zone qui entoure les yeux est construite pour fournir à l'œil la plus grande protection possible contre les traumatismes externes. Un traumatisme direct contre l'œil par un gros objet, par exemple un ballon de football, peut provoquer une hémorragie et une tuméfaction de la paupière mais blesse rarement l'œil lui-même. Un coup donné par un petit objet ou un objet pointu, par exemple des coudes, des doigts, des clubs de golf, des raquettes et des palets de hockey sur glace peuvent cependant occasionner des blessures directes de l'œil.

Erosion de la cornée

Une des blessures les plus fréquentes en sport est représentée par une petite plaie de la cornée. La plaie peut avoir été causée par un ongle d'un doigt, un corps étranger dans l'œil ou une lentille de contact. Le blessé peut se plaindre de douleurs et d'une sensation de rayure au niveau de l'œil spécialement en cas de forte lumière et lorsqu'on cligne de l'œil. L'augmentation de la quantité de lames excrétée est un symptôme fréquent.

En cas de suspicion d'une plaie de la cornée, on doit consulter un médecin qui examinera si la lésion a pu agir sur la vue. Le traitement consiste habituellement en pommage à usage ophtalmologique et en repos de l'œil, éventuellement en portant un bandeau oculaire pendant plusieurs jours.

Hémorragie de la chambre antérieure de l'œil

Un traumatisme mousse contre l'œil peut causer une hémorragie de l'iris. L'hémorragie forme un niveau liquidien dans le fond de la chambre antérieure de l'œil (voir schéma ci-dessous).

Le traitement consiste en repos immédiat car dans le cas contraire l'hémorragie peut augmenter. Le blessé doit consulter le médecin pour examen et mise en observation. L'état guérit souvent de lui-même sans dommage durable, mais dans certains cas une diminution de la capacité de vision peut en découler.

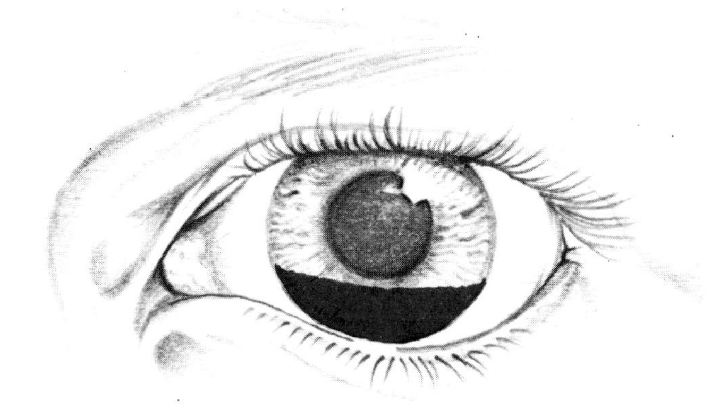

Hémorragie de la chambre antérieure de l'œil.

Inflammation et hémorragie de la conjonctive

Le blanc de l'œil est relativement résistant contre les blessures, mais les nageurs peuvent être atteints d'inflammation conjonctivale en raison du chlore de l'eau des piscines de natation. Son atteinte peut également être due à une hypersensibilité contre la lumière du soleil. Elle est sans danger et peut être atténuée par des gouttes oculaires. Les nageurs peuvent prévenir cet ennui en employant des lunettes protectrices.

Les hémorragies de la cornée ne sont pas inhabituelles après un coup contre l'œil mais elles sont rarement graves et disparaissent d'elles-mêmes en quelques semaines. Si la vue est atteinte un médecin doit alors être contacté.

Décollement de rétine

La rétine peut se décoller en cas de violent traumatisme contre l'œil et un décollement de la rétine peut être suspecté si le blessé présente une diminution de la vue dans un champ de vision limité. Cette lésion doit être examinée par un médecin.

Un médecin spécialisé en ophtalmologie doit être consulté en cas de lésions oculaires, spécialement s'il existe des signes d'hémorragie ou de diminution de la vue après un traumatisme contre l'œil.

LÉSIONS DE LA CAVITÉ BUCCALE

Blessures de la langue

La langue peut être prise en étau entre les dents lors de morsures involontaires, et une blessure avec plaie et hémorragie peut se produire. La blessure est douloureuse mais pas grave et les coupures de moins de 10 mm de long ne nécessitent en règle aucun traitement. En cas de coupure plus longue, les bords de la plaie seront suturés l'un avec l'autre par un médecin.

Lésions dentaires

Les lésions dentaires sont spécialement fréquentes chez les enfants. Un quart de toutes les lésions dentaires chez l'enfant surviennent au cours de la gymnastique ou des activités sportives. La moitié de tous les cas de lésions dentaires en hockey sur glace est due à des coups de crosse. Parmi les joueurs de handball et de football, les collisions avec des adversaires sont la cause la plus fréquente de lésions dentaires.

Dans la très grande majorité des cas de lésions dentaires, ce sont les dents de devant du maxillaire supérieur qui sont touchées et dans la moitié des cas plus d'une dent est blessée. Les dentistes ont coutume de diviser les lésions dentaires de la façon suivante :

— fracture de la couronne dentaire touchant seulement l'émail;
— fracture de la couronne dentaire touchant à la fois l'émail et l'os dentaire;
— fracture de la couronne dentaire avec découverte de la pulpe dentaire;
— lésion de l'insertion de la dent sur la mâchoire;
— fracture de la racine dentaire;
— fractures associées de la couronne et de la racine;
— dent luxée de son alvéole.

Il est rare qu'une lésion dentaire guérisse d'elle-même sans qu'un traitement soit institué. On voit surtout des lésions dentaires graves chez les enfants, puisque des lésions sur des mâchoires et des dents qui n'ont pas encore terminé leur formation peuvent entraîner des dommages pour toute la vie.

Traitement

Le blessé doit sur le champ (le pronostic s'aggrave pour chaque heure de retard!) consulter un dentiste lors des formes cliniques suivantes de lésions dentaires:
— dents cassées;
— dents luxées;
— dents déplacées;
— dents qui tiennent mal et hémorragies de la gencive.

Une dent luxée doit être conservée, car elle peut parfois être remise à sa place. Les possibilités de ce replacement dépendent du laps de temps où la dent a été luxée et du déssèchement de la tunique de la racine. Au cours du transport chez le dentiste, la dent doit être gardée humide par exemple au-dessous de la langue ou dans un mouchoir imbibé de salive, pour pouvoir éviter le déssèchement de la tunique de la racine.

Mesures préventives

Différents types de protection dentaire pour les sportifs ont été construits, entre autres, ceux qu'il convient d'employer lors du hockey sur glace (voir page 115). Malheureusement, il existe de la part des joueurs d'élite une certaine résistance contre l'emploi de cette protection, ce qui est d'autant plus dommage que les jeunes cherchent souvent à imiter leurs idoles le plus possible. Il devrait être évident pour tous les joueurs de hockey sur glace de porter une protection dentaire.

LÉSIONS DU COU

Lésions du larynx

Le larynx est un organe creux, constitué de cartilage élastique qui, sur sa face interne, est recouvert d'une membrane muqueuse. Dans le larynx passe l'air respiré entre les cordes vocales.

Lorsqu'on reçoit un swing de la nuque ou un coup contre la face antérieure du cou par un bras ou une crosse, un palet ou un ballon, le cartilage du larynx est fortement infléchi en dedans. Lorsque le traumatisme contre le cou cesse, le cartilage du fait de sa propre élasticité, revient en arrière et dans ce mouvement la muqueuse peut se décoller. Entre le cartilage et la muqueuse se produit alors une hémorragie qui peut diffuser et agir sur les cordes vocales qui enflent, si bien que le blessé devient enroué. L'œdème peut augmenter progressivement et finir par fermer l'orifice entre les cordes vocales, ce qui est à l'origine d'une augmentation de l'obstacle à la respiration. L'enfant est spécialement exposé à cette lésion.

Un coup contre la face antérieure du cou suivi d'un enrouement doit inciter à aller chez un médecin. Cependant, les lésions du larynx guérissent souvent sans autre précaution que le repos et la mise en observation.

Plaies du cou

Les plaies du cou peuvent également englober les gros vaisseaux qui passent à travers le cou, un type de blessure qui est inhabituel mais qui met la vie en danger. Il peut survenir en hockey sur glace lorsqu'un patin touche le cou ainsi que lors d'un accident en sport mécanique. Une hémorragie abondante pulsatile se produit et doit être immédiatement arrêtée, ce qu'on peut effectuer en appuyant une serviette contre la plaie et en maintenant une forte pression. Le blessé doit le plus rapidement possible être transporté à l'hôpital.

LÉSIONS THORACIQUES

Fractures de côtes

Les fractures de côtes sont fréquentes en sport spécialement dans les sports de contact. La blessure peut survenir par traumatisme direct avec un objet mousse par exemple un coup d'un manche de crosse au cours du hockey sur glace. Une violente compression de la cage thoracique en cas de rudes chocs corporels peut également entraîner des fractures de côtes.

Symptômes et diagnostic

— Douleurs dans la région du thorax, spécialement en cas d'inspiration profonde, de toux ou d'éternuement.
— Sensibilité douloureuse et tuméfaction sur la région thoracique.
— Une compression de toute la cage thoracique crée des douleurs au niveau de la région thoracique.
— Une exploration radiologique doit être faite.

Traitement

Une fracture de côte peut être traitée par un médecin par bandage de soutien ou par Elastoplaste® (voir page 152) qui doit surtout empêcher les mouvements des côtes rompues. Le sportif doit porter ce bandage aussi longtemps qu'il sent qu'il apporte une réduction des douleurs.

S'il existe plusieurs fractures de côtes, il peut être nécessaire de mettre le blessé à l'hôpital pour observation en raison du risque de complications.

Guérison et complications

En l'absence de déplacement ou de complications, le blessé peut reprendre son sport après 3 à 6 semaines, selon les symptômes.

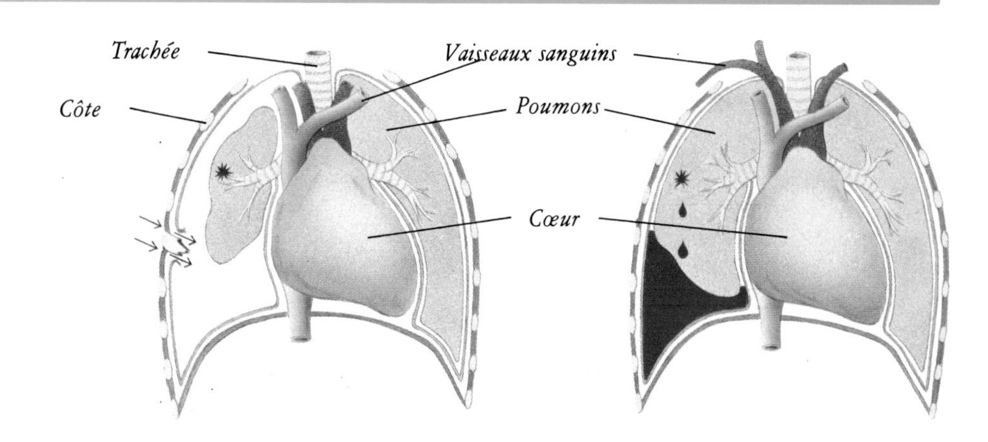

A gauche, on voit une blessure ouverte où une côte cassée avec une extrémité de fracture pointue a pénétré dans le poumon et occasionné une entrée d'air en même temps qu'une rétraction du poumon (pneumothorax). A droite, on voit une blessure qui a occasionné une hémorragie du poumon dans la plèvre (hémothorax). Pneumcthorax et hémothorax peuvent coexister.

En cas de fracture de côte, certaines extrémités de fractures peuvent cependant pénétrer dans le poumon et occasionner une irruption d'air dans la plèvre (pneumothorax) ou une hémorragie (hémothorax) venant du poumon. Des troubles respiratoires croissants doivent faire soupçonner ces complications. Lorsqu'elles se produisent une ponction et un drainage de la plèvre avec aspiration de l'air ou du sang deviennent nécessaires.

LÉSIONS ABDOMINALES

Les lésions de l'abdomen sont rares en sport, mais lorsqu'elles surviennent l'issue peut devenir fatale. Ces lésions surviennent lors d'une chute de cheval ou d'un coup de pied de cheval, au sein des sports de contact, chez les cyclistes et les skieurs de descente, etc.

Rupture de la rate

La rate est un organe creux situé dans la partie supérieure de l'abdomen du côté gauche. La cause la plus fréquente de décès parmi les sportifs atteints de lésions abdominales est la rupture de la rate. La lésion survient lors d'un traumatisme direct contre l'abdomen par exemple lorsqu'un cycliste se renverse et tombe si malencontreusement que le guidon de sa bicyclette pénètre dans la partie gauche de l'abdomen supérieur ainsi qu'en cas de rupture de côte. Il est important de se souvenir qu'une rupture de rate peut se produire en cas de violent traumatisme contre le flanc gauche.

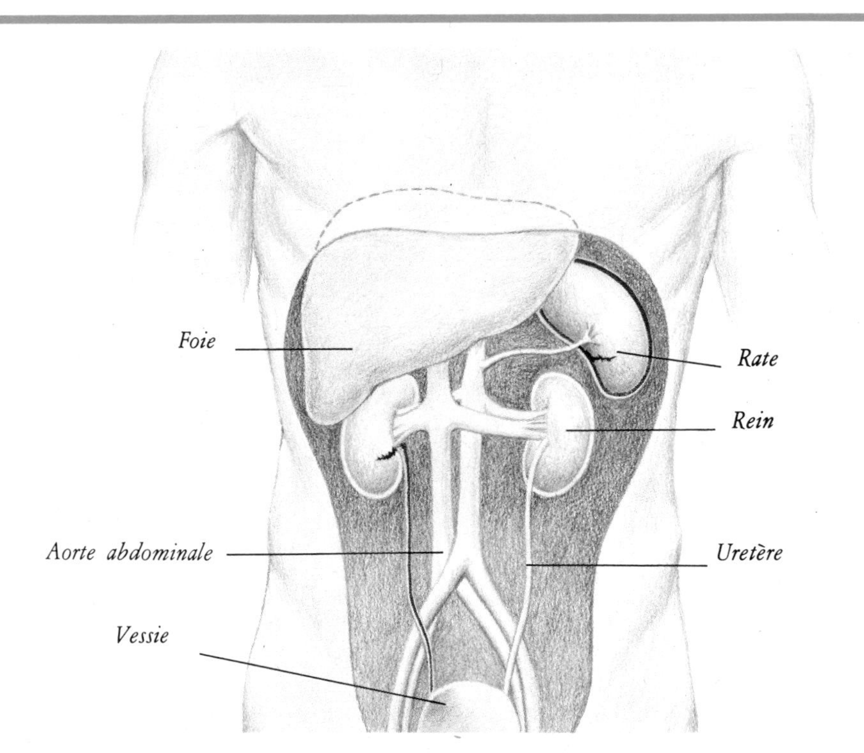

A droite, sur le schéma, on voit une rupture de la rate avant que la capsule qui l'entoure ne se soit rompue. A gauche, on voit une rupture d'un rein. L'hémorragie causée par la rupture s'évacue avec l'urine dans la vessie.

Symptômes et diagnostic

Une rupture de la rate, comme de la capsule qui l'entoure, entraîne une hémorragie dans l'abdomen avec consécutivement une douleur et des nausées ainsi qu'une sensibilité douloureuse et une mise en tension des muscles abdominaux. Le blessé est au début marqué par la douleur et présente au bout de quelques heures des signes de choc hémorragique: pouls rapide et faible, pâleur, sueurs froides et atteinte de la conscience. L'évolution dépend du degré de gravité de l'hémorragie.

Une rupture de la rate sans que la capsule qui l'entoure ait été lésée donne une hémorragie qui est limitée par la capsule et qui peut s'accroître progressivement. La capsule se tend, s'amincit et peut se rompre après le moment de l'accident. L'hémorragie peut s'arrêter également. Le risque qu'une rupture puisse être déclenchée par l'activité physique 1 à 2 semaines plus tard existe alors dans 10 à 20 % des cas.

Traitement

L'évolution et l'examen médical avec, entre autres, une exploration radiologique déterminera la durée du séjour à l'hôpital du blessé. Si on peut constater que la rate s'est rompue, le blessé sera opéré immédiatement et la rate enlevée. Cette intervention n'entraîne aucun préjudice pour l'avenir.

Si après qu'on ait subi un traumatisme contre l'abdomen il persiste une sensation de malaise, avec nausées et fatigue, douleurs du côté gauche en haut de l'abdomen, on doit consulter un médecin puisqu'une lésion de la rate peut exister.

Rupture du foie

Le foie est situé dans la partie supérieure de l'abdomen à droite au-dessous de l'arc costal. Les tissus du foie sont fragiles et peuvent se rompre lors de coups portés sur la partie supérieure de l'abdomen. Cette lésion ne survient que rarement en sport.

Une grande rupture du foie fait s'écouler de la bile et du sang dans l'abdomen et elle est à l'origine d'une inflammation de l'abdomen qui peut mettre la vie en danger. En cas de rupture du foie surviennent des symptômes comme des douleurs et une atteinte générale relativement rapide. Le blessé doit immédiatement être conduit à l'hôpital. L'intervention chirurgicale est en règle nécessaire.

Lésions rénales

Les reins sont situés au-dessus du bassin de chaque côté de la colonne vertébrale. En cas de violent traumatisme contre un rein, celui-ci peut se rompre ce qui donne une hémorragie dans l'urine. La lésion est inhabituelle en sport. Une hémorragie après rupture cesse souvent mais en cas de grandes ruptures une hémorragie mettant la vie en danger survient, le rein doit alors être enlevé chirurgicalement.

Du sang dans l'urine après un traumatisme contre la région des reins doit imposer une mise en observation du sujet traumatisé à l'hôpital.

Après de violents efforts physiques, du sang peut apparaître dans l'urine. Cette présence de sang n'indique pas nécessairement une lésion rénale mais son origine doit être élucidée par un médecin.

Lésions du bas-ventre

Un traumatisme contre les testicules peut donner une hémorragie et une tuméfaction, qui peut perturber l'approvisionnement en sang des testicules et conduire à la stérilité. Cette lésion peut être prévenue en employant un suspensoir, spécialement pour pratiquer les sports de contact.

Un coup contre le pénis peut donner un spasme douloureux du sphincter vésical et le sujet éprouve des difficultés pour uriner. Le spasme douloureux disparaît habituellement lorsque le sujet est arrivé à uriner.

Des lésions gynécologiques, par exemple épanchement sanguin dans les organes génitaux, surviennent chez les skieuses nautiques. Une combinaison de protection en caoutchouc a un effet de prévention de ces lésions.

« Souffle coupé »

Lors d'un coup contre l'abdomen, il n'est pas inhabituel que le sportif ait le souffle coupé et gît plié en deux sur le terrain de sport. Un dirigeant secourable (ou un camarade d'équipe) se précipite alors et soulève le sportif en pont. Mais le sportif cesserait plus rapidement de souffrir si on le laissait s'accroupir de manière à pouvoir laisser ses muscles respiratoires et abdominaux se décontracter.

Blessures lors d'activités physiques particulières

BLESSURES LORS DES LOISIRS

Des efforts de longue durée en plein air dans la nature, spécialement en hiver, imposent de grandes exigences à l'organisme humain. On peut être exposé à des fatigues inhabituelles et il faut en tenir compte.

Mesures préventives

Condition physique foncière
On doit disposer d'un certain niveau de condition physique foncière avant de s'élancer sur les sommets ou de sortir dans la campagne. Pour préparer une longue randonnée, on doit s'entraîner à supporter les efforts auxquels on n'est pas habitué, par exemple s'entraîner à porter un sac à dos à pleine charge.

Equipement
L'équipement pour une longue randonnée doit être adapté aux exigences que de tels efforts imposent. Les souliers doivent toujours être bien rodés, le sac à dos doit être bien ajusté, etc. Un équipement convenable et bien adapté est une des conditions nécessaires pour un agréable séjour dans la nature. Toujours se munir d'un jeu de vêtements de réserve.

Randonnée en pleine nature. Photographie: Per Renström.

Santé
Une randonnée fatiguante en plein air n'est pas faite pour restaurer la santé et récupérer des forces. Une excursion en montagne requiert souvent plus de forces qu'elle n'en donne. Quelqu'un qui a présenté récemment un fort refroidissement, une bronchite ou une autre sorte d'infection ne doit pas se lancer dans une longue randonnée épuisante. En pareil cas, un séjour dans une station de montagne avec de courtes excursions de la journée et du repos entre elles seraient à recommander.

Chaleur du corps
On doit s'apprendre à entretenir sa propre chaleur du corps, spécialement en hiver. La chaleur du corps est maintenue grâce à la combustion des aliments et elle est augmentée lors du travail musculaire. Au cours d'un séjour dans la nature, on doit en conséquence se nourrir correctement avec une alimentation riche en calories. On est plus facilement victime du froid si on a faim que si on est rassasié. On doit éviter l'alcool et le tabac.

Une grande partie de la chaleur corporelle est cédée par évaporation de la sueur à partir de la peau et les vêtements humides doivent alors sécher sur le corps, ce qui représente un gaspillage du point de vue énergétique.

Ecorchures et plaies

Les écorchures représentent un fléau lors des raids de longue durée. Au sujet des écorchures, voir page 56 et suivantes et au sujet des plaies, voir page 54 et suivantes.

Piqûres d'insectes et morsures de serpent

Les piqûres d'insectes donnent souvent des démangeaisons et on évitera de les gratter. Des médicaments d'action antiprurigineuse sont efficaces. En cas d'hypersensibilité ou de grave prurit, des médicaments d'action anti-allergiques peuvent être obtenus sur prescription médicale.

Une morsure de vipère donne une tuméfaction locale et des douleurs mais elle n'a, en général, pas par ailleurs de conséquences chez les adultes sains. Des complications peuvent cependant survenir. Les enfants et les malades peuvent réagir par une atteinte de l'état général, des nausées, de la fièvre et parfois des troubles respiratoires.

Des cas de décès après morsures de vipères se produisent de temps à autre, fréquemment après une morsure du visage, de l'abdomen ou d'autres localisations sensibles.

Mesures à prendre en cas de morsure de serpent

Le sportif doit :
— traiter par le froid la région atteinte ;
— rester immobile et calme ;
— être transporté chez un médecin, spécialement si c'est un enfant qui a été piqué.

Le médecin peut :
— faire du vaccin antitétanique ;
— donner de la pénicilline ;
— donner de la cortisone ;
— mettre en route des soins intensifs si l'état du sujet est grave.

Entorses ou lésions des ligaments des articulations du genou et de la cheville

Les lésions des ligaments des articulations du genou et de la cheville surviennent souvent parmi les gens qui sortent dehors et s'ébattent dans la nature. Pour ces blessures, voir page 274 et suivantes et page 329 et suivantes.

Le promeneur qui s'est tordu le pied lors d'un séjour dehors, dans la forêt ou dans la campagne, ne doit pas enlever sa chaussure pour regarder sa cheville, principalement en hiver. En règle générale, on ne voit rien d'autre qu'une tuméfaction et dans la plupart des cas on n'arrive pas à remettre le soulier en raison de l'enflure et des douleurs. Les souliers avec de hautes tiges constituent, par ailleurs, un excellent soutien de l'articulation de la cheville.

La guérison d'une lésion des ligaments des articulations du genou et de la cheville est nettement retardée si le blessé marche en utilisant le membre inférieur concerné. Ce qui en pratique impose que le blessé ne devrait absolument pas poursuivre son excursion en montagne ou en forêt, mais il est parfois nécessaire de continuer. En cas de légère entorse, une bande élastique fournit un bon soutien.

Lésions par surcharge

Lors d'efforts de longue durée, comme par exemple lors de randonnée dans les montagnes, on peut présenter des troubles par surcharge, spécialement si on n'est pas habitué à pratiquer ce type d'activité physique.

Lors d'excursions en pente descendante, par exemple lors de la descente d'un sommet d'une montagne on peut être atteint de douleurs à la face postérieure de la rotule (chondromalacie de la rotule; voir page 290 et suivantes). Des excursions de longue durée en montée, des courses sur le sable d'un rivage peuvent entraîner une inflammation du tendon d'Achille (voir page 323). Si on porte un lourd sac de montagne au cours d'une longue randonnée, les bretelles peuvent appuyer contre les épaules et exercer ainsi une pression accrue sur les nerfs sus-scapulaires (voir page 190).

On doit être bien préparé avant de faire des efforts durs et prolongés au cours des loisirs en plein air. L'équipement qui va être utilisé doit être soigneusement choisi et bien rodé. On se trouvera bien d'entraîner à l'avance certains points: comme de porter un sac à dos à pleine charge pendant une longue période.

Fractures

Pour les symptômes généraux et le traitement, voir page 18 et suivantes. Toute fracture osseuse doit toujours être prise en main par un médecin, c'est pourquoi dans les cas de randonnée dans les montagnes et des excursions en forêt, il incombe aux camarades de course du blessé d'assurer son transport.

La fracture doit être fixée par une attelle ou une gouttière. Les skis, les bâtons, des branches droites, etc. peuvent être employés, faute de mieux. La pose des attelles doit englober les articulations qui se situent de chaque côté de l'endroit de la fracture. En cas, par exemple, de fracture du fémur, l'articulation de la hanche et l'articulation du genou doivent être immobilisées et les attelles doivent aller du creux de l'aisselle jusqu'au pied. Si une attelle convenable ne peut être confectionnée, un membre inférieur fracturé peut prendre appui sur le membre inférieur sain. Un bras fracturé peut être fixé au corps. Si c'est nécessaire pour le transport, un os fracturé avec un grand déplacement peut être remis en place en exerçant une traction dans le sens de la longueur.

En dehors de la pose d'attelles, il doit être fait le moins de manœuvres possible sur une fracture osseuse dehors sur le terrain. Le transport à l'hôpital ne doit jamais être différé.

Règles générales pour la prise en main et le transport d'un blessé

Si une blessure grave se produit lors d'un séjour dans des zones isolées, le blessé doit être placé sous abri et maintenu au chaud. On doit également placer sous le blessé des objets donnant de la chaleur par exemple un anorak ou la toile d'un écran protecteur de vent. Si le délai avec lequel le blessé pourra atteindre l'hôpital est estimé dépasser quatre heures, on peut lui donner à boire une boisson chaude et éventuellement lui donner un médicament d'action calmante de la douleur. Dans l'attente du transport du blessé, on doit constamment parler avec lui pour le sécuriser.

Il est difficile de transporter quelqu'un qui présente une blessure grave et le transport doit être organisé avec soin. Si un brancard, un traineau ou un bateau se trouvent disponibles à proximité, on doit les emprunter. Le blessé doit être installé aussi confortablement que possible au cours du transport. Ne pas hésiter à faire appel à l'hélicoptère en cas de graves blessures comme par exemple une fracture osseuse.

Lésions dues au froid

Les lésions dues au froid regroupent toutes les lésions qui résultent d'une exposition à de basses températures. Ces lésions peuvent apparaître aussi bien lors de températures inférieures ou supérieures à 0. L'étendue d'une lésion due au froid dépend de la température, de la durée d'exposition et de la force du vent. En cas de température supérieure à 0, l'humidité joue également un rôle. Les pieds gelés en bateau, les pieds gelés dans les abris et les pieds gelés dans les fosses de tir sont des états pathologiques qui sont dus au fait d'être resté assis immobile dans le froid et l'humidité.

La vitesse du vent a une grande importance puisque le risque de lésions dus au froid augmente d'autant plus que la force du vent est plus forte. Le tableau ci-dessous indique quelle est la véritable température pour différentes vitesses de vent.

Lorsque la température extérieure est de moins 10 degrés et le temps calme, on s'adonne avec plaisir à un tour à ski mais si pour la même température le vent souffle à 10 m/seconde, celle-ci correspond à moins 30°. Noter que les mêmes circonstances se retrouvent au sujet de la vitesse du vent lors par exemple des déplacements en motocyclette ou de la descente à ski. En tournant le visage contre le vent, on peut avoir une idée de la force du vent.

Température : selon le thermomètre	sans vent	vent 5 m/s	vent 10 m/s	vent 15 m/s	vent 20 m/s
0°	0°	– 5°	– 15°	– 18°	– 20°
– 10°	– 10°	– 21°	– 30°	– 34°	– 36°
– 20°	– 20°	– 34°	– 44°	– 49°	– 52°

Lésions locales dues au froid

Symptômes de gelures

— La peau devient blanche et insensible. Le blessé ne remarque pas toujours ce qui est en train de lui arriver.
— Peu à peu, une douleur à type de picotements est ressentie localement, mais elle peut ne pas survenir quand il fait très froid.

Traitement des gelures locales

Le blessé doit :
— Chercher à s'abriter derrière un camarade, un écran protecteur du vent ou tout dispositif analogue.
— Employer la chaleur du corps pour réchauffer la région atteinte. Une main chaude peut être placée sur un front ou un nez gelé. Une main gelée peut être mise dans le creux de l'aisselle ou contre la peau chaude du ventre, un pied gelé sur le ventre d'un camarade.
— Ne jamais employer la neige pour frotter ou masser la peau gelée.
— Ne pas se chauffer à un feu ouvert ou un appareil de chauffage analogue puisque la sensibilité peut être diminuée dans la région du corps gelée.

Un camarade ou un dirigeant doit :
— Procurer au blessé des vêtements chauds, secs et des boissons chaudes.
— Obliger le blessé à faire des mouvements corporels pour augmenter sa température corporelle.
— Emmener le blessé à l'intérieur d'une habitation ou en cas de lésion étendue à l'hôpital.

En cas de lésions locales dues au froid, le blessé peut être réchauffé en prenant un bain chaud (40°). Ce traitement ne doit pas être employé si le blessé est atteint d'un refroidissement généralisé.

Complications

Si des ampoules apparaissent plusieurs heures ou plusieurs jours après que la peau ait été atteinte d'une lésion locale due au froid, elles doivent être conservées intactes. Le toit des ampoules constitue la meilleure protection contre l'infection.

Une des séquelles d'une lésion due au froid pourra être qu'à l'avenir la région de la peau qui a déjà été gelée une fois recommencera à geler très rapidement ou à être l'objet de douleurs à type de piqûres et de sudation.

Refroidissement généralisé

En cas de refroidissement généralisé, le blessé sera de plus en plus faible et indifférent. Peu à peu survient de la torpeur, et le blessé peut s'endormir et mourir en raison de la baisse de la température de son corps. Pour lui, il est plus agréable de se laisser aller et de dormir que de lutter pour empêcher le refroidissement de son corps.

Traitement

Si le blessé est encore conscient, agir de la façon suivante:
— Couvrir le blessé avec des vêtements secs et chauds le plus près possible du corps.
— Obliger le blessé à effectuer des mouvements corporels et une activité musculaire.
— Des boissons tièdes sucrées peuvent être données au blessé. Des boissons trop chaudes dilateraient les vaisseaux sanguins de la peau et le sang ramènerait du froid en provenance des régions superficielles. Il s'en suivra une baisse supplémentaire de la température dans les parties internes du corps et ce phénomène peut être dangereux pour le cœur.
— On doit rapidement placer le blessé à l'intérieur d'une habitation.
— Le réchauffement du blessé doit avoir lieu lentement à la température ambiante (pas de chaleur locale) ne pas placer sur le blessé de couvertures supplémentaires ou analogues à l'intérieur de la maison.
— Le blessé doit aussi rapidement que possible être conduit à l'hôpital.

Si le blessé a perdu connaissance, prendre les mesures suffisantes:
— Il ne faut absolument pas donner à boire à une personne inconsciente.
— Les vêtements mouillés doivent être ôtés.
— Le blessé doit être réchauffé lentement à la température de la pièce avec la tête placée à un niveau plus bas que les pieds. La respiration et le pouls doivent être contrôlés régulièrement.
— Le blessé doit rapidement être conduit à l'hôpital où le réchauffement peut être effectué soit très lentement soit très rapidement.

Lésions de la peau par exposition au soleil

Les radiations solaires auxquelles la peau est exposée sont de loin plus intenses que ce qu'un Suédois moyen pratiquant des activités de plein air est habitué à supporter. Pour éviter les lésions de brûlure de la peau on doit progressivement s'habituer au rayonnement solaire. Le visage ne doit pas être lavé le matin, ce qui enlèverait la totalité des graisses de la peau sécrétées pendant la nuit. Des médicaments protecteurs du soleil à haut pouvoir de protection doivent être employés si la peau a besoin d'être protégée contre les radiations solaires; on protégera les lèvres avec du cérat ou des substances grasses analogues. Le front et le nez peuvent être protégés, par exemple, par une casquette à visière ou un morceau de papier.

Degrés des lésions par brûlures

Premier degré: la peau est rougie. La lésion est située dans la couche la plus superficielle de la peau et guérit en 2 jours sans traitement.
Deuxième degré: des ampoules se forment au niveau de la peau. Le toit des ampoules doit être conservé car il protège contre l'infection. Si les ampoules se rompent, un pansement stérile doit être posé ainsi qu'éventuellement des compresses grasses. Si la lésion par brûlure englobe une surface de peau supérieure à 5 cm^2 un médecin doit être contacté.
Troisième degré: toute la couche de la peau est atteinte; le brûlé doit consulter un médecin (il est difficile au cours de ce stade initial des lésions par brûlure de déterminer s'il s'agit d'une brûlure du 2ᵉ ou 3ᵉ degré.)

Aveuglement solaire

L'aveuglement solaire qui est causé par la lumière ultraviolette est une réaction inflammatoire de la conjonctive et de la cornée de l'œil. La lumière solaire visible et le rayonnement ultraviolet ne se manifestent pas toujours en même temps, et on peut être exposé à la lumière ultraviolette également en cas de temps brumeux et nuageux. Comme mesure de prévention, on peut porter des lunettes solaires étroitement adaptées, entièrement colorées en noir avec des protections latérales. Les lunettes solaires doivent être mises constamment puisque les yeux ne s'adaptent jamais à un fort rayonnement ultraviolet, lorsque par exemple on séjourne dans la campagne recouverte de neige ou bien si on est en plein air et qu'on navigue sur de l'eau réfléchissant le soleil.

Symptômes

— En cas d'aveuglement par le soleil, le blessé a la sensation d'avoir du sable dans l'œil. Il présente une tuméfaction et une douleur au niveau de l'œil, surtout le soir.
— Les blancs de l'œil deviennent rouges et le blessé est gêné par la forte lumière ce qui l'oblige à fermer les paupières et à laisser couler ses larmes.
— En cas de grave lésion, celui qui en est atteint doit être conduit comme s'il était devenu aveugle.

Traitement

— L'œil du blessé doit être protégé contre la lumière. Cette protection est obtenue en lui procurant des lunettes solaires munies d'un morceau de papier dans lequel un petit trou a été pratiqué au milieu pour les pupilles de façon à ce qu'il ait une vision limitée.
— Des gouttes oculaires ou une pommade à usage ophtalmologique agissent pour décontracter les muscles circulaires de l'iris.

Il faut environ 2 à 4 jours avant que l'aveuglement par le soleil disparaisse. L'aveuglement solaire ne donne en règle générale aucune séquelle permanente.

LÉSIONS SURVENANT LORS DE LA PRATIQUE DU SPORT POUR HANDICAPÉS

Il existe diférents types d'handicap:
— limitation de mouvement en raison d'amputation, de paralysie après la naissance, de lésions du cerveau et de la colonne vertébrale, etc. lésions de la vue et de l'ouïe, handicap psychique, etc.;
— handicap médical, par exemple malformation cardiaque, infarctus du myocarde, hypertension artérielle, troubles respiratoires (asthme, etc.), diabète et hémophilie.

Beaucoup d'handicapés ont bénéficié d'un bon entraînement à l'hôpital mais peuvent malgré cela rester dépourvus de certaines fonctions corporelles importantes. Retourné dans la société, un handicapé peut perdre une partie des habiletés acquises par l'entraînement en raison de possibilités plus limitées d'entraînement. Le sport pour handicapés lui offre des possibilités de poursuivre un entraînement régulier en dehors de l'hôpital, selon

Les escarres sont souvent la conséquence d'être resté assis pendant longtemps.

sa capacité et la nature de l'handicap. Une pratique sportive active pour handicapés est possible dans la majorité des régions surtout en collectivité et la participation y est en général gratuite en Suède. En Sport pour Handicapés, il existe en gros les mêmes spécialités sportives qu'au sein du sport. Les frais de déplacement pour les séances d'entraînement sont remboursés par des institutions régionales ou communales.

Lors de la pratique du Sport pour Handicapés, les blessures ne diffèrent pas essentiellement de celles qui se produisent lors de la pratique des autres sports. Les lésions rencontrées le plus fréquemment chez ses pratiquants sont les escarres, les écorchures, les lésions par pincement ainsi que les lésions des ligaments, des muscles et des os.

Les conditions pour qu'un handicapé arrive à éviter les blessures dépendent de la nature de l'handicap. Certains handicaps, par exemple: régression musculaire avec diminution de la force musculaire et paralysie avec disparition sensitive augmentent les difficultés de dépistage et de diagnostic de ces lésions. C'est pourquoi chaque handicapé doit participer à une activité sportive selon ses propres conditions sous un contrôle médical suffisant et en collaboration avec un kinésithérapeute ou un dirigeant spécialement formé.

Escarres

Les handicapés avec paralysie du membre inférieur sont souvent dépendants de béquilles ou de fauteuils roulants et présentent souvent une diminution de sensibilité au niveau de la région des os du bassin. Le fait de rester longtemps assis entraîne des pressions et des frottements qui peuvent conduire à l'apparition de plaies. Celles-ci débutent sous forme d'une petite flaque rouge qui n'apparaît pas comme spécialement grave. La diminution sensitive du sportif peut faire qu'il ne remarque pas ces premiers signes d'escarres. Il peut en résulter une plaie profonde d'aspect repoussant qui sera très longue à guérir.

Le plus important à ce sujet est de prévenir les escarres. Le sportif ne doit pas rester assis trop longtemps mais se soulever régulièrement de son fauteuil. Un dirigeant doit avant et après chaque séance d'entraînement et de compétition examiner le sportif à la recherche de signes d'escarres. Si une rougeur de la peau est apparue la région en question doit être déchargée par exemple en enlevant le coussin du siège ou en faisant que le sportif utilise d'autres positions assises de décharge. La zone cutanée irritée doit être lavée avec savon et eau, séchée complètement, graissée avec une crème grasse et ventilée. Si une plaie est apparue, un médecin doit être contacté. (En ce qui concerne la formation d'ampoules voir page 57.)

Ecorchures

De nombreux handicapés sont forcés d'utiliser des appareils comme des corsets, des prothèses et différents types de bandages. Ces accessoires peuvent par pression occasionner des rougeurs et écorchures et le sportif doit être examiné avant et après l'entraînement et la compétition de façon à ce que d'éventuels signes d'écorchures soient repérés. Les principes généraux du traitement des écorchures se trouvent page 56 et suivantes.

La participation des handicapés à des compétitions est devenue une chose tout à fait naturelle au sein de nombreuses activités sportives. Photographie: Collsiööl/Pressens bild.

Lésions occasionnées par pincement

De nombreux handicapés sont obligés de se déplacer en fauteuil roulant. Ceux-ci servent en athlétisme et dans d'autres activités sportives mais c'est surtout lorsqu'un handicapé joue au basket-ball en fauteuil roulant que les fauteuils roulants entrent en contact les uns avec les autres et doivent être manœuvrés très rapidement. Les doigts des joueurs peuvent alors se trouver coincés entre les fauteuils amenant des lésions par pincement caractérisées par une tuméfaction, une sensibilité douloureuse et une plaie. En pareil cas, la tuméfaction doit être traitée le plus tôt possible par application de froid et bandage.

Ces lésions par pincement survenant parmi les usagers des fauteuils roulants sont difficiles à éviter. Des modifications dans la construction des fauteuils, par exemple, en plaçant des cadres de protection à la hauteur de la prise des mains tous au même niveau quel que soit le modèle, devraient être efficaces pour prévenir ces lésions. Ces pincements peuvent être prévenus en faisant porter des gants au sportif ou en posant une bande non élastique sur la région exposée à condition qu'elle soit bien tolérée.

Fractures des os et squelette

Le squelette est souvent affaibli au niveau des membres qui ont une mobilité diminuée ou sont paralysés. En outre, en pareils cas, la musculature est souvent atrophiée et affaiblie, c'est pourquoi elle fournit une moins bonne protection au squelette. En conséquence, une fracture osseuse peut survenir de façon relativement facile lors de mises en charges inattendues. Ces fractures ont souvent un caractère de gravité avec multiples fragments au niveau de la zone de la fracture. Des fractures plus simples ne sont parfois pas découvertes immédiatement si le sportif présente une diminution de sensibilité locale.

Les handicapés qui portent un bandage de soutien doivent veiller à le détendre lorsqu'ils font du sport car autrement le bandage constituerait un puissant bras de levier qui pourrait causer des fractures osseuses.
(Voir les règles générales de traitement page 18).

Lésions des muscles, des tendons et des ligaments

La musculature s'atrophie et s'affaiblit dans les régions du corps qui sont paralysées. Certaines fonctions sont transposées à d'autres régions du corps, dans lesquelles la musculature deviendra plus forte en raison d'une utilisation accrue. La musculature du bras et de l'épaule est souvent fortement développée chez les utilisateurs forcés de fauteuils roulants. Le risque d'inflammations des tendons et des insertions tendineuses augmente cependant lorsque certains groupes musculaires avec les tendons leur appartenant au niveau, par exemple, des bras et des épaules sont surchargés (voir les règles de conduite page 40 et suivantes).

Une diminution de la force musculaire impose souvent une plus grande mise en charge des ligaments, ce qui augmente le risque de lésions des ligaments (voir page 22 et suivantes).

Manifestations au niveau du dos et des épaules

Le sujet qui est forcé d'utiliser un fauteuil roulant passe une grande partie de son temps assis et des troubles de la colonne vertébrale avec des douleurs plus ou moins permanentes du dos sont alors un problème fréquent. Un corset peut avoir souvent un bon effet mais peut être gênant à porter pendant de longues périodes, surtout en été.

Les douleurs de l'épaule surviennent souvent chez les sujets utilisant des fauteuils roulants du fait qu'ils exécutent des mouvements unilatéraux et répétés de l'articulation de l'épaule, les bras étant alors employés non seulement pour exécuter une large gamme de gestes de routine mais aussi pour les déplacements.

Infections urinaires

Des grands groupes d'handicapés présentent souvent des infections urinaires en raison de paralysies, de diminution de la sensibilité au niveau de l'abdomen et parce qu'ils restent longtemps assis. Les symptômes des infections urinaires peuvent être discrets ou même ne pas se faire remarquer du tout, c'est pourquoi des contrôles réguliers des urines doivent être pratiqués.

Affections médicales

Les sportifs qui ont eu un infarctus du myocarde, ou qui ont une malformation cardiaque, une hypertension, de l'asthme, du diabète, de l'hémophilie, etc... peuvent souvent pratiquer le sport pour handicapés, mais l'activité sportive doit avoir lieu en étroite collaboration avec un médecin ou un kinésithérapeute. Jusqu'ici, une certaine retenue en ce qui concerne la participation aux activités sportives s'est manifestée parmi ces groupes d'handicapés. La cause en est surtout un manque d'informations et il est certain que le nombre de sportifs avec des handicaps médicaux va augmenter de façon marquante.

Diabète

Environ 1,5 % de la population suédoise souffre de diabète et parmi ce groupe environ 5 % sont des jeunes diabétiques. La maladie entraîne une élévation du taux de sucre sanguin, car il ne se forme plus dans le corps d'hormone insuline pour des raisons encore inconnues. Le but du traitement est de ramener à la normale le taux de sucre sanguin, ce qui peut être obtenu en réglant l'alimentation, c'est-à-dire un régime, par un traitement par insuline ou d'autres médicaments ainsi que par une activité physique régulière. Le niveau de condition physique joue un certain rôle et influence à la fois la tolérance au glucose et la sensibilité à l'insuline. L'activité physique régulière est ainsi favorable aux diabétiques. Elle est cependant grevée de certains risques, spécialement au niveau de la compétition, ce dont aussi bien les sportifs que les dirigeants doivent être conscients.

Il existe le risque que le sportif puisse avoir un taux de sucre sanguin trop bas. La cause peut en être des repas irréguliers ou sautés, une activité physique augmentée ou inégale, une modification de la sensibilité aux médicaments, etc. Les symptômes sont l'irritabilité, la fatigue, la sudation et la paleur, une sensation de lassitude et de faim, qui sont suivis d'agitation, de frissons et de palpitations cardiaques. Une sensation d'engourdissement dans le visage peut être un symptôme précoce. Ultérieurement, le sujet présentera de la torpeur, un état qui peut plus ou moins soudainement se transformer en perte de connaissance. Dès que le sportif remarque un symptôme de trop bas taux de glucose sanguin, il doit immédiatement interrompre son activité sportive, absorber du sucre ou des aliments riches en hydrates de carbone et contacter un médecin.

Il existe aussi un risque que le sportif ait un taux de sucre sanguin trop élevé en cas d'infection, d'abandon de la prise de médicament ou de régime, d'inactivité, etc. Les symptômes tels que sudation avec coloration rosée de la peau, soif, vomissements, douleurs abdominales et ultérieurement torpeur, respiration inégale, etc. commencent de façon insidieuse sur une période qui peut aller de quelques heures à quelques jours. La soif, de grandes quantités d'urine et une fatigue doivent inciter le sportif à contacter un médecin avant de reprendre son activité sportive.

Asthme

L'asthme bronchique survient chez 3 % de tous les enfants d'âge scolaire. L'asthme est déclanché par une allergie à certaines substances, par exemple aux pollens, aux poussières et aux crins de cheval, et la maladie atteint spécialement les individus jeunes. Lorsque l'asthme débute chez les adultes, la cause est souvent inconnue, mais une infection concommitante des voies respiratoires existe presque toujours. Les troubles de l'asthme sont aggravés par la fumée de tabac et par le temps froid et humide.

L'asthme donne des symptômes comme la suffocation, une augmentation de la fréquence respiratoire, une respiration bruyante avec sifflements, spécialement lors de l'expiration, de la toux et une augmentation de la fréquence cardiaque, etc.

Il existe un type d'asthme qui est déclenché par les efforts. Les asthmatiques dépourvus de symptômes peuvent avoir des crises d'asthme lors d'efforts physiques suffisamment durs. Parmi les asthmatiques connus 100 % ont une crise d'asthme s'ils effectuent une course à pied suffisamment longue et intense. Le cyclisme peut également déclencher des crises tandis que la natation peut vraisemblablement être un sport convenant à ces asthmatiques. Le mécanisme de déclenchement de ces crises d'asthme est inconnu et les troubles cèdent habituellement au moment où le sportif cesse de faire des efforts. En gymnastique scolaire et en d'autres activités en relation avec le sport, on doit prendre en considération les sujets qui présentent de tels troubles.

Les asthmatiques jeunes ou d'âge moyen doivent être soumis à une exploration à la recherche d'allergie. Les mesures préventives - élimination des éléments déclenchants dans la mesure du possible - seront complétées par un traitement médical si le médecin juge qu'il est nécessaire.

L'activité physique peut et doit être pratiquée en l'absence de symptômes.

Epilepsie

L'épilepsie est un symptôme de nombreux états pathologiques qui se manifestent sous forme de crises de crampes avec diminution du degré de conscience. Lors d'une crise d'épilepsie, le sujet peut blesser sa langue, ses lèvres et ses dents en raison des violents mouvements de mastication, c'est pourquoi un mouchoir roulé ou un dispositif analogue doit être placé entre ses dents. Un épileptique inconscient doit être traité selon les règles de conduite qui ont été données page 364 et suivantes et être transporté le plus tôt possible chez le médecin. Il existe un risque accru de luxation postérieure de l'articulation de l'épaule lorqu'un épileptique fait une crise. La mobilité de l'épaule touchée doit être contrôlée.

Les personnes atteintes d'épilepsie sont exposées à un incontestable risque de noyade s'il leur arrivait de faire une crise au cours d'un séjour dans l'eau et ils doivent par conséquent toujours rester sous surveillance lorsqu'ils nagent.

Complications

Les complications qui peuvent survenir au sein du sport pour handicapés varient avec la malade d'origine de chaque sportif. Chaque sportif et son dirigeant doivent toujours être informés des divers risques de la pratique du sport et des mesures qui devraient être prises si des complications se produisaient.

Troubles respiratoires

Les handicapés par affections médicales peuvent présenter une détérioration de leurs fonctions cardiaques et pulmonaires en raison de la présence d'infarctus du myocarde, de malformation cardiaque, d'hypertension artérielle, d'asthme, etc. et peuvent en cas d'activité physique être atteints de difficultés respiratoires. Le dirigeant qui entraîne un sportif présentant un handicap médical de ce type doit être très attentif au sujet de la fréquence respiratoire et de la fréquence du pouls. Le programme d'entraînement doit être établi entièrement selon la capacité individuelle de chaque sportif. En cas de troubles de la respiration, le sujet doit interrompre sa pratique sportive. Si les troubles ne disparaissent pas au repos, un médecin doit être contacté.

Secousses à type de crampes

Des secousses à type de crampes surviennent surtout au niveau des membres inférieurs chez des personnes qui ont une paralysie du membre inférieur. Les secousses ont pour origine une perte fonctionnelle dans certaines parties du système nerveux. Pour arrêter ces secousses, on peut fléchir en l'air le pied du sujet et étendre son genou au maximum pendant environ 5 secondes. Le sportif handicapé moteur sait souvent lui-même comment on peut s'y prendre pour faire cesser ces sortes de crampes.

Perte de connaissance

Une perte de connaissance peut se produire chez un sportif par exemple épileptique où la crise commence par des crampes, souvent avec une mastication à type de crampes, qui peuvent blesser la langue, les lèvres et les dents. Un objet mou, par exemple un mouchoir roulé, doit alors être placé entre les dents. Les règles de conduite pour le traitement par ailleurs se trouvent page 364 et suivantes. Le sujet sans connaissance doit être transporté à l'hôpital pour traitement.

Risques exposés aux enfants et aux adolescents

RISQUES DE BLESSURES DES ENFANTS ET DES JEUNES EN CROISSANCE

Un entraînement régulier chez l'enfant et chez l'adolescent est devenu de plus en plus fréquent en sport. Le sport de compétition est pratiqué avec une intensité sans cesse plus grande à des âges de plus en plus bas. Dans certains sports, comme le patinage artistique, la natation et la gymnastique, l'enfant est soumis à un entraînement rationnel dès l'âge de 5 à 6 ans. Egalement dans les sports de contact, football, hockey sur glace et handball l'activité physique commence à des âges de plus en plus bas et le volume et l'intensité de l'entraînement augmentent. Dans certaines spécialités sportives, 2 à 4 heures d'entraînement quotidien pendant 5 à 6 jours par semaine ne sont pas inhabituelles.

Existe-t-il à long terme des inconvénients à laisser les enfants commencer si jeunes une activité bien conduite d'entraînement et de compétition? De tout temps, l'enfant a joué tout au long des jours en courant et en sautant, activités sensiblement voisines du sport et qui constituent la base naturelle de la pratique des sports. Les exigences accrues et l'augmentation d'intensité lors d'un entraînement peuvent cependant avoir des effets

L'enfant n'est pas une réduction à l'échelle de l'adulte. Photographie: Per Renström.

négatifs chez des individus en cours de croissance. Les risques de préjudices ultérieurs ne sont pas entièrement élucidés, c'est pourquoi une certaine prudence doit être observée. Des enquêtes pratiquées au sein de certains sports, par exemple la natation et le tennis ont montré que très peu de vainqueurs de compétition d'enfants et d'adolescents étaient devenus des seniors couronnés de succès. En d'autres termes, il est difficile de présager de leur évolution. De nombreux jeunes cessent de pratiquer le sport trop précocement parce qu'ils ne trouvent plus de plaisir à poursuivre leur spécialité. C'est pourquoi on doit donner aux enfants et aux adolescents l'occasion d'essayer plusieurs spécialités sportives différentes.

Le sport chez les enfants et les adolescents doit avoir pour principe d'être emprunt de plaisir et de ne pas comporter d'entraînement qui soit dur et pénible. Les principes selon lesquels les adultes s'entraînent ne peuvent pas être appliqués directement aux individus en cours de croissance mais doivent être adaptés à leur développement. Les risques encourus, en laissant des individus en cours de croissance s'entraîner et participer à des compétitions de façon rationnelle, peuvent être considérés de divers points de vue: physiologiques, psychologiques et orthopédiques. Les effets du sport sur les organes locomoteurs, c'est-à-dire les effets orthopédiques, peuvent être classés en 3 groupes:
— influence sur le développement des organes locomoteurs;
— blessures accidentelles (lésions traumatiques);
— lésions par surcharge.

Influence sur le développement des organes locomoteurs

Le développement des organes locomoteurs chez un individu en cours de croissance obéit à la loi dite «de Wolf». Une certaine capacité de remodelage, véritable adaptation, répond à une modification ou à une répétition de charge. Le remodelage peut également se produire lorsque les conditions de charge sont modifiées, par exemple après une blessure. Un entraînement de longue durée, unilatéral peut à la suite d'un tel remodelage

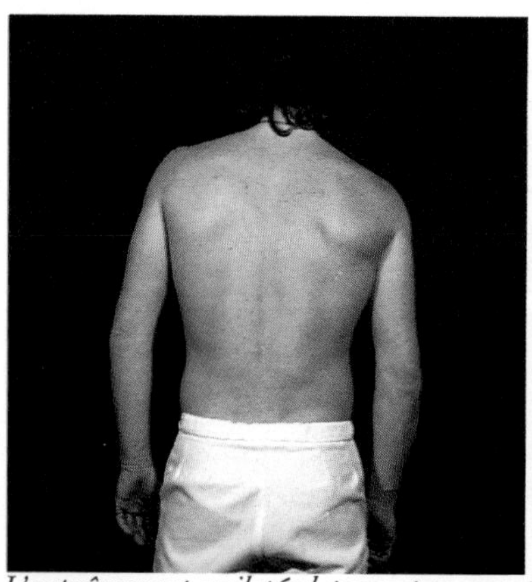

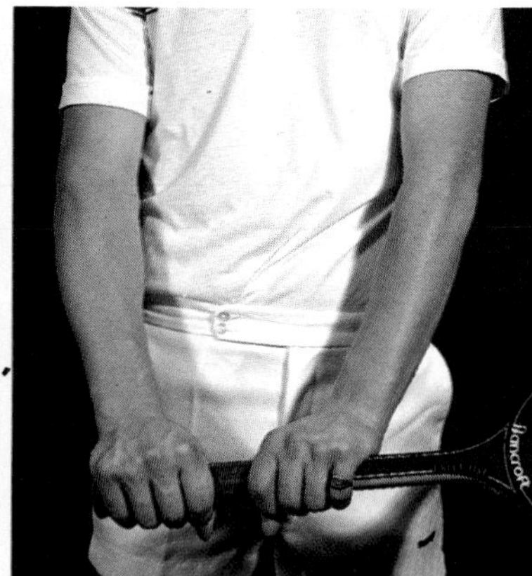

L'entraînement unilatéral pour, par exemple, les sports utilisant une raquette peut amener chez le sportif qui les pratique l'installation de ce qu'on appelle: «l'épaule du joueur de tennis». Comme le montre le cliché ci-dessus à gauche, cette affection est caractérisée par un abaissement de l'épaule avec pour conséquence un allongement relatif du bras. L'entraînement unilatéral peut également amener un développement plus important des muscles du bras qui tient la raquette (cliché de droite).

entraîner chez l'individu en cours de croissance des modifications de l'appareil locomoteur.

L'effet d'un entraînement unilatéral peut être illustré par un joueur de tennis qui dans ses jeunes années a commencé un entraînement mettant en charge unilatéralement le bras qui tient la raquette. Ce qui peut amener le développement d'une «*épaule de joueur de tennis*» qui comporte une hypertrophie du squelette et des muscles du bras qui tient la raquette ainsi qu'un allongement de la capsule articulaire, des ligaments et des muscles qui entourent ce bras. Ce qui se manifeste par un abaissement de l'épaule et de ce fait par un allongement relatif du bras (voir page 392).

Un autre exemple de l'effet d'un entraînement unilatéral est donné par le jeune gymnaste qui au moyen d'un entraînement de longue durée accroît sa souplesse, par exemple, au niveau de sa colonne vertébrale, ce qui amène des modifications permanentes au niveau des corps vertébraux ou, par exemple, au niveau du bassin avec augmentation de la mobilité entre les os qui forment la ceinture pelvienne. Dans les cas extrêmes, une scoliose peut également se développer au niveau de la colonne dorsale. On ne sait pas avec certitude de nos jours quelles en seront les conséquences à longue échéance. Il est essentiel que les enfants et les adolescents rationnellement entraînés soient placés sous observation médicale, que soit évitée l'unilatéralité de ces entraînements et que soient changées les règlements qui récompensent la mobilité excessive par exemple lors des cotations de gymnastique.

L'entraînement des enfants et des adolescents doit être général.

Lésions accidentelles

Les enfants et les adolescents se blessent plus souvent que les adultes mais leurs lésions sont habituellement moins graves. Ce qui devrait être du, entre autres, à ce que l'enfant est physiquement plus petit que l'adulte et que moins de force et de violence interviennent dans les circonstances de l'accident. Les tissus de l'enfant se développent d'une toute autre façon que ceux de l'adulte. Les muscles, les tendons et les ligaments sont relativement plus forts et plus élastiques. Les surfaces articulaires avec cartilage possèdent une certaine hypervascularisation sanguine et les lésions de celles-ci peuvent guérir dans une certaine mesure, ce qui n'arrive pas chez l'adulte.

Le squelette est le tissu le plus exposé chez les jeunes en cours de croissance. Le système cardiovasculaire ainsi que la musculature s'adaptent particulièrement bien. Le squelette d'un organisme en cours de croissance réagit beaucoup aux différentes sollicitations et sur ce point le squelette de l'enfant a une supériorité sur celui de l'adulte. Chez les enfants et les adolescents qui sont entraînés convenablement la musculature peut ainsi être influencée plus rapidement que le squelette, ce qui constitue un risque potentiel. Malgré la grande adaptabilité du squelette en cours de croissance les lésions par surcharge par exemple sont relativement peu fréquentes, même si au cours des dernières années, il a été remarqué que le nombre de ces sortes de lésions a augmenté. Ce phénomène provient sans doute de l'intensité toujours accrue de l'entraînement pratiqué par des enfants de plus en plus jeunes.

Lésions des cartilages épiphysaires

La croissance en longueur du squelette a lieu au niveau des cartilages

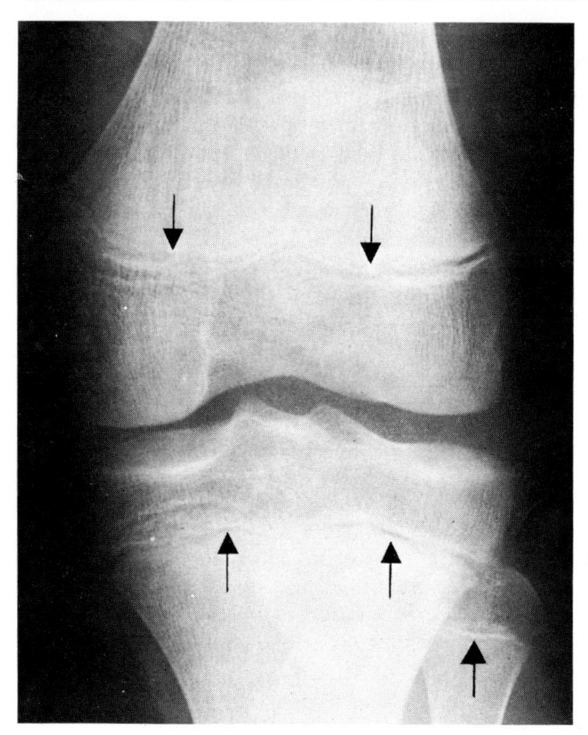

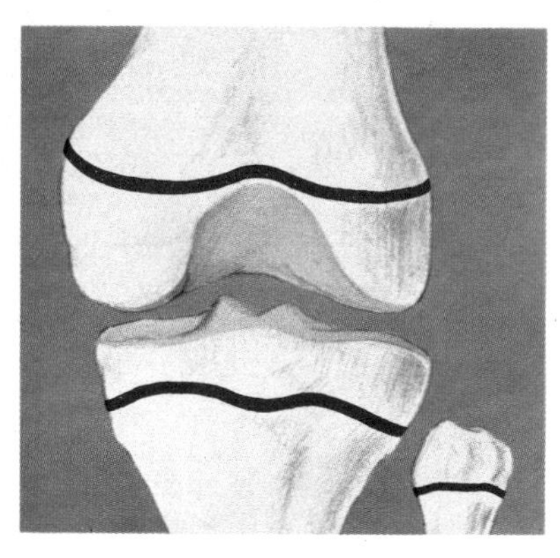

Exemple de zones de croissance. A gauche, on voit l'image radiologique d'une articulation du genou où les zones de croissance sont indiquées sur le fémur et le tibia par des flèches. A droite, on voit les zones de croissance correspondantes schématiquement dessinées. Ces zones de croissance sont responsables de l'essentiel de la croissance des extrémités inférieures.

épiphysaires. Au niveau du fémur, la croissance s'effectue pour 70 % dans la partie inférieure et pour 30 % dans la partie supérieure. Les chiffres correspondants pour le tibia sont de respectivement 55 et 45 %. Le cartilage épiphysaire est plus faible que le squelette proprement dit, mais malgré cela, les fractures du squelette sont plus fréquentes que les fractures épiphysaires chez les individus en cours de croissance. L'explication de ce fait paradoxal réside certainement dans les types de force qui interviennent. L'âge du squelette joue certainement un rôle au sujet de l'effet que l'entraînement physique exerce sur les cartilages épiphysaires. Les facteurs hormonaux ont également une importance. Le cartilage épiphysaire est plus faible aux environs de la puberté et à la fin de la période de croissance, où il commence alors à perdre ses propriétés élastiques.

Le cartilage épiphysaire est plus faible que les tendons et les ligaments normaux chez les individus en cours de croissance. Le traumatisme qui entraînerait une rupture totale d'un grand ligament, si c'est un adulte qui en est victime, peut chez un individu en cours de croissance, donner une séparation de l'épiphyse. Par exemple, un traumatisme latéral du genou peut être à l'origine d'une lésion épiphysaire chez l'enfant tandis que le traumatisme correspondant aurait donné des ruptures du ligament latéral interne et du ligament croisé de l'articulation du genou chez un individu adulte. Lors d'une suspicion de ruptures au niveau d'un ligament une exploration radiologique doit être effectuée de façon à étudier l'état du cartilage épiphysaire et découvrir d'éventuelles lésions du squelette.

Le cartilage épiphysaire n'est pas aussi fort que la capsule de tissu conjonctif qui entoure une articulation. c'est pourquoi les luxations des grosses articulations par suite d'accidents sont moins fréquentes au niveau des cartilages épiphysaires chez les enfants et les adolescents.

Les lésions au niveau des zones de croissance peuvent avoir pour conséquence une perturbation de la croissance normale en longueur, ce qui se produit dans 10 % des cas. Les effets de ces perturbations varient pendant qu'une lésion au niveau d'un cartilage épiphysaire guérit, le membre inférieur opposé non atteint continue de croître. Lors d'une lésion de la zone de croissance de la partie inférieure du fémur une différence de plus de 2 centimètres en longueur peut survenir. Parfois, une lésion épiphysaire peut ne toucher qu'une partie du cartilage épiphysaire. La partie non atteinte du cartilage croit alors seule au cours de la phase de guérison, ce qui a pour conséquence que le membre inférieur peut devenir tordu et anguleux.

Les zones de croissance peuvent glisser l'une par rapport à l'autre et créer une épiphysiolyse (voir page 268). Cette lésion n'est pas inhabituelle au niveau de l'articulation de la hanche et la tête peut alors progressivement ou soudainement sortir de son réceptacle. L'épiphysiolyse doit être traitée chirurgicalement.

Fractures normales

Le tissu osseux chez un individu en cours de croissance est plus mou que chez l'adulte; et plus l'individu est jeune plus la quantité d'énergie nécessaire pour aboutir à une fracture est faible, ce qui a pour conséquence que l'enfant présente des types particuliers de fractures osseuses. Chez l'enfant et l'adolescent, le squelette a en outre une meilleure irrigation sanguine que chez l'adulte, permettant un temps de guérison de la fracture plus court. Lors du traitement des fractures osseuses, il y a lieu en conséquence d'appliquer d'autres principes lorsque le blessé est un individu en cours de croissance que lorsqu'il s'agit d'un adulte.

— Les fractures guérissent mieux et laissent moins de signes visibles chez les enfants et les adolescents que chez les adultes. L'exploration radiologique d'une fracture 18 mois après l'accident ne laisse apparaître aucun signe de fracture chez un individu en cours de croissance tandis qu'une modification de l'os est observée chez l'adulte.

— Les fractures guérissent plus rapidement chez les individus en cours de croissance, c'est pourquoi les enfants et les adolescents ne doivent pas être plâtrés aussi longtemps que les personnes plus âgées.

Les individus en cours de croissance peuvent être victimes d'autres types de fracture que les adultes. Le squelette, pas complètement achevé, est modelable et l'os peut être plié très fortement avant de rompre. Un exemple est représenté par la fracture «en bois-vert» (page 80).

Fractures par arrachement

Chez les individus en cours de croissance, la solidité des tendons, des ligaments et des muscles est plus grande que celle du squelette tandis que le contraire se produit chez l'adulte. La conséquence en est que les enfants et les adolescents présentent souvent des lésions du squelette en association avec des entorses ou des ruptures tendineuses et musculaires en cas de surcharge de l'articulation ou du complexe musculotendineux. L'insertion du ligament ou du muscle sur l'os se détache alors, au lieu que ce soit le muscle ou le ligament lui-même qui se rompe. Ces fractures par arrachement siègent souvent au niveau des zones de croissance sur les os plats et sont fréquentes dans les régions supérieure et inférieure de l'avant du bassin ainsi que sur l'ischion où les muscles postérieurs de la cuisse ont leur origine. Les fractures par arrachement se produisent souvent de façon soudaine en cas de mise en charge rapide et importante des muscles.

Lorsqu'un individu en cours de croissance a été atteint d'une blessure

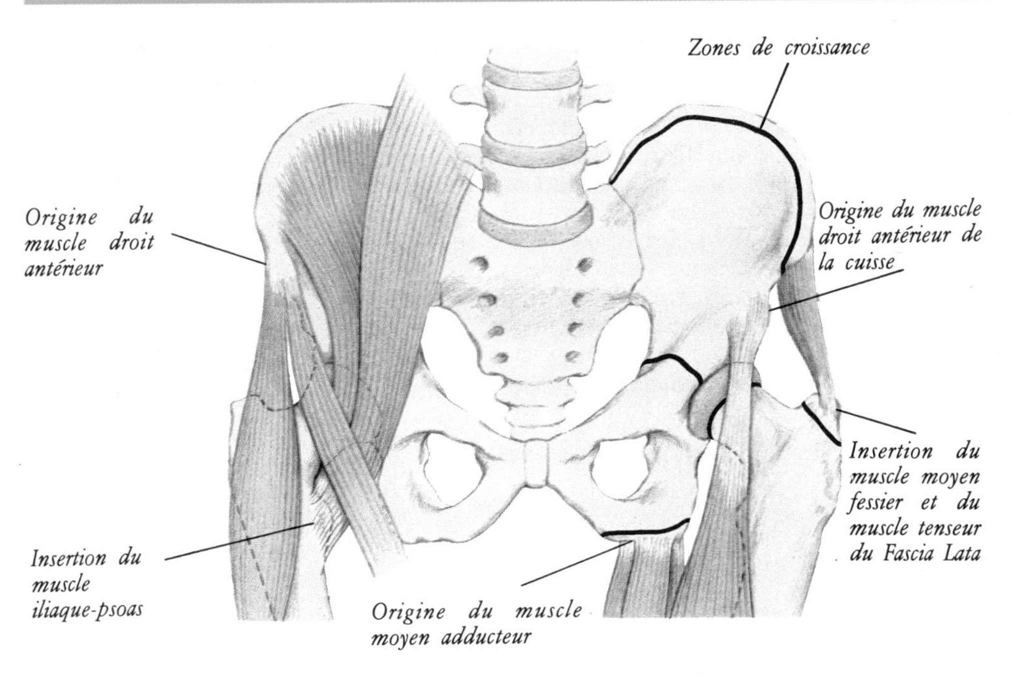

Différentes formes cliniques de fractures par arrachement.

accidentelle et qu'il présente de la sensibilité douloureuse, une tuméfaction et un épanchement sanguin dans la région blessée une exploration radiologique doit être pratiquée. Si l'insertion osseuse s'est détachée et déplacée l'amenant à ne plus être attachée à l'os où elle s'insérait, une intervention chirurgicale doit être envisagée pour rattacher le fragment osseux, qui va alors constituer l'insertion du ligament ou du tendon. Un déplacement de quelques centimètres seulement du fragment osseux peut occasionner à l'avenir une mauvaise fonction du ligament atteint ou des muscles si la lésion n'a pas été traitée correctement.

Parfois ce n'est pas un fragment du squelette lui-même qui se détache mais seulement une insertion d'un tendon ou d'un ligament sur le périoste. Cet arrachement peut entraîner une perte fonctionnelle du muscle ou du ligament mais il ne se voit pas lors de l'exploration radiologique. C'est pourquoi une épreuve fonctionnelle du muscle et de la stabilité articulaire est extrêmement importante pour pouvoir poser un diagnostic correct et choisir un traitement correct. Une lésion par arrachement peut être une lésion plus grave qu'une rupture musculaire ou tendineuse où il y aurait une fracture osseuse classique. C'est pourquoi les fractures par arrachement doivent être différenciées des ruptures musculaires, qui surviennent souvent chez les adultes qui sont exposés à un traumatisme analogue. Les durées de guérison sont plus longues en cas de fractures par arrachement qu'en cas de ruptures musculaires, pouvant atteindre jusqu'à 6 mois quelque soit le traitement. Il est essentiel que les fractures par arrachement soient diagnostiquées à une phase précoce de manière à ce qu'un traitement adéquat soit institué. Si une lésion de ce type est négligée, il peut en résulter un état douloureux chronique et également une détérioration de la fonction articulaire avec instabilité ou une diminution de la mobilité pour séquelle .

Une exploration radiologique doit être pratiquée après l'accident chez tout invidivu en cours de croissance qui présente une sensibilité douloureuse, une tuméfaction et un épanchement sanguin au niveau de la région atteinte.

Lésions par surcharge

Les lésions par surcharge atteignent chez les individus en cours de croissance fréquemment les apophyses c'est-à-dire les régions du squelette qui servent d'attaches pour les tendons, les ligaments, les muscles ou les capsules articulaires.

Inflammation des apophyses (apophysites)

Certaines zones du complexe musculo-tendineux sont exposées au risque d'apparition de lésions par exemple au niveau des insertions des muscles et des tendons sur l'os, au sein des muscles et des tendons eux-mêmes, ainsi qu'au niveau de la zone intermédiaire entre le muscle et le tendon. Chez les adultes, c'est le plus souvent la substance elle-même du tendon du muscle qui est atteinte lors du traumatisme tandis que le même traumatisme chez un individu en cours de croissance occassionnerait plutôt des lésions de l'insertion du muscle ou du tendon sur l'os, car chez l'enfant et l'adolescent, les muscles et les tendons sont relativement plus solides que le squelette. Il a été prouvé que l'entraînement physique augmentait la force des tendons et des ligaments plus rapidement que celle de leurs insertions sur l'os lui-même.

Les apophysites consécutives à une surcharge surviennent surtout dans le cadre de certaines spécialités sportives comme par exemple le football, le saut en longueur et le saut en hauteur où de nombreux sauts et de nombreuses flexions du genou sont effectués. Les apophyses osseuses sont soumises à de fortes tractions et à une surcharge.

Le point d'attache du tendon rotulien sur le tibia est la localisation où se produisent le plus souvent des apophysites (Maladie d'Osgood-Schlatter; voir page 298). Une surcharge appliquée au niveau de l'apophyse crée une inflammation au niveau de l'attache du tendon qui se manifeste par une douleur, une sensibilité locale et une tuméfaction. Lors de l'exploration radiologique, on peut observer un éclatement avec fragmentation osseuse en dessous de l'attache du tendon. Une autre localisation où les apophyses peuvent fréquemment se situer au niveau de l'insertion du tendon d'Achille sur le calcanéum (apophysite calcanéenne; voir page 326).

En cas d'apophysite, il est essentiel que celui qui en est atteint observe du repos à la phase précoce jusqu'à la disparition de la douleur et qu'il évite les mouvements susceptibles de déclencher la douleur. Dans le cas contraire, l'état pourrait passer à la chronicité.

La cause la plus habituelle d'une apophysite est l'entraînement unilatéral. A ce propos, c'est ici le lieu de mettre spécialement en garde contre l'entraînement de la force, principalement chez les jeunes en cours de croissance. Lors de l'entraînement de la force avec une forte charge, la musculature se développe plus rapidement que la solidité du squelette, ce qui peut aboutir à une apophysite mais aussi à une fracture par arrachement détachant les insertions des muscles et des tendons. C'est pourquoi les individus en cours de croissance ne doivent pratiquer l'entraînement de la force qu'avec seulement le poids de leur propre corps comme charge.

Fractures de stress

Une mise en charge trop localisée du squelette peut, lorsque l'intensité ou la charge est trop élevée, occasionner des fractures de stress si la capacité d'adaptation de l'organisme est insuffisante. L'enfant qui pratique le sport peut être atteint de fractures de fatigue dès l'âge de 7 ans. Le nombre de ces fractures est plus grand chez les individus en cours de croissance. La lésion peut être due soit à la répétition fréquente de mouvements avec une charge normale par exemple dans la course à pied de grand fond soit à des mouvements de faible fréquence mais avec une charge élevée par exemple dans l'haltérophilie. La combinaison la plus dangereuse de toutes étant cependant une charge élevée avec une fréquence élevée. La fracture de fatigue peut en principe se situer au niveau de n'importe quel os de l'organisme mais elle est plus fréquente aux extrémités inférieures. Elle survient surtout au niveau des os métatarsiens, du tibia, du péroné, du fémur, du col du fémur, des os du bassin et des corps vertébraux. Une fracture de fatigue doit toujours être suspectée chez les individus qui sont exposés à des mouvements répétés ou à des charges élevées et qui se plaignent de douleurs à l'effort. La douleur disparaît au repos. Une sensibilité locale et une tuméfaction au niveau de la zone douloureuse représentent les autres symptômes de la fracture de fatigue et l'examen clinique fournit habituellement le diagnostic. Si aucune fracture n'a été découverte lors d'une 1re exploration radiologique, la répétition de cette exploration doit être faite 3 à 4 semaines plus tard si les symptômes persistent. Le diagnostic peut alors être confirmé. L'exploration à l'aide d'isotopes radioactifs constitue une aide au diagnostic qui grâce à elle peut être posé à un stade précoce.

Le risque de fracture de fatigue peut être diminué principalement en augmentant progressivement la quantité d'entraînement mais aussi en alternant avec des périodes régulières de repos de façon à permettre à l'organisme de récupérer. La nature du sol que le sportif utilise à l'entraînement peut également jouer un rôle c'est pourquoi la conception des chaussures est importante. Le sportif qui court sur une surface dure doit utiliser des chaussures à bonne capacité d'amortissement des chocs. Lorsque le sportif passe d'une surface dure à une surface souple, l'intensité de l'entraînement doit être diminuée durant la période transitoire.

Lésions cartilagineuses

Chez l'enfant, le cartilage articulaire possède un meilleur réseau d'irrigation mais le collagène dont il est fondamentalement constitué offre une moins bonne résistance à la traction chez les individus en cours de croissance que chez les adultes. Ainsi les enfants et les adolescents peuvent être atteints plus facilement que les adultes de lésions de leur cartilage articulaire lors des entorses ou lors de traumatismes directs. L'application d'une charge extrême pendant une période prolongée au niveau de l'articulation du genou par exemple lors d'une descente à ski ou lors de la pratique de la voile peut amener des lésions du cartilage articulaire de la rotule (voir page 290). Cet état, appellé «chondromalacie» de la rotule, donne des douleurs qui sont situées à la face postérieure de la rotule lors de la course à pied en descente ou en montée ainsi que lors de la prise de la position: «assis accroupi». Le cartilage qui recouvre la face postérieure de la rotule est alors ramolli. Ce cartilage ne renfermant aucun tissu nerveux, on ignore par quel processus la douleur est déclenchée. Les causes de la chondromalacie de la rotule ne sont pas non plus connues avec certitude. Cependant, cet état pathologique peut être traité avec un bon résultat par la chaleur et par un entraînement isométrique des muscles antérieurs et postérieurs de la cuisse.

Une autre lésion cartilagineuse qui survient chez les individus en cours de croissance est l'«ostéochondrite disséquante», (voir page 289) où des fragments de cartilage atteint se détachent. Le mot «disséquant» signifiant qu'un morceau de cartilage a pu se détacher et flotter librement à l'intérieur de l'articulation y causant des perturbations.

Le diagnostic des lésions cartilagineuses que nous venons de décrire peut être posé par arthroscopie, lorsqu'elles ne sont pas évidentes.

EFFET DE L'ENTRAÎNEMENT PHYSIQUE SUR LES ORGANES INTERNES

Une bonne condition se caractérise par une capacité élevée de prélèvement d'oxygène. Celle-ci dépend de la durée et de l'intensité avec lesquelles on s'entraîne. Il existe également un facteur héréditaire avec lequel il faut compter car les hommes sont dotés de dispositions différentes à atteindre un effet élevé de leur fonction cardio-pulmonaire.

Influence sur le cœur et les poumons

Les poumons possèdent une grande capacité de réserve et tolèrent les durs efforts physiques. Le cœur et les vaisseaux sont des organes plus sensibles, mais ils possèdent également une grande capacité d'adaptation à une charge accrue. Un cœur qui travaille régulièrement peut présenter des systoles supplémentaires (*extrasystoles*) qui ne doivent pas forcément imposer l'arrêt de l'entraînement sportif, mais nécessite un examen médical.

Une malformation cardiaque congénitale peut, lors d'une activité physique extrême, conduire à une mort subite. *Les adolescents qui s'adonnent à un entraînement rationnel doivent par conséquent faire l'objet d'un examen médical de santé.*

L'entraînement avec de lourds poids doit être évité par les individus en cours de croissance. La charge exercée par exemple au niveau des vertèbres peut au cours de l'entraînement avec la barre à disque devenir tellement élevée que les vertèbres seront abîmées. Seulement le poids de son propre corps doit être utilisé comme charge lors de l'entraînement de la force. Ce n'est que lorsque le squelette aura terminé sa croissance, ce qui chez les filles se produit à l'âge de 16 ans et chez les garçons à l'âge de 17-18 ans, qu'un entraînement systématique de la force doit être commencé avec des poids plus lourds. Auparavant, un individu en cours de croissance peut éventuellement utiliser des poids légers et l'intensité des exercices doit alors seulement être augmentée en augmentant le nombre des exercices exécutés. Le programme d'entraînement de la force doit être établi individuellement en tenant compte de l'âge de l'individu en cours de croissance, de sa maturité, de sa constitution corporelle, de son état d'entraînement et de son sexe.

Un sportif qui présente des signes d'infection, en particulier de la fièvre, doit cesser tout entraînement et toute participation à des compétitions.
Si à la suite d'un léger entraînement apparaissent des difficultés de respiration, de l'épuisement ou des douleurs thoraciques chez un sportif, celui-ci doit être examiné par un médecin.

Atteinte rénale

Chez les sportifs qui se soumettent à de durs efforts, l'urine peut se colorer en rouge ou en brun foncé du fait de la présence dans l'urine d'albumine, de globules sanguins rouges ou de produits de dégradation. Lors de l'augmentation de la charge corporelle peuvent effectivement passer à travers les reins sans que ceux-ci ne soient atteints d'une lésion proprement dite.

La coloration brune de l'urine peut être due à une augmentation de la dégradation des globules rouges sanguins en relation avec la pratique de la course à pied sur un sol dur.

Une coloration suspecte de l'urine doit cependant inviter à faire pratiquer une exploration médicale puisque ce symptôme pourrait également être dû à une affection sous-jacente.

Atteinte du tube digestif

Le tube digestif peut être l'objet de troubles survenant pendant ou après les durs efforts. Nausées, vomissements, douleurs abdominales, diarrhées peuvent apparaître sans être le signe d'une maladie quelconque. Les symptômes digestifs qui subsisteraient pendant une période prolongée doivent cependant toujours être l'objet d'une exploration médicale puisqu'ils peuvent relever d'une autre cause que le surmenage.

ENTRAÎNEMENT

L'époque, peut-être la plus importante de la vie d'un sportif du point de vue du médecin et de l'orthopédiste, est celle où il décide de s'adonner avec méthode et ardeur à la pratique d'une spécialité sportive particulière avec tout ce que cette décision comporte en intensité, durée et organisation rationnelle de l'entraînement.

Il serait souhaitable que les dispositions de ce jeune sportif à pratiquer la spécialité en question aient été auparavant explorées. Malheureusement les critères valables pour pouvoir porter des jugements avec certitude font encore actuellement défaut.

Un entraînement régulier et rationnel débute maintenant à des tranches d'âge de plus en plus jeunes. Les méthodes d'entraînement qui avaient été développées à l'intention des adultes ont alors été transposées à l'enfant sans qu'elles soient adaptées à leur âge et sans tenir compte de leurs variations individuelles. Lorsqu'il s'agit d'activités physiques d'entraînement et de compétition pour des sujets en cours de croissance, les dirigeants et les entraîneurs devraient être conscients des risques auquel l'enfant est exposé aussi bien à court qu'à long terme. Le sport devrait toujours rester un jeu pour l'enfant et il ne devrait n'être qu'un moyen de conserver la santé physique pour l'adulte.

L'entraînement tel qu'il est pratiqué devrait être reconsidéré : Est-il véritablement utile de s'entraîner aussi durement qu'on le fait actuellement ? Les méthodes d'entraînement qui sont appliquées ont-elles véritablement une utilité ?

L'enfant n'est pas une simple réduction à l'échelle de l'adulte. La maturation des enfants s'effectue à des vitesses différentes et la puberté peut débuter avec une dispersion de 4 à 6 ans entre les différents sujets. Les entraîneurs et les dirigeants sportifs ne tiennent souvent pas compte de cette inégalité physiologique dans le développement.

Entraînement de la condition physique

Il n'existe pas d'âge privilégié auquel l'entraînement de la condition physique serait plus efficace qu'à tout autre de la vie en ce qui concerne les jeunes âgés de 10 à 20 ans. La capacité à fournir de l'énergie par les processus de dégradation des substrats, c'est-à-dire en l'absence d'oxygène, est plus faible chez les enfants âgés de 10 à 12 ans que chez les enfants et les adolescents plus âgés. Quelque soient leur âge et leur capacité à fournir de l'énergie par dégradation des substrats les jeunes gagnent cependant toujours à participer à des activités faisant appel à ce type de fourniture d'énergie.

L'enfant ne semble pas non plus ressentir la fatigue de la même façon que l'adulte. Selon les données modernes, il apparaît qu'un sujet en cours de croissance ne perd rien à attendre pour s'adonner à un entraînement systématique de la condition physique d'avoir atteint les années de la fin de son adolescence.

Entraînement de la force

Chez un sujet en cours de croissance, les organes internes ont la possibilité de s'adapter à de fortes charges, tandis que l'appareil locomoteur risque d'être l'objet de lésions. Les effets de l'entraînement se manifestent chez l'enfant et l'adolescent surtout au niveau des muscles, où les cellules musculaires augmentent de taille. Cette augmentation de taille est directement proportionnelle à la longueur et à l'intensité du programme d'entraînement.

Les muscles deviennent plus forts sous l'effet de l'entraînement et perdent rapidement de la force lorsque l'entraînement cesse. Les enfants et les adolescents répondent bien à l'entraînement des muscles, l'effet étant relativement plus important au niveau des muscles qu'au niveau du squelette. Les muscles sont en général habitués à un recours moindre à la force chez l'enfant que chez l'adulte. C'est pourquoi l'entraînement de la force des sujets en cours de croissance a une action plus nette au niveau des muscles. Un gain important en force au cours de la période de croissance est caractéristique à la fois chez les femmes et chez les hommes, mais dans les premières années de l'adolescence le gain en force est nettement moins important que la croissance du corps.

C'est pourquoi le sportif au début de ses années d'adolescence ne dispose pratiquement pas de la force que la taille de son corps laisserait présager.

Lors de l'entraînement de la force avec des charges élevées, la force musculaire se développe plus rapidement que la solidité du squelette, ce qui peut amener la survenue de fractures par arrachement où le tendon d'un muscle (ou l'insertion de celui-ci sur l'os) se détache sous l'effet de la force musculaire qui y a alors été exercée.

Il existe différents types d'entraînement de la force. Lors de l'entraînement isométrique, la capacité du muscle à exercer une force augmente tandis que l'endurance n'augmente pas autant que lors de l'entraînement dynamique. Au cours des années de croissance les insertions musculaires et tendineuses sont particulièrement sollicitées, c'est pourquoi les enfants et les adolescents doivent aborder avec prudence tout travail dit «isométrique» où les muscles travailleraient sans que leur longueur ne soit notablement modifiée. Un léger travail dynamique, par exemple par la course à pied et la marche, où les muscles travaillent au cours d'allongements et de racourcissements suffit dans la majorité des cas.

L'entraînement avec de lourds poids doit être évité par les sujets en cours de croissance. Par exemple, la charge au niveau des vertèbres peut au cours d'un entraînement avec une barre à disque augmenter tellement que les vertèbres en seront détérioriées. Le propre poids du corps doit être utilisé comme charge lors de l'entraînement de la force. Ce n'est que lorsque le squelette aura terminé sa croissance (ce qui chez les filles se situe à 16 ans et chez les garçons à 17-18 ans) que doit commencer un entraînement systématique de la force avec de lourds poids. Auparavant, un sujet en cours de croissance peut utiliser de légers poids et dans ce cas l'intensité de l'exercice ne sera accrue que par augmentation du nombre des répétitions et pas par augmentation de l'importance du poids.

Le programme d'entraînement de la force doit être établi individuellement en tenant compte de l'âge de l'individu en cours de croissance, de sa maturité, de sa constitution corporelle, de son état d'entraînement et de son sexe.

Entraînement loco-moteur général

Une grande partie de cet entraînement chez un individu en cours de croissance est constituée par des mouvements fondamentaux qui sont exécutés plus ou moins automatiquement (mouvements exécutés pour déplacer son corps ou pour maintenir son équilibre). Ces types de mouvements sont hérités et sont contrôlés par un programme central qui est lié à l'hérédité et qui se développe progressivement au cours de l'enfance.

L'équilibre n'est par exemple pas complètement développé avant les âges de 9 à 10 ans et on ne voit pas pourquoi l'entraînement physique pourrait influencer le développement dans un sens positif ou négatif. Dans la majorité des spécialités sportives figurent des schémas complexes de mouvement qui doivent être assimilés à l'aide d'un programme-directeur. Une fois que ce programme a été bien assimilé, il est difficile de le modifier, c'est pourquoi il est important d'apprendre un programme correct. L'apprentissage du programme se fait avec l'aide du système nerveux central qui ne commence à devenir efficace qu'à partir de 10 ans.

Il existe des risques qu'un mauvais apprentissage ait pu avoir lieu avant que le système nerveux soit complètement développé, c'est pourquoi l'entraînement de la technique ne doit commencer qu'au cours de la dernière période de la croissance.

Entraînement suivant l'âge

De 7 à 9 ans: entraînement par des jeux, de la technique et de la souplesse

L'entraînement doit avant tout être varié et agréable, c'est-à-dire qu'il sera à base de jeux. Un entraînement léger de la condition par les divers jeux de ballon est recommandé. Un entraînement de la souplesse doit être instauré aussi précocement que possible pour maintenir une bonne mobilité des articulations. L'entraînement de la technique doit débuter dans cette période qui est très favorable à un apprentissage.

De 10 à 11 ans : entraînement général foncier, de la technique et de la souplesse

Un entraînement modéré de la condition est préconisé. L'entraînement des processus de dégradation a peu d'effet à cet âge et on doit l'éviter. L'entraînement de la force peut être obtenu en utilisant la charge de son propre corps, en effectuant par exemple des soulèvements sur les bras. L'entraînement doit comporter des exercices de technique et de coordination, car cet âge constitue le moment privilégié pour améliorer par l'entraînement les réflexes et les mouvements. Une spécialisation vers une pratique sportive peut déjà avoir lieu mais l'entraînement doit surtout être général et toujours comporter un entraînement de la souplesse et de la technique.

De 12 à 14 ans : entraînement général de la condition et apprentissage

Une bonne condition générale doit constituer la base de l'entraînement au cours de cette période. L'entraînement des processus de dégradation ne doit toujours pas être pratiquée. Il doit comporter surtout un entraînement général de la souplesse et de la rapidité.

Au cours de cette tranche d'âge, qui coïncide en partie avec la puberté, il s'effectue des modifications rapides de la croissance et de la maturité sur les plans physique et psychique. L'entraînement doit être adapté au degré de maturité différente des sujets. Le corps se trouve dans une phase de développement particulièrement délicate, et l'on doit être très prudent avec les formes d'entraînement de la force.

Une grande place doit être donnée à l'entraînement de la technique où la capacité d'apprentissage à cette phase.

Une spécialisation vers les spécialités sportives où les jeunes montrent des dispositions peut être effectuée.

De 15 à 16 ans : préparation à l'entraînement spécialisé

C'est au cours de cette période que la condition foncière doit être édifiée. L'entraînement de la condition doit donc être augmenté. L'entraînement des processus de dégradation peut alors débuter. La gymnastique générale et l'entraînement de la souplesse continuent à être très importants à cette période où la croissance a tendance à rendre souvent les jeunes trop raides.

L'entraînement de la force doit être mise en route dès que la musculature et le squelette permettent d'accroître les charges. A l'âge de 15-16 ans, une technique correcte de levers de poids peut être enseignée en employant des poids légers. *Aucune charge importante ne doit être utilisée car le squelette n'a pas encore terminé sa croissance.* Lors de l'entraînement de la force, on augmentera le nombre de mouvements que plutôt la charge. *Il est important que de trop fortes charges soient évitées au niveau de la colonne vertébrale par une technique correcte de lever.*

La spécialisation peut enfin bénéficier d'une place plus importante.

Au-delà de 16 ans : entraînement spécialisé

L'entraînement est maintenant spécialisé et ne diffère guère de l'adulte. L'accroissement de la force pour les filles survient entre 16 à 18 ans tandis que chez les garçons, il se poursuit jusqu'à l'âge de 18-20 ans.

Points de vue généraux

En matière d'activité d'entraînement et de compétition pour les individus en cours de croissance, on doit être conscient des risques encourus à la fois à brève et à longue échéance. La connaissance des particularités spécifiques qui caractérisent les organes locomoteurs est d'une grande importance. On doit également mettre en question les méthodes d'entraînement du sport si dur, si monotone et si rigoureux au lieu du jeu qu'il ne devrait cesser d'être. L'objectif doit être que le plus grand nombre possible d'enfants et d'adolescents deviennent des sportifs actifs et que de ce sport de masse puisse se dégager une élite. Au cours des années de croissance, doit être suscité un intérêt durable pour le sport de manière à ce que les jeunes devenus adultes le voient comme un moyen de garder une bonne santé et une bonne condition physique générale toute la vie durant. Pendant ces années de croissance, l'entraînement technique doit être agréable et stimulant. Le dur entraînement physique ne doit débuter qu'à une phase ultérieure — de même que la spécialisation.

Les individus en cours de croissance possèdent certaines caractéristiques spécifiques. Ce fait doit rester en mémoire au moment où un entraînement de plus en plus dur devient courant chez des enfants de plus en plus jeunes. Les catégories d'âge constituent par ailleurs une répartition purement chronologique en ce sens qu'elle est basée sur la date de naissance. En utilisant cette répartition, il est facile d'oublier tous les aspects physiologiques d'un individu en cours de croissance. Il n'est pas inhabituel qu'il existe une différence de maturité de plus de cinq ans entre les individus d'une même catégorie d'âge. Ainsi une catégorie de filles de 11 à 12 ans comporte des individus dont la maturité biologique est du même niveau que celle d'individus âgés de 15 à 16 ans. Les efforts de formation doivent être intensifiés pour que les responsables de l'entraînement reçoivent une formation approfondie. Dans les milieux sportifs, il existe une opinion largement répandue que l'entraînement donne de meilleurs résultats s'il est commencé plus tôt. Malgré de nombreux travaux, cette opinion n'a pu être vérifiée. Le problème est de savoir si un entraînement intensif et trop dur à un âge précoce peut donner certains effets négatifs plus tard dans la vie. Sans compter qu'un tel entraînement contribue fortement à ce que de nombreux jeunes cessent de pratiquer du sport.

— L'entraînement intensif des enfants et des adolescents ayant pour objectif de leur faire atteindre le niveau de l'élite ne doit pas être entrepris sans que l'individu en cours de croissance n'ait d'abord été soumis à un examen de santé approfondi. Les sujets qui suivent un tel entraînement doivent rester sous surveillance médicale.

— Tous ceux qui s'occupent de l'entraînement d'individus en cours de croissance doivent posséder une formation approfondie au sujet du développement du corps au cours de la croissance.

— Le programme d'entraînement pour les enfants et les adolescents doit être établi individuellement. Le niveau de développement, c'est-à-dire la maturité biologique, peut varier de 4 à 5 ans entre des individus de même âge.

— Le programme d'entraînement pour les enfants et les adolescents doit être établi individuellement. Le niveau de développement, c'est-à-dire la maturité biologique, peut varier de 4 à 5 ans entre des individus de même âge.

Entraînement des différentes parties du corps après blessure

Une rééducation fonctionnelle doit être entreprise dès que le sportif a été blessé. Il faut que cette rééducation soit bien planifiée et bien adaptée au degré de gravité de la blessure de façon à ce que sa guérison ne soit pas contrariée.

La rééducation fonctionnelle après une blessure se propose d'atteindre plusieurs objectifs :
— absence de douleur ;
— mobilité articulaire totale ;
— bon équilibre et bonne coordination ;
— récupération complète de la force et de la souplesse.

Les exemples d'exercices qui vont être donnés dans ce chapitre ont été réunis pour aider le sportif blessé à atteindre ces objectifs. On y trouvera les exercices qu'il convient d'effectuer pour chacune des parties du corps afin d'entraîner la mobilité articulaire, la force, la souplesse et de réaliser des allongements ainsi que des exercices généraux. Il peut être fait un choix entre plusieurs exercices selon l'expérience acquise par chaque sportif et l'effet que celui-ci leur attribue. Les exercices préconisés peuvent également être employés avec profit dans le but de prévenir les blessures en renforçant la région exposée. La rééducation fonctionnelle doit être effectuée avec la collaboration médecin-kinésithérapeute, qui sont à même de surveiller périodiquement l'entraînement et d'en évaluer le résultat.

ARTICULATION DE L'ÉPAULE

Entraînement de la mobilité articulaire

1. Exercices pendulaires. Debout incliné en avant avec appui de la main du membre supérieur non blessé sur une table. Laisser le membre supérieur blessé pendre tendu en bas. Faire osciller le membre supérieur blessé

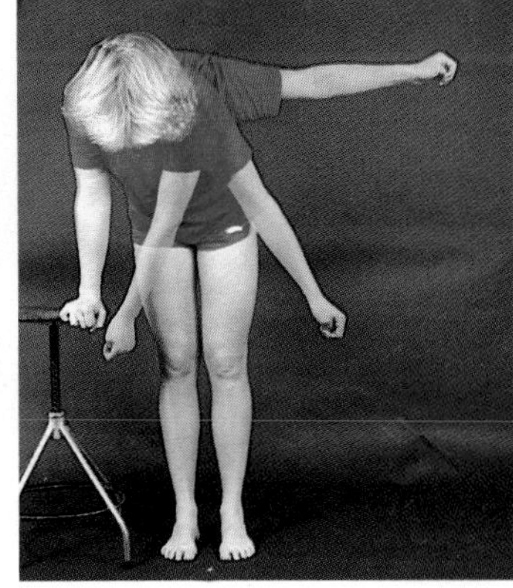

(a) en avant et en arrière, *(b)* d'un côté à l'autre en passant devant le corps, *(c)* en cercle d'abord de gauche à droite puis de droite à gauche. Augmenter progressivement le diamètre du cercle.

2. Couché sur le dos avec un gros baton saisi avec les deux mains. Soulever le baton avec lès membres supérieurs tendus, le porter au dessus de la tête qui reste en contact avec le sol puis retour à la position de départ.

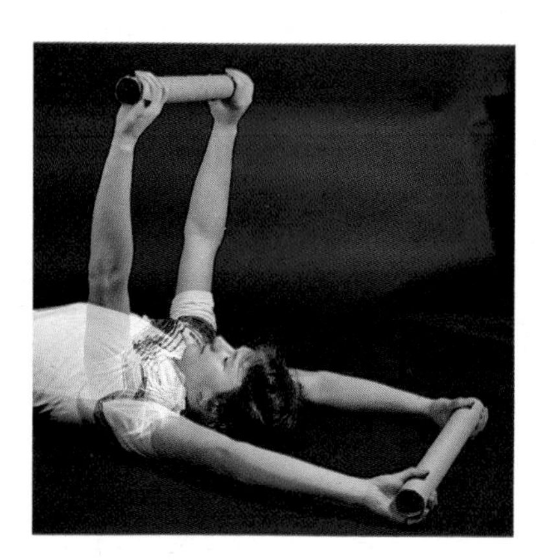

3. Couché sur le dos, les mains jointes derrière la nuque. Amener les coudes alternativement en avant et en arrière.

4. Debout ou assis avec les mains aux épaules. Décrire de grands cercles avec les coudes.

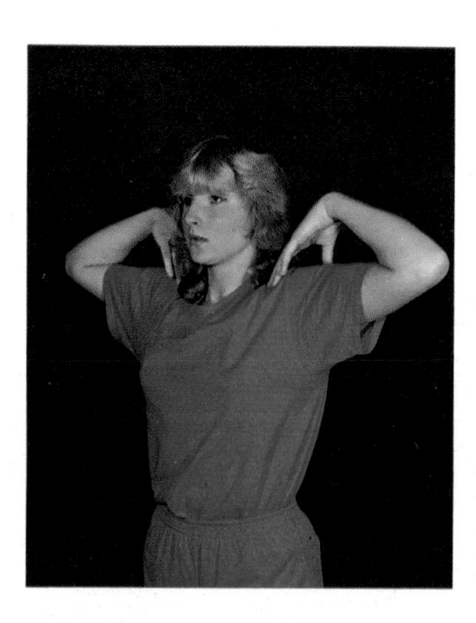

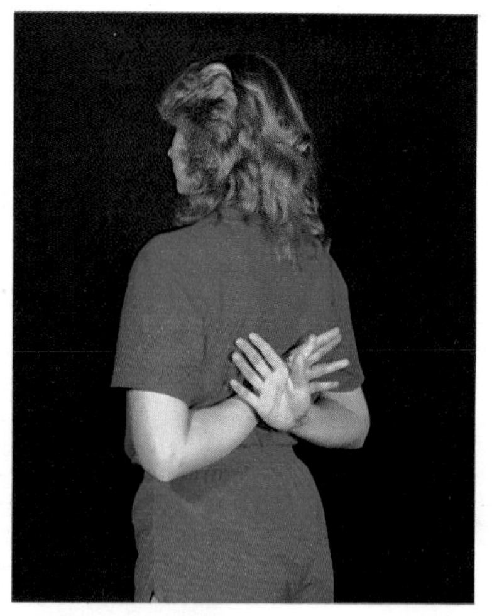

5. Assis sur un tabouret ou debout. Porter les mains aussi haut que possible sur le dos.

Les exercices ci-dessus doivent être effectués pendant de courts instants plusieurs fois par jour.

6. Etendre les membres inférieurs en avant ou de côté aussi loin que possible. Augmenter l'intensité de l'exercice en tenant des poids dans les mains.

7. Attacher un ruban élastique à un espalier ou à un dispositif analogue. *(a)*Se tenir debout avec le dos contre l'espalier et tirer les membres supérieurs en avant et en dehors, en avant et en haut, en avant et en bas, contre la résistance du ruban. *(b)*Se tenir le nez tourné vers l'espalier et tirer les membres supérieurs en arrière et en dehors, en arrière et en haut, en arrière et en bas, contre la résistance du ruban.

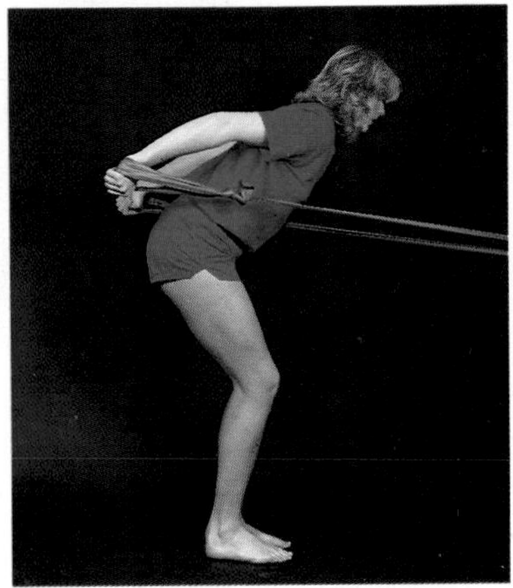

8. Debout, le côté appuyé sur une porte. Attacher un ruban élastique à la poignée de la porte. Maintenir le bras contre le corps. Fléchir le coude à angle droit et tenir l'extrémité du ruban dans la main. *(a)* Porter l'avant-bras en dedans 5 à 10 fois. Repos 30 secondes. Répéter. *(b)* Se retourner complètement et répéter l'exercice mais en portant cette fois à l'inverse de l'exercice précédent l'avant-bras en dehors. Changer de membre supérieur et recommencer l'exercice. Augmenter progressivement la résistance en raccourcissant la longueur du ruban.

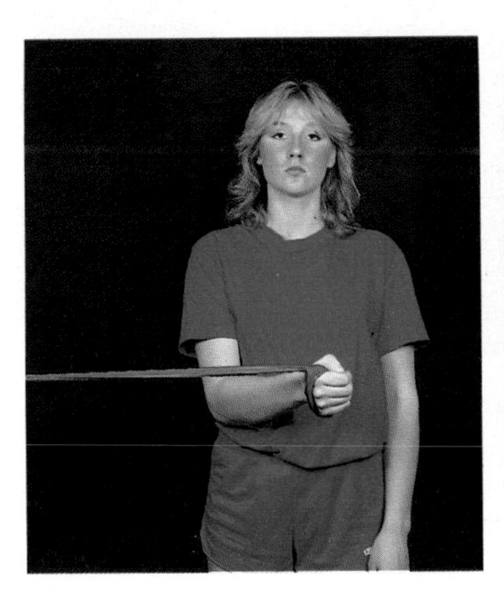

9. Faire des tractions de bras, d'une part assis sur un fauteuil muni d'accoudoirs, d'autre part horizontalement sur le ventre face au plancher.

10. Entraînement avec une barre à disque. Augmenter progressivement la charge.

Entraînement par allongement

11. *(a)* Maintenir les membres supérieurs tendus en avant du corps et serrer ensemble les mains contre une balle pendant 4 à 7 secondes. Relâcher. *(b)* Maintenir les membres supérieurs derrière le dos. Frapper les mains ou saisir un montant de porte ou la main d'un camarade et faire un allongement avec les membres supérieurs tendus pendant 6 à 8 secondes.

12. *(a)* Essayer d'étendre derrière le dos les deux extrémités d'un torchon ou d'un bâton pendant 4 à 7 secondes. Laisser le membre supérieur placé en bas; se relâcher pendant 2 secondes. *(b)* Faire ensuite un allongement en tirant avec la main placée en haut le torchon ou le bâton vers le haut pendant 6 à 8 secondes. Changer de membre supérieur et répéter l'exercice.

13. *(a)* Maintenir les coudes fléchis et serrer ensemble les mains contre une balle pendant 4 à 7 secondes. Relâcher pendant 2 secondes. *(b)* Se placer chaque matin contre un montant de porte et allonger pendant 6 à 8 secondes alternativement vers le côté droit et vers le côté gauche, de façon à ce que respectivement le bras et l'épaule effectuent une rotation en dehors.

14. Maintenir les mains au dessus de la tête. *(a)* Tirer le bras droit de côté et résister avec la main gauche pendant 4 et 7 secondes. Laisser le bras droit se relâcher pendant 2 secondes. *(b)* Allonger en tirant sur le bras droit derrière la tête et y retenir le bras pendant 6 à 8 secondes. Changer de bras et répéter l'exercice.

Entraînement général

15. Lancer et faire rebondir une balle légère avec le membre supérieur blessé.

16. Faire des mouvements de natation en brasse et en crawl à la fois dans l'eau et à sec.

ARTICULATION DU COUDE

Entraînement de la mobilité articulaire et de la force

1. Debout ou couché. Fléchir et étendre le coude jusqu'aux positions extrêmes.

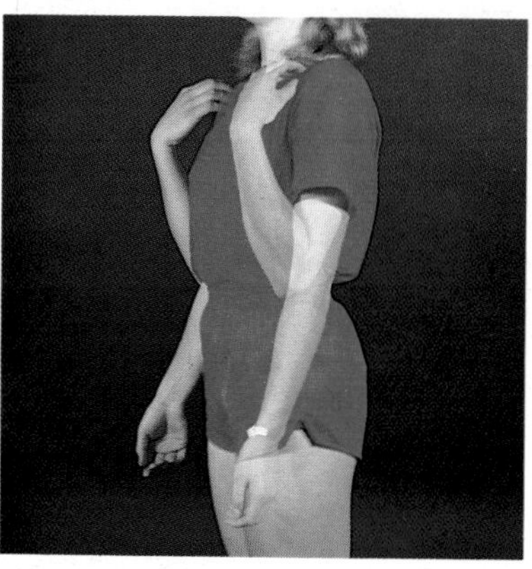

2. *(a)* Assis avec l'avant-bras posé sur une table ou avec la paume de la main contre la table. *(b)* Faire une rotation de l'avant-bras de façon à ce que le dos de la main vienne reposer contre la table.

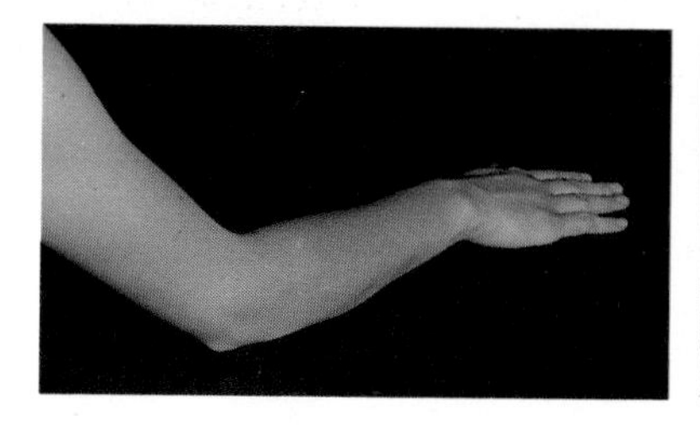

3. Utiliser une vis et un tourne-vis. S'entraîner à visser et à dévisser la vis en maintenant bien le bras près du corps.

4. Tenir une haltère à la main, fléchir et étendre l'articulation du coude. Augmenter progressivement le poids de l'haltère.

5. Debout, faire des tractions de bras contre un mur. Veiller à ce que la flexion et l'extension du coude soient maximales.

6. Faire des tractions de bras assis sur un fauteuil muni d'accoudoirs, couché sur le ventre ou suspendu à une poutre.

7. Tenir une barre à disque dans la main. Fléchir et étendre l'articulation du coude.

Répéter les exercices ci-dessus 5 à 10 fois.

Entraînement par allongement

8. *(a)* Fléchir l'articulation d'un coude à angle droit. Résister avec l'autre main pendant 4 à 7 secondes puis relâcher pendant 2 secondes. *(b)* Porter le bras en dehors et en arrière, saisir avec la main un espalier ou un dispositif analogue et faire un allongement pendant 6 à 8 secondes en pliant les genoux.

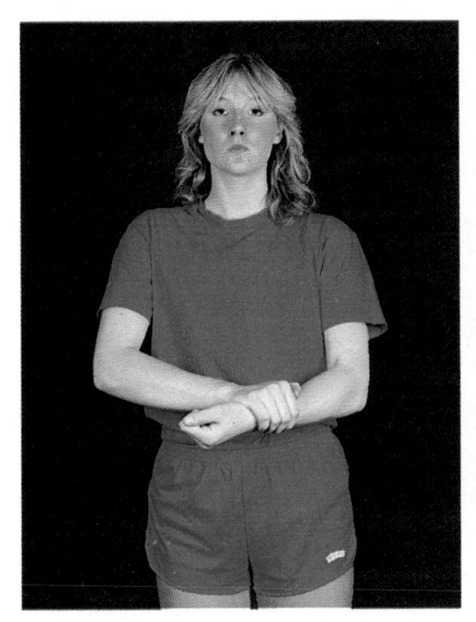

Progression dans le temps

9. Lancer et faire rebondir une balle légère.

10. Nager en crawl et en brasse.

11. S'entraîner à l'aviron avec une machine à ramer ou avec un bateau.

12. Frapper un punchingball.

Entraînement indiqué en cas de «coude du joueur de tennis»

Entraînement de la force des mucles de l'avant-bras

1. *Entraînement statique:* placer l'avant-bras sur une table avec la main en dehors du bord de la table. *(a)* Fléchir le poignet vers le bas et maintenir pendant 10 secondes. Repos. *(b)* Tenir le poignet en position neutre pendant 10 secondes. Repos. *(c)* Fléchir le poignet vers le haut et maintenir pendant 10 secondes. Repos.

L'intensité des exercices peut être augmentée en tenant un poids de 0,5 kg dans la main.

Répéter les exercices ci-dessus 10 à 15 fois.

2. *Entraînement dynamique:* exercice 4 au paragraphe «Poignet et main» (voir page 413).

Exécuter en plus les exercices suivants: placer l'avant-bras sur une table avec la main en dehors du bord de la table et tenir un poids de 1 à 3 kg dans la main. Fléchir le poignet vers le haut et vers le bas 10 fois à cadence rapide. Repos et répétition de l'exercice. Augmenter progressivement le poids.

Entraînement par allongement: exercice 9 au paragraphe «poignet et main» (voir page 414).

Entraînement général: exercices 3 et 4 au paragraphe «articulation du coude» (voir page 410); exercices 8 et 9 au paragraphe «articulation de l'épaule» (voir page 407); exercices 7 à 9 au paragraphe «dos» (voir page 417).

ARTICULATION DU POIGNET ET DE LA MAIN

Entraînement de la mobilité articulaire

1. Fermer le poing aussi fortement que possible. Puis étendre les doigts et les écarter. Il est préférable de tenir les membres supérieurs tendus, écartés du corps au cours de l'exercice.

2. Appuyer le pouce contre la base du petit doigt (auriculaire). Porter ensuite le pouce en dehors aussi loin que possible.

3. Poser l'avant-bras sur une table, la main avec la paume de la main tournée vers le bas doit pendre en dehors du bord de la table. Fléchir la main au maximum *(a)* vers le bas *(b)* vers le haut. L'étendre au maximum, puis faire tourner l'avant-bras d'un quart de tour de façon à ce que le pouce se dirige en haut et incliner la main au maximum *(c)* vers le bas *(d)* vers le haut.

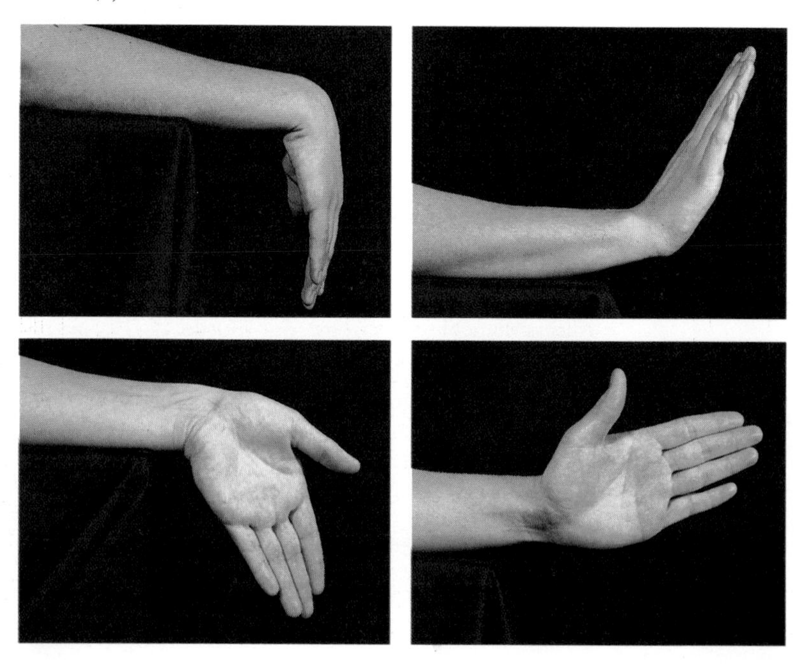

Entraînement de la force

4. Réunir les doigts à leur partie supérieure et les relier par un élastique. Ecarter les doigts contre la résistance de l'élastique.

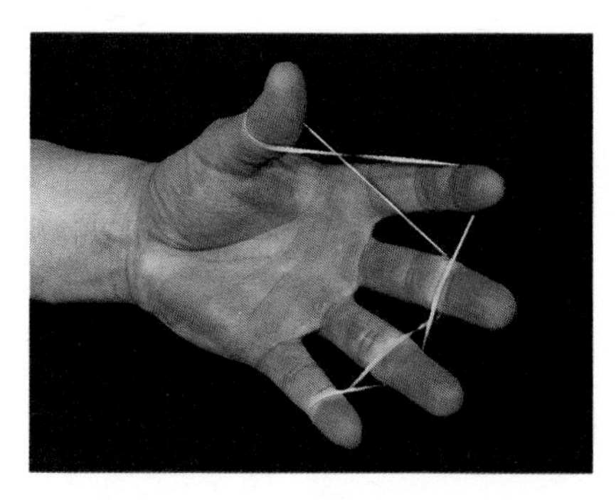

5. Serrer un dynamomètre dans la main ou une balle élastique plusieurs fois à cadence rapide.

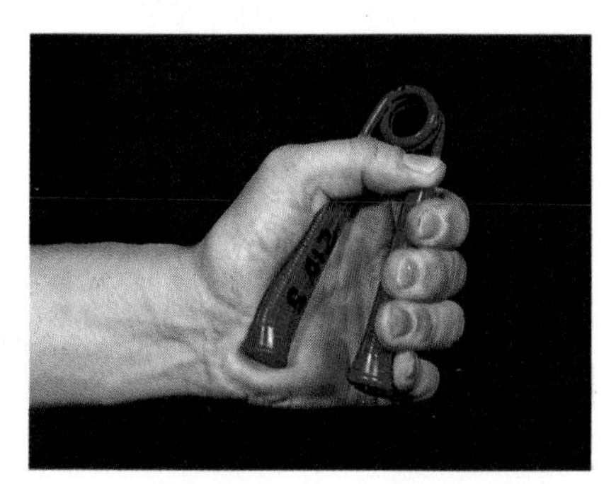

6. Tenir une haltère dans la main et effectuer l'exercice 3 ci-dessus (a-d).

Entraînement par allongement

7. *(a)* Appliquer les doigts d'une main contre ceux de l'autre main pendant 4 à 7 secondes. Relâcher pendant 2 secondes. *(b)* Allonger les doigts vers le haut en les étirant avec ceux de l'autre main pendant 6 à 8 secondes.

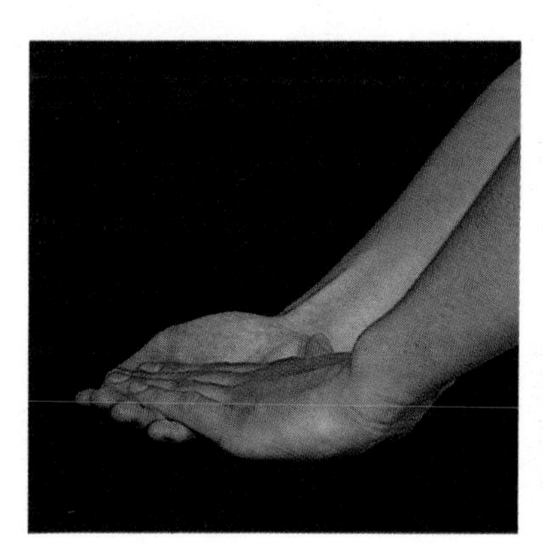

8. *(a)* Coller l'une à l'autre les 2 paumes des mains au devant du corps pendant 4 à 7 secondes. Relâcher pendant 2 secondes. *(b)* Allonger ensuite en poussant les avant-bras vers le bas, les mains restant collées pendant 6 à 8 secondes.

9. *(a)* Fléchir l'articulation du poignet vers le haut et s'y opposer avec l'autre main pendant 4 à 7 secondes. Relâcher pendant 2 secondes. *(b)* Faire ensuite un allongement avec le bras raide tourné en dedans et l'articulation de la main fléchie de l'autre côté pendant 6 à 8 secondes.

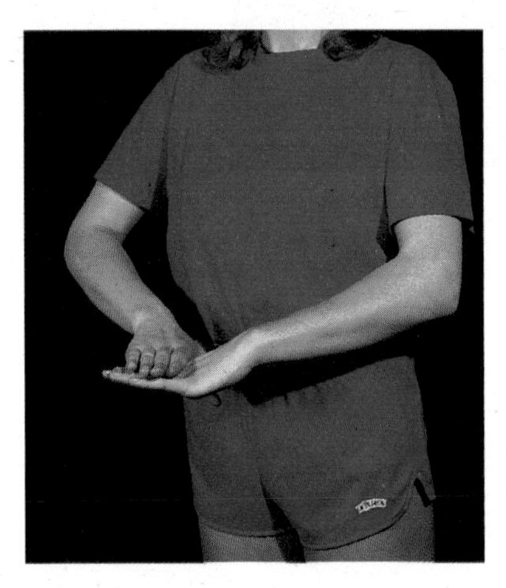

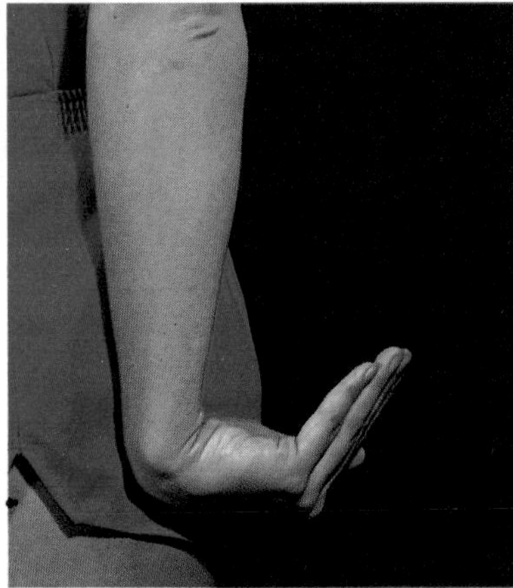

Répéter les exercices ci-dessus 3 à 5 fois.

DOS

Entraînement de la mobilité articulaire

1. *(a)* Se tenir debout et effectuer des mouvements d'extension et de flexion du tronc, d'inclinaison latérale ainsi que de torsion à droite et à gauche. *(b)* Couché sur le dos avec les talons placés sur une chaise. Serrer les fesses et soulever et abaisser le bassin à cadence rapide 10 fois. Repos pendant 5 secondes. *(c)* Faire à nouveau l'exercice *b*, mais alors en maintenant le bassin en position haute et en comptant jusqu'à 10. Repos pendant 5 secondes.

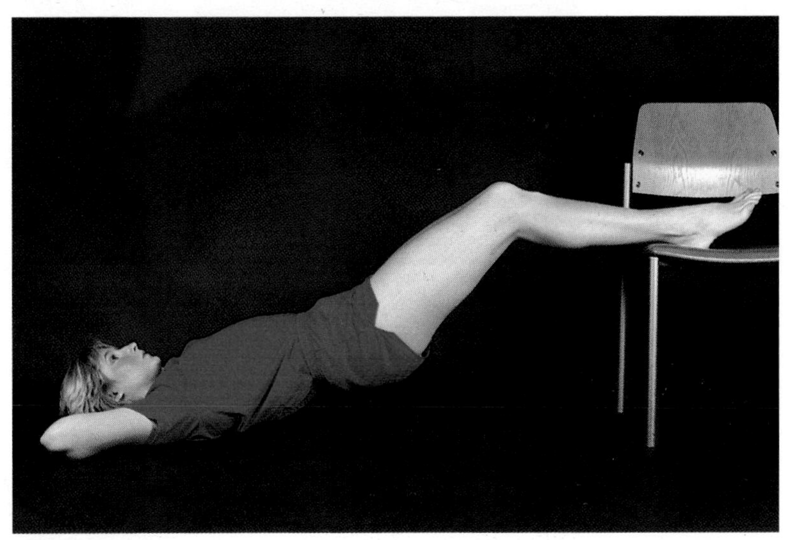

2. Couché sur le dos avec les genoux fléchis et les pieds contre le plancher. Placer une balle entre les genoux, appuyer les genoux contre la balle, serrer les fesses puis soulever et abaisser le bassin à cadence rapide 10 fois. Repos pendant 5 secondes.

3. Assis sur une chaise avec les pieds écartés. Placer les mains sur les genoux ou derrière la nuque. Tourner alternativement le tronc à droite et à gauche 5 et 10 fois. Le bassin et les jambes doivent rester immobiles.

4. S'entraîner à l'aviron avec une machine à ramer ou sur un bateau.

Répéter les exercices 5 à 10 fois.

Entraînement de la force

5. Couché sur le ventre, les mains placées sur la colonne vertébrale lombaire. Redresser le tronc de façon à ce que le menton et la cage thoracique décollent du sol et maintenir la position pendant 5 à 10 secondes. Repos pendant 5 à 10 secondes. Augmenter progressivement la durée du temps de maintien jusqu'à 10 secondes.

6. Couché sur le ventre avec les bras étendus en avant. Redresser le tronc de façon à ce que le menton et la cage thoracique décollent du sol. Maintenir la position pendant 5 secondes. Augmenter progressivement la durée du temps de maintien jusqu'à 10 secondes.

Répéter les exercices ci-dessus 5 à 10 fois.

7. Couché sur le dos avec les genoux fléchis, les pieds contre le plancher, les bras croisés sur la poitrine et les mains aux épaules. Soulever la tête et la partie supérieure du corps et maintenir la position pendant 5 à 10 secondes. Repos pendant 5 secondes. Faire le même exercice à nouveau mais alors en effectuant de rapides redressements 5 à 10 fois. Repos.

8. Couché sur le dos avec les genoux fléchis, les pieds contre le plancher et les mains placées derrière la nuque. Soulever la tête ainsi que l'épaule gauche du sol. Faire une rotation obliquement vers le haut de façon à ce que le coude gauche soit tourné vers le côté droit et maintenir la position pendant 5 à 10 secondes. La presque totalité du dos doit rester en contact avec le sol. Repos pendant 5 à 10 secondes puis faire le même exercice en sens inverse.

9. Couché sur le dos avec les genoux et les hanches fléchies à angle droit. Soulever la tête et appuyer les mains contre les genoux pendant 5 à 10 secondes.

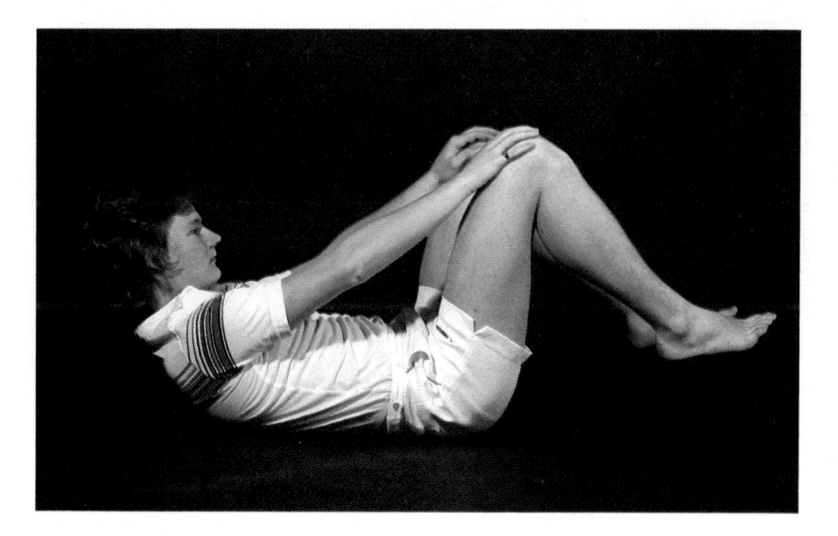

Répéter les exercices ci-dessus 5 à 10 fois.

Entraînement par allongement

10. *(a)* Couché sur le dos avec les genoux fléchis. Agripper les genoux avec les 2 mains et faire des mouvements de tampon-buvard. *(b)* Basculer le tronc en arrière le plus loin possible de façon à ce que les doigts de pied atteignent le sol lorsque les membres inférieurs sont étendus.

11. Couché sur le dos, fléchir le membre inférieur droit et le placer sur le membre inférieur gauche par un mouvement de rotation des hanches. Attirer le membre inférieur droit avec la main aussi loin que possible. Les 2 épaules doivent rester en contact avec le sol. Maintenir en position extrême pendant 6 à 8 secondes. Repos pendant 2 secondes et faire ensuite le même mouvement en sens inverse.

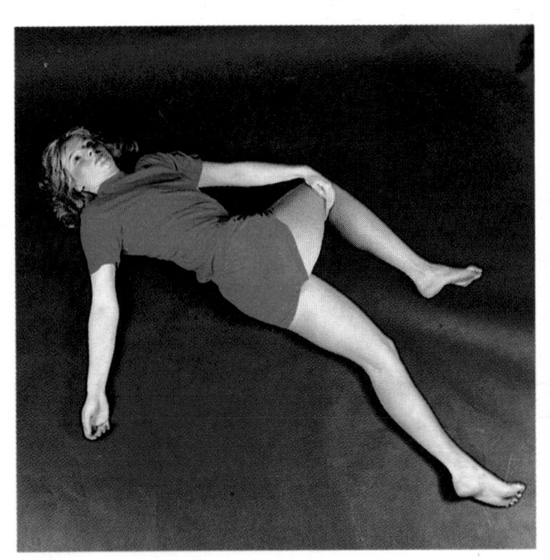

12. Une bonne ergonomie, une technique correcte de levers, des attitudes correctes en position assise ou au repos sont des facteurs dont le rôle est important.

NUQUE

Entraînement de la mobilité articulaire

1. Incliner la tête alternativement à gauche et à droite.

2. Fléchir la tête droit devant.

3. Faire une rotation de la tête alternativement à gauche et à droite.

Entraînement de la force

4. Faire travailler les muscles de la nuque en effectuant les exercices 1 à 3 ci-dessus tout en résistant avec la main.

Entraînement par allongement

5. Assis sur une chaise, placer la main gauche sur le bord de la chaise. Incliner la tête à droite tout en faisant une rotation à gauche (en regardant l'épaule gauche). Tirer ensuite sur le bord de la chaise pendant 4 à 7 secondes. Relâcher pendant 2 secondes et faire ensuite un allongement en inclinant le corps à droite. Maintenir pendant 6 à 8 secondes. Repos puis répétition de l'exercice en sens inverse.

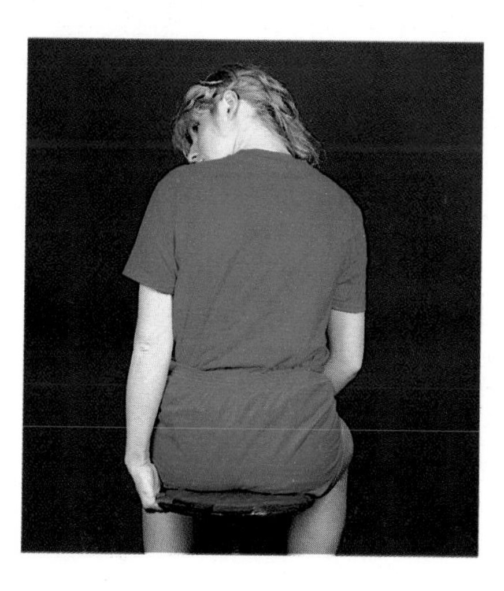

ARTICULATION DE LA HANCHE

Entraînement de la mobilité articulaire

1. Couché sur le dos. Ramener le genou du membre inférieur atteint comme le genou du membre inférieur sain vers l'abdomen.

2. Debout. Ramener alternativement le genou du membre inférieur atteint comme le genou du membre inférieur sain contre l'abdomen.

3. Debout. Placer le pied du membre inférieur atteint sur une table ou sur un meuble analogue. Maintenir tendu le membre inférieur sain et déplacer en avant le centre de gravité du corps vers le membre inférieur atteint de façon à ce que le genou vienne s'appuyer contre l'abdomen.

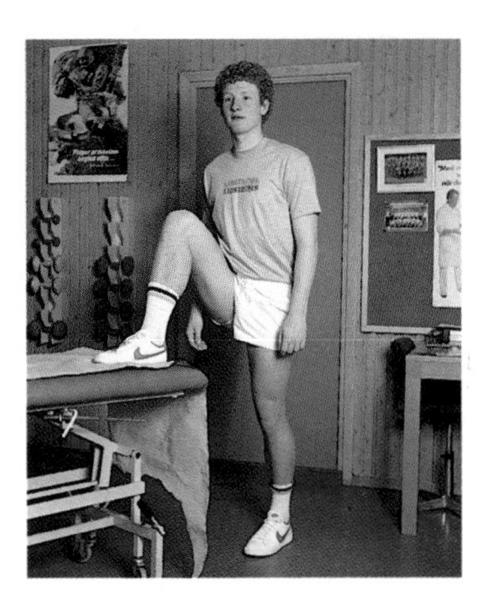

4. Couché sur le ventre avec les genoux tendus. Soulever alternativement en l'air le membre inférieur atteint et le membre inférieur sain.

5. Placer le tronc à plat ventre sur une table. Soulever alternativement le membre inférieur atteint et le membre inférieur sain avec le genou tendu.

6. Assis sur une table avec les cuisses bien soutenues et les articulations du genou fléchies. Porter la jambe alternativement : (*a*) en dehors, (*b*) en dedans.

Répéter les exercices ci-dessus 5 à 10 fois.

Pour l'entraînement des muscles rotateurs internes et externes voir les exercices 1 à 10 sous la rubrique « Aine » page 426 et suivantes.

Entraînement de la force

7. (*a*) Couché sur le dos. Placer une charge autour de la cheville du membre inférieur atteint et le ramener contre l'abdomen puis retour 10 à 30 fois. Changer de membre. (*b*) Debout. Répéter l'exercice *a* mais en appuyant avec les mains contre le genou pour effectuer une résistance. Fléchir les hanches.

8. Attacher l'extrémité d'un ruban élastique à un espalier ou à un dispositif analogue et passer l'autre extrémité autour de la partie inférieure de la cuisse du membre inférieur atteint. Se tenir debout avec le dos contre un espalier. Relever la cuisse du membre inférieur, le genou étant fléchi, de façon à ce que le ruban soit mis en tension. Changer de membre.

9. Attacher un manchon lesté autour de la cheville du membre inférieur atteint. Couché à plat ventre avec le tronc sur une table. Soulever le membre inférieur atteint avec le genou tendu et maintenir la position pendant 10 secondes. Repos et répétition de l'exercice. Le même exercice est exécuté de 10 à 30 fois à cadence rapide. changer de membre.

10. Attacher une des extrémités d'un ruban élastique à un espalier ou à un dispositif analogue et l'autre extrémité autour de la cheville du membre inférieur atteint. Debout avec le nez contre l'espalier. Poster la jambe tout en arrière avec le genou tendu 10 à 30 fois à cadence rapide.

11. Assis sur une table avec les cuisses bien soutenues. Attacher un ruban élastique autour des chevilles. Porter la jambe en dehors malgré la résistance du ruban et maintenir la position pendant 10 secondes. Repos et répétition de l'exercice de 5 à 10 fois.

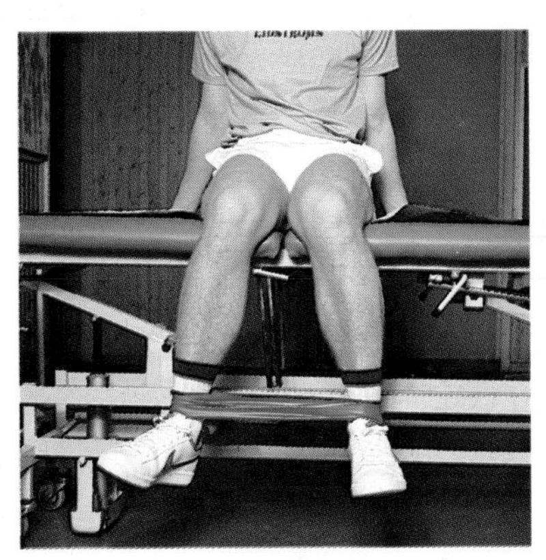

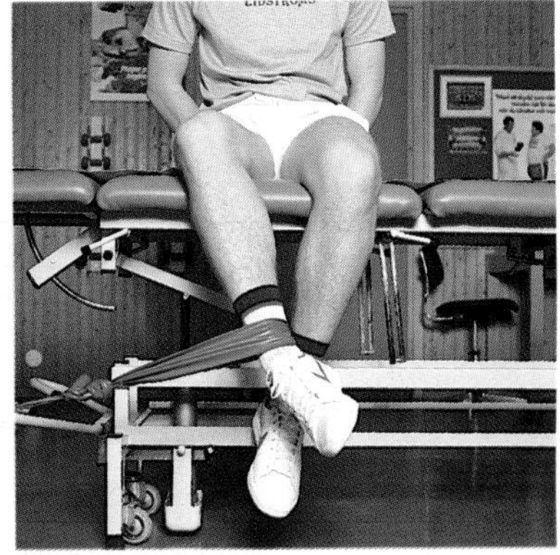

12. Assis sur une table avec les cuisses bien soutenues. Attacher une des extrémités d'un ruban élastique à un espalier ou à un dispositif analogue et l'autre extrémité autour de la cheville du membre inférieur atteint. Porter la jambe en dedans malgré la résistance du ruban et maintenir la position pendant 10 secondes. Repos et répétition de l'exercice 5 à 10 fois.

13. Couché latéralement sur le côté sain avec le genou fléchi. (*a*) Fléchir à nouveau la hanche et le genou du membre inférieur atteint de façon à ce que le genou vienne se placer au-dessus et en avant du genou du membre inférieur sain tout en tournant le pied en dedans. (*b*) Etendre le membre inférieur atteint en arrière et en même temps effectuer une rotation de la hanche et du pied en dedans. Effectuer le mouvement 10 à 30 fois à cadence rapide. Repos et répétition.

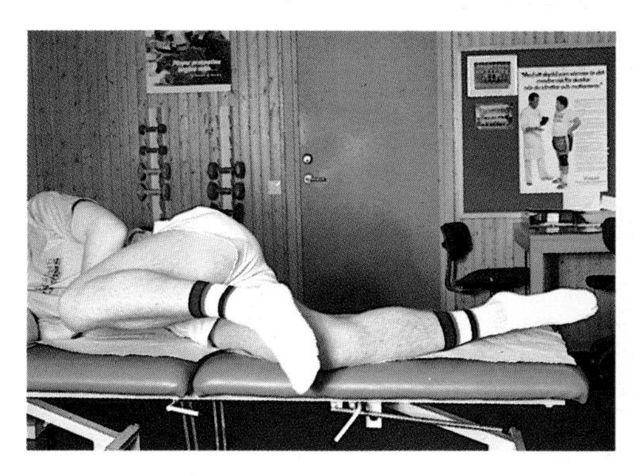

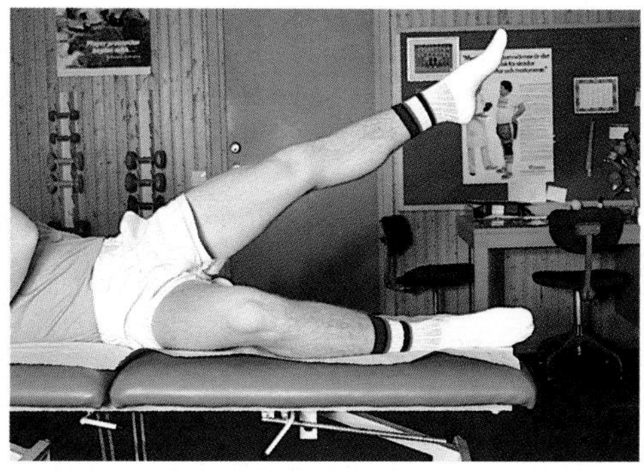

Entraînement par allongement

14. *Position de départ*: (voir cliché *a*). Les mains doivent être placées de chaque côté du membre inférieur sain, dont le genou doit se trouver juste devant la cheville et dont le pied doit être dirigé droit en avant. Le membre inférieur atteint doit être étendu en arrière avec le genou reposant sur le sol. Si besoin est, on peut placer un coussin au-dessous du genou. Tirer en avant le genou du membre inférieur atteint pendant 4 à 7 secondes sans le déplacer. Repos pendant 2 secondes. (*b*) Allongement pendant 6 à 8 secondes en soulevant du plancher le genou du membre inférieur atteint, se tenir sur les orteils et abaisser la hanche de façon à ce que soit ressentie une tension à la face antérieure de la cuisse.

15. Couché à plat ventre sur un lit. Fléchir le genou du membre inférieur atteint à angle droit. Demander à un camarade de décoller la cuisse du membre inférieur atteint et appuyer la cuisse contre la main du camarade pendant 4 à 7 secondes. Relâcher pendant 2 secondes. Faire un allongement en soulevant le membre inférieur atteint jusqu'à ce que soit res-

sentie une sensation de tension au niveau de la hanche et maintenir la position pendant 6 à 8 secondes. Repos. Le mouvement doit se situer au niveau de la hanche et pas au niveau du dos. Le degré de difficulté du mouvement peut être augmenté en plaçant le membre inférieur sain en dehors du bord du lit avec le pied contre le plancher.

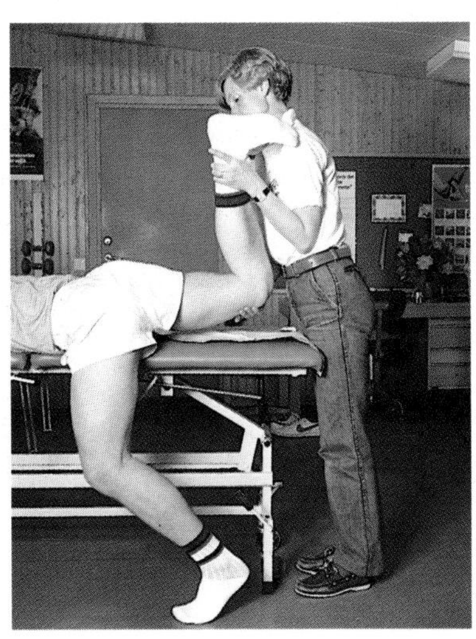

16. Assis sur le plancher ou debout avec le membre inférieur tendu. Essayer d'atteindre progressivement les orteils avec les mains. C'est la hanche qui doit être fléchie et pas le dos. L'allongement doit être ressenti à la face postérieure de la cuisse.

17. Couché sur le dos sur le plancher avec le membre inférieur tendu. Demander l'aide d'un camarade. Placer le talon du membre inférieur atteint sur l'épaule du camarade. Le camarade tient ses mains juste en avant de la rotule du membre inférieur attein tdont le genou doit être aussi étendu que possible. Le membre inférieur sain doit constamment demeurer sur le plancher. (*a*) Appliquer le membre inférieur atteint contre l'épaule du camarade pendant 4 à 7 secondes. Repos pendant 2 secondes. Un allongement est obtenu pendant 6 à 8 secondes par 2 manœuvres : il repousse en avant le membre inférieur atteint et il appuie sur le genou de façon à le maintenir tendu. L'allongement doit être ressenti à la face inférieure de la cuisse.

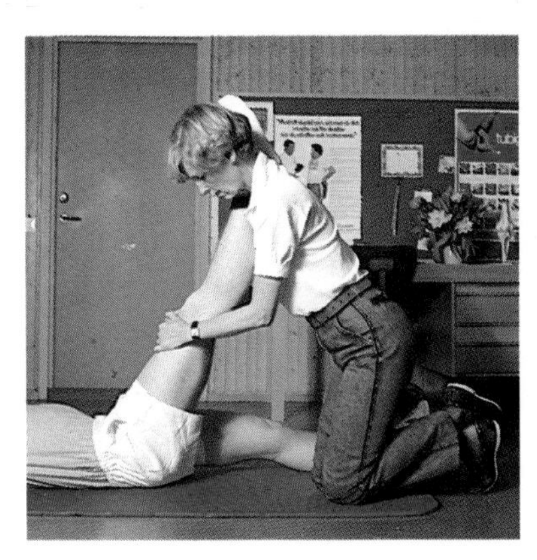

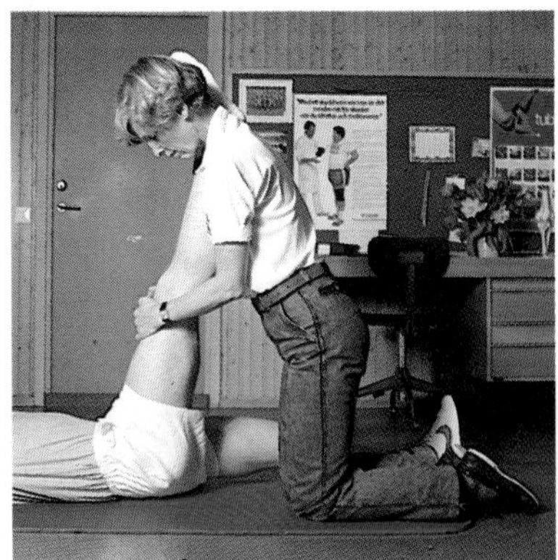

18. Couché sur le dos avec le membre inférieur sain tendu. Faire saisir avec la main opposée le genou du membre inférieur atteint. Fléchir vers le haut le membre inférieur contre l'abdomen. Attirer avec la main le genou jusqu'au niveau de la hanche et faire un allongement pendant 6 à 8 secondes.

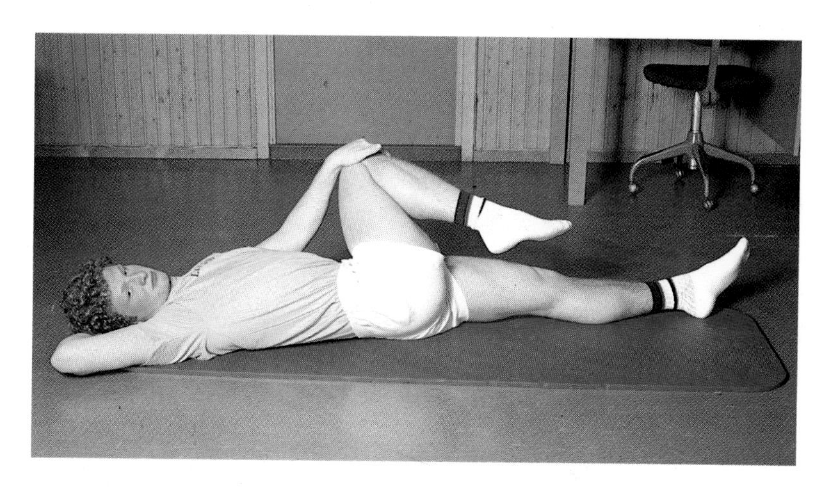

Répéter les exercices ci-dessus 3 à 5 fois.

Faire un allongement à la fois du membre inférieur droit et du membre inférieur gauche mais commencer toujours à allonger le membre inférieur le plus raide. Comparer l'allongement du membre inférieur atteint avec celui du membre inférieur sain de façon à pouvoir contrôler qu'il ne se produit pas d'allongement exagéré.

AINE

Entraînement de la mobilité articulaire

1. Couché sur le dos. (*a*) Porter le membre inférieur atteint alternativement en dedans et en dehors. (*b*) Porter les 2 membres inférieurs atteints alternativement en dedans et en dehors. (*c*) Soulever le membre inférieur atteint d'environ 10 centimètres du sol et le porter alternativement en dedans et en dehors. Changer de membre.

2. Couché sur le dos. Porter le talon du membre inférieur atteint contre les fesses et faire en même temps une rotation en dehors du genou et de la hanche. Maintenir la position pendant 10 secondes. Repos et répétition de l'exercice.

Entraînement de la force

3. Couché sur le dos avec le membre inférieur tendu et avec un ballon entre les deux genoux. Serrer les membres inférieurs contre le ballon pendant 10 secondes, relâcher et répéter. Faire le même exercice avec le ballon placé entre les pieds. Varier l'entraînement en utilisant des ballons de différentes tailles.

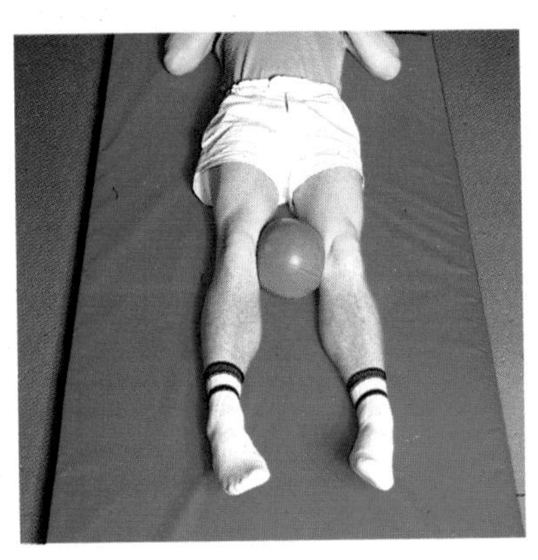

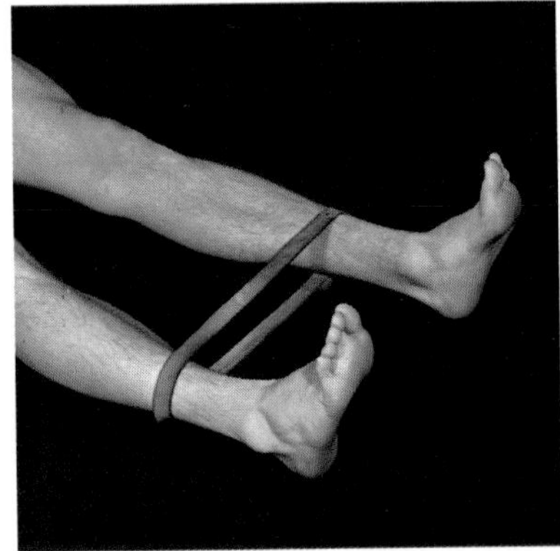

4. Couché sur le dos. Passer une ceinture ou un objet circulaire analogue autour de la partie inférieure de la jambe. Ecarter les jambes malgré la résistance de la ceinture pendant 10 secondes. Repos et répétition de l'exercice. Varier l'entraînement en déplaçant la ceinture soit vers le haut soit vers le bas.

5. Assis incliné en arrière sur le plancher. Prendre appui avec les mains placées derrière le corps. Demander à un camarade de s'asseoir de la même façon entre les 2 jambes la face externe de ses pieds venant contre la face interne de vos pieds. Ecarter vos pieds malgré l'opposition que fait la camarade avec ses pieds. Placer ensuite vos pieds de façon à ce que les pieds de votre camarade aient leur face interne contre la face externe de vos pieds. Essayer de rapprocher les pieds pendant 10 secondes malgré l'opposition faite par le camarade. Répéter le mouvement.

6. Attacher l'une des extrémité d'un ruban élastique à un espalier ou à un dispositif analogue et l'autre extrémité autour de la cheville d'une jambe. (*a*) Debout avec la face externe du membre inférieur face à l'espalier. S'efforcer d'éloigner le ruban perpendiculairement par rapport à l'espalier 10 à 30 fois. (*b*) Debout avec la face interne du membre inférieur face à l'espalier. S'efforcer d'éloigner le ruban obliquement en arrière 10 à 30 fois à cadence rapide. Changer de membre et répéter l'exercice. (*c*) Debout avec la face interne du membre inférieur face à l'espalier. S'efforcer d'éloigner le ruban perpendiculairement à l'espalier 10 à 30 fois.

L'intensité des exercices peut être accrue en augmentant progressivement le nombre de répétitions et en utilisant un ruban plus court qui donnera une opposition plus forte.

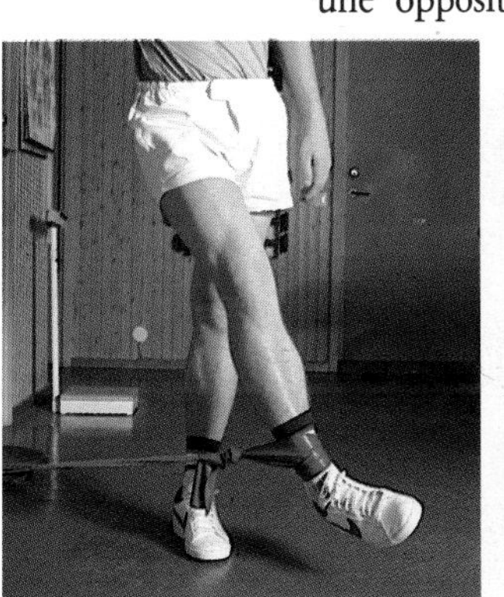

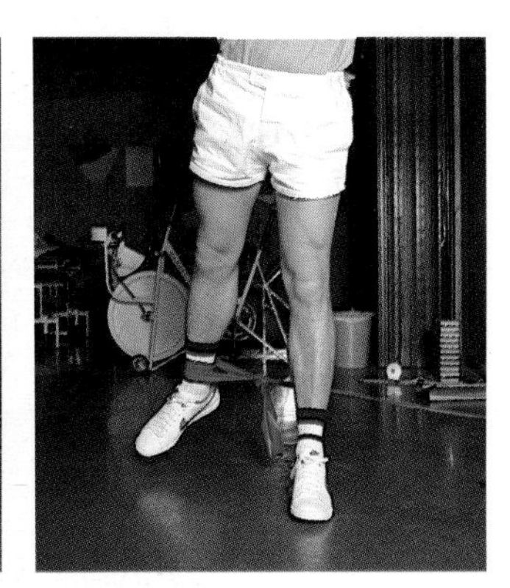

Entraînement par allongement

7. Assis sur le plancher avec les genoux fléchis, les plantes des pieds l'une contre l'autre et les coudes contre les genoux. (*a*) Pousser les genoux vers l'intérieur contre la résistance des coudes pendant 4 à 7 secondes. Repos pendant 2 secondes. (*b*) Faire un allongement en repoussant les genoux avec les coudes pendant 6 à 8 secondes.

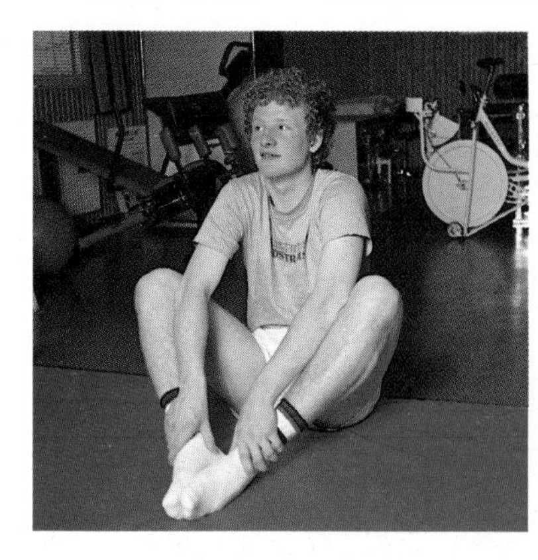

8. Debout, jambes écartées et le corps droit. Faire porter le poids du corps sur le membre inférieur sain et fléchir le genou. (*a*) Appuyer le pied du membre inférieur atteint contre le plancher pendant 4 à 7 secondes. Relâcher pendant 2 secondes. (*b*) Faire un allongement du membre inférieur atteint pendant 6 à 8 secondes en fléchissant encore plus le genou sain.

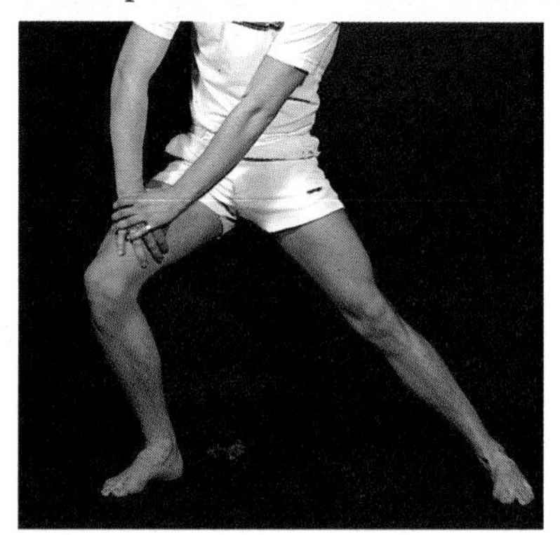

9. Assis sur le plancher, placer le membre inférieur sain au-dessus du membre inférieur atteint de façon à ce que le talon vienne toucher les fesses. Placer le pied du membre inférieur atteint sur la face externe de la cuisse du membre inférieur sain. Saisir la face externe du genou du membre inférieur atteint avec la main opposée. (*a*) Appuyer le genou du membre inférieur atteint contre la main pendant 4 à 7 secondes. Relâcher pendant 2 secondes. (*b*) Déporter le genou du membre inférieur atteint contre le corps à l'aide du coude et faire un allongement pendant 6 à 8 secondes.

10. Debout avec le membre inférieur atteint placé obliquement derrière le membre inférieur sain. (*a*) Appuyer le pied du membre inférieur atteint contre le plancher pendant 4 à 7 secondes. Relâcher pendant 2 secondes. (*b*) Allonger la face externe de la cuisse du membre inférieur atteint en

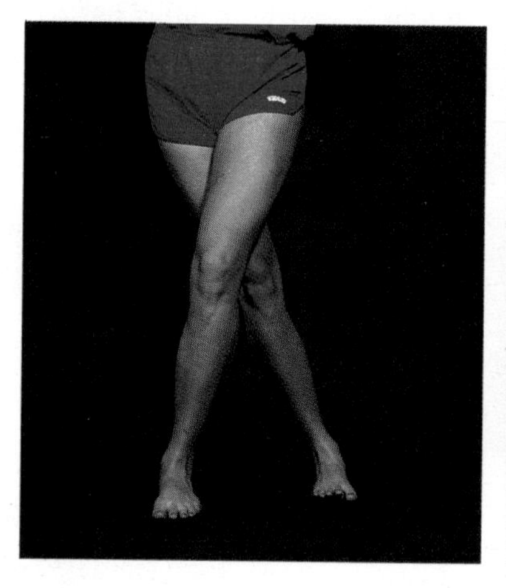

fléchissant le genou du membre inférieur sain. Répéter les exercices ci-dessus 3 à 5 fois.

Exercices généraux

11. Pédaler sur une bicyclette ergométrique en augmentant progressivement la résistance.

12. Nager en brasse et en crawl dans une piscine.

Entraînement de la force avec une barre à disques

13. Debout avec la barre à disques sur les épaules. Tenir le dos raide, fléchir les 2 membres inférieurs à 90° et se redresser. Faire le même exercice avec un membre inférieur devant l'autre. Changer de membre et faire l'exercice à nouveau.

Entraînement par des sauts

14. Sauter d'abord à pieds joints puis un membre inférieur à la fois.

15. Sauter par-dessus une haie basse.

16. Jouer à saute-mouton.

17. Sauter à la corde.

18. Avec une barre à disques placée sur les épaules, sauter et atterrir en amortissant avec les genoux.

GENOU

Entraînement de la mobilité articulaire

1. Assis sur un sol plat et dur. Placer un rouleau de papier de ménage ou un objet analogue sous le genou atteint. Contracter les muscles de la cuisse. Relever le pied et décoller le talon du sol. Le genou doit rester constamment au contact du rouleau. Maintenir le membre inférieur en position d'extension pendant 10 secondes. Repos pendant 5 secondes. Répétition du mouvement.

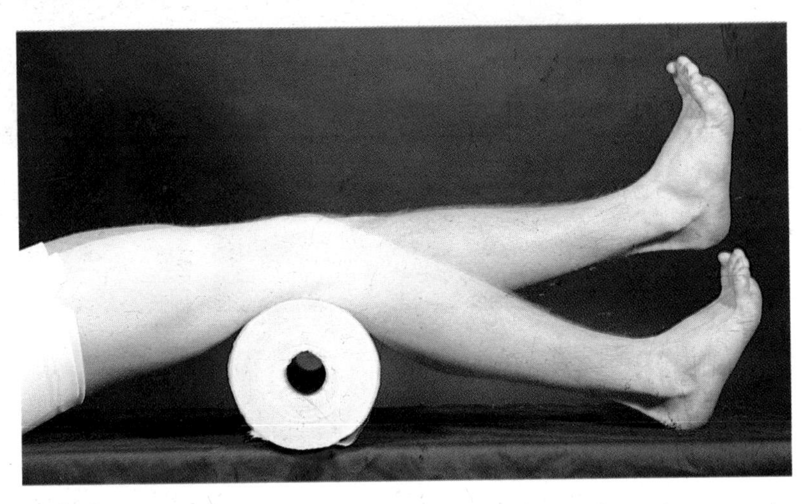

2. Répéter le mouvement 1, maintenant sans placer de rouleau sous le genou.

3. Assis sur une table avec les cuisses soutenues. Fléchir aussi loin que possible le membre inférieur atteint. Maintenir le membre inférieur sain derrière le membre atteint comme soutien.

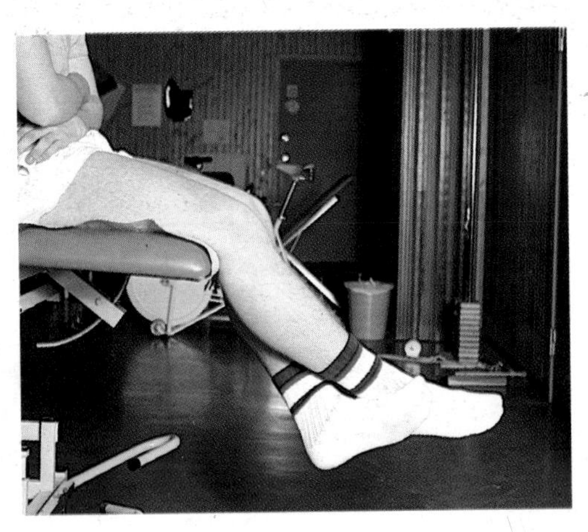

4. Couché sur le ventre, fléchir le genou atteint aussi loin que possible.

5. Couché sur le dos avec le pied du membre inférieur atteint contre un mur. Faire glisser le pied vers le bas en même temps qu'on fléchit le genou.

6. Debout avec le pied du membre inférieur atteint placé sur une chaise. Faire un étirement lent en avant, de façon à fléchir le genou. Maintenir la position pendant 10 secondes. Repos.

Les exercices ci-dessus doivent être exécutés pendant de courts instants de suite plusieurs fois par jour, chaque jour.

Entraînement de la force

7. Couché sur le dos avec les membres inférieurs tendus. Relever le pied du membre inférieur atteint, contracter les muscles de la cuisse et soulever le membre inférieur avec le genou tendu. Maintenir la position pendant 10 secondes. Repos pendant 5 secondes. Répéter 5 à 10 fois.

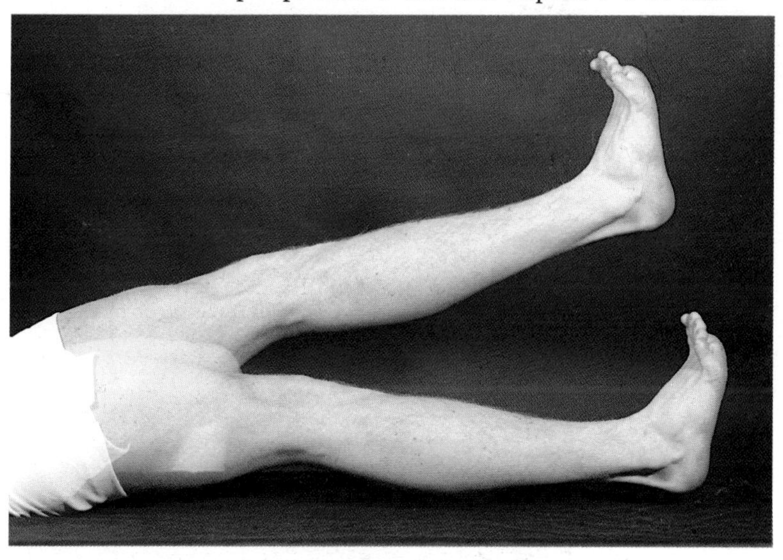

8. Couché sur le dos. Contracter les muscles de la cuisse du membre inférieur atteint, étendre le genou. Soulever et abaisser le membre inférieur avec le genou tendu 10 fois. Repos pendant 30 secondes. Répéter 10 fois.

L'intensité de l'exercice peut être accrue en augmentant progressivement le nombre de répétitions qui passeront de 10 soulèvements à 20, 30, 40, etc.

9. Répéter les exercices 7 et 8, maintenant avec un manchon lesté autour de la cheville. La charge doit au début être de 2 à 3 kg.

10. Assis sur une table avec les cuisses soutenues. Poser le pied du membre inférieur atteint sur un tabouret ou sur un objet analogue de façon à ce que le genou soit fléchi à environ 50°. Résister avec le membre inférieur sain et étendre le membre inférieur atteint malgré cette résistance. Repos pendant 30 secondes. Répéter le mouvement 5 fois. Faire ensuite à nouveau l'ensemble de l'exercice mais maintenant avec le genou du membre inférieur atteint fléchi sous un autre angle, par exemple 30°. Il est essentiel que l'exercice soit effectué avec le genou du membre inférieur atteint fléchi sous l'angle où le muscle droit antérieur de la cuisse est plus faible.

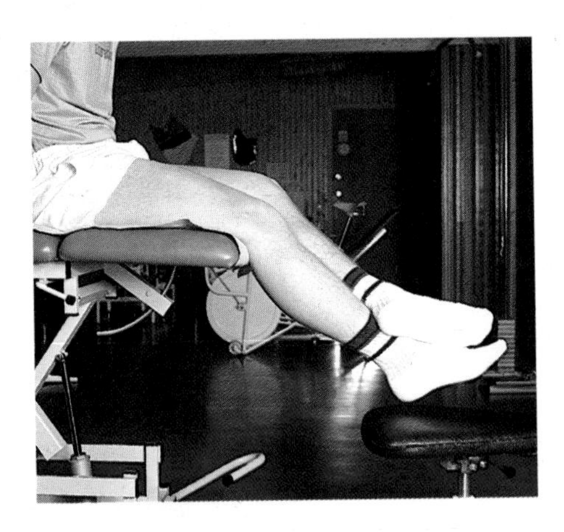

11. Assis sur une table avec les cuisses soutenues. Etendre et fléchir le genou atteint 10 fois. Repos et répétition de l'exercice. Augmenter l'intensité de l'exercice en attachant un manchon lesté autour de la cheville.

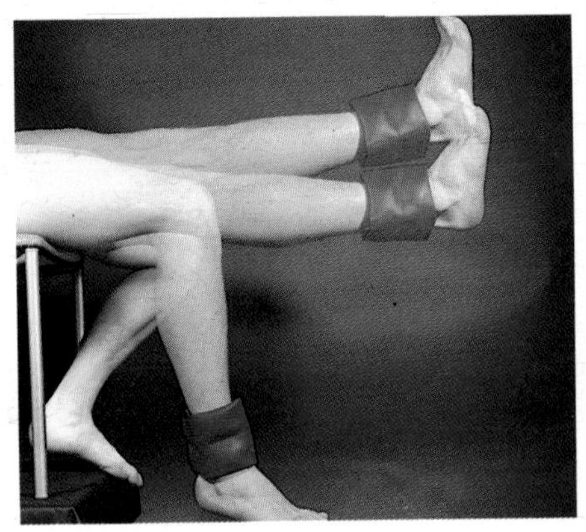

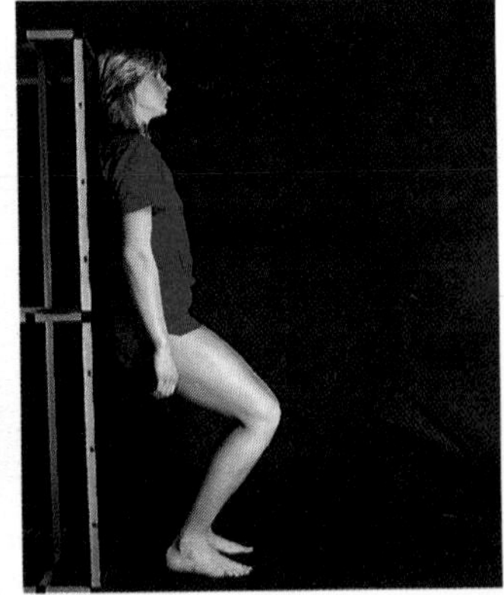

12. Debout avec le dos contre un mur. Fléchir les genoux de façon à ce que le dos glisse lentement vers le bas le long du mur. Demeurer debout avec les genoux fléchis pendant 10 secondes. Augmenter progressivement le temps de maintien.

13. Assis sur le plancher avec le genou du membre inférieur atteint fléchi et le talon contre un obstacle plat ou une surélévation de la hauteur d'une marche. Amener le membre inférieur en arrière de façon à ce que le talon appuie contre l'obstacle et compter jusqu'à 10. Repos pendant 5 secondes. Répéter l'exercice 5 à 10 fois.

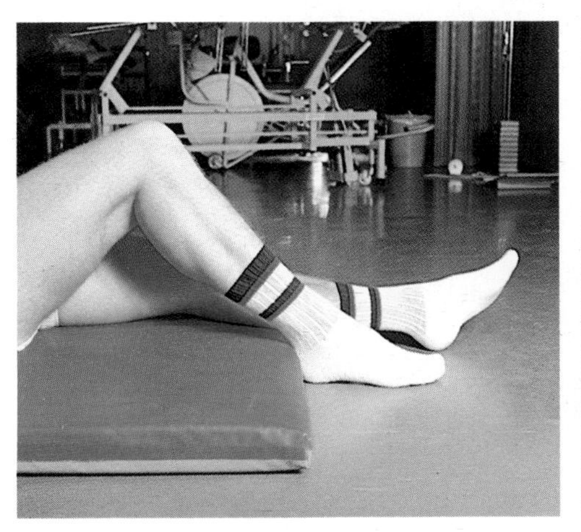

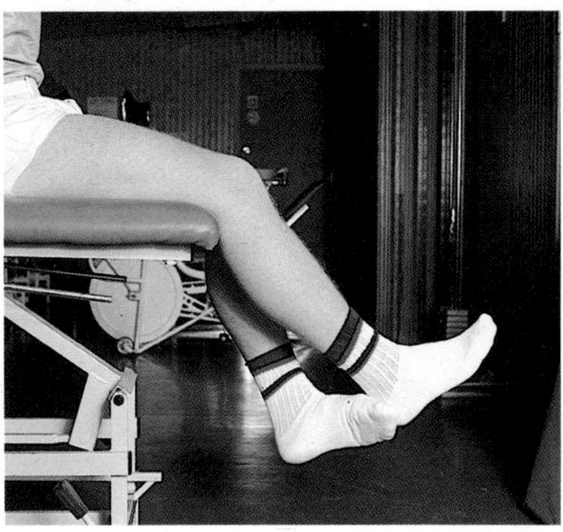

14. Assis sur une table avec les cuisses soutenues. Placer le membre inférieur sain derrière le membre inférieur atteint, résister avec le membre inférieur sain et fléchir le membre inférieur atteint contre cette résistance pendant 10 secondes. Repos pendant 5 secondes et répétition de l'exercice. Entraîner le membre inférieur atteint avec le genou fléchi sous différents angles.

15. Attacher un ruban élastique à un pied de devant d'une chaise. S'asseoir sur la chaise et ramener le membre inférieur atteint en arrière malgré la résistance exercée par le ruban élastique pendant 10 secondes. Repos pendant 5 secondes. Répéter l'exercice.

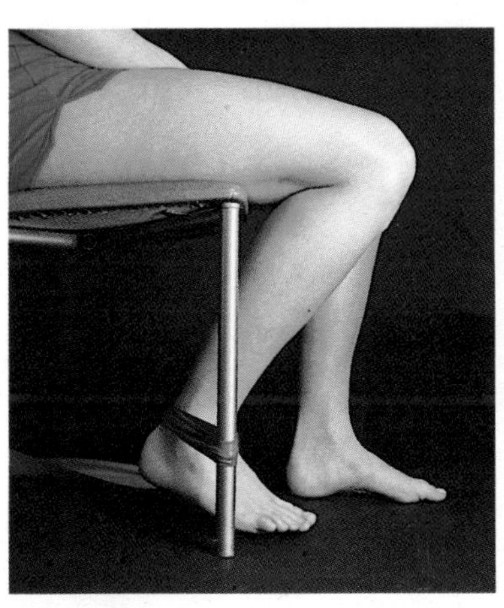

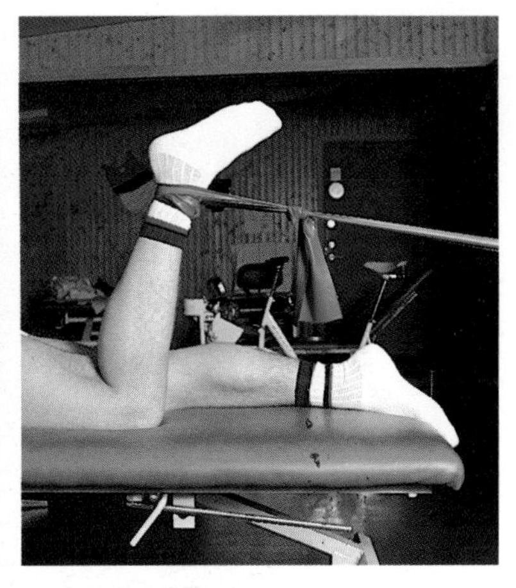

16. Attacher l'une des extrémités d'un ruban élastique à un espalier ou à un dispositif analogue et l'autre extrémité autour de la cheville du membre inférieur atteint. Couché sur le ventre, fléchir le genou 10 fois à cadence rapide malgré la résistance exercée par le ruban. Repos pendant 5 secondes. Répéter l'exercice. Augmenter l'intensité de l'exercice en utilisant un ruban plus court.

17. Répéter l'exercice 16, maintenant en position assise avec les cuisses soutenues.

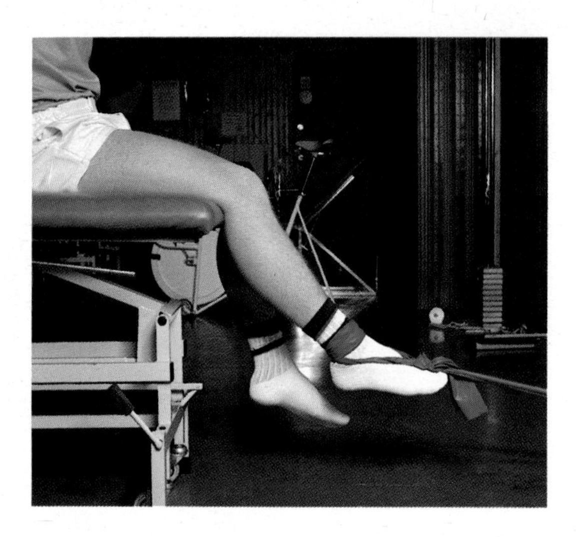

Entraîner aussi les autres muscles du membre inférieur ainsi que les muscles de l'abdomen et des bras.

Entraînement avec charge

18. Assis au bord d'un lit, une table basse ou un meuble analogue en plaçant le nombre inférieur atteint en dehors. Le genou doit être fléchi et le pied doit être dirigé perpendiculairement en avant. Se relever jusqu'à la position debout puis s'asseoir à nouveau en s'aidant du membre inférieur atteint. Plus le lit ou la table sera basse, plus grande sera la force nécessaire à l'exécution de l'exercice.

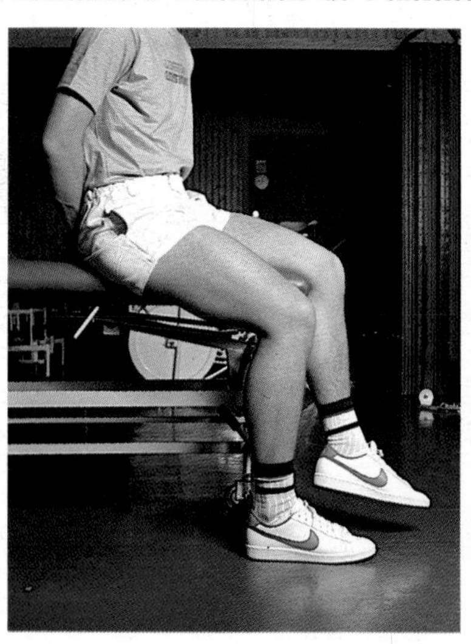

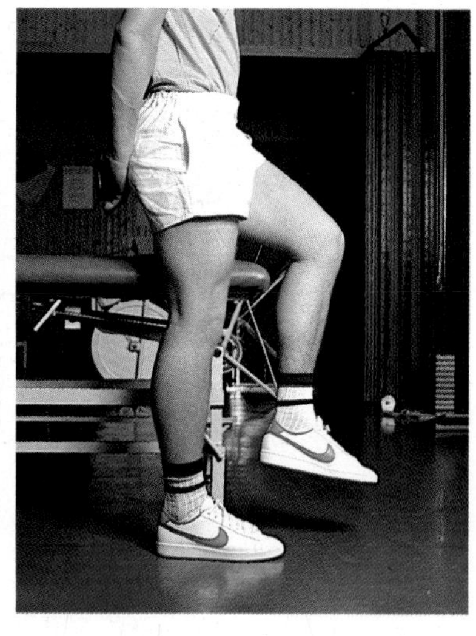

19. Se tenir sur le genou du membre inférieur sain. Se redresser jusqu'à la position debout reposant sur le membre inférieur atteint sans s'aider des mains. Changer de membre. Répéter l'exercice 10 à 15 fois.

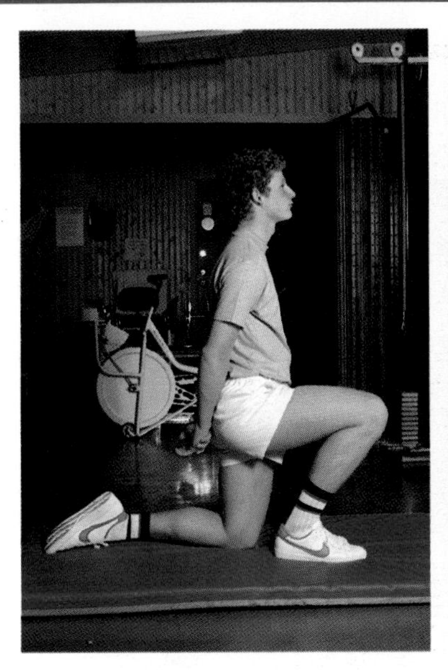

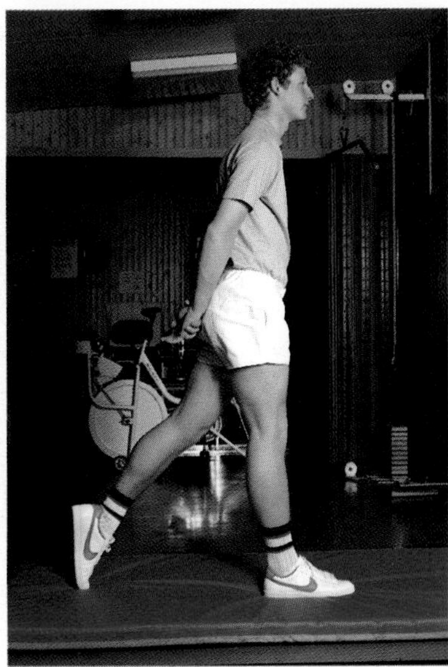

20. Debout redressé avec, au début, une barre à disques, légère, sur les épaules; Fléchir et étendre les genoux.

L'entraînement de la force doit être combiné avec l'entraînement par allongement.

Entraînement par allongement

21. Couché sur le ventre, saisir la cheville du membre inférieur atteint avec une main. *(a)* Etendre le membre inférieur malgré la résistance de la main pendant 4 à 7 secondes. Repos pendant 2 secondes. *(b)* Faire un allongement en remontant aussi haut que possible pendant 6 à 7 secondes. La cuisse doit reposer contre le sol.

22. Répéter l'exercice 21, maintenant en position debout. Résister au membre inférieur avec les 2 mains pendant 4 à 6 secondes et faire un allongement pendant 6 à 8 secondes. Veiller à maintenir la hanche tendue et en légère extension postérieure.

23. Couché sur le dos dans l'ouverture d'une porte avec les fesses placées aussi près que possible du chambranle. Placer le membre inférieur sain à travers l'ouverture de la porte. Appuyer le talon du membre inférieur

atteint contre le chambranle pendant 4 à 6 secondes. Relâcher pendant 2 secondes. Faire un allongement en relevant le pied et en étendant le genou au maximum pendant 6 à 8 secondes.

24. Poser le membre inférieur atteint sur une table. Les 2 membres inférieurs doivent être tendus; le pied du membre inférieur sain doit être dirigé directement en avant et le dos doit être redressé. *(a)* Appuyé le talon contre le plateau de la table pendant 4 à 7 secondes. Relâcher. *(b)* Faire un allongement pendant 6 à 8 secondes en relevant le pied du membre inférieur atteint, étendre le genou et s'incliner en avant au niveau de la hanche avec le dos redressé. Pour obtenir un plus grand allongement, on peut fléchir le genou du membre inférieur sain.

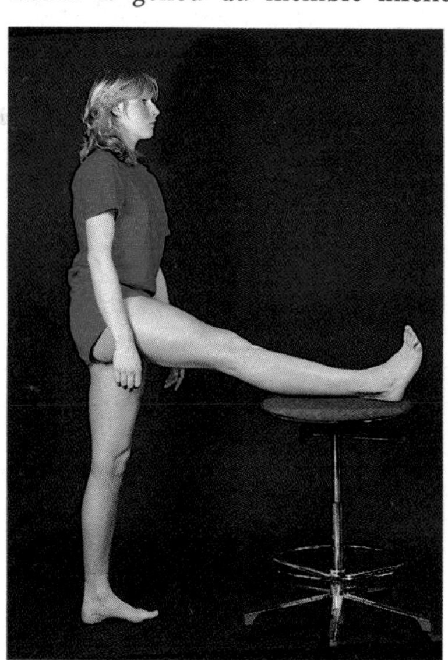

Répéter les exercices ci-dessus 3 à 6 fois.

Pour réaliser un allongement, partir toujours de la position extrême du muscle. Faire les exercices alternativement avec le membre inférieur sain et le membre inférieur atteint.

Chondromalacie de la rotule

Les exercices ci-dessous sont particulièrement indiqués pour les sujets atteints de chrondromalacie de la rotule.

Entraînement de la force: Exercices 7 à 10 (page 431) et 13 et 14 (page 433). Pour les exercices 10, 13 et 14, commencer l'entraînement avec l'articulation du genou fléchie à 30°. Plus l'articulation du genou sera fléchie, plus grande sera la charge exercée au niveau de la rotule. C'est pourquoi, on n'augmentera que progressivement la flexion et on s'efforcera de maintenir l'entraînement toujours au-dessous du seuil de la douleur.

Entraînement par allongement: Exercices 3, 5 et 6 (page 426) pour réaliser l'allongement des muscles extenseurs et fléchisseurs du genou ainsi que l'exercice 10 page 429 pour réaliser l'allongement des muscles rotateurs externes du membre inférieur.

Exercices d'entraînement de la force des muscles qui entourent l'articulation. Ce sont les exercices décrits ci-dessous à l'intention des: (1) muscles rotateurs internes du membre inférieur; (2) muscles rotateurs externes du membre inférieur; (3) muscles extenseurs de la hanche; (4) muscles droits et obliques de l'abdomen. Pour l'entraînement de l'équilibre et de la coordination, voir page 446.

1. Couché sur le dos avec les genoux fléchis et les pieds sur le plancher. Placer un ballon entre les genoux et les appuyer contre le ballon. Serrer les fesses, lever et abaisser le bassin à cadence rapide 10 fois. Repos. Répéter l'exercice.

2. Couché sur le côté avec les membres inférieurs tendus. Soulever obliquement en arrière le membre inférieur placé dessus et maintenir la position pendant 10 secondes. Repos. Répéter l'exercice. Lever et abaisser ensuite le membre à cadence rapide 10 fois. Repos. Répéter l'exercice. Changer de membre.

L'intensité des exercices peut être augmentée en attachant un manchon lesté autour de la cheville.

3. *(a)* Le tronc à plat ventre sur une table avec les membres inférieurs placés en dehors. Ne soulever qu'un membre inférieur tendu à la fois et maintenir la position pendant 10 secondes. Repos. Répéter l'exercice. Lever et abaisser ensuite le membre inférieur à cadence rapide. Repos. Répétition. Changer de membre.

L'intensité des exercices peut être augmentée en attachant un manchon lesté autour de la cheville.

(b) Exécuter l'exercice ci-dessus debout et en utilisant un ruban élastique comme résistance.

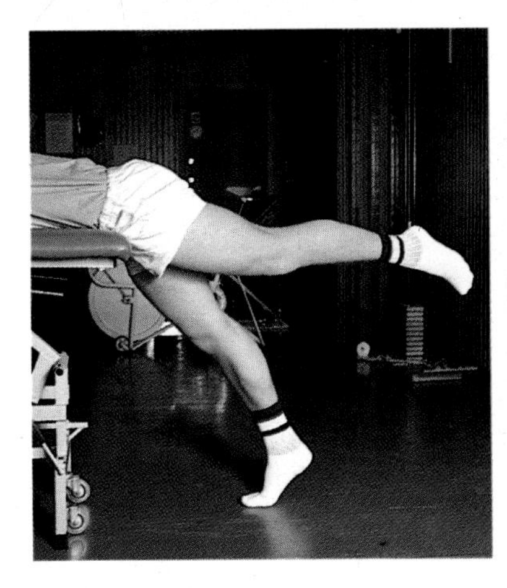

4. *Entraînement des muscles de l'abdomen:* voir exercices 7 à 9 page 417.

Répéter les exercices ci-dessus 20 à 50 fois 2 fois par jour.

Entraînement en piscine:
— nager avec des mouvements de jambe modérés;
— marcher sur le fond de la piscine en augmentant progressivement la vitesse;
— se redresser en passant de la position «assis accroupi» à la position «debout», si la douleur le permet.

— Il n'est pas indispensable que la totalité du programme soit exécuté d'une seule traite.
— Alterner les différents exercices avec d'autres exercices.
— Tous les exercices doivent pouvoir être exécutés sans franchir le seuil de la douleur.

Rééducation fonctionnelle après l'intervention chirurgicale

Lésions méniscales

48 heures après une intervention chirurgicale pour lésion du ménisque, les exercices 1 et 2 peuvent être exécutés. Une à deux semaines après l'intervention chirurgicale, l'opéré peut également exécuter les exercices 3 et 4 page 430 ainsi que les exercices de coordination et d'équilibre 1 à 11 page 446. Lorsqu'il ne présente plus ni douleur ni tuméfaction du genou, l'opéré peut commencer à exécuter à l'entraînement les exercices d'entraînement de la force 7 à 17 page 431.

Lésions du ligament latéral de l'articulation du genou

Après l'intervention chirurgicale pour lésion d'un ligament latéral de l'articulation du genou, les exercices suivants sont recommandés.

Entraînement de la mobilité articulaire: exercices 1 à 6 pages 430.

Entraînement de la force: exercices 7 à 17 page 431. Augmenter progressivement l'intensité de l'entraînement.

Entraînement avec charge: exercices 18 à 20 page 434.

Entraînement de l'équilibre et de la coordination: exercices 1 à 11 page 446.

Si nécessaire, combiner les exercices ci-dessus avec les exercices d'allongement 21 à 24 page 435.

Lésions des ligaments croisés de l'articulation du genou

Après intervention chirurgicale pour lésions des ligaments croisés de l'articulation du genou, la rééducation fonctionnelle doit être effectuée sous la direction d'un kinésithérapeute. Pour l'entraînement à domicile ainsi que lorsque le sportif n'a pas de kinésithérapeute à sa disposition, le programme suivant peut être préconisé:

Faire les exercices 3 à 5 page 430, et 13 et 17 page 433. Augmenter progressivement l'intensité des exercices. Entraîner également les autres muscles du membre inférieur ainsi que les muscles de l'abdomen et des bras.

Pour l'entraînement de l'équilibre et de la coordination l'exercice 1 et les exercices 3 à 6 page 446 sont recommandés.

Dès que la mobilité de l'articulation du genou a suffisamment progressée pour permettre la flexion de l'articulation jusqu'à environ 110°, l'opéré peut commencer à pédaler sur une bicyclette ergométrique. La résistance appliquée doit être faible au début puis être progressivement augmentée.

12 semaines après l'intervention chirurgicale, l'entraînement peut être intensifié selon le programme suivant:

Entraînement de la mobilité articulaire: exercices 1 et 2 page 430.

Entraînement de la force: exercices 7 à 12 page 431.

Entraînement par allongement: exercices 21 à 24 page 435.

Entraînement en piscine:
- nager avec des mouvements de jambe modérés;
- marcher sur le fond de la piscine en augmentant progressivement la vitesse;
- passer de la position «assis accroupi» à la position «debout» si la douleur le permet.

Entraînement de l'équilibre et de la coordination: exercices 1 à 7 page 446. Environ 4 à 6 mois après l'intervention chirurgicale, les exercices 8 à 11 du paragraphe suivant peuvent également être exécutés.

Entraînement par la course à pied. Cet entraînement peut commencer 4 à 8 mois après l'intervention chirurgicale, cependant seulement après que le médecin ou le kinésithérapeute ait donné le feu vert.

CHEVILLE

Entraînement de la mobilité articulaire

1. Couché sur le dos. Relever le pied et étendre en même temps les doigts de pied en l'air. Abaisser ensuite le pied et fléchir en même temps les doigts de pied vers le bas.

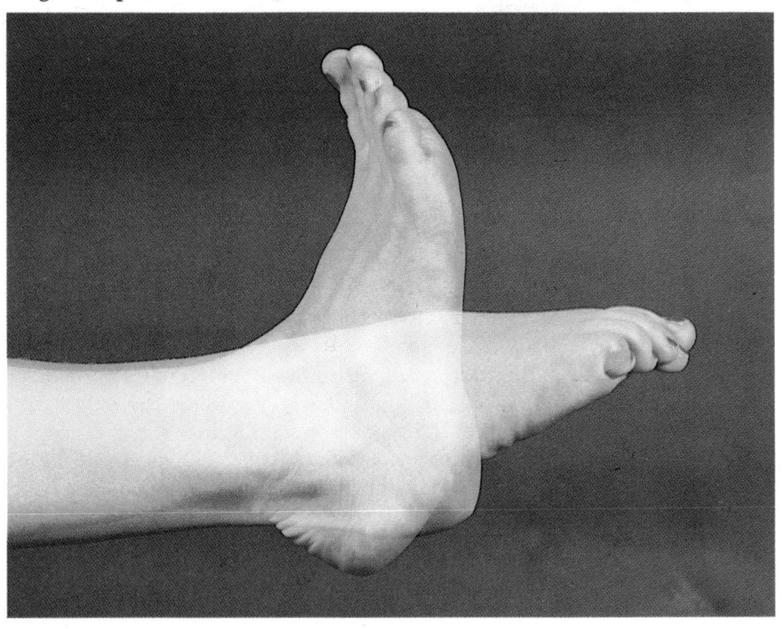

2. Assis sur une chaise avec les plantes des pieds posées sur le plancher. *(a)* Etendre les pieds en avant aussi loin que possible. *(b)* Ramener les pieds sous la chaise et appuyer les talons contre le plancher.

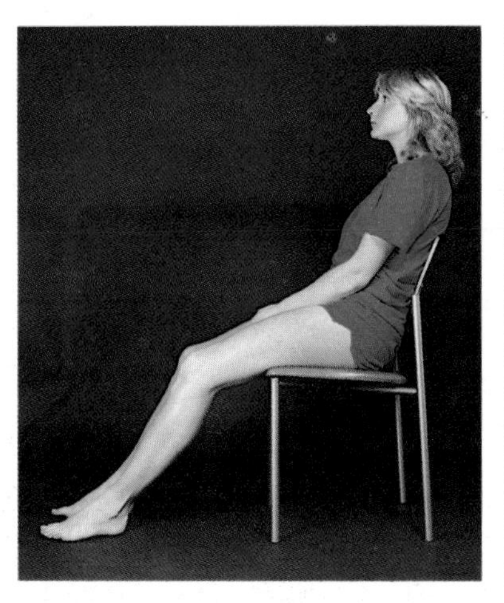

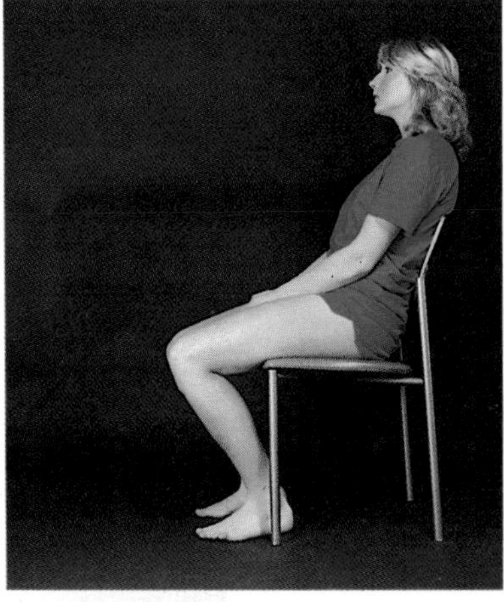

3. Assis sur une chaise ou couché sur le dos. *(a)* Tourner les plantes des pieds l'une vers l'autre. *(b)* Eloigner les plantes des pieds l'une de l'autre.

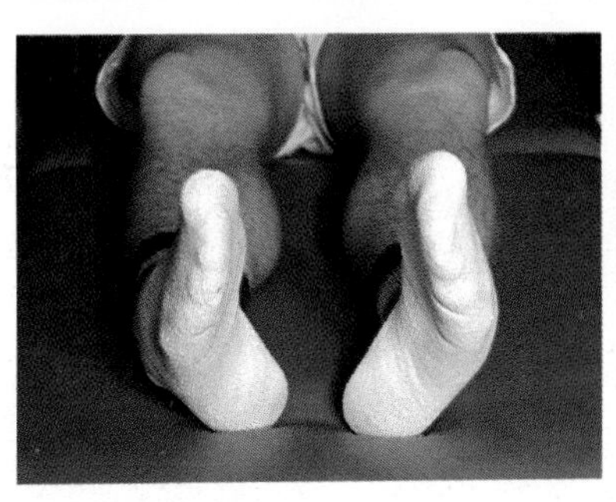

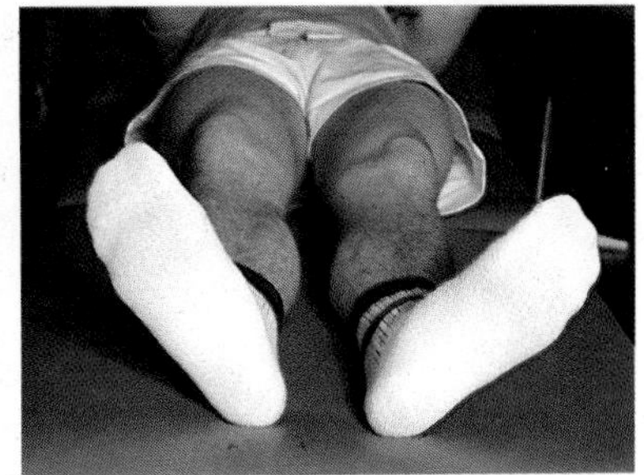

4. Assis sur une chaise, faire rouler une balle de golf sous le pied, d'une part en avant et en arrière entre les orteils et le talon, d'autre part d'un bord du pied à l'autre.

5. Entraînement des muscles fléchisseurs des orteils : assis sur une chaise, essayer de plisser et de déplisser un torchon à l'aide des orteils. Attraper des billes avec les orteils.

Entraînement de la force

6. Prendre appui avec les mains placées contre un dossier de chaise ou un mur. S'élever sur les orteils et redescendre sur les talons à nouveau plusieurs fois. Augmenter l'intensité de l'exercice en l'exécutant debout sur un seul membre inférieur. Dès que l'exercice pourra être exécuté sans douleur ni tuméfaction, l'exécuter sans appui.

7. Marcher alternativement sur les talons et sur les orteils.

8. Une fois la lésion guérie, marcher alternativement sur le bord externe et sur le bord interne des pieds.

9. Assis avec la partie antérieure du pied placée sur un annuaire téléphonique ou un objet analogue. *(a)* Se redresser sur les orteils. *(b)* Abaisser lentement les talons contre le plancher.

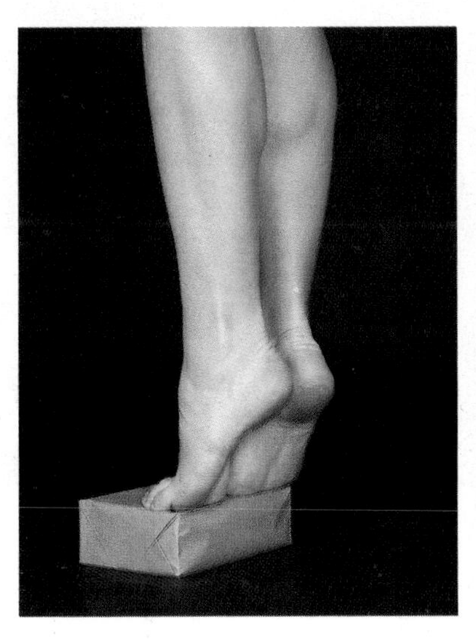

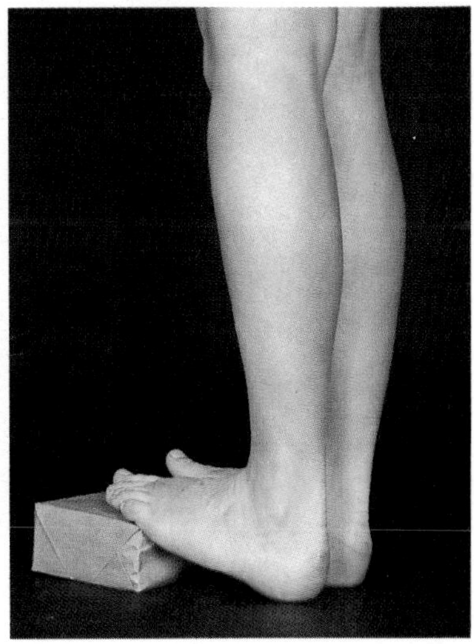

10. Debout avec le pied atteint posé sur une marche d'escalier et le pied sain posé sur le plancher: escalader de façon à ce que le poids du corps mette en charge le pied atteint puis descendre. Faire cet exercice d'une part, placé latéralement contre l'escalier, d'autre part, face à l'escalier.
Augmenter l'intensité de l'exercice d'abord en l'exécutant sur les orteils puis en escaladant deux marches à la fois.

11. Assis sur une table avec les cuisses soutenues. Attacher un poids au pied. Relever et abaisser le pied à nouveau lentement.

Les exercices ci-dessus doivent être exécutés 5 à 10 fois.

Les exercices d'équilibre et de coordination (page 446) doivent être introduits dans le programme à un stade précoce de la rééducation fonctionnelle et doivent rester au programme pendant au moins six mois après l'accident.

Entraînement par allongement

12. Prendre appui à la hauteur de la poitrine avec les mains contre un mur. Placer un membre inférieur derrière l'autre. Les pieds doivent être dirigés droit en avant et les talons doivent rester en contact avec le plancher au cours de la totalité de l'exercice. Fléchir le genou placé en avant et l'étendre légèrement en arrière, appuyer le pied placé en arrière contre le plancher pendant 4 à 7 secondes. Relâcher pendant 2 secondes. Faire un allongement pendant 6 à 8 secondes en portant les hanches en avant et en étendant le membre inférieur placé en arrière de façon à ce qu'on ressente une tension (au niveau du mollet).

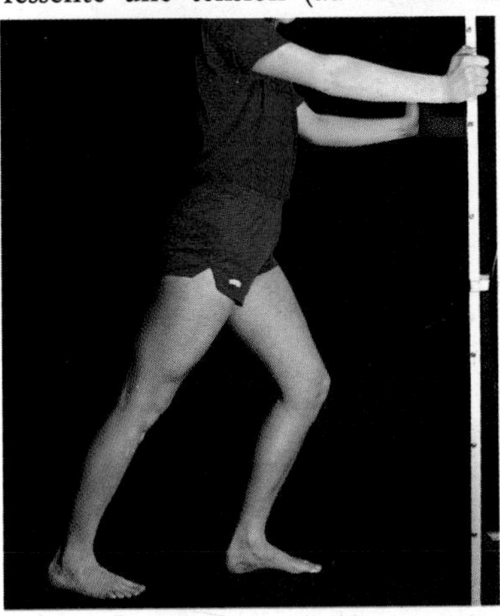

13. Debout dans la même position de départ que pour l'exercice 12, mais fléchir maintenant aussi le membre inférieur placé en arrière. Appuyer le talon du pied placé en arrière contre le plancher pendant 4 à 7 secondes. Relâcher pendant 2 secondes. Faire un allongement en appuyant le genou du membre inférieur placé en arrière en bas et en avant pendant 6 à 8 secondes. Ne pas décoller le talon du sol.

14. Se tenir à genoux avec les orteils «relevés». Faire un allongement pendant 6 à 8 secondes en inclinant le corps en arrière.

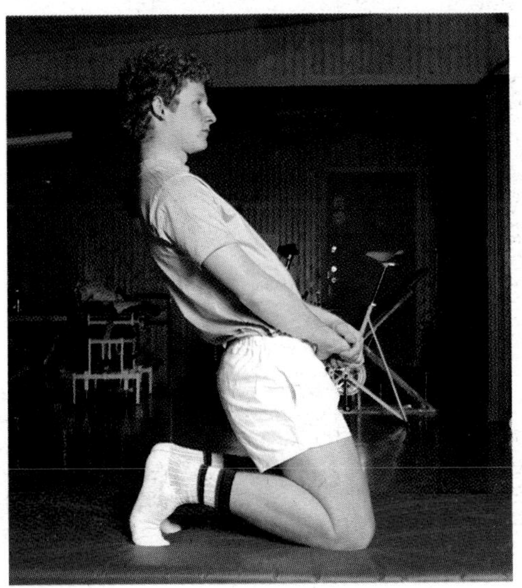

15. Position de départ: comme sur le cliché. Le dos doit être redressé, les orteils et les pieds doivent être dirigés respectivement en avant et en arrière. Placer les mains juste au-dessous du genou du membre inférieur dont le pied est dirigé vers l'arrière et soulever. Faire un allongement pendant 6 à 8 secondes en amenant le membre inférieur vers le haut et en inclinant le corps en arrière.

Lors de l'exécution des exercices d'allongement, on doit veiller à observer scrupuleusement les points suivants:
— Faire des exercices d'échauffement pendant 5 à 10 minutes avant de commencer les allongements.
— Les allongements ne doivent pas être poussés jusqu'à atteindre le seuil de la douleur.
— Tous les muscles ne peuvent pas être l'objet d'un allongement aussi grand.
— Tous les muscles n'ont pas besoin d'être allongés.
— L'hypermobilité articulaire augmente le risque de blessures.
— Toujours faire partir l'allongement de la position extrême du muscle.
— Allonger lentement et doucement.
— Faire les exercices régulièrement.

Rééducation fonctionnelle après intervention chirurgicale pour lésions des ligaments de l'articulation de la cheville

Pour la rééducation fonctionnelle après une intervention chirurgicale pour lésion des ligaments de l'articulation de la cheville, les exercices ci-dessous sont recommandés dès que le plâtre aura été enlevé après cinq à six semaines:

Entraînement de la mobilité articulaire: exercices 1 et 2 et 4 et 5 page 440.

Entraînement de la force: exercices 6 et 7, et 9 à 11 page 441.

Le sportif qui a accès à une piscine pourra avantageusement entraîner la mobilité de son articulation de la cheville en exécutant les exercices dans l'eau. De même, l'entraînement de la force pourra être exécuté en piscine par exemple avec un manchon lesté attaché au pied atteint.

Entraînement de l'équilibre et de la coordination: exercices 1 à 11 page 446.

Entraînement par la course à pied: page 448.

Rééducation fonctionnelle après lésions du tendon d'Achille

Le sportif porteur d'une lésion du tendon d'Achille, qui n'a pas été opéré, doit porter des souliers avec des talons surélevés de 1,5 à 2 cm. (On devra placer sous la chaussure toute cale qui suréléverait le talon de plus d'un centimètre). Les exercices suivants sont recommandés:

Entraînement de la mobilité articulaire: exercices 1 à 5 page 440.

Entraînement de la force: cet entraînement peut commencer avec les exercices 6 à 13 page 441 dès que douleur et tuméfaction ont disparu et que le médecin (ou le kinésithérapeute) a donné le feu vert.

Rééducation fonctionnelle lors des manifestations douloureuses de la jambe

En cas d'inflammation du périoste (periostite), un repos actif est recommandé: tout mouvement douloureux doit être évité, mais il faut continuer à entraîner la force des groupes de muscles qui ne sont pas douloureux. Dès que les symptômes ont disparu, la totalité du programme prévu pour l'articulation de la cheville pourra être exécutée. Un entraînement par la course à pied ne pourra être envisagé qu'après que le médecin (ou le kinésithérapeute) ait donné le feu vert.

ENTRAÎNEMENT DE L'ÉQUILIBRE ET DE LA COORDINATION

1. Assis sur une chaise. Jouer avec un ballon qu'on fera rouler d'un pied à l'autre. Utiliser des ballons de tailles différentes.

2. Debout sur un membre inférieur en fermant les yeux. Changer de membre.

3. Debout sur le membre inférieur sain, dessiner des lettres et des chiffres avec le membre inférieur atteint, le pied ne devant pas toucher le plancher.

4. Debout en prenant appui avec la main contre un mur ou un objet analogue. Poser le pied du membre inférieur atteint sur un ballon ; porter le pied en avant, en arrière et de côté, toujours posé sur le ballon. Maintenir le dos redressé. Utiliser des ballons de tailles différentes. Augmenter l'intensité en faisant l'exercice sans appui.

5. Marcher en équilibre sur une poutre étroite ou, lorsque c'est possible, sur un arbre abattu.

6. Debout sur un plateau circulaire d'équilibre avec les deux pieds. Essayer de maintenir l'équilibre horizontal. Faire basculer légèrement de tous côtés en faisant varier l'inclinaison des pieds.

7. Faire l'exercice sur un tremplin: *(a)* Marcher alternativement sur les orteils et sur les talons. *(b)* Marcher alternativement sur le bord interne et sur le bord externe des pieds. Faire de petits bonds verticaux. Augmenter l'intensité de l'exercice en faisant des bonds de plus en plus hauts. Sauter alternativement sur le membre inférieur sain et sur le membre inférieur atteint.

8. Sauter sur place d'abord à petite hauteur puis de plus en plus haut.

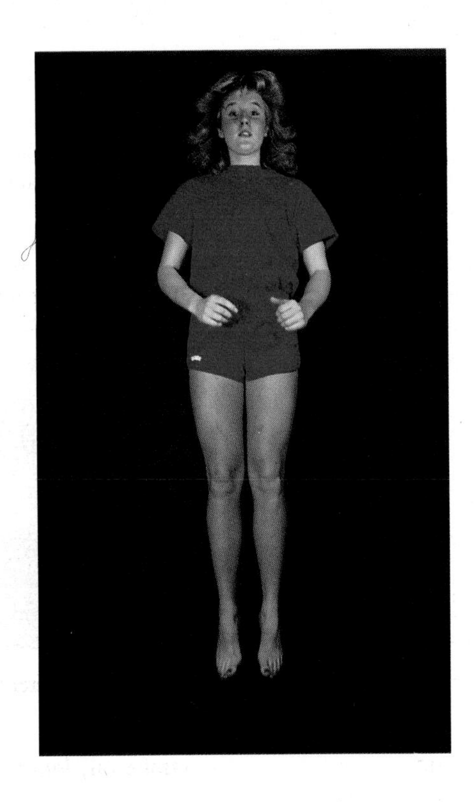

9. Sauter à la corde.

10. Sauter avec une seule jambe, l'autre en l'air. Sauter alternativement sur le membre inférieur sain et sur le membre inférieur atteint.

11. Sauter par dessus des haies basses.

Avant qu'un sportif blessé ne reprenne la pratique de sa spécialité sportive, son entraînement doit tenir compte dans la plus grande mesure de cette spécialité en incluant de longues pauses de repos au cours des séances d'entraînement. Par exemple un joueur de football doit dès qu'il aura recouvré la totalité de sa force et de sa mobilité articulaire s'entraîner tout seul au football avant de reprendre le jeu en équipe. Il devra s'entraîner à dribbler en arrière, en avant, latéralement et en zigzag. Il doit s'entraîner à sautiller sur place, à sauter à la corde, à shooter en mouvement, à faire des sauts latéraux avec le poids du corps sur les bras, à faire des démarrages et à faire des freinages. Il pourra ensuite reprendre l'entraînement avec ballon au sein de son équipe de football.

ENTRAÎNEMENT PAR LA COURSE A PIED

Avant qu'un sportif blessé ne reprenne son entraînement par la course à pied, il doit consulter un médecin ou un kinésithérapeute pour avoir le feu vert.

Quand l'entraînement par la course à pied est repris, il faut s'entraîner par intervalle au début en alternant marche 100 m et jogging 100 m 10 fois. Augmenter progressivement à 20 fois puis passer à une alternance de jogging 100 m et de course 100 m à demi-vitesse 10 fois. Augmenter progressivement à 20 fois puis augmenter encore l'intensité de l'entraînement par la course à pied en alternant alors 100 m à demi-vitesse et 100 m à pleine vitesse.

Lors de l'entraînement par la course à pied, on ne doit pas cesser d'être conscient des recommandations suivantes:
— Penser toujours que lors de cet entraînement, la charge imposée aux muscles, aux ligaments et aux articulations est importante.
— Commencer à courir sur un sol mou.
— Ne jamais courir en terrain trop varié.
— Ne jamais courir à pleine vitesse au début.
— Penser que toute augmentation de la vitesse augmente la sollicitation.

BIBLIOGRAPHIE

Physiologie et entraînement

Gegnevik, G., Forsberg, A. & Lundin, A., *Fysiologi*, 1-2. Sveriges riksidrottsförbund, Stokholm 1978.

Hedman, Rune, *Idrottens fysiologi*. Liber, Malmö 1977.

Johansson, J., Oredsson, L., m. fl., *Styrka och rörlighet*. Sveriges riksidrottsförbund, Utbildningsproduktion, Malmö 1980.

Rapporter i idrottsfysiologi (träning på hög höjd, utförsåkning, motocross, energikrav vid löpning, hastighetsåkning på skridskor, regelbunden motion, fotboll, badminton, bandy, orientering, längdlöpning på skidor, kanot, ishockey, gång, segling, alpint, handboll, långtur). Trygg-Hansa, Stockholm Ed.

Åstrand, P.-O. & Rodahl, K., *Textbook of Work Physiology*. McGraw-Hill, New York 1970.

Médecine du sport et blessures du sportif

Clinics in Sports Medicine, *Skiing Injuries*. W. B. Saunders, Philadelphia, juin 1982.

— *Ankle and Foot Problems in the Athlete*. W. B. Saunders, Philadelphia, mars 1982.

Ehricht, H.-G., *Die Wirbelsäule in der Sportmedizin*. J. A. Barth, Leipzig 1978.

Engström, L.-M. & Forsby, A. (red.), *Barn — ungdom — idrott*. Idrottens forskningsråd, Sveriges riksidrottsförbund, Stockholm 1982.

Eriksson, B., m. fl., "Idrottsmedicin". Läkartidningen nr 5, 1975.

Franke, Kurt, *Traumatologie des Sports*. Georg Thieme, Stuttgart 1980.

Gray, Muir, *Football Injuries*. Offox Press, Oxford 1980.

Halkier, Karin Inge & Henriksen, Frode, *Idrættsskader*. J. Fr. Clausens, Köpenhamn 1973.

Harris, Harry & Varney, Mike, *The Treatment of Football Injuries*. Macdonald and Jane's, London 1977.

Heipertz, W., *Sportmedizin*. Georg Thieme, Stuttgart 1976.

Heiss, Frohwalt, *Unfallverhüttung und Nothilfe beim Sport*. Karl Hofmann, Schorndort 1977.

Jackson, W. Douglas & Pescar, C. Susan, *The Young Athlete's Health Handbook*. Everest House, New York 1981.

Krejci, Vladimir & Koch, Peter, *Muskelverletzungen und Tendopatien der Sportler*. Georg Thieme, Stuttgart 1976.

Liljedahl, S.-O. & Gillquist, J., *Idrottsskador*. Liber, Malmö 1974.

Ljungquist, R., "Subcutaneous partial rupture of the Achilles tendon". *Acta orthop. Scand.*, Köpenhamn 1968.

Mangi, Richard, Jokl, Peter & Dayton, O. William, *The Runner's Complete Medical Guide*. Summit Books, New York 1979.

Matsen, A. Frederick, *Compartmental Syndroms*. Grune & Stratton, New York 1980.
Mirkin, Gabe & Hoffman, Marshall, *Sportmedicin*. Liber Läromedel, Malmö 1981.
Morehouse, L. E. & Rasch, P. J., *Sports Medicine for Trainers*. W. B. Saunders, Philadelphia 1963.
Muckle, D. S., *Sports Injuries*. Oriel Press, Newcastle 1971.
Orthopedic Clinics of North America, *Injuries in Sport: Recent Developments*. W. B. Saunders, Philadelphia, juli 1977.
— *Ski Trauma and Skiing Safety*. W. B. Saunders, Philadelphia, januari 1976.
Peterson, L., Renström, P., m. fl., "Idrottsmedicin". *Läkartidningen* nr 41, 1980.
Pförringer, W., Rosemeyer, B. & Bär, H.-W., *Sporttraumatologie. Sportartentypische Schäden und Verletzungen*. Beiersdorf Medical Bibliothek, Erlangen 1981.
Schmidt, H., *Orthopädie in Sport. Untersuchung, Behandlung, Beurteilung*. J. A. Barth, Leipzig.
Schwerdtner, H. P. & Fohler, N., *Sportverletzungen*. Verlag Dr. med. D. Straube, Erlangen 1976.
Southmayd, William & Hoffman, Marshall, *Sports Health. The Complete Book of Athletic Injuries*. Quick Fox, New York & London 1981.
Subotnick, I. Steven, *The Running Foot Doctor*. World Publications, Mountain View, Kalifornien 1977.
Weisenfeld, F. Murray & Burr, Barbara, *The Runner's Repair Manual*. St Martin's Press, New York 1980.
Williams, J. G. P., *A Colour Atlas of Injury in Sport*. Wolfe Medical Publications Ltd., London 1980.
Williams, J. G. P. & Sperryn, P. N., *Sports Medicine*. Arnold, London 1976.
Vinger, F. Paul & Hoerner, F. Earl, *Sport Injuries. The Unthwarted Epidemic*. PSG, Thittleton, Massachusetts 1981.

Manuels généraux de chirurgie orthopédique

Bauer, G., *Ortopedisk kirurgi*. Studentlitteratur, Lund 1980.
Edlund, Y. & Heyman, P., *Kirurgi*, 3. Norstedts, Stockholm 1974.
Frankel, V. H. & Burnstein, A. H., *Orthopædic Biomechanics*. Lea & Febiger, Philadelphia 1974.
Helfet, A. J., *Disorders of the Knee*. Lippincott, Philadelphia 1972.
Salter, Robert B., *Textbook of Disorders and Injuries of the Musculoskeletal System*. Williams & Wilkins, Baltimore 1970.
Smillie, I. S., *Injuries of the Knee Joint*. Churchill Livingstone, Edinburgh 1979.
— *Diseases of the Knee Joint*. Churchill Livingstone, Edinburgh 1979.
Wiberg, G., *Ortopedisk kirurgi för sjukgymnaster*. Studentlitteratur, Lund 1976.

Médecine interne et infections

Matell, G. & Reichard, H., *Akutmedicin*. Studentlitteratur, Lund 1973.
Ström, J., *Akuta infektionssjukdomar*. CWK Gleerup, Lund 1978.
Werkö, L., Hallberg, L. & Lindholm, B., *Invärtesmedicin*. I-II. Almqvist & Wiksell, Uppsala 1978.

Psychologie

Railo, Willi, *Tränings- och tävlingspsykologi*. Sveriges riksidrottsförbund, Utbildningssektionen, Stockholm 1976.

Anatomie

Hjortsjö, C. H., *Anatomiska aspekter på idrottsliga topprestationer*. CEWE, Bjästa 1976.
Sonesson, B., *Människans anatomi*. Almqvist & Wiksell, Uppsala 1973.
Weineck, J., *Sportanatomie*. Perimed Fachbuch Verlagsgesellschaft mbH, Erlangen 1981.
Wirhed, Rolf, *Anatomi och rörelselära inom idrotten*. Samspråk Förlags AB, Örebro 1982.

Massage

Ekenberger, K., *Massagebok för alla*. AWE/Gebers, Stockholm 1967.
Ravald, Bertil, *Massage. En handbok för alla*. Berghs AB, Malmö 1982.

Strapping

Cerny, J. V., *The Complete Book of Athletic and Taping Techniques*. Prentice-Hall, Englewood Cliffs, New Jersey 1972.
Dixon, D., *The Dictionary of Athletic Training* (3 uppl.), 1973.
Dolan, J. & Holladay, L., *Treatment and Prevention of Athletic Injuries*.
Johnson & Johnson, *Athletic Uses of Adhesive Tape*. 1973.
Rawlinson, K., *Modern Athletic Training*. Prentice-Hall, Englewood Cliffs, New Jersey 1961.
Tobell, E., *Tejpningens grunder*, I-II. Medema, Stockholm 1973.

Dopage

"Doping. Ett medicinskt och etiskt problem", symposium. *Läkartidningen* 79(1982): 13.
Idrott och stimulerande medel — doping. Norges Idrættsforbund, ämneshäfte nr 3 1980.

Sports pour handicapés

Adams, Ronald, m. fl., *Games, Sports, and Exercices for the Physically Handicapped*. Lea & Febiger, Philadelphia 1972.
Nygren, Alf, *Handikappidrott*. Forum, Stockholm 1973.

Physiothérapie

Cyriax, J., *Textbook of Orthopedic Medicine*. London 1974.
Janda, V., *Muskelfunktionsdiagnostik*. Studentlitteratur, Lund 1975.

Principales revues de médecine du sport en langue étrangère

American Journal of Sports Medicine (USA).
Australian Journal of Sports Medicine (Australie).
British Journal of Sports Medicine (Grande-Bretagne).
Idrottsmedicin (organe de Svensk Idrottsmedicinsk Förening).
International Journal of Sports Medicine (RFA).
Italian Journal of Sports Traumatology (Italie).
Journal of Orthopædic and Sports Physical Therapy (USA).
Journal of Sports Medicine and Physical Fitness (USA).
Medicine and Science in Sports and Exercise (USA).
Medizin und Sport (RDA).
Physician and Sports Medicine (USA).
Schweizerischer Zeitschrift für Sportmedizin (Suisse).

LEXIQUE

Abduction: mouvement qui porte une partie du corps en dehors, l'éloignant du milieu du corps.

Abducteurs (muscles): muscles mettant un membre en abduction.

Acétyl-salycilique (acide): aspirine, médicament d'action anti-inflammatoire et antalgique.

Adduction: mouvement qui porte en dedans une partie du corps la rapprochant du milieu du corps.

Adducteurs (muscles): muscles mettant un membre en adduction.

Adrénaline: hormone sécrétée par la glande médullo-surrénale déversée dans le sang.

Achille (tendon d'): tendon calcanéen s'attachant sur le calcanéum.

Acromion: prolongement osseux de l'omoplate.

Acromio-claviculaire (ligament): ligament reliant l'acromion à la clavicule.

Aigu: survenant de façon subite.

Aileron (rotulien): ligament conjonctif assurant l'ancrage de la rotule.

Aménorrhée: absence d'hémorragie de règles menstruelles chez la femme.

Anabolisants (stéroïdes): hormones de synthèse qui ont parmi leurs propriétés celle de stimuler le développement des muscles.

Anémie: affection sanguine caractérisée par un déficit en globules rouges.

Apophyse: lieu d'insertion sur l'os des muscles, des tendons des ligaments et de la capsule articulaire.

Apophyse (épineuse): apophyse de l'arc des vertèbres de la colonne du dos.

Apophysite (calcanéenne): inflammation de l'insertion du tendon d'Achille au niveau du pied.

Arthrite: inflammation articulaire.

Arthrographie: exploration radiologique d'une articulation avec un liquide de contraste.

Arthrose: usure d'une articulation.

Arthroscopie: examen complémentaire qui rend possible de voir avec une instrumentation spéciale (arthroscope) à l'intérieur d'une articulation.

Atrophie: diminution de volume d'un tissu de l'organisme.

Autogène: causé par l'organisme lui-même.

Avulsion (fracture par): par arrachement d'une insertion osseuse.

Axillaire (nerfs): nerfs qui vont au bras en passant devant l'articulation de l'épaule.

Biceps fémoral (muscle): muscle de la cuisse qui a 2 origines.

Biceps huméral (muscle): muscle du bras qui a 2 origines.

Biomécanique: science qui traite de la fonction mécanique du corps humain.

Bourse (séreuse): élément d'une articulation en forme de cavité sécrétant un liquide et servant de moyen de glissement au point de friction.

Bursite: inflammation d'une bourse séreuse.

Bursographie: exploration radiologique d'une bourse séreuse par un liquide de contraste.

Caillot: partie solide du sang coagulé.
Cal: tissu de guérison d'une fracture.
Calcanéen (tendon): tendon s'insérant sur l'os calcanéum au talon du pied, dit aussi tendon d'Achille.
Calcanéum: os du pied participant à l'articulation de la cheville.
Capillaire: vaisseau sanguin fin comme un cheveu.
Carbone (hydrates de): constituant des glucides (sucres).
Carpien (canal): endroit rétréci du poignet par où passent les tendons des muscles de la main et le nerf médian.
Centrale (température): température interne du corps.
Cerclage: fil d'acier utilisé pour cercler les fragments osseux en cas de fractures.
Cervicale (brachialgie): douleur de la colonne cervicale irradiant dans le bras.
Cervicalgie: douleur de la colonne cervicale.
Clavicule: os de l'articulation de l'épaule.
Cliniques (signes): signes trouvés lors de l'examen du malade ou du blessé.
Coagulation: rétraction du sang.
Codéine: substance médicamenteuse d'action calmante de la douleur, extraite de l'opium.
Collagène: substance protidique constitutive des tendons et des ligaments ainsi que des tissus de soutien de l'organisme.
Chondromalacie (rotulienne): ramollissement du cartilage de la face postérieure de la rotule.
Chronique: état persistant pendant une longue durée.
Compression: effet de la pression.
Compression (rupture par): rupture due aux effets de la pression.
Concentrique (contraction): contraction musculaire effectuée avec un raccourcissement du muscle.
Contre-indications: domaine pathologique où l'application d'un traitement est déconseillée formellement.
Contraste (liquide de): substance opacifiante utilisée pour les explorations radiologiques.
Convalescence: période de rétablissement après une maladie ou une blessure.
Coraco-claviculaire (ligament): ligament reliant l'apophyse coracoïde à la clavicule.
Coracoïde (apophyse): située sur l'omoplate.
Corps (d'un muscle): partie charnue du muscle située entre l'origine et le tendon.
Corps libres: corps étrangers flottant à l'intérieur d'une articulation ou une bourse séreuse.
Cortisone (et stéroïdes corticosurrénaux): hormones de synthèse utilisées comme médicament d'action anti-inflammatoire.
Coxa plana: aplatissement de la tête articulaire de l'articulation de la hanche.
Coxite: inflammation ou infection de l'articulation de la hanche.
Crépitements (tendineux): série de craquements au niveau des tendons détériorés.
Creux (pied): pied avec une voûte du pied élevée.
Cutané: de la peau.
Cyphose: courbure de la colonne vertébrale donnant un dos rond.

Dégénérescence: modification tissulaire due à l'âge.
Dégradation (énergie fournie par): mode de libération d'énergie à partir de la destruction de substrats riches en énergie et en l'absence d'oxygène (s'opposant à la fourniture d'énergie «par combustion» en présence d'oxygène).
Deltoïde (muscle): situé à la face externe du bras et portant le bras en dehors.
Diabète: affection par atteinte du métabolisme normal des sucres.
Disque: cartilage intermédiaire entre 2 vertèbres.
Discale (hernie): renflement au niveau du disque intervertébral.
Distal: placé à la plus longue distance par rapport à la ligne de milieu du corps.
Distention (rupture par): fracture consécutive à une extension exagérée.
Drainage: action de vider.
Dynamique (entraînement musculaire): entraînement musculaire où une contraction musculaire donne un mouvement.

Endorphines: substance sédative de la douleur que le corps produit lui-même.
Epiphysaire (cartilage): zone de croissance du cartilage.
Epiphysiolyse: glissement de l'épiphyse lors de la croissance.
Epicondyle: apophyse osseuse.
Epicondylite: inflammation d'un muscle ou d'une insertion tendineuse sur l'épicondyle.
Epineux (muscles sus- et sous-): muscles situés au-dessus et en dessous de l'apophyse transversale de l'omoplate (épine de l'omoplate) et venant s'insérer sur l'humérus.
Excentrique (contraction): contraction d'un muscle en même temps qu'il se produit un allongement du muscle.
Exostose: excroissance osseuse.
Extenseurs (muscles): muscles qui mettent l'articulation en extension (inverse = flexion).
Extraoral: en dehors de la bouche.
Extrémités: extrémité supérieure = bras; extrémité inférieure = jambe.

Fascia: enveloppe musculaire, sorte d'aponévrose renforcée.
Fascia lata: tendon partant de l'aile iliaque et passant à la face externe de la cuisse pour venir s'insérer sur le tibia.
Fémur: os de la cuisse.
Ferritine (sérique): substance protidique du sang renfermant du fer, constituant une mesure de la quantité de fer de l'organisme.
Fertile: fécond.
Fibrine: substance protidique du sang qui intervient dans la coagulation.
Fléchisseurs (muscles): muscles mettant en flexion le dos ou les membres (inverse = extension).
Fluctuation: résistance élastique d'un liquide enfermé dans une cavité ou une bourse séreuse.
Fracture: rupture d'un os du squelette.

Gaine (tendineuse): enveloppe séreuse entourant le tendon d'un muscle et facilitant le glissement de ce tendon.
Ganglion: nœud de nerf.
Gel: substance gélatineuse.
Génito-crural (nerf): nerf de la peau qui innerve les organes sexuels externes et la cuisse.
Glucose: sucre simple.
Glycogène: sucre composé.

Hallux rigidus: gros orteil raide.

Hallux valgus: gros orteil faisant un angle en dedans.
Hémobourse: épanchement de sang dans une bourse séreuse.
Hémoglobine: substance protidique du sang.
Hémosidérine: substance riche en fer du sang et de la moelle osseuse.
Héparine: médicament d'action anticoagulante.
Hernie (crurale): hernie située en dessous de l'arcade crurale.
Hernie (inguinale): hernie située au niveau de l'aine.
Herniographie: exploration radiologique d'une hernie avec un liquide de contraste.
Humérus: os du bras.
Hydrarthrose: liquide épanché dans une articulation.
Hydrocèle: hernie avec épanchement liquidien.
Hypertrophie: augmentation exagérée d'un organe.

Iléon: os iliaque qui forme une partie du bassin abdominal.
Immobilisation: fixation dans une position qui rend impossible les mouvements.
Innerver: desservir un territoire par un nerf.
Interne (fixation): manière de stabiliser par une intervention chirurgicale une fracture par une bride ou une broche.
Insuline: hormone qui règle la teneur du sang en sucre.
Intermusculaire: entre les muscles.
Intramusculaire: à l'intérieur des muscles.
Intraoral: à l'intérieur de la bouche.
Iritis: inflammation de l'iris.
Ischio-jambiers (muscles): muscles de la face postérieure de la cuisse fléchissant l'articulation du genou et étendant l'articulation de la hanche.
Isokinétique (entraînement): entraînement musculaire avec vitesse constante et résistance adaptée.
Isométrique (entraînement): entraînement musculaire sans mouvement.
Isotopes (exploration par les): utilisation de substances radioactivement marquées qui sont absorbées par les tissus du corps.
Kyste (de Baker): bourse séreuse du muscle demi-membraneux et du jumeau interne située dans le creux poplité et communiquant avec l'articulation du genou.

Latéral: situé sur le côté ex.: ligament latéral interne ou externe.
Ligament: élément d'une articulation réunissant les pièces articulaires et assurant en partie leur stabilité.
Loge (musculaire): comportement de la jambe séparée par une enveloppe.
Lumbago: douleur de la colonne vertébrale lombaire avec limitation des mouvements.
Luxation (articulaire): sortie des éléments de l'articulation de leur position normale.
Lymphe: liquide tissulaire transporté par les vaisseaux lymphatiques.

Malléoles: tubérosités interne et externe de la cheville.
Manuel: avec la main.
Médian (nerf): nerf situé au niveau de l'avant-bras, du poignet et de la main desservant les doigts du milieu de la main.
Ménisque: coin fibro-cartilagineux articulaire en forme de demi-lune de l'articulation (du genou par exemple).
Mous (tissus): muscles, tendons,

ligaments, capsule articulaire, nerfs.
Motrice (unité): ensemble neuro-musculaire.
Myélographie: exploration radiologique du canal médullaire de la colonne vertébrale par un liquide de contraste.
Myoglobine: substance protidique des muscles.
Myosite: inflammation musculaire.

Névrite: inflammation d'un nerf.
Névrome: épaississement d'un nerf.
Nodule: petite tuméfaction dure.
Noradrénaline: substance jouant le rôle de transmetteur dans le système nerveux sympathique.

Obturateur (nerf): nerf innervant les muscles adducteurs.
Œdème: infiltration de liquide dans les tissus donnant une tuméfaction.
Origine (d'un muscle): insertion proximale d'où part le muscle.
Osmose: égalisation d'une différence de concentration entre 2 liquides, les molécules du liquide qui a la concentration la plus basse se dirigent vers le liquide qui a la concentration la plus élevée.
Os (cunéïforme): os en forme de coin du pied intermédiaire.
Ostéite (pubienne): inflammation osseuse au niveau du pubis.
Ostéochondrite: atteinte des tissus osseux et cartilagineux.
Ostéochondrite (disséquante): processus par lequel une partie du cartilage articulaire se détache et flotte comme corps libres dans une articulation, le plus souvent de la hanche et du genou.
Ostéomyélite: infection de la moelle osseuse.
Ostéophyte: développement de productions osseuses pouvant obturer certains orifices, en particulier les orifices vertébraux.

Palper: examiner avec la main.
Partiel: incomplet.
Pectoral (muscle Grand): gros muscle du thorax allant s'insérer sur l'humérus.
Périphérique: situé à une extrémité ou à un bord.
Périoste: couche membraneuse externe de l'os.
Périostite: inflammation du périoste.
Péritendinite: inflammation au niveau d'un tendon entouré d'un tissu.
Plantaire (aponévrose): ligament de la plante du pied.
Plantaire (fasciite): inflammation de l'origine de l'aponévrose plantaire.
Plasma: partie liquide du sang.
Plasticité: capacité à être modelé.
Plastique (opération): intervention chirurgicale utilisant un tissu de remplacement.
Pneumothorax: rétraction du poumon sous l'effet de pénétration d'air dans la plèvre.
Prophylaxie: mesures de prévention.
Pronostic: prévision d'une évolution.
Pronation: mouvement portant la plante du pied en dehors.
Proprioception: capacité de percevoir les modifications de position de certaines parties du corps et du degré d'effort musculaire sans l'aide de la vue.
Prostate: glande séminale qui enserre l'urèthre à la sortie de la vessie.
Prostatite: inflammation de la prostate.
Protéine: substance protidique.
Proximal: proche de la ligne médiane du corps.

Pseud'arthrose: séquelle d'une fracture mal consolidée.
Psoas (muscle): gros muscle lombaire s'insérant sur le fémur.
Psoas-iliaque (muscle): muscle qui fléchit l'articulation de la hanche.

Quadriceps (muscle): muscle antérieur de la cuisse à 4 faisceaux.
Q (angle): angle entre une ligne passant par l'axe du muscle droit antérieur de la cuisse et une ligne passant par le tendon rotulien.

Radial (nerf): nerf du radius.
Radius (os): os de l'avant-bras.
Réhabilitation: entraînement après une blessure, réentraînement au travail et à la reprise de la compétition.
Rotateurs (coiffe des): voûte tendineuse formée des muscles sus- et sous- épineux et sus-scapulaire coiffant la tête humérale.
Ruben (appareil de): appareil d'insufflation d'air utilisé pour la réanimation d'un sujet ne respirant pas de lui-même.

Sacro-iliaque (articulation): articulation du bassin reliant le sacrum et l'os iliaque.
Scannographe: appareil d'exploration des tissus basé sur l'électronique (en anglais: Scanner).
Scapulaire: région de l'épaule.
Sciatique: nerf du membre inférieur donnant lieu à une affection douloureuse.
Sclérose: augmentation de densité d'un os ou d'un tissu.
Séminale (glande): sécrétant les spermatozoïdes.
Séquelle: état résiduel après blessure.
Séreuse (bourse): sécrétant un liquide séreux.
Spinale (sténose): rétrécissement du canal vertébral.
Spondylolisthèsis: glissement d'une vertèbre.
Spondylolyse: rupture de l'arc vertébral postérieur.
Spondylose: usure d'une vertèbre.
Spongieux (os): os non corticalisé.
Spontané: de soi-même.
Statique (entraînement musculaire): entraînement sans mouvement.
Stretching: allongement musculaire permettant d'améliorer l'amplitude des articulations par une série d'exercices.
Subluxation: luxation incomplète.
Supination: rotation en dedans (inverse = rotation en dehors pronation).
Suture: sorte de couture utilisée en chirurgie.
Syndrome: série de symptômes.
Synovie: liquide de lubrification qui est sécrété par les cavités articulaires.

Tarsien (tunnel): passage rétréci pour les nerfs de la face interne du pied.
Tendinite: inflammation d'un tendon.
Ténopériostite: inflammation d'une insertion tendineuse.
Tenseur du fascia lata (muscle): muscle qui tire sur une aponévrose de la cuisse allant de la hanche à la face externe de la cuisse.
Tête (articulaire): partie arrondie en relief d'une articulation.
Tiroir (mouvement de): test de laxité articulaire par exemple au genou.
Tomographie: exploration radiologique par coupes.
Tonus: tension propre des

muscles.
Torticolis: contracture douloureuse des muscles du cou.
Transcutané: à travers la peau.
Trochanter (grand et petit): parties supérieures du fémur.
Tubérosité (du tibia): lieu d'insertion du tendon rotulien sur le tibia.
Viscosité: propriété d'un liquide qui s'écoule difficilement.
Volume-minute (cardiaque): quantité de sang chassée par minute par le ventricule gauche du cœur, mesure de débit cardiaque.

INDEX

Chez le même éditeur :

Collection Sport + Enseignement sous la Direction de R. Thomas

1. J.W. Perrott — *Anatomie à l'usage des étudiants, des professeurs d'éducation physique et des auxiliaires médicaux*
2. H. T. Whiting — *Psychologie sportive*
   Traité d'athlétisme (3 vol.)
3. Dessons/Drut/Dubois/Hebrard/Hubiche/Lacour/Maigrot/Monneret —*Les courses*
4. Fleuridas/Fourreau/Hermant/Monneret — *Les lancers*
5. Houvion/Prost/Raffin-Peyloz — *Les sauts*
6. J. Baril — *La danse moderne*
7. B. Knapp — *Sport et motricité*
8. A. Bodo Schmid — *Gymnastique rythmique sportive*
9. Geoffroy H. G. Dyson — *Mécanique en athlétisme*
10. P. Karpovich/W. Sinning — *Physiologie de l'activité musculaire*
11. J. Genety/E. Brunet-Guedj — *Traumatologie du sport en pratique médicale courante*
12. E. Thill/R. Thomas/J. Caja — *Manuel de l'éducateur sportif (Préparation au brevet d'état)*
13. A. Methiaz — *Le ski de fond*
14. E. L. Fox/D. K. Mathews — *Interval training*
15. B. Jeu — *Le sport, l'émotion, l'espace*
16. E. Battista/J. Vivès — *Exercices de gymnastique (Souplesse et force)*
17. A. Noret/L. Bailly — *Le cyclisme*
18. H. Käsler — *Le handball*
19. H. Hopman — *Le tennis — Comment gagner*
20. P. Vial/D. Roche/C. Fradet — *Le judo*
21. K. Dietrich — *Le football*
22. G. Dürrwachter — *Le volley-ball*
23. G. Bosc/B. Grosgeorges — *L'entraîneur de basket-ball*
24. C. et R. Piard — *La gymnastique sportive féminine*
25. C. Bayer — *L'enseignement des jeux sportifs collectifs*
26. G. Bonnefond — *L'aïkido*
27. G. Lambert — *Haltérophilie*
28. G. Lambert — *La musculation*
29. G. Goriot — *Les fondamentaux de l'athlétisme*
30. Ph. Néaumet — *Les institutions éducatives et sportives en France*
31. Ph. Karl — *Equitation (la gymnastique du cheval)*
32. G. Missoum — *Psycho-pédagogie des activités du corps*
33. L.P. Matveiev — *La base de l'entraînement*
34. J. G. Hay — *Biomécanique des techniques sportives*
35. A. Kaneko — *Gymnastique olympique*
36. M. Bourgeois — *Gymnastique sportive — De l'école au club*
37. M. Peix-Arguel — *Danse et enseignement. Quel corps?*
38. N. Angelescu — *Le tennis de table*
39. J. Riordan — *Sport soviétique*
40. R. Thomas et coll. — *Annales du brevet d'état d'éducateur sportif*
41. P. Chazaud — *Sports, accidents et sécurité*
42. G. Lewin — *Natation — Manuel de l'entraîneur*
43. W. Busch — *Le football à l'école*
44. K. Koch — *Gymnastique à l'école primaire*
45. D. Kruber — *L'athlétisme en salle*
46. A. Noret — *Le dopage*
47. E. Batty — *Football (Entraînement à l'européenne)*
48. D. L. Costill — *La course de fond. Approche scientifique*
49. C. Pociello — *Sports et société*
50. J.-C. Silvestre — *La course d'orientation moderne*
51. J. Robinson — *Eléments du langage chorégraphique*
52. B. Ogilvie/T. Tutko — *Les athlètes à problèmes (Relation entraîneur-entraîné)*
53. G. Goriot — *La pédagogie du débutant en athlétisme*
54. N. Dechavanne/B. Paris — *Education physique de l'adulte (Pédagogie de séances collectives)*
55. Ph. Néaumet — *Annales et historique du CAPEPS*

56. B. Maccario — *Théorie et pratique de l'évaluation dans la pédagogie des A.P.S.*
57. R. Hervet/L. Y. Bohain — *La marche (de la randonnée à la compétition)*
58. J. Genety/E. Brunet-Guedj — *Le genou du sportif en pratique courante*
59. C. Piard — *Fondements de la gymnastique (Technologie et pédagogie)*
60. L. Fernandez — *Sophrologie et compétition sportive*
61. C.A. Oglesby — *Le sport et la femme. Du mythe à la réalité*
62. P. Chazaud — *Le sport et sa gestion. Guide pratique des associations*
63. C. Bayer — *Hand-ball. La formation du joueur*
64. P. Oset — *Arts martiaux à mains nues. Applications combat et autodéfense*
65. J. Weineck — *Manuel d'entraînement*
66. L.P. Matveiev — *Aspects fondamentaux de l'entraînement*
67. J.-P. Bonnet — *Vers une pédagogie de l'acte moteur. Réflexions critiques sur les pédagogies sportives*
68. R.B. Alderman — *Manuel de psychologie du sport*
69. R. Schönborn — *Pratique du tennis*
70. J.-M. Cau — *Ski nautique (de l'apprentissage à la compétition)*
71. R. Thomas (sous la direction de) — *La relation au sein des A.P.S.*
72. J.-J. Barreau/J.-J. Morne — *Sport, expérience corporelle et science de l'homme*
73. J. Mariot/F. Rongeot — *Hand-ball comportemental*
74. B. Kos/Z. Teply/R. Volràb — *Gymnastique: 1 200 exercices*
75. W. Hort/R. Flöthner — *Les bases scientifiques de la musculation et de la traumatologie musculaire*
76. B. Ceas/F. Leefsma/J. Quillet/M. Uglione — *Aérobic et Stretching.*
77. B. During — *Des jeux aux sports (repères et documents en histoire des activités physiques)*
78. L. Y. Bohain — *Initiation à la course du 100 mètres au 100 kilomètres*
79. D. Revenu — *Initiation à l'escrime, (une démarche pour l'école)*
80. J.P. Malamas — *Apprendre la plongée: un jeu d'enfant.*
81. M.L. Palmer — *Science de l'enseignement de la natation*
82. P. Simonet — *L'apprentissage moteur*
83. C.L.R.A.S. — *De la vraie nature du sport*
84. K Murer/W. Bucher — *1 000 exercices d'athlétisme*
85. N. Dechavanne — *Education physique et sports collectifs*
86. J.E. Counsilman — *La natation de compétition*
87. W. Bucher/C. Messmer/F. Salzmann — *1 000 exercices et jeux de natation*
88. P. Chazaud — *Sciences humaines au brevet d'Etat*
89. A. Hotz — *Apprentissage psychomoteur*
90. J. Leguet — *Actions motrices en gymnastique sportive*
91. F. David — *Patinage artistique à roulettes*
92. P. Vayer et Ch. Roncin — *Le corps et les communications humaines*
93. H. Lamour — *Traité thématique de pédagogie de l'E.P.S.*

Collection Sport + Initiation sous la direction de R. Thomas

G. Bosc/B. Grosgeorge — *Guide pratique du basket-ball*
G. Bosc — *Le basket-ball. Jeu et sport simple*
G. Carbasse/P. Taberna — *La lutte Sambo*
Fédération Française de Boxe
  1. *Préparation physique du boxeur — Secourisme — Hygiène sportive — Rôle de l'homme de coin*
  2. *Guide de techniques*

P. Hostal — *Gymnastique aux agrès. Enseignement primaire (espalier, banc, plinth, corde)*
P. Hostal — *Tiers-temps pédagogique et gymnastique*
C. Kouyos/P. Taberna — *Enseignement de la lutte. Lutte libre et gréco-romaine*
Y. Piégelin — *Enseignement de la voile*
P. Soler — *Gymnastique au sol*
T. Starzynski — *Le triple saut*

Collection Sports et Sciences sous la direction de R. Thomas

- Sports et Sciences 1979
- Sports et Sciences 1980
- Sports et Sciences 1981
- Sports et Sciences 1982

Ouvrages généraux

R. Carrasco — *Essai de systématique d'enseignement de la gymnastique aux agrès*
R. Carrasco — *Gymnastique aux agrès. Cahiers techniques de l'entraîneur — Les rotations en avant*
R. Carrasco — *Gymnastique aux agrès. L'activité du débutant*
R. Carrasco — *Gymnastique aux agrès. Préparation physique*
R. Carrasco — *Pédagogie des agrès*
R. Catteau/G. Garoff — *L'enseignement de la natation*
P. Conquet — *Contribution à l'étude technique du rugby*
C. Craplet — *Nutrition, alimentation et sport*
C. Craplet — *Physiologie et activité sportive*
C. Fleuridas/R. Thomas — *Les jeux olympiques*
E. L. Fox/D. K. Mathews — *Bases physiologiques de l'activité physique*
A.V. Ivoilov — *Volley-ball*
F. Katch/W.D. Mc Ardle — *Nutrition, masse corporelle et activité physique*
Kerr — *Apprentissage psychomoteur*
F. Macorigh/E. Battista — *Hygiène et prophylaxie par les exercices physiques*
C. Mandel — *Le médecin, l'enfant et le sport*
P. Masino/G. Chautemps — *La barre fixe*
M. Nadeau/F. Perronet — *Physiologie appliquée à l'activité physique*
F. Perronet — *Le marathon: équilibre énergétique, endurance et alimentation du coureur sur route*
L. Peterson/P. Renstrom — *Manuel du sportif blessé*
J. Teissie — *Le football*
R. Whirhed — *Anatomie et science du geste sportif*
H.T.A. Whiting — *Sports de balle et apprentissage*

Achevé d'imprimer
le 20 Août 1986
sur les presses
de AGV, Vicenza (Italie)